所得税法

理論と計算

[十七訂版]

池本征男 [著]

十七訂版はしがき

　個人は，会社に勤務して給与の支給を受けたり，事業を営んで利益を得たりするほか，土地や株式を売却し，売却益や配当を得るなどの様々な経済活動を行っている。その個人の経済活動の成果である所得を課税対象とするのが所得税である。宝くじに当選した人，1億円を拾った人，相続や贈与により財産を取得した人，副業としての"ネットサービス"なども，それぞれ所得を得たことになるが，これらの所得は，いずれも課税対象になるのであろうか。また，株式投資で大損をした人，ゴルフ場や企業の倒産で所有していたゴルフ会員権や社債が紙くず同然となった人，これらの損失は課税の計算に当たって配慮されるのであろうか。

　このように個人は，様々な形で経済活動を行うとともに，消費活動も行っているので，個人の稼得する所得は多彩であり，その所得が課税の対象となるかどうかを律する所得税法も，多彩で奥行きの深い租税法である。その所得税法では，"所得とは何か"という点について明確な定義を置いておらず，源泉ないし性質に応じて利子所得から雑所得までの10種類に分類し，各種所得ごとにそれぞれの内容を定めている。しかし，雑所得については，他の所得分類に該当しない所得をいうものと定義しているので，"所得とは何か"という点については解釈によらざるを得ない。また，個人の経済活動の成果である所得を課税対象とするのであるから，その所得金額の計算に当たっては，収入を獲得するために要した金額が控除されるべきである。さらに，所得税法等においては，別途，所得税を課税しない所得（非課税所得）についての定めを置いているほか，納税者の個別的事情を考慮して所得控除や税額控除も設けている。したがって，先に掲げた例についても，所得に該当するかどうか，どの所得分類に該当するか，非課税所得に該当しないのか，所得金額と税額の計算はどのようになるのかなどの点についての検討が必要となるのである。

　わが国の所得税制は，明治20（1887）年に全文29条で創設され，昭和40（1965）

年に全文改正された後，平成・令和と続いている。

　現行の所得税法に関する法規には，所得税法，同法施行令及び同法施行規則があるほか，租税特別措置法やこれらに関連するものも少なくないし，これらの法規がすべての事項を網羅的に定めているわけでもない。現実に発生する多様な社会事象の中から課税要件事実を的確に把握し，租税法を当てはめて公平な課税がされるためには，ただ条文を読むだけではなく，条理はもとより，裁判例や学説の検討が不可欠であるし，国税庁の解釈通達も無視できない。近年は，国税庁のホームページにおいても，多くの「法令解釈に関する情報」のほか，個別事案についての「文書回答事例」や「質疑応答事例」等が掲載されており，誰でも課税実務の取扱いを知ることができる。また，同ホームページの「確定申告コーナー」を利用することにより，納税者自らが所得金額や税額を計算することもできる。これら課税実務の取扱いや計算を正しく理解するためにも，所得税法等の仕組みや考え方の知識が必要である。

　本書は，大学等で租税法を学ぶ学生やすでに税務の仕事に従事している人，あるいは税務の専門家を目指している受験生が所得税法等を正しく理解できるように，所得税の理論と計算を見ていくものである。

　租税法を正しく理解することは難しい。せっかく理解した租税法も，国際化や社会・経済構造の変化にともなって毎年のように税制改正が行われている。また，最近の条文は長文化の傾向にある上，改正法の施行時期も数年後になるなど，さらに難解となっている。平成29年度及び30年度においては，配偶者控除・配偶者特別控除・基礎控除等の各種の所得控除の見直しが行われた。また，令和2年度では，①未婚のひとり親に対する税制上の措置及び寡婦（寡夫）控除の見直し，②国外に居住する親族に係る扶養控除の措置などの改正が行われたほか，令和3年度において，③住宅ローン控除の特例の延長等，④セルフメディケーション税制の見直し，⑤国や地方自治体の実施する子育てに係る助成等の非課税措置，⑥退職所得課税の適正化（短期退職手当等について2分の1課税の平準化措置）が講じられた。

　さらに，令和4年度では，①住宅ローン控除の見直しが行われたほか，②納

はしがき

税環境の整備の観点から，記帳義務を適正に履行しない納税者等への対応（簿外経費の必要経費不算入や過少申告加算税・無申告加算税の加重）等が講じられており，令和5年度では，①ＮＩＳＡ制度の抜本的拡充・恒久化，②スタートアップへの再投資に係る非課税措置（保有する株式の譲渡益を元手に創業した場合において，出資分につき株式譲渡益に課税しない措置）の創設，③極めて高い水準の所得について最低限の負担を求める措置（基準所得金額から3.3億円を控除した金額に，22.5％の税率を乗じた金額が基準所得税額を超過した差額の追加的な申告納税を求める措置）の導入，④特定非常災害に係る損失の繰越控除（5年間）のほか，⑤納税環境の整備の観点から，高額な無申告行為・繰り返し行われる悪質な無申告行為に対する無申告加算税の強化が行われている。

以上のように，多くの事項が改正されているのみならず，租税法の解釈・適用を巡る重要な裁判例も生み出されて，課税実務にも多くの影響を及ぼしている。今回の改訂に当たっては，最近の所得税に関する法改正を中心に所要の見直しを行うとともに，それ以前の所得税に関する取扱いについては，必要な限度の加筆・修正と判例の追加などにとどめることとした。

本書の出版に当たっては，税務経理協会の方々に大変お世話になった。心から感謝申し上げる次第である。

2023年6月

池本　征男

目　　次

十七訂版はしがき

第1章　所得税の納税義務

- ① **所 得 課 税** ……………………………………………………… 2
  - 1．所得課税・消費課税・資産課税 …………………………… 2
  - 2．個人所得課税の特色 ………………………………………… 3
  - 3．所得税制の誕生とその歩み ………………………………… 4
- ② **納税義務者と納税地** …………………………………………… 7
  - 1．納税義務者と課税所得の範囲 ……………………………… 7
  - 2．居住者と非居住者の区分 …………………………………… 7
  - 3．国の内外にわたって居住地が異動する者 ………………… 8
  - 4．納　税　地 ……………………………………………………10
- ③ **所得の帰属者** ……………………………………………………11
  - 1．実質所得者課税の原則 ………………………………………11
  - 2．信託財産に係る収入及び支出の帰属 ………………………14
- ④ **課税期間と所得の総合** …………………………………………15
  - 1．暦　年　課　税 ………………………………………………15
  - 2．総合課税の原則 ………………………………………………16
  - 3．分離課税の対象となる所得 …………………………………17
  - 4．所　得　と　は ………………………………………………18
- ⑤ **非課税所得と免税所得** …………………………………………20
  - 1．非課税所得の種類 ……………………………………………20

1

2．生活用動産の譲渡による所得……………………………21
3．国や地方自治体の実施する子育てに係る助成等………23
4．損害賠償金等に対する課税………………………………23
5．死亡保険金に対する課税…………………………………27
6．傷害保険金等に対する課税………………………………30
7．死亡退職金に対する課税…………………………………31
8．障害者等マル優制度………………………………………32
9．免 税 所 得………………………………………………33

第2章　各種所得の種類と計算

① 所得の分類……………………………………………………36
1．所得分類の意義……………………………………………36
2．10種類の所得………………………………………………37

② 利子所得の意義と計算………………………………………40
1．利子所得は分離課税が原則………………………………40
2．特定公社債等の利子等は申告分離課税…………………42
3．非課税となる利子所得……………………………………44
4．金融類似商品の収益等に対する課税……………………45

③ 配当所得の意義と計算………………………………………47
1．配当所得は総合課税が原則………………………………47
2．配当所得は負債の利子を控除……………………………48
3．みなし配当…………………………………………………50
4．自己株式の取得とみなし配当……………………………55

④ 不動産所得の意義と計算……………………………………56
1．不動産の貸付による所得…………………………………56
2．不動産貸付の権利金とその所得区分……………………59
3．不動産所得の金額の計算…………………………………61

目　次

⑤　事業所得の意義と計算 …………………………………………64
1．事業所得の範囲……………………………………………………64
2．事業所得と給与所得の区分………………………………………65
3．民法上の組合員が受ける賃金等の所得区分……………………67
4．農事組合法人等から受ける従事分量配当の所得区分…………71
5．事業所得と山林所得の区分………………………………………72
6．事業所得と譲渡所得の区分………………………………………73
7．事業所得の総収入金額……………………………………………75
8．事業所得の必要経費………………………………………………75
9．臨時的な所得や変動所得に対する課税…………………………77

⑥　給与所得の意義と計算 …………………………………………79
1．給与所得の意義……………………………………………………79
2．現物給与に対する課税……………………………………………80
3．ストック・オプションの権利行使により取締役等が受ける
　　経済的利益………………………………………………………82
4．課税されない給与所得……………………………………………84
5．役員賞与の支給事実の認定………………………………………85
6．給与所得の金額の計算……………………………………………88
7．給与所得控除の性格………………………………………………89
8．給与所得者の特定支出……………………………………………90

⑦　退職所得の意義と計算 …………………………………………92
1．退職所得の範囲……………………………………………………92
2．打切り支給の退職金………………………………………………93
3．退職所得に関する最高裁判決……………………………………95
4．退職所得の金額の計算……………………………………………97

⑧　山林所得の意義と計算 ………………………………………107
1．山林所得の範囲…………………………………………………107
2．分収造林契約又は分収育林契約に係る収益 …………………108

3

3．山林所得の総収入金額 ……………………………………109
　　4．山林所得の必要経費 ………………………………………109
　⑨　**譲渡所得の意義と計算** ………………………………………111
　　1．譲渡所得の意義 ……………………………………………111
　　2．譲渡所得の基因となる資産 ………………………………112
　　3．譲渡所得の基因となる譲渡 ………………………………113
　　4．財　産　分　与 ……………………………………………115
　　5．遺産分割と譲渡所得 ………………………………………116
　　6．配偶者居住権等の消滅による所得 ………………………117
　　7．職務発明の対価と所得区分 ………………………………118
　　8．資産の譲渡による所得で非課税となるもの ……………120
　　9．譲渡所得の金額の計算 ……………………………………121
　　10．譲渡所得の総収入金額 ……………………………………122
　　11．固定資産の交換の特例 ……………………………………123
　　12．みなし譲渡所得 ……………………………………………124
　　13．国外転出をする場合の譲渡所得等の特例 ………………126
　　14．譲渡資産の取得費 …………………………………………129
　　15．譲渡費用の範囲 ……………………………………………133
　⑩　**一時所得の意義と計算** ………………………………………135
　　1．一時所得の範囲 ……………………………………………135
　　2．一時所得に関する裁判例 …………………………………137
　　3．一時所得の金額の計算 ……………………………………141
　⑪　**雑所得の意義と計算** …………………………………………143
　　1．公的年金等以外の雑所得 …………………………………143
　　2．公的年金等に対する課税 …………………………………145
　　3．公的年金等に係る雑所得の金額の計算方法 ……………146
　　4．雑所得の金額の計算 ………………………………………149

第3章　収入金額及び必要経費の計算

① 収入金額の計算 …………………………………………………154
1．収入金額の意義 ……………………………………………154
2．金銭以外の物又は権利その他経済的利益の価額 ………155
3．棚卸資産等を自家消費した場合 …………………………157
4．棚卸資産を贈与等した場合 ………………………………157
5．山林又は譲渡所得の基因となる資産を法人に贈与等した場合 ……158
6．農産物を収穫した場合 ……………………………………158
7．発行法人から与えられた株式を取得する権利を譲渡した場合 ……158
8．国庫補助金等を受けた場合 ………………………………159
9．資産の移転等の支出に充てるために交付金を受けた場合 ………160
10．免責許可の決定等により債務免除を受けた場合 ………161
11．外国所得税の額が減額された場合 ………………………162
12．収入金額に代わる性質を有するもの ……………………163

② 収入金額の計上時期 ……………………………………………164
1．いわゆる権利確定主義について …………………………164
2．収入金額計上時期に関する裁判例 ………………………165
3．各種所得ごとの収入金額の計上時期 ……………………169
4．無記名公社債の利子等 ……………………………………172

③ 必要経費の計算 …………………………………………………173
1．必要経費の意義 ……………………………………………173
2．家事費及び家事関連費の必要経費不算入 ………………174
3．売上原価の計算 ……………………………………………176
4．有価証券の譲渡原価等 ……………………………………178
5．暗号資産の譲渡原価等 ……………………………………180
6．販売費，一般管理費等の必要経費 ………………………182
7．減価償却費の計算 …………………………………………194

8．繰延資産の償却費の計算 ………………………………………204
4　**必要経費の計算の特則** ……………………………………………205
　　1．資産損失の必要経費算入 ………………………………………205
　　2．各種引当金等 ……………………………………………………210
　　3．親族が事業から受ける対価の特例 ……………………………213
　　4．青色事業専従者給与等 …………………………………………215
　　5．青色申告特別控除 ………………………………………………216
　　6．消費税の経理処理 ………………………………………………216
5　**外貨建取引の換算等** ………………………………………………218
　　1．外貨建取引を行った場合の換算 ………………………………218
　　2．先物外国為替契約等により円換算額を確定させた場合の換算 …219
6　**収入金額及び必要経費等の計算の特例** …………………………220
　　1．生活に通常必要でない資産の災害による損失 ………………220
　　2．資産の譲渡代金が回収不能となった場合の所得計算の特例 ………221
　　3．保証債務を履行するために資産を譲渡した場合の所得計算の
　　　　特例 ………………………………………………………………222
　　4．事業を廃止した後に費用又は損失が生じた場合の計算 ……226
　　5．リース譲渡に係る収入及び費用の帰属時期 …………………227
　　6．工事の請負に係る収入及び費用の帰属時期 …………………228
　　7．小規模事業者等の収入及び費用の帰属時期 …………………229
　　8．リース取引に係る所得の金額の計算 …………………………229
　　9．信託に係る所得の金額の計算 …………………………………231
　　10．贈与等により取得した資産に係る利子所得等の金額の計算 ………232

第4章　損益通算と損失の繰越控除等

1　**損　益　通　算** ……………………………………………………236
　　1．損益通算の意義 …………………………………………………236

2．損益通算の対象とならない損失 …………………………………236
　　3．損益通算の順序 ……………………………………………………241
　② 損失の繰越控除 …………………………………………………………245
　　1．純損失の繰越控除 …………………………………………………245
　　2．雑損失の繰越控除 …………………………………………………247
　　3．その他の繰越控除 …………………………………………………247
　　4．繰越控除の方法 ……………………………………………………248
　③ 純損失の繰戻し還付 ……………………………………………………249

第5章　所得控除

　① 所得控除の意義 …………………………………………………………252
　　1．所得控除の意義と種類 ……………………………………………252
　　2．所得控除の順序 ……………………………………………………253
　② 雑損控除 …………………………………………………………………254
　　1．雑損控除の内容 ……………………………………………………254
　　2．雑損控除の対象となる資産 ………………………………………255
　　3．雑損控除の対象となる損失 ………………………………………255
　　4．災害減免法との関係 ………………………………………………258
　③ 医療費控除 ………………………………………………………………258
　　1．医療費控除の内容 …………………………………………………258
　　2．医療費控除の対象となる医療費 …………………………………259
　　3．特定一般用医薬品等購入費を支払った場合の医療費控除の特例 …261
　④ 社会保険料控除 …………………………………………………………262
　　1．社会保険料控除の内容 ……………………………………………262
　　2．社会保険料控除の金額 ……………………………………………263
　⑤ 小規模企業共済等掛金控除 ……………………………………………263
　　1．小規模企業共済等掛金控除の内容 ………………………………263

2．小規模企業共済等掛金控除の金額 …………………264
　6　生命保険料控除 ……………………………………264
　　1．生命保険料控除の内容 ……………………………264
　　2．生命保険料控除の対象となるもの ………………267
　7　地震保険料控除 ……………………………………269
　　1．地震保険料控除の内容 ……………………………269
　　2．地震保険料控除の対象となるもの ………………270
　8　寄附金控除 …………………………………………272
　　1．寄附金控除の内容 …………………………………272
　　2．寄附金控除の対象となる特定寄附金 ……………273
　9　障害者控除 …………………………………………275
　10　寡 婦 控 除 …………………………………………276
　11　ひとり親控除 ………………………………………278
　12　勤労学生控除 ………………………………………278
　13　配偶者控除 …………………………………………279
　　1．配偶者控除の内容 …………………………………279
　　2．控除対象配偶者等の判定の時期 …………………280
　14　配偶者特別控除 ……………………………………281
　15　扶 養 控 除 …………………………………………282
　16　基 礎 控 除 …………………………………………284

第6章　税額の計算

　1　通常の税額計算 ……………………………………286
　　1．税額計算の仕組み …………………………………286
　　2．課税総所得金額と課税退職所得金額に対する税額 ……286
　　3．課税山林所得金額に対する税額 …………………287
　　4．変動所得・臨時所得の平均課税 …………………287

目　次

　　5．復興特別所得税 ……………………………………………………289
　　6．特定の基準所得金額の課税の特例 ………………………………290
② **上場株式等の配当所得等の金額に対する税額計算** ……………290
　　1．上場株式等に係る配当所得等の申告分離課税 …………………290
　　2．確定申告不要制度 …………………………………………………291
　　3．上場株式等の配当等に対する源泉徴収税率 ……………………292
　　4．源泉徴収選択口座内配当等に係る所得計算及び源泉徴収等
　　　　の特例 ……………………………………………………………292
　　5．投資信託の収益分配金に対する課税 ……………………………293
　　6．非課税口座内の少額上場株式等に係る配当所得等の非課税 …296
③ **分離課税の長期（短期）譲渡所得の金額に対する税額計算** …297
　　1．長期譲渡所得と短期譲渡所得に対する比例税率 ………………297
　　2．交換・買換え等の特例 ……………………………………………300
　　3．収用等の場合の課税の特例 ………………………………………301
　　4．居住用財産の譲渡所得の課税の特例 ……………………………305
　　5．特定の事業用資産の買換え（交換）の特例 ……………………310
　　6．既成市街地等内にある土地等の中高層耐火建築物等の建設の
　　　　ための買換え（交換）の特例 …………………………………313
④ **有価証券の譲渡所得等の金額に対する税額計算** ………………314
　　1．一般株式等を譲渡した場合の課税の特例 ………………………314
　　2．上場株式等を譲渡した場合の課税の特例 ………………………315
　　3．特定中小会社株式に係る課税の特例 ……………………………323
　　4．株式交換等に係る譲渡所得等の特例 ……………………………326
⑤ **先物取引に係る雑所得等の金額に対する税額計算** ……………328
　　1．先物取引に係る雑所得等の課税の特例 …………………………328
　　2．先物取引の差金等決済に係る損失の繰越控除 …………………329

第7章 税額控除

- ① 配当控除 ……………………………………………………332
    1. 配当控除の意義 ……………………………………………332
    2. 配当控除の対象とならない配当所得 ……………………333
    3. 外貨建等証券投資信託の収益の分配に係る配当控除率の特例 ……334
    4. 配当控除の順序 ……………………………………………335
- ② 分配時調整外国税相当額控除 …………………………338
- ③ 外国税額控除 ………………………………………………339
    1. 外国税額控除の概要 ………………………………………339
    2. 控除余裕額及び控除限度超過額の繰越し ………………342
    3. 外国所得税額が減額された場合の特例 …………………343
- ④ 住宅借入金等特別控除 ……………………………………344
    1. 住宅借入金等特別控除の概要 ……………………………344
    2. 控除の対象となる住宅の取得等 …………………………349
    3. 控除の対象となる住宅借入金等 …………………………350
    4. 譲渡所得等の課税の特例の適用を受けた場合 …………351
    5. 適用各年における居住要件 ………………………………352
    6. 住宅借入金等特別控除の適用要件 ………………………353
    7. 特定の増改築等に係る住宅借入金等特別控除 …………354
- ⑤ 政党等寄附金特別控除 ……………………………………355
- ⑥ 認定ＮＰＯ法人等寄附金特別控除 ………………………356
- ⑦ 公益社団法人等寄附金特別控除 …………………………357
- ⑧ 特定増改築をした場合又は認定住宅を取得した場合の特別控除 ……357

第8章　申告納税制度

- ① 申告納税制度の採用 …………………………………………362
  - 1．申告納税制度の意義 ……………………………………362
  - 2．納税申告と申告内容の是正 ……………………………363
- ② 予定納税 ………………………………………………………368
  - 1．予定納税額の納付義務 …………………………………368
  - 2．予定納税額と予定納税基準額の計算 …………………368
  - 3．予定納税額の減額 ………………………………………369
- ③ 確定申告 ………………………………………………………370
  - 1．確定所得申告 ……………………………………………370
  - 2．還付等を受けるための申告 ……………………………372
  - 3．確定損失申告 ……………………………………………373
  - 4．死亡又は出国の場合の確定申告 ………………………374
  - 5．電子申告における第三者作成書類の添付省略 ………376
  - 6．所得税の納付と還付 ……………………………………376
- ④ 青色申告制度 …………………………………………………379
  - 1．青色申告の承認制度 ……………………………………379
  - 2．青色申告者の帳簿等の備付け …………………………380
  - 3．青色申告の特典 …………………………………………381
  - 4．青色申告の承認の取消し ………………………………383
- ⑤ 申告納税制度を支える諸制度 ………………………………384
  - 1．記録保存・記帳制度 ……………………………………384
  - 2．総収入金額報告書の提出 ………………………………385
  - 3．各種の資料情報の提出 …………………………………385
- ⑥ 税務調査と更正決定等 ………………………………………389
  - 1．税務調査の意義 …………………………………………389
  - 2．税務職員の質問検査権 …………………………………390

3．税務調査の手続 …………………………………391
　　4．更正決定等 ………………………………………392
　　5．推 計 課 税 ………………………………………393
　　6．同族会社の行為計算の否認 ……………………395
　7　申告納税制度の違反に対する措置 …………………397
　　1．過少申告加算税 …………………………………398
　　2．無申告加算税 ……………………………………400
　　3．不納付加算税 ……………………………………402
　　4．重 加 算 税 ………………………………………403
　8　不服申立て ……………………………………………404
　　1．再調査の請求 ……………………………………405
　　2．審 査 請 求 ………………………………………405
　　3．訴　　　訟 ………………………………………406

第9章　非居住者と法人の納税義務

　1　非居住者の納税義務 …………………………………410
　　1．国内源泉所得の範囲 ……………………………410
　　2．国内源泉所得に対する課税方式 ………………418
　　3．租税条約による課税の特例 ……………………422
　2　法人の納税義務 ………………………………………423
　　1．内 国 法 人 ………………………………………423
　　2．外 国 法 人 ………………………………………424

第10章　源 泉 徴 収

　1　源泉徴収制度の仕組み ………………………………428
　　1．源泉徴収義務者 …………………………………428

目　次

　　2．源泉徴収の対象となる所得 …………………………………430
　　3．源泉徴収の時期と納付 ………………………………………431
　　4．推計課税による源泉所得税の徴収 …………………………431
2　**利子所得及び配当所得等の源泉徴収** ………………………433
　　1．利子所得に対する源泉徴収 …………………………………433
　　2．配当所得に対する源泉徴収 …………………………………433
　　3．その他の金融商品の収益等に対する源泉徴収 ……………434
　　4．特定口座内保管上場株式等の譲渡益に対する源泉徴収 …436
3　**給与所得の源泉徴収** …………………………………………436
　　1．賞与以外の給与に対する源泉徴収 …………………………436
　　2．賞与に対する源泉徴収 ………………………………………439
　　3．年　末　調　整 ………………………………………………441
4　**退職所得の源泉徴収** …………………………………………443
　　1．「退職所得の受給に関する申告書」の提出がある場合 …443
　　2．「退職所得の受給に関する申告書」の提出がない場合 …444
5　**公的年金等の源泉徴収** ………………………………………445
　　1．「公的年金等の受給者の扶養親族等申告書」の提出が
　　　　できる場合 …………………………………………………445
　　2．「公的年金等の受給者の扶養親族等申告書」の提出が
　　　　できない場合 ………………………………………………447
　　3．公的年金等の受給者の扶養親族等申告書 …………………447
6　**報酬・料金等の源泉徴収** ……………………………………448
　　1．居住者に対して支払う報酬・料金等 ………………………448
　　2．内国法人に対して支払う報酬・料金等 ……………………450
7　**非居住者又は外国法人の所得に対する源泉徴収** …………451
　　1．非居住者等の所得に対する源泉徴収税額の計算 …………451
　　2．源泉徴収免除制度 ……………………………………………452

判例索引 …………………………………………………………453
事項索引 …………………………………………………………459

目　　次

― 凡　　例 ―

1．法令等は令和5年5月1日施行日現在による。
2．法令等の引用に当たっては，次の略号を用いた。

所法………………………	所得税法
所令………………………	所得税法施行令
所規………………………	所得税法施行規則
法法………………………	法人税法
措法………………………	租税特別措置法
措令………………………	租税特別措置法施行令
措規………………………	租税特別措置法施行規則
通則法……………………	国税通則法
通則令……………………	国税通則法施行令
相法………………………	相続税法
耐令………………………	減価償却資産の耐用年数に関する省令
地法………………………	地方税法
災免法……………………	災害被害者に対する租税の減免徴収猶予等に関する法律
国外送金法………………	内国税の適正な課税の確保を図るための国外送金等に係る調書の提出等に関する法律
新型コロナ税特法………	新型コロナウイルス感染症等の影響に対応するための国税関係法律の臨時特例に関する法律（令和2年法律第25号）
所基通……………………	所得税基本通達
相基通……………………	相続税法基本通達
法基通……………………	法人税基本通達
措通………………………	租税特別措置法関係通達（所得税編）
民集………………………	最高裁判所民事判例集
刑集………………………	最高裁判所刑事判例集
行集………………………	行政事件裁判例集
復興財確法………………	東日本大震災からの復興のための施策を実施するために必要な財源の確保に関する特別措置法
令和4年所法等改正附則……	所得税法等の一部を改正する法律（令和4年法律第4号）附則
令和5年所法等改正附則……	所得税法等の一部を改正する法律（令和5年法律第3号）附則

第1章

所得税の納税義務

1 個人所得課税は，個人の経済的成果である所得に税の負担能力を見い出して課税する国税である。
2 所得税は，原則として個人に課税されるが，一定の所得を所得税の源泉徴収の対象とするという観点から，法人に対しても所得税が課税される。
3 所得の帰属に関しては，法律的帰属説と経済的帰属説の二つの見解がある。
4 所得税は，暦年を課税年度としており，総合課税が原則であるが，累進税率の緩和や政策的な観点から多くの分離課税が設けられている。
5 一定期間内に生じた純資産の増加が所得を構成するが，多くの非課税措置が設けられている。

1 所得課税

1．所得課税・消費課税・資産課税

　所得課税には，個人所得課税と法人所得課税がある。個人所得課税は，個人の経済活動の成果である所得に租税の負担能力（担税力）を見い出して課税するものであり，これには所得税（復興特別所得税を含む）と個人住民税がある。また，法人所得課税は，法人の事業活動等から生じる所得に課税するものであり，これには法人税と法人住民税などがある。この所得課税のうちの個人所得課税は，大きな規模の課税対象をもっており，国民一人一人の負担能力に応じた分担を実現できる税，垂直的公平にかなう税であるといわれている。他方，法人所得課税は，法人に公的サービスの費用負担を求めるものであり，経済の発展と企業活動の進展に伴って，租税体系において基幹的な税目の一つとなっているのである。

　次に，消費課税は，財・サービスの消費に担税力を見い出して負担を求めるものであり，これには消費税・地方消費税，酒税，たばこ税，揮発油税などがある。消費課税のうちの消費税は，平成元年に，「少子・高齢化の進展に対応し，国民福祉の充実等に必要な歳入構造の安定化に資するなど」の観点から，消費一般に広く負担を求める税として創設され，その後，その税率の引き上げや中小事業者に対する特例措置等の抜本的見直しが行われている。また，平成9年には，「地方分権の推進や地域福祉の充実など」の観点から，地方消費税の創設も行われた。消費課税は，勤労世帯に限らず，あらゆる世代に公平に負担を求めることができ，ライフサイクルの一時期に負担が大きく偏ることがないという特徴があり，水平的公平の確保に資するものといわれている。

　令和元年10月には，消費税率（地方消費税率を含む）が8％から10％に引き上げられるとともに，「飲食料品の譲渡」及び「定期購読契約に基づく新聞の譲渡」

に係る税率を8％に据え置く「軽減税率」が導入されたほか，令和5年10月には，適格請求書等保存方式（インボイス制度）がスタートする。商品やサービスの価格に消費税分を加えた「総額表示」も，令和3年4月に義務化されている。

そして，資産課税は，資産を取得したり保有している場合の担税力に着目して課される税であり，これには相続税・贈与税（資産の取得），固定資産税・都市計画税（資産の保有），登録免許税・不動産取得税（資産の移転）がある。資産課税は，全体として偏りのない租税体系を築いていく上で，あるいは，景気の動向に左右されない安定的な税収を確保していく上で重要な役割を担っているといわれている。近年の改正では，事業承継税制が拡充している（相続税・贈与税の納税猶予の特例）。

2．個人所得課税の特色

個人は様々な経済活動を行っており，その経済活動の成果である所得に担税力を見い出して課税する租税が個人所得課税（所得税）である。この個人所得課税の下では，個人の得た1年間の所得を10種類に分類した上で，その各種の所得を総合して総所得金額等を算出する。そして，その総所得金額等から基礎控除等の所得控除をした上で課税総所得金額等を算出し，これに累進税率を適用し税額控除をして所得税額を計算する。各種所得の金額や税額は，納税者自らが計算し，法定の期限までに申告するのが基本であるのはいうまでもない。

このような仕組みがとられていることから，個人所得課税には，次のような特色がある。
(1) 個人所得課税の対象となる所得とは，1年間における資産の総額から負債の総額を差し引いた純資産の増加額をいい（純資産増加説），課税対象がきわめて広い。
(2) 10種類の所得を総合して課税する総合課税が原則であるが，所得の中には，臨時的・偶発的に発生するもの（臨時所得，譲渡所得，一時所得），長期間にわたって生じた所得が一時に実現するもの（退職所得，山林所得）などがあり，

所得の性質に応じてきめ細かい課税方法をとることにより，担税力に応じた課税が実現できる。また，政策的な見地から，申告分離課税や源泉分離課税の制度も採用することができる。
(3) 医療費控除，障害者控除，ひとり親控除，寡婦控除や基礎控除などの所得控除（ほかに税額控除）を適用することにより，個人的事情を斟酌するとともに，最低生活費に課税しないことができる。
(4) 超過累進税率を採用することにより，例えば，他の人の2倍の所得を有する人には，他の人の2倍よりも大きな税負担を求めることができる。個人所得課税は，垂直的公平の確保ができるといわれる所以である。
(5) 個人所得課税は，自らが所得金額や税額を申告し，納税することを基本とする租税であるから，公的サービスの財源を調達する租税を広く公平に分かち合って負担するという社会の構成員としての意識を養うことに役立つものと考えられる。

3．所得税制の誕生とその歩み

　世界の歴史の中で租税が誕生したのは，狩猟時代や遊牧民族時代から農耕民族時代に移行したときからであるといわれている。農耕民族時代というのは，今から7,000年から8,000年前で，山で狩猟していた人々が水の確保できる川の側で生活を始めたときからである。佐賀県に弥生式の遺跡である吉野ヶ里があるが，そこには，弥生人の住んだ住居や高床式の倉とともに，物見櫓が復元され，その集落を二重の柵で囲み，堀を巡らせて敵の来襲を防ぐ施設が設けているのが見られる。農耕民族時代になると，人々は，土地を守るとともに土地（領土）の拡大を求め，そのための軍隊が必要となるのであり，その軍隊を育てるために，農耕に従事した人がその費用を分担しあったのが租税の始まりだといわれる。日本の歴史を見ると，集落が小さいうちには，農耕に従事する人が軍備費を負担するという形で租税が始まるのであるが，その集落が大きくなり，中央集権国家になると，国家あるいは戦国大名が領民を支配して租税を徴

収していくという、「お上からの税金」という形になってくるのである。我が国の租税は、土地に係る地租と酒税（足利時代に誕生した租税で一種の登録税）を中心として、これが明治の半ばまで続く。

　明治維新によって幕藩体制を打破した政府は、明治6（1873）年に地租改正を行っており、その主な内容は、①豊作・凶作にかかわらず税率を3％としたこと、②米納から金納にしたこと、③村単位から個人単位に徴収するとしたことなどである。米納は、①米の量を量る手間がたいへんであること、②船が沈んだり、ネズミや虫に食われたりで、運搬・貯蔵の間に米が目減りすること、③途中で米をくすねる者がいることなどが議論されている（尾崎護、『ファイナンス』1996年12月号7頁参照）。この金納制度と所得税制の誕生が近代税制の始まりだといってよい。

　我が国の所得税制は、明治20（1887）年に世界でも8番目という早い時代に創設され、法人税は同32（1899）年に創設されている（ちなみに、世界で最初に所得税を採用したのは、1799年のイギリスである）。所得に対する課税は、負担能力に応じた税ということで、最良の租税といわれているが、帳簿組織が未発達の段階では、所得の把握が困難であることから、その誕生が遅れたのである。そして、この時代の課税方法は、賦課課税といって政府が納税者の課税標準である所得金額と税額を決定するものであった。もっとも、納税者には、所得金額（法人は損益計算書）を申告する義務が課されていたが、その申告は、政府が課税標準等を決定する参考資料にすぎないものであった。昭和15（1940）年には、所得税から法人税が分離して初めて法人税法が制定されるとともに、所得税制では、分類所得税と総合所得税を併用する制度が採用された。また、勤労所得や退職所得に対する源泉徴収制度が採用されたのもこの年である。

　昭和20（1945）年8月のマッカーサーの来日とともに、戦後の民主化が始まったが、租税制度の面でも、これを機会に賦課課税制度から申告納税制度へと大きく転換している。この申告納税制度は、アメリカにおいて1913年の所得税法の創設と同時に採用されたものであり、アメリカでは、西部開拓史に見られるように、西へ西へと荒野を開拓していくなかで、移動した新しい土地に町を建

設し，そこに信仰の中心である教会を建て，次代を担う子供たちを育てるための学校を作り，自衛・自警をし，そのために応分の税を出し合うというように，自分たちの国家や社会を支える共通の費用，それが租税であるという認識が強いといわれている（拙稿「申告納税制度の理念と仕組み」税務大学校論叢32号36頁参照）。その申告納税制度は，昭和22（1947）年に，所得税や法人税・相続税などの直接税に採用されたのである。申告納税制度は，納税者自身が租税法に基づいて課税標準である所得金額と税額を計算し，期限までに申告と納税を済ませる仕組みであり，民主的な租税制度である。その新制度が創設された時代は，日本経済が疲弊のどん底でインフレがとめどもなく昂進し，所得税の負担は極端に重く，納税者の税務官庁に対する信頼度は最低という状況であり，このような環境のもとでの制度の切替は，税務行政に大きな混乱を招いたものである。このような税務行政の混乱期に，正しい記録に基づく誠実な納税者を育成する見地から，昭和24（1949）年のシャウプ勧告を契機として，昭和25（1950）年に青色申告制度が創設された。

　シャウプ勧告は，連合国軍最高司令官の要請により，昭和24（1949）年5月10日に来日したカール・シャウプ博士を中心とする使節団により作成され，同年9月15日に日本税制の全面的改革案として発表されている。この包括的な税制改革案は，昭和24年と同25年の税制改正において，その勧告内容の多くが実現され，現在までの日本税制に大きな影響を与えているのである。シャウプ勧告により実現した税制には，①直接税中心主義，②所得税負担の軽減，③青色申告制度，④配当控除制度，⑤不服申立て制度，⑥所得金額の公示制度，⑦税務行政上の訓令，解釈通達の公開などがある。

　所得税法は，昭和40（1965）年に全文改正されたが，昭和62（1987）年から昭和63（1988）年にかけて抜本的な税制改正が行われている。その骨子は，個人所得課税を引き続き税体系の中心と位置づけた上で，①大幅な負担軽減を図ることとし，税率構造の累進緩和・簡素化や各種控除の見直し，②課税の公平を確保するため，利子課税の見直し（マル優制度の廃止，一律源泉分離課税制度の導入）や株式等譲渡益の課税（原則非課税制度の廃止）などである。過去の勤務に

基づいて使用者であった者から支給される年金や恩給などの公的年金等が，給与所得の範囲から除外され，雑所得に区分されたのも昭和62（1987）年の改正においてである。

また，平成29（2017）年度から30（2018）年度にかけては，経済社会の構造変化を踏まえた個人所得税改革として，配偶者控除・配偶者特別控除のほか，基礎控除などの見直しが実施され，令和2（2020）年度では，未婚のひとり親に対する税制上の措置（ひとり親控除）が設けられた。

2 納税義務者と納税地

1．納税義務者と課税所得の範囲

　所得税は，原則として個人に課税されるが，法人や人格のない社団等も利子や配当等の特定の所得に対し源泉徴収をするという点を考慮して所得税の納税義務者とされている（所法4，5）。そして，所得税法では，納税義務者を居住者，非居住者，法人等に区分した上で，課税所得の範囲，課税方式等を異にしている。

2．居住者と非居住者の区分

　居住者とは，国内に住所を有し，又は引き続いて1年以上居所を有する個人をいい，非居住者とは居住者以外の個人をいうのであるから（所法2①三，五），両者の区分に当たっては，国内に住所を有するかどうかが重要である。この場合の住所とは，各人の生活の本拠，すなわち，その者の生活に最も関係の深い一般的生活，全生活の中心を指すものであり，一定の場所がある者の住所であるか否かは，客観的に生活の本拠たる実体を具備しているか否かにより決すべ

きものと解するのが相当である（最高裁平成23年2月18日判決・裁判集民事236号71頁，東京高裁平成20年2月28日判決・判例タイムズ1278号163頁参照）。

そして，客観的に生活の本拠たる実態を具備しているか否かは，滞在日数，住居，職業，生計を一にする配偶者その他の親族の居所，資産の所在等を総合的に考慮して判断するのが相当である。

なお，外国で勤務する国家公務員等は，日本に国籍を有しない者や現に国外に居住し，その地に永住すると認められる者を除き，国内に住所を有しない期間についても，国内に住所を有するものとみなされる（所法3①，所令13）。

3．国の内外にわたって居住地が異動する者

国の内外にわたって居住地が異動する者の住所が国内にあるかどうかについては，次により判定することとしている（所令14，15）。

① 国内に居住することとなった者が次のいずれかに該当するときは，その者の住所は国内にあるものと推定する。その者と生計を一にする配偶者や扶養親族も国内に住所を有するものと推定される。

　イ　その者が国内において継続して1年以上居住することを通常必要とする職業を有すること

　ロ　その者が日本国籍を有し，かつ，その者が国内において生計を一にする配偶者その他の親族を有することその他国内におけるその者の職業，資産の有無等の状況に照らし，その者が国内において継続して1年以上居住するものと推測するに足りる事実があること

② 国外に居住することとなった者が次のいずれかに該当するときは，その者の住所は国内にないものと推定する。その者と生計を一にする配偶者や扶養親族も国内に住所を有しないものと推定される。

　イ　その者が国外において継続して1年以上居住することを通常必要とする職業を有すること

　ロ　その者が外国の国籍を有し，又は外国の法令によりその外国に永住す

る許可を受けており，かつ，その者が国内において生計を一にする配偶者その他の親族を有していないことその他国内におけるその者の職業，資産の有無等の状況に照らし，その者が再び国内に帰り，主として国内に居住するものと推測するに足りる事実がないこと

(注) 学術，技芸を習得する者の住所の判定については，所基通3－2を参照されたい。

東京高裁令和元年11月27日判決（金融商事判例1587号44頁）は，国内及び国外に所在する会社の代表者について居住者に該当するか否かが争われた事案である（上記の推定規定は適用できない）。裁判所は，「同人は各海外法人の業務に従事し，相応の日数においてシンガポールに滞在し，同国を主な拠点としてインドネシアや中国等への渡航を繰り返しており，これらの滞在日数を合わせると年間の約4割に上っているから，同人の職業活動はシンガポールを本拠として行われており，生計を一にする親族や資産の多寡などは，生活の本拠が日本にあったことを積極的に基礎付けるものとはいえない。」と判示している。各海外法人から支払われた報酬が課税対象になるかについて，職業活動を重視して「住所」の有無について判断したものと評価できよう。

◆納税義務者の分類と課税所得の範囲

納税義務者	納税義務者の定義			課税所得の範囲	納税方法
	区分		定義		
個人	居住者	非永住者以外の居住者	国内に住所を有し，又は現在まで引き続いて1年以上居所を有する個人のうち非永住者以外の者（所法2①三）	国の内外で生じた全ての所得（全世界所得，所法5①，7①一）	申告納税又は源泉徴収
		非永住者	居住者のうち，日本の国籍を有しておらず，かつ，過去10年以内において国内に住所又は居所を有していた期間の合計が5年以下である個人（所法2①四）	国外源泉所得以外の所得及国外源泉所得で国内において支払わされ，又は国外から送金されたもの（所法5①，7①二）	申告納税又は源泉徴収

納税義務者		非居住者	居住者以外の個人（所法2①五）	国内源泉所得及びその引受けを行う法人課税信託の信託財産に帰せられる内国法人課税所得（国内において支払われるもの）又は当該信託財産に帰せられる外国法人課税所得（所法5②，7①三）	申告納税又は源泉徴収
	法人	内国法人	国内に本店又は主たる事務所を有する法人（所法2①六）	国内において支払われる内国法人課税所得又はその引受けを行う法人課税信託の信託財産に帰せられる外国法人課税所得（所法5③，7①四）	源泉徴収
		外国法人	内国法人以外の法人（所法2①七）	外国法人課税所得又はその引受けを行う法人課税信託の信託財産に帰せられる内国法人課税所得（国内において支払われるもの）（所法5④，7①五）	源泉徴収
		人格のない社団等	法人でない社団又は財団で，代表者又は管理人の定めがあるもの（所法2①八）	内国法人又は外国法人に同じ（所法4）	源泉徴収

（注1） 法人課税信託については，15頁を参照されたい。
（注2） 内国法人課税所得とは，国内において支払われる利子等，配当等，給付補塡金，利息，利益，差益の分配及び賞金をいう（所法5②二）。
（注3） 外国法人課税所得とは，国内源泉所得のうち所得税法161条1項4号から11号まで又は13号から16号までに掲げるものをいう（所法5②二）。

4．納　税　地

　納税地は，租税に関し納税者と国との間の法律関係の結びつきを決定する場所である。納税者が国税に関する法律に基づいて申告，申請，請求，届出，納付等の行為をするには，その相手方となるべき税務官庁を決定する基準となるのが納税地であり，また，国が納税者に対して国税に関する法律に基づく承認，

更正，決定，徴収等の行為をなす場合には，その権限を有する税務官庁を決定する基準となるのが納税地である。具体的には，納税地は各税法において定められており，所得税の納税地は，原則として住所地とされるが，国内に住所を有しない場合には，居所，事務所，事業所又は資産を有するかどうかなどの態様に応じて，それぞれ納税地が定められている（所法15）。また，①国内に住所のほか居所を有する者，②国内に住所又は居所を有し，かつ，事業所等を有する者にあっては，税務署長に届け出ることにより居所地又は事業所等の所在地を納税地とすることもできるほか（納税地の特例，所法16），源泉徴収に係る所得税の納税地は，給与等の支払事務所等の所在地とされる（所法17）。

なお，納税地が不適当と認められる場合には，国税局長等は納税地の指定をすることができる（所法18）。

(注1) 所得税の納税地に異動があった場合は，納税者は，遅滞なくその異動前の納税地の所轄税務署長にその旨を届け出なければならない（所法20）。令和5年1月1日以後にあっては，届出書の提出は不要である（令和4年所法等改正附則2，3）。

(注2) 利子等その他の源泉徴収の対象となる所得の支払をする者が国内において事務所等を移転した場合は，移転後の事務所等の所在地が納税地となる（所法17）。

所得の帰属者

1．実質所得者課税の原則

所得税は納税義務者の所得を担税力の指標として課税するのであるが，その所得が誰に帰属するかについて問題となる場合が少なくない。所得税法12条では，資産又は事業から生ずる収益について名義上又は形式上の所得の帰属者と実質的な所得の帰属者とが異なる場合は，実質的に所得が帰属する者に対して所得税を課税する旨の実質所得者課税の原則を表明している。この条文の解釈については，法律的帰属説と経済的帰属説の二つの見解に分かれている。法律

的帰属説というのは，法律上所得が帰属すると外形的に認められる者と法律上の権利者とがある場合には，名義のいかんにかかわらず法律上の権利者に収益が帰属するという見解である。また，経済的帰属説というのは，所得の法律上の帰属者と経済上の帰属者とが異なっている場合には，私法上の法律関係を離れて，実際に経済的効果を享受している者に収益が帰属するという見解である。法律的帰属説が通説という。

> 　大阪高裁令和4年7月20日判決（公刊物未搭載）は，親子間における土地（駐車場）の使用貸借契約が成立していた場合において，その土地の賃貸による収入（駐車場収入）が子又は親のいずれに帰属するかが争われた事案である。第一審の大阪地裁令和3年4月22日判決（税務訴訟資料271号順号13553）は，「子は，親から与えられた使用収益権に基づき賃貸借契約を締結し，賃貸人としての地位に基づき駐車場収入を得ているのであって，民法上，形式上も実質上もその収益を享受しているのであるから，所得税法上においても，収益の帰属主体であるとみるべきである。」と判示して，課税処分を取り消した。これに対し，控訴審判決は，「資産から生ずる収益の帰属について，名義又は形式とその実質が異なる場合には，資産の名義又は形式にかかわらず，資産の真実の所有者に帰属させようとした趣旨と解される。」と説示した上で，「駐車場収入は，土地の使用の対価として受けるべき金銭という法定果実であり（民法88②），駐車場賃貸事業を営む者の役務提供の対価ではないから，所有権者がその果実収取権を第三者に付与しない限り，元来所有権者に帰属すべきものである。」として，課税処分は適法としている。納税者（親）は，相続税対策を主たる目的として，土地の所有権を自らが保有することを前提に，駐車場収入を子らに形式上分散する目的で使用貸借契約に基づく法定果実収取権を付与したものにすぎないというのである。
> 　また，東京地裁平成8年11月29日判決（判例時報1602号56頁）は，遊技場を経営する同族会社がその代表者の子女（海外に留学中の未成年者）に支払っ

た役員報酬は，その代表者に帰属するかどうかが争われた事案である。裁判所は，「所得税法12条の解釈について，課税物件の私法上の帰属についてその形式と実質が相違している場合には，その実質に即して帰属を判断すべきであるとしたものと解する立場（法律的帰属説）によるときに，本件報酬が私法上代表者に帰属すると認める余地はない」旨判示している。

　所得税基本通達では，「資産から生ずる収益」と「事業から生ずる収益」に区分した上で，次のとおり，所得の帰属者を判定することとしている。

(1)　資産から生ずる収益……その収益の基因となる資産の真実の権利者が誰であるかによって判定すべきであるが，それが明らかでない場合には，所有権その他の財産権の名義者が真実の権利者であるものと推定する（所基通12－1）。

(2)　事業から生ずる収益……事業の用に供する資産の所有権もしくは賃借権，事業の免許可の名義者もしくは取引名義者などの外形にとらわれることなく，実質的にその事業を経営していると認められる者が誰であるかによって判定する（所基通12－2）。

(3)　親族間における事業……生計を一にする親族のうち誰が事業主であるかについては，経営方針の決定について支配的影響力をもっている者が誰であるかにより判定し，これが明らかでない場合には，原則的には生計主宰者がこれに当たるものと推定する。ただし，生計主宰者以外の者が医師，薬剤師等の自由職業者として生計主宰者とともに事業に従事している場合には，それぞれの収支が区分されており，かつ，その親族の従事の状態が，生計主宰者に従属していると認められない限り，その親族の収支に係る部分については，その親族が事業主に該当するものと推定する（所基通12－5）。

　親子が相互に協力して歯科医院を経営している場合の事業から生ずる所得は，その経営に支配的影響力を有していると認められる者に帰属するとした裁判例（東京高裁平成3年6月6日判決・訟務月報38巻5号878頁）がある。

> 裁判所は，最高裁昭和37年3月16日判決（裁判集民事59号393頁）を引用した上で，「収入が何人の所得に帰属するかは，何人の勤労によるかではなく，何人の収入に帰したかで判断されるべき問題であって，ある事業による収入は，その経営主体である者に帰したものと解すべきである」とし，当該事案では，父と子が生計を一にしていること，子の開業資金が父名義で借り入れられていること，父と子の収支が区分されていないこと等から，経営方針の判定について支配的影響力を有する者は父であるとする。そして，父と子の診療方法及び患者が別で，診療収入の区分が可能であっても，医院の経営による収入は父に帰属するものと断じている。

2．信託財産に係る収入及び支出の帰属

　信託の受益者（受益者としての権利を現に有するものに限る）は，当該信託の信託財産に属する資産及び負債を有するものとみなし，かつ，当該信託財産に帰せられる収益及び費用は当該受益者の収益及び費用とみなして，所得税法の規定が適用される（パス・スルー課税，所法13①）。また，信託の変更をする権限を現に有し，かつ，当該信託の信託財産の給付を受けることとされている者（受益者を除く）は，受益者とみなして上記の規定が適用される（所法13②，以下，受益者及び受益者とみなされる者を併せて「受益者等」という）。信託契約が成立した場合には，その信託財産の所有権が受託者に移転するから，法律上はその信託財産から生ずる所得も受託者に帰属するのである。しかし，受託者は信託報酬を受けるのみであって，実質的には受益者等が信託利益を享受するものであるから，法律上の権利者である受託者に課税せず，受益者等がその信託財産を有するものとして課税することとしているのである（信託課税の原則）。

　ただし，①集団投資信託は，その収益の分配を受ける際に受益者の所得として課税することとし（所法23，24），②退職年金等信託は，その年金等を受給する際に受益者の所得として課税することとしているので（所法31，35），信託課

税の原則が排除されるし（ペイ・スルー課税，所法13①），③法人課税信託も受託段階において受託者を納税義務者として法人税が課税されるので（法法4の6①），信託課税の原則が排除される（所法13①）。

(注1) 「集団投資信託」とは，①合同運用信託，②証券投資信託，国内公募型投資信託，外国投資信託，③特定受益証券発行信託をいう（所法13③一，法法2二十九）。

(注2) 「退職年金等信託」とは，確定給付年金資産管理運用契約，確定給付年金基金資産運用契約，確定拠出年金資産管理契約，勤労者財産形成給付契約もしくは勤労者財産形成基金給付契約，国民年金基金もしくは国民年金基金連合会の締結した契約又はこれらに類する退職年金に関する契約で一定のものに係る信託をいう（所法13③二）。

(注3) 「法人課税信託」とは，①受益証券発行信託（特定受益証券発行信託を除く），②受益者等が存しない信託，③法人が委託者となる信託で一定のもの，④投資信託（集団投資信託及び退職年金等信託を除く），⑤特定目的信託をいう（所法2①八の三，法法2二十九の二）。

4 課税期間と所得の総合

1．暦年課税

　所得税の納税義務は暦年終了の時であり，源泉徴収に係る所得税は利子，配当，給与，報酬，料金その他源泉徴収をすべきものとされている所得の支払の時に成立する（通則法15②一，二）。そして，所得税法23条ないし35条において，各種所得の金額は，「その年中の総収入金額から必要経費を控除した金額とする。」等の定めがされているところから，所得税は，暦年（1月1日～12月31日）を課税年度としており，その期間内に獲得された所得の累積額について課税することを明らかにしている。もっとも，納税者が年の中途で死亡したり出国した場合には，年の初めから死亡又は出国の時点までを課税年度として申告や納税の手続がとられることとなるのである（所法125，127ほか）。

このように，所得税は各課税年度ごとに所得を計算し，暦年ベースで納税者の担税力をとらえるのが建前であるが，単年度主義の欠陥を補うために，所得税法では，純損失や雑損失の繰越控除（所法70，71），純損失の繰戻し（所法140～142）の制度を設けているほか，租税特別措置として，①上場株式等に係る譲渡損失の繰越控除（措法37の12の2），②特定中小会社が発行した株式に係る譲渡損失の繰越控除（措法37の13の2），③居住用財産の買換え等の場合の譲渡損失の繰越控除（措法41の5），④特定居住用財産の譲渡損失の繰越控除（措法41の5の2），⑤先物取引の差金等決済に係る損失の繰越控除（措法41の15）の制度を設けているところである。

2．総合課税の原則

　所得税法では，個人に帰属する所得を10種類に分類した後に，これを総合して課税する総合課税を原則的な課税方式としている（所法22②，89①）。総合課税は，稼得した所得をすべて総合するので，納税者の総合的な税負担能力（担税力）に応じて累進税率を適用することができ，垂直的公平の確保に優れているといわれる。もっとも，総合課税を原則とするといいながらも，退職所得や山林所得は，長期にわたる勤労や山林の育成により蓄積された所得であって，それが退職や山林の伐採という段階で一時に実現するものであることから，累進税率の緩和の措置が必要である点を考慮して分離課税としている（所法22③，89①）。

　また，租税特別措置として，①利子所得や配当所得などの個人の貯蓄・投資の奨励，②株式等又は土地等の譲渡益などの政策的な観点から，多くの所得についても分離課税が採用されている。この分離課税においては，所得を発生形態や性質に応じて区分し，異なる税率（一定の比例税率）を適用して所得税額を算出する。

➕所得税の課税方式

- (注1)「申告分離課税」とは,確定申告において他の所得と区分して税率を適用し,その上で所得税額を計算して納税するものをいう。
- (注2)「源泉分離課税」とは,所得を得る際に,所要の所得税額が源泉徴収され,改めて申告納税をする必要がないものをいう。
- (注3)「一律源泉分離課税」とは,個人の選択の余地がなく一律に比例税率で課税され,源泉徴収だけで納税が完了するものをいう(申告は不可)。
- (注4)「源泉分離選択課税」とは,納税者が源泉分離課税を選択すると比例税率で課税され,源泉徴収だけで納税が完了するものをいう(申告も可)。

　さらに,所得税法は,総合課税を原則とする制度の下においても,一時的,偶発的ないし変動の大きい所得に対する累進負担の緩和を図るために種々の方法をとっており,退職(短期退職手当等及び特定役員退職手当等を除く),譲渡(長期),一時の各所得について,その所得の2分の1を課税所得とし(所法22②二,30②),山林所得(同法32),変動所得(同法2①二十三),臨時所得(同法2①二十四)について,それぞれ多少異なる方法の平均課税(いわゆる5分5乗)を採用しているところである(同法89①,90)。

3．分離課税の対象となる所得

(1)　申告分離課税の対象となる所得には,退職所得及び山林所得のほか,上場株式等に係る配当所得等,土地建物や株式等の譲渡による所得,先物取引に係る雑所得等がある。退職所得は,原則として,収入金額から退職所得控除

額を差し引いた残額の2分の1を課税対象とし，これに超過累進税率を適用して所得税額を算出する。また，山林所得は，山林所得の金額の5分の1の金額に超過累進税率を適用して税額を算出し，この金額の5倍したものを所得税額とする（5分5乗方式）。土地建物等の譲渡による所得のうち，長期譲渡所得は譲渡益に対して15％（このほか復興特別所得税が課税される。以下同じ），短期譲渡所得は譲渡益に対して30％の税率を乗じて所得税額を算出する。株式等の譲渡による所得は15％の税率となる。

(2) 一律源泉分離課税の対象となる所得は，①預貯金や特定公社債以外の公社債の利子，私募公社債投資信託の収益の分配などの利子所得，②金融類似商品の収益等があり，15％の税率で課税される。

(3) 源泉分離選択課税の対象となる所得は，特定公社債の利子，少額の配当，大口株主以外の者が受ける上場株式等の配当，公募株式投資信託の収益の分配，特定株式投資信託の収益の分配，特定投資法人の投資口の配当等，源泉徴収口座において生じた上場株式等の譲渡所得等がある。

　これらの所得は，納税者が確定申告をしないことにより，源泉分離課税としての効果が生ずるのであるから，確定申告をした方が有利となる場合（源泉徴収税額が還付となるなど）には，総合課税又は申告分離課税となる。

4．所得とは

　所得税は，個人の所得そのものを担税力の指標として課税対象にとらえているが，"所得とは何か"という点については格別の定義規定を置いていない。税制上の所得概念については，古くから学説上「所得源泉説（制限的所得概念）」と「純資産増加説（包括的所得概念）」を巡る論議がある。「所得源泉説」というのは，各種の勤労，事業，資産の貸付などから生ずる継続的な収入を課税対象とし，資産の譲渡による収入や宝くじに当選した場合の収入などの一時的，偶発的な利得については，所得税の課税対象としない。これに対し，「純資産増加説」というのは，継続的に一定の収入源から生ずる利得のみに所得の範囲を限

定するのではなく，一定期間内に各人について生じた純資産の増加がすべて所得に含まれるとする考え方である。したがって，年々の継続的収入はもとより，資産の譲渡益や相続による財産の増加も所得を構成することになるのである。

　我が国においては，当初，所得源泉説に基づいて所得をとらえていたが，しだいに所得概念を拡大し，昭和22（1947）年の所得税法改正以降，一時所得や譲渡所得も課税対象に取り込んでいるから，現在では純資産増加説に立っているということができる。この純資産増加説のもとでは，相続や贈与による利得，ギャンブル収入などのほか，持ち家に住む場合の家賃相当額などのインピューティド・インカムも，理論的には所得に含まれる。例えば，農業を営む者が米や野菜を収穫して売却すれば，その収入は当然に所得となるが，その米や野菜を売らずに自分の家で食べれば（自家消費），米や野菜を売った代金で自家用分を買ったと考えられることから，食料費を支払わずに済んだという利得があり，それが所得を構成するのである（所法39）。これと同様に，持ち家の者が家を他人に貸した場合の家賃収入は，当然に所得になるのであるが（所法26①），その家を貸さずに自己の居住の用に供すると，家賃相当額の利得があったと考えることもできる。このような自己所有の住宅に居住することによる利益や主婦の家事労働などの利益をインピューティド・インカムという。我が国の所得税法は，マイホームの居住利益等までは所得と考えていないが，会社から無償又は低家賃により社宅等の提供を受ける場合には，その「経済的利益」が現物給与として課税される（所基通36－15(2)参照）。マイホームの場合も，社宅等の無償提供を受ける場合も，借家に住む場合に必要とされる家賃の支払をしなくて済むという点では同じであるが，目に見えない経済的利益までは課税所得を構成しないとしているのである（平成12年7月の税制調査会中期答申「わが国税制の現状と課題」84頁参照）。

5 非課税所得と免税所得

1．非課税所得の種類

　所得とは，適法・違法を問わず，個人が稼得した経済的価値の一切をいうのであるが，その所得に該当する場合であっても，政策的な見地等から所得税の課税対象としないものがある。これを非課税所得という。非課税所得は，所得税法をはじめとする各種の法律の規定に基づくほか，国税庁の通達によって課税しない取扱いをしているものも少なくない。課税除外とする理由別に，非課税所得の主要なものを掲げてみると，次のとおりとなる。

(1) 社会政策的な配慮に基づくもの

　　増加恩給及び傷病賜金，業務上の負傷や疾病により労働基準法の規定に基づいて使用者から受ける療養補償等，遺族年金等，介護保険や健康保険の保険給付，雇用保険法の失業給付，生活保護の給付，児童手当，児童福祉の支給金品，児童扶養手当，高等学校等就学支援金など

(2) 新型コロナウイルス感染症等の影響に対応するもの

　　市町村又は特別区から給付される次の給付金

　　イ　家計への支援の観点から給付される特別定額給付金給付事業費補助金を財源として給付される給付金（新型コロナ税特法4①一）

　　ロ　児童手当の支給を受ける者のうち，一定の者に対して給付される子育て世帯臨時特別給付金給付事業費補助金を財源として給付される給付金（新型コロナ税特法4 二）

(3) 担税力の考慮に基づくもの

　　生活用動産の譲渡による所得，資力を喪失し債務を弁済することが著しく困難な場合における強制換価等による譲渡所得，学資に充てるために給付される金品，扶養義務者の間で扶養義務を履行するために給付される金品，国

や地方自治体の実施する子育てに係る助成等，出産育児一時金等，生活困窮者住居確保給付金，子育て世帯等臨時特別支援事業の「支援給付金」として給付される給付金，人身事故により受ける損害賠償金等，物納による譲渡所得など

(4) 必要経費（実費弁償）的な性格のもの

給与所得者の旅費及び通勤費，職務の性質上欠くことのできない現物給与，国外勤務者の在外手当など

(5) 少額免除又は貯蓄奨励等に基づくもの

少額の現物給与，レクレーション費用等の各種の経済的利益，当座預金の利子，障害者等の少額預金の利子等，勤労者財産形成住宅貯蓄等の利子，納税準備預金の利子，一般ＮＩＳＡ・つみたてＮＩＳＡ，新ＮＩＳＡなど

(6) 他の租税との二重課税を避けるためのもの

相続・遺贈・個人からの贈与により取得する利益

(7) そ の 他

外国公務員等の給与等，文化功労者年金，ノーベル賞等の一定の賞金，公職選挙法による報告がされた選挙運動資金，オリンピック及びパラリンピック大会における成績優秀者に交付される公益財団法人オリンピック委員会等からの金品，宝くじの当選金など

なお，非課税所得の計算上損失が生じた場合には，その損失はないものとみなされ，他の所得と損益通算することができない（所法9②）。

2．生活用動産の譲渡による所得

納税者又はその親族の生活に通常必要な家具，什器，衣服その他の動産の譲渡による所得は，非課税とされる（所法9①九）。ただし，1個又は1組の価額が30万円を超える貴金属，宝石，書画，こっとう及び美術工芸品などを譲渡した場合の所得は，非課税所得に該当しない（所令25）。この規定は，戦後の"竹の子生活"といった経済状態を考慮し，零細な所得を追求しないという執行上

の配慮，あるいは家庭用動産は投機目的で所有するものではなく，通常は購入価額以上で売却できるものではないという理由などから設けられたものである。したがって，所得税法では，生活に通常必要な動産であっても，1個又は1組の価額が30万円を超える貴金属等（生活に通常必要でない資産に分類される。所令178）の譲渡による所得を非課税所得から除外するとともに，生活に通常必要でない動産の譲渡による所得は課税対象とする。つまり，生活用の動産には，生活に通常必要なものと通常必要でないものとがあり，前者の譲渡所得については，原則非課税とするとともに，その損失はないものとし（所法9②一），後者の譲渡所得については，課税対象とする一方で，その損失は別途他の所得と通算できないこととしている（所法69②）。サラリーマンのマイ・カーが「生活に通常必要な動産」に当たるかどうかについて争われた裁判例がある。第一審の神戸地裁昭和61年9月24日判決（判例時報1213号34頁）では，通勤に使用した自動車の走行距離や大衆車であることなどを理由に，マイ・カーは生活に通常必要な動産であると判示したが，その控訴審である大阪高裁昭和63年9月27日判決（判例時報1300号47頁，最高裁平成2年3月23日判決・判例時報1354号59頁も同旨）は，通勤のために自動車を使用した割合はわずかであり，使用の態様からみて，マイ・カーは生活に通常必要でない動産に当たると判示している。所得税法では，生活に通常必要な動産であっても通常必要でない動産であっても，その譲渡損失を給与所得など他の所得と通算することができないこととしているので，結論は同じになる。自動車の売却は損失が生じるのが普通であるから，マイ・カーが生活に通常必要な動産であるかどうかは，損益通算という場面ではそれほど重要ではないが，この区分は，雑損控除の適用の場面においては重要である。マイ・カーが生活に通常必要な動産に該当すると，その災害，盗難又は横領による損失は雑損控除の対象となるが，生活に通常必要でない動産に該当すると雑損控除の対象とならないのである（所法72①，255頁参照）。

3．国や地方自治体の実施する子育てに係る助成等

　子育て支援の観点から，国又は地方公共団体が保育その他の子育てに対する助成を行う事業その他これに類する一定の事業（妊娠中の者に対し子育てに関する相談その他の援助の利用に対する助成）により，その業務を利用する者の居宅その他一定の場所において保育その他の日常生活を営むのに必要な便宜の供与を行う業務又は認可外保育施設その他一定の施設の利用に要する費用に充てるため支給される金品については，所得税が課されない（所法9①十六，所規3の2①）。国又は地方自治体からの助成のうち，①ベビーシッターの利用料に対する助成，②認可外保育施設等の利用料に対する助成，③一時預かり・幼児保育などの利用料に対する助成，④これらの助成と一体として行われるもの（生活援助・家事支援，保育施設等の副食費・交通費等）が非課税対象となる（所規3の2②）。

　また，児童扶養手当の支給を受ける者等に対して都道府県等が行う金銭の貸付けに係る債務の免除を受けた場合の当該免除により受ける経済的な利益の価額についても，所得税が課されない（措法41の8③）。

　(注)　国や地方自治体から支給される給付金（持続化給付金，家賃支援給付金，時短営業協力金，雇用調整助成金等）は，収入金額に代わる性質を有するものであるから，事業所得等の収入金額となるが（所令94①，163頁参照）。新型コロナウイルス感染症対応休業支援金・給付金，特別定額給付金は非課税所得である（雇用保険特例法7，新型コロナ税特法4）。

4．損害賠償金等に対する課税

　個人が損害賠償金等を受け取った場合には，次のとおりの課税関係となる（所法9①十八）。

(1)　心身に加えられた損害につき支払を受ける慰謝料その他の損害賠償金（これに類するものを含む）については，所得税が課されない。この損害賠償金等には，その損害に基因して勤務又は業務に従事することができなかったことによる給与又は収益の補償として受けるものも含まれる（所令30一）。薬害や

医療ミスにより支払われる損害賠償金などについては，休業中の収入を補塡する部分を含めて非課税とされる。ただし，その被害者の各種所得の金額の計算上必要経費に算入される金額を補塡するための部分は課税になる（この部分は，(2)及び(3)についても同様，所令30かっこ書）。

(2)　不法行為その他突発的な事故により資産に加えられた損害につき支払を受ける慰謝料その他の損害賠償金（これに類するものを含む）についても，所得税が課されない。ただし，事業所得等の収入金額に代わる性質を有するものについては，所得税が課される（所令30二）。上記の(1)と異なるのは，損害の原因が特定されていること及び収益補償等が課税される点である。

(3)　心身又は資産に加えられた損害につき支払を受ける相当の見舞金（これに類するものを含む）については，事業所得等の収入金額に代わる性質を有するものを除き，所得税が課されない（所令30三）。

　なお，葬祭料，香典又は災害等の見舞金で，その金額がその受贈者の社会的地位，贈与者との関係等に照らし社会通念上相当と認められるものについては，上記の「心身又は資産に加えられた損害につき支払を受ける相当の見舞金」と同様に非課税とされる（所基通9－23）。

第1章　所得税の納税義務

●損害賠償金等を取得した場合の課税関係

取得原因			課税関係	具体例
心身に加えられた損害（人的損害）に基因して取得するもの	給与又は収益（逸失利益）の補償		非課税（所令30一）	給与又は事業の収益の補償として加害者から受けるもの
	慰謝料その他精神的補償料など		非課税（所令30一）	示談金，慰謝料
	見舞金		非課税（所令30三）	いわゆる災害見舞金
資産に加えられた損害（物的損害）に基因して取得するもの	棚卸資産，山林，工業所有権など		課税（所令94①一）	棚卸資産の火災保険金，特許権の侵害による補償金
	店舗，車両など	収益（逸失利益）の補償	課税（所令94①二）	復旧期間中の休業補償金
		資産そのものの損害の補償　補償を約したもの	課税（所令95）	収用等により漁業権，水利権等が消滅することで受けるもの
		資産そのものの損害の補償　突発的なもの	非課税（所令30二）	店舗の損害により受ける損害賠償金，火災保険金
	見舞金		非課税（所令30三）	いわゆる災害見舞金
必要経費に算入される金額を補塡するために受ける損害賠償金等			課税（所令30かっこ書）	休業期間中の従業員に対する給与，仮店舗の賃借料を補塡するもの

　大分地裁平成21年7月6日判決（裁判所HP「下級裁判所判例集」）では，商品先物取引に係る損失補塡金等が非課税所得に当たるか否かが争われている。裁判所は，不法行為により資産に加えられた損害に基因して取得する損害賠償金で，収益補償に当たらないものは，本来課税すべきでない実損害を補塡する性質を有するものであるとの立法趣旨の下に，「所得税法9条1項16号（現行法は18号）は，『突発的な事故』の中に『不法行為』が含まれることを前提として，突発的な事故により資産に加えられた損害に基

25

因して取得する損害賠償金など政令で定めるものを非課税とする旨規定して、その定めを政令に委任し、これを受けた同法施行令30条2号が、収益補償に当たる同令94条の規定に該当するものを除いた、不法行為その他突発的な事故により資産に加えられた損害につき支払を受ける損害賠償金が非課税となることを定めたものと解するのが相当である。」と説示した上で、損害賠償金に相当する部分は、先物取引の売買差損等によりＸの生活用資産である金銭等の資産に加えられた損害に基因して取得する損害賠償金であり収益補償ではないと認められるから、非課税所得に該当し、損害賠償金等のうち遅延損害金に相当する部分は、遅行遅滞という債務不履行による損害賠償金であるから、非課税所得に該当しないと断じている（類似のものに、名古屋高裁平成22年6月24日判決・裁判所ＨＰ「行集」がある）。

　また、大阪高裁令和2年12月24日判決（税務訴訟資料270号順号13502）は、外国金融機関から受領した和解金が非課税所得に該当するか否かが争われた事案である。裁判所は、「当事者間の合意に基づいて支払われた和解金（損害賠償金）が非課税所得に該当するか否かについては、授受された金員が客観的にみて損害賠償金と評価することができるか否かにより決するのが相当であり、本件和解の内容・和解交渉の経緯等を総合すると、本件和解金は、元本損害額の補填と運用益相当額の逸失利益の補填としての性質を有する金員に当たる。」と判断して、元本損害額の補填部分は非課税所得、運用益相当額部分が課税所得（雑所得）と結論づけている。

損害賠償金に対する課税の計算例

〔設問〕

物品販売業を営む者の店舗にトラックが突っ込み，次のとおり損害賠償金等を受け取った。事業所得の金額の計算に当たって，総収入金額に算入すべき金額はいくらか。

①休業補償300万円，②店舗の損害補塡250万円，③商品の損害補塡220万円，④従業員の給与の補塡150万円，⑤見舞金30万円

(計算)

総収入金額に算入すべき金額は，①300万円，③220万円，④150万円の合計670万円である。

（注）　②の250万円は，必要経費（資産損失）の計算上，損失額から控除する。

5．死亡保険金に対する課税

　所得税法にいう所得には，相続や贈与による利得も含まれるが，相続税や贈与税の課税対象となるものは，二重課税を排除するという観点から，所得税が非課税とされる（所法9①十七）。他方，相続税法では，被保険者の死亡により相続人その他の者が死亡保険金を取得した場合に，①被保険者が保険料を負担していたときは，保険金受取人が被保険者から保険金を相続又は遺贈により取得したものとみなされて，相続税の課税対象とされ（相法3①一），②被保険者又は保険金受取人以外の第三者が保険料を負担していたときは，保険金受取人がその第三者から保険金を贈与によって取得したものとみなされて，贈与税の課税対象とされる（相法5①）。

　したがって，相続税や贈与税の課税対象となる死亡保険金には，所得税が課税されないが，保険金受取人が保険料を負担していたときの死亡保険金は，相続や贈与によって取得したものとみなされないので，相続税や贈与税の課税対

象とならず,一時所得又は雑所得として所得税が課税されることになる。死亡保険金を一時金で受け取ると一時所得,年金で受け取ると雑所得に該当する。

なお,相続等により取得した年金受給権に係る生命保険契約や損害保険契約等に基づく年金については,①年金支給初年は全額非課税,②2年目以降は課税部分が階段状に増加していく方法により計算する（所令185, 186）。年金給付の総額に代えて一時金で支払を受けた場合は非課税となる（所基通9-18）。

✚死亡保険金に対する課税

保険料負担者	被保険者	保険金受取人	税金の種類
A	A	B	相続税
A	B	A	所得税
A	B	C	贈与税

死亡保険金に対する課税の計算例

〔設 問〕

契約者A（父），被保険者B（子），保険金受取人Bの相続人とする生命保険契約に基づき，死亡保険金をBの相続人であるAとC（母）がそれぞれ，2,000万円ずつ受け取った。それまでに払い込んだ保険料は300万円で，AとBがそれぞれ150万円ずつ負担していた。死亡保険金に対する課税は，どのようになるか。なお，Bの相続人はAとCの両名である。

（計 算）

① 一時所得の金額（Aが受け取った死亡保険金のうち，Aが負担した保険料に対応する部分）

$$2{,}000万円 \times \frac{150万円}{300万円} - (150万円 + 50万円) = 800万円$$

（注） かっこ内の150万円はAが負担した保険料の総額であり，50万円は一時所得の特別控除額である。一時所得の2分の1金額である400万円が総所得金額の計算に算入される。

② 贈与税の課税対象（Cが受け取った死亡保険金のうち，Aが負担した保険料に対応する部分）

$$2,000万円 \times \frac{150万円}{300万円} = 1,000万円$$

（注） 別途，贈与税の基礎控除額（110万円）が適用される。

③ 相続税の課税対象（死亡保険金のうちBが負担した保険料に対応する部分）

$$4,000万円 \times \frac{150万円}{300万円} - (500万円 \times 2) = 1,000万円$$

（注） かっこ内は，相続税の非課税財産（500万円×法定相続人の数）である。別途，相続税の基礎控除額（600万円×法定相続人の数＋3,000万円）が適用される。

相続人Xは，夫の死亡により保険契約に基づく特約年金として10年間にわたって230万円ずつを受け取る権利（年金受給権）を取得し，相続税の申告においては，当該年金受給権の価額1,380万円を相続税の課税価格に算入したが（相法24①），第1回目の年金額230万円については所得税の申告をしなかった。これに対し，税務署長は，当該年金額が雑所得に該当するとして所得税の更正処分を行ったところ，この課税処分の適否が争われた。最高裁平成22年7月6日判決（民集64巻5号1277頁）は，「所得税法9条1項15号（現行法は17号）の趣旨は，相続税又は贈与税の課税対象となる経済的価値に対しては所得税を課さないこととして，同一の経済的価値に対する相続税又は贈与税と所得税との二重課税を排除したものであると解される。」と説示した上で，「本件年金は，被相続人の死亡日を支給日とする第1回目の年金であるから，その支給額と被相続人死亡時の現在価値とが一致するものと解される。そうすると，本件年金の額は，すべて所得税の課税対象とならないから，これに対して所得税を課することは許されないというべきである。」と断じている。最高裁は，将来にわたって受け取る年金総額のうち，①年金受給権の価額に相当する部分は非課税所得となり，②その余の部分は雑所得に該当すると判断しているのである。

> この判決を受けて,「相続等に係る生命保険契約等に基づく年金に係る雑所得の金額の計算」規定（所令185, 186）が設けられ,年金総額のうち,①年金支給初年分の全額が非課税とされ,②2年目以降は課税部分が階段状に増加していく方法により計算することとされている（149頁参照）。

6. 傷害保険金等に対する課税

　個人が受け取る死亡保険金に対する課税は,所得税,相続税又は贈与税の課税対象となるが,傷害特約や入院特約を付した場合に受け取る傷害保険金等については税金が課税されるのであろうか。所得税法では,損害保険契約に基づく保険金及び生命保険契約に基づく給付金で,身体の傷害に基因して支払を受けるものその他これに類するものは非課税とされる（所法9①十八,所令30一）。「身体の傷害に基因して支払を受けるもの」には,疾病により重度の障害になったことなどにより支払を受ける「高度障害保険金,高度障害給付金,入院給付金等」も含まれる（所基通9－21）。また,「身体の傷害に基因して支払を受けるもの」とは,文理上,身体に傷害を受けた者に支払われる保険金等をいうのであるが,傷害保険金等の支払を受ける者と身体に傷害を受けた者とが異なる場合であっても,その支払を受ける者がその身体に傷害を受けた者の配偶者もしくは直系血族又は生計を一にするその他の親族であるときは,その保険金等についても,非課税として取り扱われる（所基通9－20）。

　このように,身体の傷害に基因して支払を受ける損害保険金又は生命保険の給付金は非課税とされているが,身体に傷害を受けて死亡した場合の死亡保険金は,何故に非課税所得に該当しないのか理解しにくい。名古屋地裁平成元年7月28日判決（税務訴訟資料173号417頁),名古屋高裁平成2年1月29日判決（税務訴訟資料175号204頁)は,「身体の傷害に基因して支払われる保険金等は,通常,受傷者の治療費等に費消されることに鑑みて,これに課税することは現に療養中の受傷者に対し酷な結果になるとの政策的配慮にあると解されるところ,傷

害による死亡に基因して支払われる保険金等の場合には、受傷者自身は既に死亡しているのであって、かかる保険金等に課税しても受傷者に対して酷な結果が生ずることはないから、傷害に基因して支払われる保険金等のみを非課税所得とし、死亡により基因して支払われる保険金等を課税する取扱いをしても、実質的にも不合理であるとはいえない。」と説示している。生存者の担税力を配慮した非課税措置というのであろう。

7．死亡退職金に対する課税

　死亡退職金は、死亡した人にいったん帰属した上で、遺族が相続によって承継するのか、又はその支給を受ける遺族が原始的に取得するものであるかについては、民法上も議論がある。租税法では、被相続人の死亡により被相続人に支給されるべきであった退職手当、功労金その他これらに準ずる給与について相続人等が支給を受けた場合であって、被相続人の死亡後3年以内に支給が確定したものは、相続人等が相続又は遺贈により取得したものとみなしている（相法3①二）。そして、相続、遺贈又は個人からの贈与により取得するもの（みなし相続財産等を含む）は所得税が非課税とされているから（所法9①十七）、被相続人の死亡後3年以内に支給が確定した死亡退職金は、所得税の課税対象外となる。

　そこで、被相続人の死亡後3年を経過して死亡退職金が支給されることとなった場合には、その死亡保険金は、みなし相続財産に該当しないので、所得税が課税されるが、その所得区分は、相続人等が取得するものであって、相続人等の勤務の対価ではないから、給与所得や退職所得には該当せず、臨時的・偶発的な所得である一時所得に該当する（所基通34-2）。

　なお、課税実務では、「死亡した者に係る給与等、公的年金等及び退職手当等で、その死亡後に支給期の到来するもののうち相続税法の規定により相続税の課税価格計算の基礎に算入されるものについては、課税しない。」旨を明らかにしている（所基通9-17）。

(注) 死亡後に確定した賞与，ベースアップの改訂差額については，所得税が課税されない（所基通9－17）。

8．障害者等マル優制度

　非課税所得の代表的なものに「障害者等の少額預金の利子所得等の非課税制度」がある。この制度は，障害者等の少額預金の利子所得等の非課税制度（マル優，所法10，措法3の4），障害者等の少額公債の利子の非課税制度（特別マル優，措法4）からなり，非課税として預入等ができる金額は，いずれも1人350万円である。

　非課税貯蓄を利用できる者は，国内に住所を有する個人で，①身体障害者手帳等の交付を受けている障害者や障害年金の受給者，②遺族基礎年金受給者等である被保険者の妻，③寡婦年金の受給者に限られている。また，制度の利用に当たっては，非課税扱いを受けようとする預貯金，合同運用信託，特定公募公社債等運用投資信託又は有価証券（国債や地方債等の有価証券で，金融機関から購入し，かつ，その有価証券につき収益の分配の計算期間を通じて金融機関の振替口座簿に記載等がされているものに限る）について，最初に預入，信託又は購入をする日までに，非課税貯蓄申告書をその預入等をする金融機関の営業所等を経由して税務署長に提出（電磁的方法による提供を含む）するなど，その手続が必要となる（所法10③，措法4②）。

　なお，非課税貯蓄申告書の提出に当たっては，金融機関の営業所等に身体障害者手帳や年金証書及び個人番号カードなどの確認書類を提示して，氏名，生年月日，住所及び個人番号のほか，障害者等に該当する旨を告知しなければならない（所法10⑤，措法4②）。

9．免税所得

　所得税を課税しないものには，非課税所得のほか免税所得がある。免税所得は，非課税所得と異なって，本来，課税所得を構成するのであるが，産業政策等の見地から特にその所得に対する課税を免除するものである。したがって，非課税所得は原則として何らの手続を要せずに非課税とされるのに対し（マル優の利子所得等を除く），免税所得は納税者の申告等により所得税が免除される。

　また，非課税所得の計算上生じた損失はないものとされるが（所法9②），免税所得の損失は所得金額の計算上控除できる。免税所得の例としては，肉用牛の売却による所得の免税がある（措法25）。すなわち，農業を営む個人が令和8年までの各年において，①飼育した肉用牛を家畜市場，中央卸売市場等で売却した場合，又は②飼育した生産後1年未満の肉用牛を指定農業協同組合（又は連合会）に委託して売却した場合には，その肉用牛が免税対象飼育牛であり，かつ，売却した肉用牛の頭数が1,500頭以内であるときは，売却した事業所得に対応する所得税が免除される。確定申告書に所定の事項を記載し，売却証明書の添付が必要である（措法25④）。

　なお，売却した肉用牛のうちに免税対象飼育牛に該当しないもの又は免税対象飼育牛に該当する肉用牛の頭数の合計が1,500頭を超える場合には，総合課税によらず，①免税対象飼育牛以外のもの及び免税対象飼育牛のうち1,500頭を超える部分の売却価額の5％相当額と，②肉用牛に係る事業所得の金額がないものとして計算した場合の総所得金額に係る所得税の額の合計額とすることができる（措法25②⑥）。

　　（注）　免税対象飼育牛とは，売却価額が100万円（交雑牛に該当する場合は80万円，乳牛の場合は50万円）未満の肉用牛又は家畜改良増殖法に基づく登録肉用牛をいう（措法25①）。

第2章

各種所得の種類と計算

1 所得税法では、所得の発生形態やその性質等に応じて10種類の所得に分類し、各種所得ごとに所得金額の計算方法を定めている。
2 各種所得の計算に当たっては、所得税法のほか、租税特別措置法により多くの特例が定められている。
3 10種類のいずれの所得に該当するかどうかによって、所得金額の計算方法が異なるほか、他の所得との損益の通算ができなくなったり、分離課税とされたりするため、所得税の負担に大きな差が生ずることになる。
4 ある種の所得が10種類のいずれの所得に該当するかどうかについては、その所得の性質や発生の態様、税負担の公平などを総合して判断する必要がある。
5 所得分類を巡っては、多くの裁判例があり、その分析を通じて、各種所得の意義について理解を深めることができる。

1 所得の分類

1．所得分類の意義

　所得税法では，利子所得，配当所得，不動産所得，事業所得，給与所得，退職所得，山林所得，譲渡所得，一時所得及び雑所得の10種類に分類して，課税標準である総所得金額，退職所得金額及び山林所得金額を計算する仕組みをとっている（所法22①）。法人税法では，すべての収入金額を一括して益金の額とし，これから損金の額を差し引いて法人所得を計算するのであるが（法法22①），これと異なり，所得税法が上記のように所得分類をもとに所得金額を計算するとしているのは，主として次の点にある。

　その一つは，所得金額の計算技術上の要請にある。事業所得や不動産所得は，総収入金額から必要経費を差し引いて所得金額を算出するが（所法26②，27②），給与所得や退職所得は，収入金額から必要経費を差し引いて計算するのではなく，給与所得控除や退職所得控除を差し引くという構造をとっている（所法28②，30②）。給与所得についても給与収入から必要経費を差し引くことを認め，サラリーマンにも確定申告の途を拓く税制が提唱されているが，給与所得の必要経費とは何か，背広や靴等の身の回り品の購入費用，部下や同僚等との交際費などが必要経費に該当するか，それとも家事費なのか，いろいろな議論があり得るのであって，すべての所得を収入金額から必要経費の額を控除して算出するというのは困難である。そこで，現行法では，給与所得や退職所得については必要経費に代えて給与所得控除や退職所得控除（公的年金等に係る雑所得は公的年金等控除）を設けて，収入金額からこれを差し引き，所得金額を算出することとしている。このように，所得金額の計算の便宜という観点から，所得の分類が必要とされる所以である。

　もう一つは，担税力に応じた課税の実現にある。所得の中には，毎年，繰り

返して回帰的に発生するもの（事業所得，給与所得など）と，臨時的に発生するもの（譲渡所得，一時所得など）があるし，汗水たらして獲得した勤労性の所得（給与所得や退職所得）と，資産を有しているがゆえに発生する資産性の所得（利子所得，配当所得，不動産所得など）もある。事業所得は勤労と資産の結合の所得であり，勤労性の所得には軽い課税を，資産性の所得には重い税負担を課するという思想が出てくるのである。退職所得については，短期退職手当等のうち所定のもの及び特定役員退職手当等を除き，退職所得控除後の金額の2分の1の金額を課税標準とし（所法30②），他の所得と総合しないで分離課税とする方式をとっているのもこのためである（所法22③）。また，山林所得は分離課税方式とするとともに（所法22③），5分5乗方式を採用し低い税率により所得金額を算出するとしているし（所法89①），長期譲渡所得や一時所得は2分の1の金額を課税対象としている（所法22②二）。有価証券の譲渡所得等の金額は，申告分離課税を選択している（措法37の10，37の11等）。

このような所得分類があるゆえに，所得税法の実務に当たっては，所得の区分が最も難しいといわれるところである。

2．10種類の所得

所得税法では，所得を発生源泉別に10種類の所得に分類している。その概要を示すと，次のとおりである。

(1) 利子所得

公社債及び預貯金の利子，並びに合同運用信託，公社債投資信託及び公募公社債等運用投資信託の収益の分配をいう（所法23①）。

> 利子所得の金額＝収入金額（所法23②）

(2) 配当所得

法人（公益法人等及び人格のない社団等を除く）から受ける剰余金の配当，利益の配当（中間配当を含む），剰余金の分配，基金利息，公社債投資信託及び公募公社債等運用投資信託以外の投資信託並びに特定受益証券発行信託の収益の分配をいう（所法24①）。

> 配当所得の金額＝収入金額－元本取得のため要した負債利子（所法24②）

(3) 不動産所得

土地や建物等の不動産の貸付，不動産の上に存する権利（地上権や永小作権等）の貸付，船舶や航空機の貸付から生ずる所得をいう（所法26①）。不動産の貸付に際して受ける権利金や頭金，更新料，名義書換料も不動産所得に含まれるが，借地権の設定により一時に受ける権利金等は，譲渡所得等になる場合がある。

> 不動産所得の金額＝総収入金額－必要経費（所法26②）

(4) 事業所得

農業，漁業，製造業，卸売業，小売業，飲食店業，建設業，金融業，運輸業，修理業，サービス業などのほか，医師，弁護士，作家，俳優，プロ野球の選手，外交員などの事業から生ずる所得をいう（所法27①，所令63）。

> 事業所得の金額＝総収入金額－必要経費（所法27②）

(5) 給与所得

俸給，給料，賃金，歳費，賞与やこれらの性質をもっている給与をいう（所法28①）。

> 給与所得の金額＝収入金額－給与所得控除額（所法28②）

ほかに，特定支出控除の特例がある（所法57の2①）。

(6) 退職所得

退職に際し，過去の勤務に基づいて支給される退職一時金，一時恩給等やこれらの性質をもっている給与をいう（所法30①）。

> 退職所得の金額＝（収入金額－退職所得控除額）×$\frac{1}{2}$ （所法30②）

(注) 短期退職手当等のうち所定のもの及び特定役員退職手当等の退職所得については，2分の1課税の適用がない。

(7) 山林所得

山林を伐採して譲渡したり，立木のまま譲渡することにより生ずる所得をいう（所法32①）。取得の日以後5年以内の伐採等を除く（所法32②）。

> 山林所得の金額＝（総収入金額－必要経費）－特別控除（所法32③）

(8) 譲渡所得

資産（棚卸資産やこれに準ずる資産，営利を目的として継続的に譲渡される資産及び山林を除く）の譲渡による所得をいう（所法33①②）。

長期譲渡所得については，2分の1が総合課税の対象となる（所法22②二）。

> 譲渡所得の金額＝（総収入金額－取得費及び譲渡費用）－特別控除
> （所法33③）

(注) 有価証券の譲渡所得等は，申告分離課税である。

(9) 一時所得

利子所得から譲渡所得までの8種類の所得以外の所得で，営利を目的とする継続的行為から生じた所得や労務その他の役務又は資産の譲渡対価としての性

質を有しない一時の所得をいう（所法34①）。具体的には，競馬や競輪の払戻金，生命保険や損害保険契約の満期返戻金，賞金や懸賞の当選金，遺失物拾得の報労金などの所得がある（所基通34－1）。

> 一時所得の金額＝｛(総収入金額－収入を得るために支出した金額)
> 　　　　　　　　－特別控除｝（所法34②）

一時所得については，2分の1が総合課税の対象となる（所法22②二）。

(10) 雑　所　得

国民年金，厚生年金，公務員の共済年金，恩給などの公的年金のほか，原稿料，講演料，印税，放送出演料，ネットオークション等の副収入，暗号資産の売却，貸金の利子，郵便年金や生命保険年金，割引債や利付債の償還差益など，他の所得に当てはまらない所得をいう（所法35①）。

> 公的年金以外の雑所得の金額＝総収入金額－必要経費（所法35②二）
> 公的年金等の雑所得の金額＝公的年金等の支給額－公的年金等控除額
> 　　　　　　　　　　　　　　　　　　　　　　　（所法35②一）

2　利子所得の意義と計算

1．利子所得は分離課税が原則

(1)　利子所得の範囲

利子所得は，「公社債及び預貯金の利子並びに合同運用信託，公社債投資信託及び公募公社債等運用投資信託の収益の分配に係る所得をいう。」と定義されているように（所法23①），個人が有する貯蓄資金の運用果実をいう。利子所

得は，次のとおりである。

① 公社債の利子

公社債とは，公債及び社債（会社以外の法人が特別の法律により発行する債券を含む）をいい（所法2①九），公社債で元本に係る部分と利子に係る部分とに分離されて取引されるもの（いわゆるストリップス債）のうち，その利子に係る部分（分離利子公社債）は一定の期日に一定の金額の支払が約束されている割引債と類似するものであるから，利子所得に該当しない（所法23①）。分離利子公社債に係る利子として交付を受ける金銭等の額は，一般株式等及び上場株式等に係る譲渡所得等の収入金額とみなして申告分離課税となる（措法37の10③九，37の11③）。また，公社債の償還により交付を受ける金銭等の額も利子所得ではなく，申告分離課税の対象となる（措法37の10③八）。

② 預貯金の利子

預貯金には，「銀行その他の金融機関」に対する預金及び貯金のほか，一定の勤務先預け金，特定の共済組合に対する組合員の貯金及び証券会社等に対する預貯金で勤労者財産形成貯蓄契約に基づく有価証券の購入のためのものが含まれる（所法2②十，所令2②）。法人の役員等の勤務先預け金の利子は，雑所得に該当するが（所基通37－1），勤労者財産形成貯蓄契約に基づく生命保険金等の差益は，利子等とみなされる（みなし利子，措法4の4①）。

③ 合同運用信託の収益の分配金

合同運用信託とは，信託会社（信託銀行を含む）が引き受けた金銭信託で，共同しない多数の委託者の委託財産を合同して運用するものをいい（所法2②十一），具体的には，指定金銭信託と貸付信託がこれに該当する。委託者非指図型投資信託及びこれに類する外国投資信託並びに委託者が多数でない一定の信託を除く（所令2の2）。

④ 公社債投資信託の収益の分配金

公社債投資信託とは，証券投資信託（外国のものを含む）のうち，その信託財産を公社債に対する投資として運用することを目的とするもので，株式又は出資として運用しないものをいう（所法2②十五）。中期国債ファンド，MMF，

MRFなどがある。

⑤ 公募公社債等運用信託の収益の分配金

公募公社債等運用信託とは、証券投資信託以外の投資信託のうち、信託財産として受け入れた金銭を一定の公社債等に対して運用するもので、その設定に係る受益権の募集が公募により行われたものをいう(所法2②十五の二、十五の三)。

(2) 利子所得の金額と課税方式

利子所得には、必要経費の控除がなく、収入金額がそのまま所得金額とされる(所法23②)。利子所得は、個人の貯蓄資金の運用果実であり、借金をして貯蓄に回すとか、金融機関が破綻するなどはあまりないと考えられることから、収入金額そのものを所得としているのである。その課税方法は、所得税15%(ほかに復興特別所得税0.315%。以下同じ)の税率により源泉徴収を行った上で、他の所得と総合して課税するのが所得税法の建前である(所法22②一、182一)。利子所得についても、総合課税を建前としているのであるが、貯蓄を奨励し資本の蓄積を図る見地から、長い期間にわたって租税特別措置法により所得税15%の税率による一律源泉分離課税の方法がとられている(措法3①、3の3①)。

なお、利子等のうち、①特定公社債の利子、②公募公社債投資信託等の収益の分配金、③特定公社債以外の公社債の利子で同族会社の役員等がその同族会社から支払を受けるものについては、一律源泉分離課税の適用対象から除外されている(次項参照)。

2．特定公社債等の利子等は申告分離課税

(1) 一般利子等

他の所得と区分し、その受けるべき金額に対し所得税15%(ほかに復興特別所得税0.315%。以下同じ)の税率で課税される(一律源泉分離課税、措法3①)。一般利子等とは、次の(2)及び(3)に掲げるもの以外の利子等をいい、公社債の利子で条約又は法律において源泉徴収の対象とされないものを除く(措法3①、措令

1の4①)。また，国内における支払の取扱者を通じて交付を受ける国外一般公社債等の利子等(国外において発行された公社債又は公社債投資信託の受益権の利子等のうち，特定公社債の利子及び公募公社債投資信託の収益の分配を除く)も，一律源泉分離課税となる（措法3の3①)。

(2) 特定公社債の利子，公募公社債投資信託及び公募公社債等運用投資信託の収益の分配

　他の所得と区分し，その年中の当該利子等に対し，上場株式等に係る課税配当所得等として所得税15％の税率で課税とされる（申告分離課税，措法8の4①)。確定申告をしないこともできる（源泉分離選択課税，措法8の5①)。国外公社債等の利子等のうち，国外特定公社債等（国外一般公社債等以外のもの）の利子等も，申告分離課税の対象とされ，確定申告をしないことができる（措法8の4①，8の5①)。

　特定公社債とは，次のものをいう（措法3①一，37の10②七，37の11②一，五〜十四)。

① 　国債，地方債，外国国債，外国地方債
② 　会社以外の法人が特別の法律により発行する債券（外国法人に係るもの並びに投資法人債，短期投資法人債，特定社債及び特定短期社債を除く）
③ 　公募公社債，上場公社債
④ 　発行の日前9か月以内に有価証券報告書等を提出している法人が発行する社債
⑤ 　国内外の金融商品取引所で公表された公社債情報に基づき発行する公社債
⑥ 　国外において発行された公社債で国内において売り出されたものなど
⑦ 　外国法人が発行し，又は保証する債券で一定のもの
⑧ 　国内又は国外の法令に基づいて銀行業又は金融商品取引業を行う法人又はその法人との間に完全支配の関係がある法人等が発行する社債
⑨ 　平成27年12月31日以前に発行された公社債（発行時において同族法人が発行

したものを除く）

(3) 特定公社債以外の公社債の利子で，同族会社の役員等がその同族会社から支払を受けるもの

　特定公社債以外の公社債の利子で，その支払の確定した日において，その利子の支払をした法人が同族会社に該当するときにおけるその判定の基礎となる一定の株主（特定個人）及びその親族等が支払を受けるものは，総合課税の対象である（措法3①四，措令1の4③～⑤）。個人及びその親族等が支払を受けるその同族会社が発行した社債の償還金についても，総合課税の対象となる（措法37の10③八）。

3．非課税となる利子所得

　利子所得のうち，障害者等マル優等の適用がある利子等のほか（32頁参照），①当座預金の利子（所法9①一），②子ども銀行の預貯金等の利子等（所法9①二），③勤労者財産形成住宅（年金）貯蓄の利子等（措法4の2，4の3），④特定寄附信託の利子等（措法4の5），⑤納税準備預金の利子（措法5），⑥非居住者又は外国法人が受け取る振替国債等及び振替社債等の利子（措法5の2，5の3），⑦非居住者又は外国法人が受け取る民間国外債等の利子（措法6④）などは非課税とされる。

　（注1）　勤労者財産形成住宅貯蓄非課税制度は，勤労者の持ち家取得の促進を図ることを目的とした措置であって，①勤労者が勤労者財産形成住宅貯蓄契約に基づき，②勤務先を通じて預入等をした預貯金，合同運用信託，有価証券，生命保険等の保険料等で非課税扱いを受けようとするものについて，③財産形成非課税住宅貯蓄申告書を提出（電磁的方法による提供を含む）するなどの所定の手続をすることにより，④元本550万円までの利子等を非課税とするものである（措法4の2）。また，勤労者財産形成年金貯蓄非課税制度は，勤労者の計画的な財産形成（特に老後の生活安定）に資するために創設された勤労者財産形成年金貯蓄の利子等について，元本550万円（生命保険契約等の保険料にあっては385万円）を限度として，積立期間中の利子等はもとより退職後の年金支払期間中の利子等についても非課税扱いとするものである（措法4の3）。なお，勤労

第2章　各種所得の種類と計算

者財産形成住宅貯蓄と勤労者財産形成年金貯蓄の両方を有する場合には，両方を合計した550万円までが非課税限度額とされる（措法4の2⑦，4の3⑦）。
（注2）　特定寄附信託契約とは，居住者が，信託会社との間で締結したその居住者を受益者とする信託契約で，その信託財産を特定寄附金のうち民間の団体が行う公益を目的とする事業に資する一定の寄附金として支出することを主たる目的とすること等の要件が定められているものをいい（措法4の5②），特定寄附信託契約に基づき設定された信託の信託財産につき生ずる公債，預貯金の利子又は合同運用信託の収益分配金のうち一定のものについては，特定寄附信託申告書の提出（電磁的方法による提供を含む）等を要件として，非課税となる（措法4の5①③）。
（注3）　民間国外債とは，内国法人等により国外において発行された債券をいい，非居住者等が受け取る民間国外債の利子のうち，利益連動債（発行者の利益等の指標に応じて利率が変動する債券）の利子等は課税対象となる（措法6①④）。

4．金融類似商品の収益等に対する課税

　懸賞金付預貯金等の懸賞金等及び定期積金の給付補塡金，相互掛金の給付補塡金，抵当証券の利息，金投資（貯蓄）口座の差益，外貨投資口座等の差益，一時払い保険の差益については，15％の源泉分離課税（一律源泉分離課税）となる（措法41の9①，41の10①）。また，商品先物取引及び金融商品先物取引等に係る差金等決済をした場合の所得は，15％の申告分離課税となる（措法41の14①）。
　金融類似商品の収益等は，利子所得に含まれず雑所得に該当する（所基通35－1参照）。
（注）　金融商品先物取引等については，328頁を参照されたい。

❖金融類似商品の収益等

金融類似商品の範囲	内容
定期積金の給付補塡金 （所法174三）	定期積金に係る契約に基づく給付金のうち，その給付を受ける金銭の額からその契約に基づき払い込んだ掛金の合計額を控除した残額に相当する部分をいう。
相互掛金の給付補塡金 （所法174四）	銀行法2条4項の契約に基づく給付金のうち，その給付を受ける金銭の額からその契約に基づき払い込むべき掛金の額を控除した残額に相当する部分をいう。
抵当証券の利息 （所法174五）	抵当証券法1条1項に規定する抵当証券に基づき締結された当該抵当証券に記載された債権の元本及び利息の弁済の受領並びにその支払に関する事項を含む契約により支払われる利息をいう。
金投資（貯蓄）口座益 （所法174六）	金その他の貴金属その他これらに類する物品の買入れ及び売戻しに関する契約で，その物品を売り戻す旨の定めがあるものに基づく利益（その物品の売戻しをした場合の金額からその物品の買入れに要した金額を控除した残額）をいう。
外貨投資口座等の差益 （所法174七）	外国通貨で表示された預貯金で，その元本及び利子をあらかじめ約定した率により，本邦通貨又は当該外国通貨以外の外国通貨に換算して支払うこととされているものの差益（この預貯金の元本につきあらかじめ約定した率により本邦通貨等に換算した金額から，その元本につきその預貯金の預入の日における外国為替の売買相場により本邦通貨等に換算した金額を控除した残額に相当する差益）をいう。
一時払い保険の差益 （所法174八）	生命保険契約もしくは損害保険契約又はこれらに類する共済に係る契約で，保険料又は掛金を一時に支払うこと（これに準ずる支払方法として定められている所定のものを含む），その他所定の事項を内容とするもののうち，①保険期間又は共済期間等が5年以下のもの，②保険期間又は共済期間等が5年を超えるもので，その保険期間等の初日から5年以内に解約されたものに基づく差益（これらの契約に基づく満期保険金，満期返戻金もしくは満期共済金又は解約返戻金の額から，これらの契約に基づき支払った保険料又は掛金等の額の合計額を控除した金額）をいう。
懸賞金付預貯金等の懸賞金等 （措法41の9）	預貯金に係る契約に基づき預入等がされた預貯金等で，①その預貯金等に係る契約が一定の期間継続され，②その預貯金等を対象としてくじ引き等により金品その他の経済的利益の支払もしくは交付を受けることとされている場合に支払われる金品等をいう。

3 配当所得の意義と計算

1．配当所得は総合課税が原則

　配当所得とは，法人から受ける剰余金の配当（株式又は出資に係るものに限るものとし，資本剰余金の額の減少に伴うもの，分割型分割によるもの及び株式分配を除く），利益の配当（特定目的会社の中間配当を含み，分割型分割によるもの及び株式分配を除く），剰余金の分配（出資に係るものに限る），投資法人から受ける金銭の分配（出資等減少分配を除く），基金利息並びに投資信託（公社債投資信託及び公募公社債等運用投資信託を除く）及び特定受益証券発行信託の収益の分配に係る所得をいう（所法24①）。会社法では，利益の配当（中間配当を含む）や資本金等の減少に伴う払戻しをすべて「剰余金の配当」と統一したことから，配当所得に該当する「剰余金の配当」とは，株式又は出資に係るものに限るものとし，資本剰余金の額の減少に伴うもの及び分割型分割によるもの並びに株式分配を配当所得から除くとしている。したがって，「剰余金の配当」のうち利益剰余金からなる部分は配当所得になるが（所法24①），資本剰余金の額の減少に伴うもののうち，①資本金等の額以外の金額からなる部分はみなし配当となり（所法25①三），②資本金等の額からなる部分は株式等の譲渡所得等の収入金額とみなされる（措法37の10③四）。

　法人の株主（出資者）が株主の立場で受ける利益の分配を配当所得というから，株主の地位に基づく経済的な利益であっても，法人の利益の有無にかかわらず供与される株主優待乗車券や株主優待施設利用権などは，法人が剰余金又は利益処分として取り扱わない限り，配当所得に含まれない（所基通24－2）。企業組合の組合員が組合事業に従事した程度に応じて受ける分配金や，協同組合の組合員が定款の別段の定めに基づき出資口数に応じないで受ける分配金などは，配当等の収入金額とされる（所令62①）。

所得税法では，配当所得は20％の税率による所得税の源泉徴収を行った後（所法182二），他の所得と合算して課税する総合課税を建前としているが（所法22①一），確定申告不要制度や上場株式等に係る配当所得等の課税の特例などが設けられている（措法8の4，8の5，9の2，9の3，290頁以下参照）。

2．配当所得は負債の利子を控除

　利子所得は収入金額がそのまま所得金額とされるのに対し（所法23②），配当所得は株式等の元本を取得するために要した負債の利子を控除できる（所法24②）。配当所得の場合は，借金をして増資に応ずるなど，負債の利子を支払っても投資の採算が成り立つという点を考慮したものである。控除できる負債の利子は，株式等の取得に要した負債の利子に限られ，その負債が株式等の取得に要したものであるかどうかは，株式等の取得時期，取得価額，資金の借入時期，借入金額等から判定することになる。

　配当所得の負債利子控除については，①負債によって取得した株式等の配当収入からのみ控除し，他の株式等の配当収入からは控除しないとする「個別対応」の考え方と，②負債によって取得した株式等を保有している限り，負債によらずに取得した株式等の配当収入からも控除できるとする「総体対応」の考え方があるが，所得税法は，総体対応の考え方に立った上で，その年中の配当等の収入金額から控除できる負債の利子は，株式等を所有していた期間に対応する部分の金額としている（所法24②，所令59①）。

$$\text{負債の利子（年額）} \times \frac{\text{元本所有期間の月数（1月未満切上げ）}}{12}$$

　負債によって取得した株式等を処分したときは，処分時までの利子が控除され，その後，なお負債が残っていても，その利子は控除できない（所基通24－5）。また，負債によって取得した株式等の一部を譲渡したときは，引き続き所有する株式等に対応する負債の利子のみが控除できる（所基通24－8）。

第2章　各種所得の種類と計算

　上記のとおり，株式等の取得に要した負債の利子は，原則として配当収入から控除できるが，事業所得又は雑所得の基因となった株式等を取得するために要した負債の利子は，控除の対象とならない（所法24②）。また，上場株式等を譲渡した場合のように，株式等の譲渡による所得について申告分離課税の適用がある場合には，その負債の利子は配当所得の計算上控除できないこととされている（措法37の10⑥二，37の11⑥）。これらの株式等に係る負債の利子は，事業所得又は雑所得に係る必要経費とされたり，株式等に係る譲渡所得の金額の計算上収入金額から控除されるからである。

　なお，配当の確定申告不要制度（291頁参照）を適用した株式等（源泉分離課税とされる証券投資信託の受益権も同様）を取得するために要した負債の利子は，他の株式等の配当収入からは控除できない（措通8の2－1，8の3－3，8の5－2）。

✛配当所得の金額の計算例

〔設　問〕

　令和5年中の配当所得の明細は，次のとおりであるが，確定申告をしなければならない配当所得の金額はいくらか。

　なお，剰余金の配当は，資本剰余金の額の減少に伴うものではない。

（単位：円）

剰余金の配当	収入金額	源泉所得税等	負債利子	配当計算期間
A銘柄（上場株式）	350,000	71,470	103,700	1年
B銘柄（非上場株式）	48,000 72,000	9,801 14,702	75,000	6月 6月
C銘柄（非上場株式）	105,000	21,441	35,200	1年

（注1）　A銘柄株式の発行済株式総数は1,000,000株であり，このうち32,000株を所有している。
（注2）　C銘柄株式は，20,000株を所有していたが，本年9月20日に6,000株を売却している。
（注3）　源泉所得税等には，復興特別所得税を含めている。

> **(計 算)**
> 1　収 入 金 額
> $350{,}000+72{,}000+105{,}000=527{,}000$
> 2　負債利子の額
> $103{,}700+75{,}000\times\dfrac{72{,}000}{48{,}000+72{,}000}+35{,}200\times\dfrac{14{,}000株}{20{,}000株}=173{,}340$
> 3　配当所得の金額
> $527{,}000-173{,}340=353{,}660$
>
> **(参 考)**
> 1　A銘柄株式は，3％以上を保有する大口株主等に該当するから，確定申告を要する（291頁参照）。
> 2　B銘柄株式の配当48,000円は，確定申告不要制度が適用できる（291頁参照）。

(注1)　その年中の配当所得の一部について源泉分離課税の適用を受けるときは，その株式等を取得するために要した負債利子のうち，次の算式で計算した部分の金額は，配当所得の金額の計算上控除することができない（措通8の5-2）。

$$負債利子の額\times\dfrac{(A)のうち源泉分離課税の適用を受ける配当所得の収入金額}{その年中にその株式等につき支払を受けるべき配当所得の収入金額の合計額(A)}$$

(注2)　株式等の一部を譲渡した場合には，次の算式で計算した金額が配当所得の収入金額から差し引かれる負債利子の額となる（所基通24-8，措通37の10・37の11共-17）。

$$\begin{array}{c}譲渡直前における\\その株式等を取得\\するために要した\\負債の利子の額\end{array}\times\dfrac{譲渡直後のその銘柄の株式等の数}{譲渡直前に所有していたその銘柄の株式等の総数}$$

3．みなし配当

　みなし配当とは，法人が合併や解散するに際して残余財産を分配した場合など，形式的には法人の利益の分配ではないが，実質的にみて配当に相当する利益が個人に帰属すると認められるときに，その利益相当額を配当所得として課

税するものである。具体的には，法人の株主等が次の事由により金銭その他の資産の交付を受けた場合に，その金銭の額及び金銭以外の資産の価額の合計額がその所有する法人の資本金等の額のうち交付の基因となった株式又は出資に対応する部分の金額を超えると，その超える部分の金額が配当とみなされる（所法25①②，所令61②）。合併法人又は分割法人が被合併法人又は当該分割法人の株主等に対し合併又は分割型分割により株式等の資産を交付しなかった場合においても，当該合併又は分割型分割が合併法人又は分割承継法人の株式の交付が省略されたと認められるときは，これらの株主等が当該合併法人又は分割承継法人の株式の交付を受けたものとみなされる（所法25②，所令61④⑤）。

① 合併（法人課税信託に係る信託の併合を含み，適格合併を除く）

$$\text{交付金銭等の額} - \frac{\text{被合併法人の資本金等の額}}{\text{被合併法人の発行済株式等の総数}} \times \text{所有する株式数} = \text{みなし配当の額}$$

（注）発行済株式等の総数には，その有する自己の株式又は出資を含まない。以下，この項において同じ。

② 分割型分割（適格分割型分割を除く）

$$\text{交付金銭等の額} - \frac{\text{分割法人の分割資本金等の額}}{\text{分割法人の発行済株式等の総数}} \times \text{所有する株式数} = \text{みなし配当の額}$$

（注）分割資本金等の額は，分割法人の資本金等の額に分割法人の純資産に占める分割承継法人に移転した純資産の割合を乗じて計算する。

③ 資本の払戻し（資本剰余金の額の減少に伴う剰余金の配当のうち，分割型分割によるもの及び株式分配以外のもの）又は解散による残余財産の分配

$$\text{交付金銭等の額} - \frac{\text{払戻法人等の払戻等対応資本金額等}}{\text{払戻し等に係る株式等の総数}} \times \text{所有する株式数} = \text{みなし配当の額}$$

(注1) 払戻等対応資本金額等は，次の算式によって計算する（所令61②）。

$$払戻等対応資本金額等 = 直前の資本等の額 \times \frac{減少した資本剰余金の額}{払戻法人の簿価純資産価額}$$

(注2) 令和4年の税制改正において，資本の払戻しに係る「みなし配当の額」の計算の基礎となる「払戻等対応資本金額等及び資本金等の額」の計算の基礎となる「減資資本金額」は，その資本の払戻しにより減少した資本剰余金の額を限度とするとされた（所令61②）。出資等減少分配に係るみなし配当の額の計算及び資本金等の額から減算する金額についても同様である。最高裁判所令和3年3月11日判決を踏まえた改正である（54頁参照）。

④ 株式分配（適格株式分配を除く）

⑤ 自己株式又は出資の取得（証券市場等からの取得を除く）

⑥ 出資の消却（取得した出資について行うものを除く），出資の払戻し，退社又は脱退による持分の払戻し等

⑦ 組織変更（株式又は出資以外の資産を交付したものに限る）

④から⑦までのみなし配当の額は，次の算式による。

$$交付金銭等の額 - \frac{資本金等の額}{発行済株式等の総数} \times 所有する株式数 = みなし配当の額$$

(注) 2以上の種類株式を発行する法人が自己株式の取得等を行った場合には，その株式の種類ごとに区分して，当該自己株式の取得等の直前における資本金等の額（種類資本金額）を計算する。

なお，合併等により交付された金銭等のうち，みなし配当とされる部分以外金額は，株式等の譲渡収入とみなされる（措法37の10③，37の11③）。

第2章 各種所得の種類と計算

◆資本の払戻し（資本剰余金の額の減少）があった場合のみなし配当とみなし譲渡収入

交付を受けた金銭等の額	資本金等の額以外の金額からなる部分	みなし配当の金額		
	資本金等の額からなる部分	株式等に係る譲渡所得等の収入金額とみなされる金額	**譲渡益** 株主Aの旧株の従前の取得価額 × 払戻し等割合	**譲渡損失** 株主Bの旧株の従前の取得価額 × 払戻し等割合
			株主A	株主B

（注）払戻し等割合とは，次の割合をいう（措通37の10－3）。

$$払戻し等割合 = \frac{減少した資本剰余金の額}{払戻法人の簿価純資産価額}$$

なお，資本の払戻し等を行った法人の当該資本の払戻し等の直前の資本金等の額が零以下である場合には0と，当該直前の資本金等の額が零を超え，かつ，次に掲げる算式の分母の金額が零以下である場合又は当該直前の資本金等の額が零を超え，かつ，残余財産の全部の分配を行う場合には1とし，当該割合に小数点以下3位未満の端数があるときは切り上げる。

◆みなし配当の計算例

〔設問〕

甲はA社の株式5,000株を有していたところ，A社が解散することになり，残余財産の分配金150万円を受け取ることとなった。解散時のA社は，①資本金5,000万円，②資本余剰金の額3,000万円，③発行済株式総数50万株（自己株式の保有はない），払戻し等割合1％である。みなし配当の金額はいくらか。

（計算）

$$1,500,000円 - \frac{(50,000,000円 + 30,000,000円) \times 1\%}{500,000株} \times 5,000株$$

$$= 700,000円$$

最高裁令和3年3月11日判決（民集75巻3号418頁）は，利益剰余金と資本剰余金の双方を原資として行われた剰余金の配当につき，「会社法における剰余金の配当をその原資により区分すると，①利益剰余金のみを原資とするもの，②資本剰余金のみを原資とするもの，③利益剰余金と資本剰余金の双方を原資とするものという3類型が存在するところ，法人税法24条1項3号（現行4号）は，資本の払戻しについて『剰余金の配当（資本剰余金の額の減少に伴うものに限る。）…』と規定しており，これは，同法23条1項1号の規定する『剰余金の配当（…資本剰余金の額の減少に伴うもの…を除く。）』と対になったものであるから，このような両規定の文理等に照らせば，同法は，資本剰余金の額が減少する②及び③については同法24条1項3号の資本の払戻しに該当する旨を，それ以外の①については同法23条1項1号の剰余金の配当に該当する旨をそれぞれ規定したものと解される。したがって，利益剰余金と資本剰余金の双方を原資として行われた剰余金の配当は，その全体が法人税法24条1項3号に規定する資本の払戻しに該当するものというべきである。」と判示している。

　この事案は，内国法人Ｘ社（被上告人）が外国子会社から資本剰余金及び利益剰余金を原資とする剰余金の配当を受けたので，資本剰余金を原資とする部分が資本の払戻しに該当し，利益剰余金を原資とする部分は剰余金の配当にそれぞれ該当するとして申告をしたところ，所轄税務署長は配当の全額が資本の払戻しに該当するとして更正処分をしたのである。原審は（東京高裁令和元年5月29日判決・税務訴訟資料269号順号13276）は，法人税法24条1項3号に規定する資本の払戻しとは，「資本剰余金を原資とする配当」をいうものと解すべきであり，資本剰余金及び利益剰余金の双方を原資として配当が行われた場合には，資本剰余金を原資とする部分が資本の払戻しに当たると判断していたのである。

4．自己株式の取得とみなし配当

　平成13年6月の商法等の一部を改正する法律により自己株式の取得と保有を認めるいわゆる"金庫株の解禁"が行われたことから，法人が自己株式の取得（証券市場等からの取得を除く）をし，その法人の株主等に金銭その他の資産の交付をした場合には，その金額がその所有する法人の株式又は出資に対応する資本金等の額のうち交付の基因となった株式等に対応する部分の金額を超えると，その超える部分の金額が株主等の配当所得の金額とみなされる（所法25①五）。法人が自己株式を取得することは，間接的には資本の払戻し（減少）があったものとして取り扱われるので，みなし配当課税を行うのである。

　ただし，みなし配当が生ずる自己株式の取得からは，金融商品取引所の開設する市場における購入や店頭登録銘柄株式の店頭売買による購入のほか，分割承継法人や株式交換完全親法人等からの交付，単元未満株式（端株）に相当する部分の対価としての金銭の交付による取得などは除かれる（所法25①，所令61①）。金融商品取引所等での上場株式等の購入は，株主の立場でいえば単に上場株式等を市場で譲渡したにすぎず，これをみなし配当として課税することは困難であることから，自己株式を証券市場等から購入した場合には，株主に対して，みなし配当課税を行わずに株式等の譲渡による所得に含めて課税することとしたものである（措法37の10③，37の11③）。

　なお，相続又は遺贈により取得した非上場株式をその発行会社に譲渡した場合には，相続開始の日の翌日から相続税申告書の提出期限の翌日以後3年を経過する日までの間に譲渡したものであることなど，所定の要件を満たすものである限り，みなし配当課税を行わず，株式等の譲渡による所得の課税特例が適用される（措法9の7①②，37の10③，37の12②）。ただし，納付すべき相続税額がない場合には，この特例を受けることができない。

4 不動産所得の意義と計算

1．不動産の貸付による所得

　不動産所得とは，不動産，不動産の上に存する権利，船舶又は航空機の貸付による所得をいう（所法26①）。ここで，「不動産」とは土地及びその定着物をいい，「不動産の上に存する権利」とは地上権，永小作権，地役権等を指し，「船舶」には総トン数20トン未満の小型船舶及びろかい船は含まれない（所基通26－1）。また，「貸付」とは，地上権などの設定のほか他人に不動産等を使用させる一切の行為をいう（所法26①）。デパート等でのいわゆるケース貸しや土地，家屋の屋上，壁面，塀等にネオンサインや広告看板を取り付けさせることによって受ける対価も，不動産所得に該当するのである（所基通26－2，26－5）。もっとも，不動産等の貸付による所得であっても，事業所得に該当するものは不動産所得から除外されており（所法26①），事業所得とは，農業，漁業，製造業，卸売業，小売業，サービス業その他の事業から生ずる所得をいうが，不動産又は船舶，航空機の貸付業は，右の事業から除かれている（所法27①，所令63）。したがって，不動産又は船舶，航空機の貸付が事業として行われている場合の所得は，所得税法の規定からみて，不動産所得に該当するか又は事業所得に該当するか，至極明確でない。

　そこで，その所得区分については，不動産所得が資産所得であるのに対して，事業所得が資産及び勤労の結合の所得であるところから，①その所得が専ら不動産等の利用に供することにより生ずるものは不動産所得，②不動産等の使用のほかに役務の提供が加わり，これらが一体となった給付とみられるものは事業所得と解されている。具体的な例を挙げて説明すると，アパートや下宿等を貸し付けた場合の所得は，単に部屋を提供するだけで食事を提供しない場合は不動産所得，賄い付きの下宿のように食事を提供するなど，そこに人的役務の

提供が加わると事業所得又は雑所得に該当することになるのである（所基通26－4）。同様に，裸用船契約による所得は不動産所得，船員とともに船舶を利用させる定期用船契約による所得は事業所得又は雑所得とされる（所基通26－3）。有料駐車場や有料自転車置場の所得については，自己の責任において保管する場合（例えば，時間極駐車場）の所得は事業所得又は雑所得に該当するが，そうでない場合（例えば，月極駐車場）の所得は不動産所得に該当するというわけである（所基通27－2）。

また，事業を営む者がその事業に関連して不動産等を貸し付けた場合の所得は，その貸付が事業の付随行為とみられることから，事業所得に該当することになる。不動産業者が販売目的で取得した土地などの不動産を一時的に貸し付けた場合，貸金業者が代物弁済等によって取得した不動産を一時的に貸し付けた場合のほか，事業主がその従業員に寄宿舎などを提供している場合なども，その貸付による所得は事業所得の付随収入となるのである（所基通26－7，26－8，27－4）。観光地，景勝地，海水浴場等におけるバンガロー等で季節の終了とともに解体，移設又は格納することができるような簡易な施設の貸付けによる所得は，事業所得又は雑所得に該当する（所基通27－3）。

東京高裁平成27年3月19日判決（訟務月報61巻10号1966頁）は，「所得税法26条1項に規定する『貸付けによる所得』は，文言上，貸付けの対価に限定されないし，貸付けの相手方から得られるものに限定されることもない。」と説示した上で，不動産貸付業者が東京都の実施する住宅制度に基づいて交付された利子補給金等は，「当該賃貸住宅の貸付けをしなければ得ることができないものであるから，その貸付けと因果関係のある収入ということができ，それが上記の制度による制約の下で当該賃貸住宅を賃貸することにより，必要経費である借入金の利子を軽減するものとして支払われることに照らせば，その所得は不動産の貸付けによる所得に当たるというべきである。」と判断している。同様に，東京地裁平成30年4月19日判決（裁判所HP「行集」）は，「不動産所得には，不動産を使用収益させる対価として受け取る利益又はこれに代わる性質を有する利益にとどまらず，不動産貸付業務の遂行による副収入や付随収入等も含まれ，

かかる付随収入等には，金銭のみならず金銭以外の物や経済的な利益も含まれると解するのが相当である。」と説示した上で，農業及び不動産賃貸業を営んでいた者が借入金に係る債務免除を受けた利益について，借入目的に応じて事業所得，不動産所得，一時所得になると判断している（161頁参照）。

　（注）　課税実務では，賃貸アパートに設置した太陽光発電設備による余剰電力の売却収入を不動産所得に係る収入金額に該当する（国税庁ＨＰ「質疑応答事例・所得税」）。

　　　最高裁平成27年7月17日判決（民集69巻5号1253頁）は，米国デラウェア州の法律に基づいて設立されたリミテッド・パートナーシップ（ＬＰＳ）が行う米国所在の中古集合住宅の賃貸事業に係る投資事業に出資した者の所得につき，不動産所得の損失として他の所得と通算できるかどうかが争われた事案に係るものである。原審の名古屋高裁平成25年1月24日判決（裁判所ＨＰ「行集」）は，当該ＬＰＳが我が国の租税法上の法人等に該当しないから，ＬＰＳが行う不動産賃貸事業により生じた所得は，事業に出資した者の不動産所得に該当し，その損失を他の所得と通算できると判断したが，最高裁は，要旨，次のとおり，その損失を他の所得と通算できないと結論づけている。

(1)　複数の者が出資をすることにより構成された組織体が事業を行う場合において，その事業により生じた利益又は損失は，当該組織体が我が国の租税法上の法人に該当するときは当該組織体に帰属するものとして課税上取り扱われる一方で，当該組織体が我が国の租税法上の法人に該当しないときはその構成員に帰属するものとして課税上取り扱われることになる。

(2)　外国法に基づいて設立された組織体が外国法人に該当するか否かは，①当該組織体に係る設立根拠法令の規定の文言や法制の仕組みから，当該組織体が当該外国の法令において日本法上の法人に相当する法的地位を付与されていること又は付与されていないことが疑義のない程度に明白であるか否かを検討して判断し，これができない場合には，②当該組

織体が権利義務の帰属主体であると認められるか否かについて，当該組織体の設立根拠法令の規定の内容や趣旨等から，当該組織体が自ら法律行為の当事者となることができ，かつ，その法律効果が当該組織体に帰属すると認められるか否かという点を検討して判断すべきである。デラウェア州LPS法の定め等に鑑みると，本件LPSは，自ら法律行為の当事者となることができ，かつ，その法律効果が本件LPSに帰属するものということができるから，権利義務の帰属主体であると認められる。

(3) 本件LPSは，権利義務の帰属主体であると認められるのであるから，外国法人に該当するものというべきであり，本件不動産賃貸事業は本件LPSが行うものであることからすると，当該賃貸事業により生じた所得は，本件各LPSに帰属するものと認められ，本件出資者らの課税所得の範囲には含まれないものと解するのが相当である。したがって，本件出資者らは，当該賃貸事業による所得の金額の計算上生じた損失の金額を各自の所得の金額から控除することはできないというべきである。

（注）　航空機リース事業に出資したことによる所得の区分については，68頁を参照されたい。

2．不動産貸付の権利金とその所得区分

　借地権や地役権の設定により他人に土地を長期間にわたって使用させる場合には，多額の権利金が授受されるのが通常である。この場合の権利金は，不動産の貸付による対価に該当するから，原則として不動産所得になる。原則としてというのは，譲渡所得等に該当する場合があるからである。所得税法では，建物又は構築物の所有を目的とする借地権の設定に伴い，その対価として権利金を取得した場合で，権利金の額が土地の更地としての価額の2分の1を超えるなど一定の要件を満たしているときは，譲渡所得（営利を目的として継続的に行われると事業所得又は雑所得）として課税することとしている（所令79①，94②）。つまり，借地権等の設定により建物等が建築されると，地主は，単に底地の利

用に供する対価として地代収受権を有するにとどまり，その土地の更地価額のうち土地の利用権に当たる部分を半永久的に譲渡したものと異ならないことから，不動産所得ではなく譲渡所得等に該当するものとされているのである。

借地権等の設定行為が資産の譲渡とみなされるのは，次の要件を満たすものをいい，権利金の額が地代の年額の20倍に相当する金額を超えないときは，その権利金は不動産所得に該当するものと推定する（所令79①③）。

(1) 譲渡所得の対象となる借地権等とは，①建物や構築物の所有を目的とする地上権もしくは賃借権（借地権）と，②特別高圧架空電線の架設，特別高圧地中電線もしくは高圧のガスを通ずる導管の敷設，飛行場の設置，ケーブルカーやモノレールの施設，砂防施設である導流堤又は遊砂地の設置，公共施設の設置，特定街区内における構築物の建築等の目的のために設置される地役権で，建造物の設置を制限するものに限られる。借地権の設定には，借地権が設定されている土地を転貸する場合も含まれる。

(2) 借地権等の設定の対価として受け取る権利金は，その土地の更地価額（借地の転貸の場合は，その借地権部分の価額）の2分の1（その設定が地下又は空間について上下の範囲を定めた借地権・地役権の設定である場合は4分の1）に相当する金額を超える場合に限られる。

なお，借地権等の設定をしたことに伴い，通常の場合の金銭の貸付条件に比べて特に有利な条件による金銭の貸付その他特別の経済的利益を受ける場合には，その経済的な利益の額を権利金の額に加算し，その加算した後の金額をもって，上記の要件に当たるかどうかを判定することになる（所令80）。

3．不動産所得の金額の計算

　不動産所得の金額は，その年中の不動産所得に係る総収入金額から必要経費を控除して計算する（所法26②）。不動産所得の総収入金額には，地代，家賃，権利金，礼金，更新料，名義書換料，承諾料，施設利用料，利用料，敷金や保証金の償却などの名義を問わず，不動産等の貸付の対価は，すべて含まれる。不動産所得の収入金額は，金銭に限らず，「金銭以外の物又は権利その他の経済的な利益の価額」も収入金額となる（所法36①）。賃貸物件の明渡し遅延などにより，賃貸料に相当する損害賠償金を収受する場合には，その損害賠償金名義の金員も，不動産所得の収入金額に代わる性質を有するので，不動産所得の収入金額となるのである（所令94①）。

　また，不動産所得の必要経費については，賃貸した土地，建物その他の物件に係る固定資産税，管理費，修繕費，損害保険料，減価償却費及び借入金利子などがあるが（詳細は第3章を参照されたい），同じ不動産所得であっても，①不動産所得を生ずべき事業から生じたもの（事業的規模）であるか，又は②不動産所得を生ずべき業務から生じたもの（業務的規模）であるかによって，次頁表のとおり，必要経費等の額が異なるので，注意を要する（所法45，51，52，57，63，64，70，72，措法25の2など）。

　建物又は土地の貸付が事業的規模で行われているか又は業務的規模で行われているかどうかについては，社会通念上事業と称する程度の規模で建物又は土地の貸付が行われているかどうかで判定することになるが，実務上は，次に掲げる事実のいずれか一つに該当する場合（賃貸料の収入の状況，貸付資産の管理の状況等からみて，これらの場合に準ずる事情があると認められる場合を含む）には，特に反証がない限り，事業として行われているものとされる（所基通26－9）。

① 　貸間，アパート等については，貸与することができる独立した室数がおおむね10以上であること
② 　独立家屋の貸付については，おおむね5棟以上であること

　なお，土地の貸付にあっては，①貸室1室及び貸地1件当たりのそれぞれの

平均的賃貸料の比、②貸室1室及び貸地1件当たりの維持管理及び債権管理に要する役務提供の程度等を考慮し、地域の実情及び個々の実態等に応じ1室の貸付に相当する土地の貸付件数を「おおむね5」として判定することとされている。

✚不動産所得の必要経費等の範囲

項　目	規　模	事 業 的 規 模	業 務 的 規 模
資産損失	取壊し，除去，減失等	損失の金額（原価ベース）を損失が生じた年分の必要経費に算入する。	損失の金額（原価ベース）を損失が生じた年分の不動産所得を限度として必要経費に算入する。
	災　害　等	被災事業用資産の損失の繰越控除の適用がある。	上記と雑損控除の選択適用ができる。雑損控除の対象とする損失の金額は時価で評価する（原価ベースの選択も可）。
貸　倒　損　失		賃貸料等の回収不能による損失は回収不能が生じた年分の必要経費に算入する。	賃貸料等の回収不能による損失は，その収入の生じた年分にさかのぼって，収入金額がなかったものとみなす。
青色事業専従者給与		青色事業専従者に支給した給与はその年分の必要経費に算入する。	適用なし。
事業専従者控除		専従者1人につき最高50万円（配偶者である専従者については86万円）を必要経費に算入する。	適用なし。
事業を廃止した後に生じた費用又は損失		廃止した日の属する年分又はその前年分の必要経費に算入する。	適用なし。
確定申告額の延納に係る利子税		不動産所得に対応する部分は，必要経費になる。	必要経費にならない。
青色申告特別控除		一定の要件を満たす場合には，最高65万円の控除が受けられる。	最高10万円の控除しか受けられない。

❖不動産所得の金額の計算例

〔設 問〕

アパート1棟を所有しているが，老朽化のため建て替えることとした。本年中の収入と経費及び取壊し費用等は次のとおりである。不動産所得の金額はいくらか（青色申告をしていない）。不動産の貸付は，事業と称するに至らない程度の規模である。

①家賃収入115万円，②賃借人に支払った立退料30万円，③取壊し費用35万円，④その他の費用25万円，⑤取壊し直前のアパートの簿価（未償却残高）40万円

（計 算）

① 総収入金額　115万円

② 必要経費の額　（30万円＋35万円＋25万円）＝90万円

③ 資産損失の金額を差し引く前の不動産所得の金額
115万円－90万円＝25万円

④ 資産損失の必要経費算入額
損失額40万円＞③の金額25万円　　∴　25万円

⑤ 不動産所得の金額
115万円－90万円－25万円＝0

（注）　資産損失の金額は，資産そのものについての損失額をいい，立退料や取壊し費用を含まない（所基通37－23，51－2参照）。

5 事業所得の意義と計算

1. 事業所得の範囲

　事業所得とは，物品の卸・小売業，製造業等の営業のほか，農業，林業，狩猟業，漁業，水産養殖業，鉱業等の原始産業，医療保険業，著述業，サービス業などの各種事業から生ずる所得をいう（所法27①，所令63）。「事業」とは，「自己の危険と計算において利益を得ることを目的として継続的に行う経済活動」と定義することができるが，裁判例では，「営利性・有償性を有し，かつ，反復・継続して営まれる業務であって，社会通念上事業と認められるもの」をいうとするのが少なくない。営利を目的として継続的に行われる経済活動であっても，社会通念上事業と認められない場合には，その経済活動から生ずる所得は事業所得に該当せず，雑所得になるというわけである。例えば，金銭の貸付から生ずる所得（所基通27-6参照）や商品取引に係る所得は，それが雑所得に該当すると，①その損失が他の所得との間で通算できないし（所法69①），②所得金額の計算においても必要経費の額などの差異が生ずる（不動産の貸付による所得が事業的規模であるか業務的規模であるかによって，必要経費の範囲が異なるのと同様に，事業所得か雑所得かの相違によって必要経費の範囲が異なるのである。62頁参照）。このため，これらの経済活動から生ずる所得の区分が争われる事例が少なくなく，多くの裁判所は，社会通念上事業と認められるかどうかを基準として判断しているところである。

　事業所得の総収入金額には，物品販売業における商品の販売代金，不動産仲介業における仲介手数料，金融業における貸付金の利子，農業等における収穫物の収入などのほか，医師の診療報酬，作家の印税，弁護士やプロ野球選手の報酬など，その事業の目的とされる行為そのものから生ずる収入が含まれることは明らかであるが，これらに限らず，その事業から付随的に生ずる収入も事

業所得の総収入金額に該当する。例えば，①空き箱や作業くずなどの売却収入，②仕入れ割引や得意先からのリベートはもとより，③事業の遂行上，取引先又は使用人に対して貸し付けた金銭の利子，④事業用資産の購入に伴って景品として受ける金品，⑤新聞販売店における折込広告収入，⑥浴場業，飲食店業における広告の掲示収入，⑦医師又は歯科医師が休日等に診療を行うことにより地方公共団体等から受ける委嘱料，ワクチン接種事業に係る委託料，⑧事業用固定資産に係る固定資産税を納期前に納付することにより受ける報奨金なども，事業所得の付随収入となる（所基通27－5）。

2．事業所得と給与所得の区分

事業所得とは，各種の事業から生ずる所得をいうのに対し，給与所得とは，俸給，給料，賃金，歳費及び賞与並びにこれらの性質を有する給与に係る所得をいう（所法27①，28①）。そして，事業所得の金額は総収入金額から必要経費を控除して算出するが，給与所得の金額は収入金額から給与所得控除額を差し引いて計算する仕組みがとられている（所法27②，28②）。このように，事業所得と給与所得では，所得金額の算出方法等が異なるので，専属的な役務の提供に係る所得などについては，それが事業所得に当たるか又は給与所得に当たるか，両者の所得区分が問題となる場合が少なくない。東京地裁昭和43年4月25日判決（行集19巻4号763頁）を初め多くの裁判所は，「給与所得とは，雇用又はこれらに類する原因に基づき非独立的に提供される労務の対価として受ける報酬及び実質的にこれに準ずる給付を意味し，報酬と対価関係に立つ労務の提供が，自己の危険と計算とによらず，他人の指揮命令に服してなされる点に事業所得との本質的な差異がある。」としており，両者の区分のメルクマールは，使用者の指揮命令に服して提供した労務の対価であるかどうかという点にあるということができる。具体例を挙げてみよう。

① 力士の報酬

日本相撲協会から支給されるものは，横綱，大関などの関取のランクによって報酬が定まっていることから給与所得に該当する。力士がスポンサーから受ける賞金や地方巡業に出場した場合の収益の分配金は事業所得になる。優勝や三賞の賞金は一時所得である（昭和34年直所5－4参照）。

② プロ野球の選手の報酬

選手の技能の進歩や成績あるいは人気の高低によって報酬が大きく左右すること，用具等も選手の個人的負担であること等から，給与所得になじまず事業所得とされる（昭和26年直所2－82参照）。

③ 外交員の報酬

固定給とされる部分は給与所得に該当するが，募集成績に応じて決められる報酬は事業所得になる。顧客を勧誘するための交通費などの費用が自腹であり，勤務時間や場所などが拘束されないから，その報酬は事業所得とされるわけである（所基通204－22）。

④ 弁護士の顧問料

弁護士が顧問契約に基づいて行う法律相談は，法律専門家である弁護士活動の一環とみられるので，通常，顧問料は事業所得に該当する。顧問契約の内容如何によっては，給与所得に該当する場合もあり得るが，一般的にいうと，弁護士は，顧客の求めに応じて自己の危険と計算に基づいて業務を行っているのであり，顧問先との間では雇用契約におけるほど従属性・拘束性がないと解されるからである。

最高裁昭56年4月24日判決（民集35巻3号672頁）は，弁護士の顧問料の所得区分について，「事業所得とは，自己の計算と危険において独立して営まれ，営利性，有償性を有し，かつ，反復継続して遂行する意思と社会的地位とが客観的に認められる業務から生ずる所得をいい，これに対し，給与所得とは，雇用契約又はこれらに類する原因に基づき使用者の指揮命令に服して提供した労務の対価として使用者から受ける給付をいう。なお，

給与所得については，とりわけ，給与支給者との関係において何らかの空間的，時間的な拘束を受け，継続的ないし断続的に労務又は役務の提供があり，その対価として支給されるものであるかどうかが重視されなければならない。」と判示している。

東京地裁令和2年9月1日判決（税務訴訟資料270号順号13443）は，キャバクラ店が接客業務に従事するキャストに支給した報酬について，源泉所得税の納税告知処分等の適否が争われた事案である。裁判所は，最高裁昭和56年4月24日判決を引用した上で，①キャストを採用する際における面接状況，②店長によるキャストの出勤日の確認，③店長によるキャストの勤務の管理状況などを詳細に認定して，当該キャストは，原告（経営者）の指揮命令に服して空間的，時間的拘束を受け，継続的ないし断続的に労務又は役務を提供し，その対価として金員の支給を受けていたものであるから，キャストに支給した報酬は「給与等」に当たるとして，納税告知処分等を適法であると判断している。

3．民法上の組合員が受ける賃金等の所得区分

民法上の組合は，法人格がなく人格のない社団等にも該当しないので，組合事業から生ずる所得は組合員の共同事業として各組合員に分配され，各組合員が納税義務を負うことになり，組合員が受ける分配金は，組合事業と同じ所得区分に該当する（いわゆるパス・スルー課税）。所得税法では，民法上の組合についての所得計算や組合員に対する課税方法を明記していないが，実務上，組合事業から得る組合員の所得は，組合の主たる事業の内容に従って不動産所得，事業所得，山林所得又は雑所得のいずれかに分類することとされている。

民法上の組合から受ける組合員の所得区分を巡る判決に，りんご生産事業を営む組合の組合員（専従者）がりんご生産作業に従事し，組合から労務費名目で支払われた金員の所得区分が争われたものがある。第一審の盛岡地裁平成11

年4月16日判決（訟務月報46巻9号3713頁）は，組合員の所得を給与所得，第二審の仙台高裁平成11年10月27日判決（訟務月報46巻9号3700頁）は事業所得としたが，最高裁平成13年7月13日判決（訟務月報48巻7号1831頁）は，給与所得として高裁の判断を覆している。最高裁判所は，「民法上の組合の組合員が組合の事業に従事したことにつき組合から金員の支払を受けた場合，当該支払が組合の事業から生じた利益の分配に該当するのか，給与所得に係る給与等の支払に該当するのかは，当該支払の原因となった法律関係についての組合及び組合員の意思ないし認識，当該労務の提供や支払の具体的態様等を考察して客観的，実質的に判断すべきものであって，組合員に対する支払であるからといって，当該支払が当然に利益の分配に該当することになるものではない。本件組合及びその組合員は，労務費の支払を雇用関係に基づくものと認識していたことがうかがわれ，その労務費は，本件組合の利益の有無ないしその多寡とは無関係に決定され，支払われていたとみるのが相当である。また，Xら専従者は，一般作業員と同じく，管理者の作業指示に従って作業に従事し，作業時間がタイムカードによって記録され，その作業も一般作業員と基本的に異なるところはないのであるから，Xら専従者は，一般作業員と同じ立場で，本件組合の管理者の指揮命令に服して労務を提供していたとみることができる。したがって，本件収入に係る所得は給与所得に該当すると解するのが相当である。」と判断している。

　名古屋地裁平成16年10月28日（判例タイムズ1204号224頁）及びその控訴審である名古屋高裁平成17年10月27日判決（税務訴訟資料255号順号10180）は，航空機リース事業に出資したことによる所得が不動産所得に該当するから，その損失を給与所得等の金額と通算することができるとして，課税処分を取り消している。問題となった航空機リース事業とは，①複数の投資家が出資をして任意組合を作り，②その任意組合が航空機を購入して，これを航空会社に賃貸し，③一定期間（6年間）が過ぎた時点で，航空機を売却するというものである。この航空機リース事業に出資する投資家のメリッ

トは，①航空機の賃貸期間中に得る収入（リース収入）は，減価償却費（旧定率法）や借入金利子を下回るから，その事業に係る所得（不動産所得）の損失を給与所得等と通算できること，②リース期間終了後の航空機の売却収入は，航空機の未償却残高を上回るから，その譲渡益（長期譲渡所得）の2分の1が課税対象となることの二点にあって，航空機などのリース事業に対する投資商品は，租税法上の損益通算等を通じて節税が図れることから，タックスプランニング（節税商品）とかタックスシェルター（課税逃れ商品）と呼ばれている。

　判決では，「特段の合理的理由がないのに，通常は用いられることのない法的手段，形式を選択することによって，所期の経済的効果を達成しつつ，通常用いられる法律行為に対応する課税要件の充足を免れ，税負担を減少させあるいは排除する場合には，租税回避行為としてその有効性が問題となり得るが，租税法律主義の観点からは，このような場合であっても，課税要件が充足したものとして扱うためには，これを許容する法律上の根拠を要すると解すべきである。」と説示した上で，「本件組合契約が民法上の組合契約の性質を有するかは，一般組合員が検査権及び本件業務執行会社の解任権を有するか否か並びに業務の成功に利害関係を有するか否かにかかるというべきである。」とし，本件組合契約は民法上の組合契約の成立要件を充足していると判断している。

　他方，東京地裁平成22年11月18日判決（裁判所HP「行集」）及びその控訴審である東京高裁平成24年7月19日判決（裁判所HP「行集」）は，匿名組合の営業として行われた航空機リース事業に関する損失が匿名組合員の不動産所得ではなく，雑所得の損失に該当するとして，他の所得との損益通算を否定している。その理由として，匿名組合契約に基づき分配される損益は，営業者である匿名組合の営業のために出資をしたことに対する対価としての性質を有するものであり，利子所得から一時所得までのいずれにも該当しないから，その損益は，雑所得に該当すると断じている。

匿名組合契約に基づく営業者から受ける利益の分配は，原則として，雑所得に該当するが，匿名組合員が営業者の営む事業（組合事業）に係る重要な業務執行の決定を行っているなど組合事業を営業者と共に経営していると認められる場合には，営業者の営業の内容に従い，事業所得又はその他の各種所得とされる（所基通36・37共－21）。東京高裁平成19年10月30日判決（訟務月報54巻9号2120頁）は，「匿名組合員が営業者の事業を共同して営む立場にない単なる出資者である場合の当該匿名組合員が営業者から受ける利益の分配は，当該出資行為を匿名組合員自身の事業とみることができる場合を除き，出資の対価として雑所得に該当すると解するのが相当」と説示して，上記の通達は所得税法の正当な解釈を示していると断じている。

　最高裁平成27年6月12日判決（民集61巻4号1121頁）は，所得税基本通達36・37共－21の取扱いに関して，要旨，次のとおり判断している。
(1)　匿名組合契約に基づき匿名組合員が営業者から受ける利益の分配に係る所得は，当該契約において，匿名組合員に営業者の営む事業に係る重要な意思決定に関与するなどの権限が付与されており，匿名組合員が実質的に営業者と共同して事業を営む者としての地位を有するものと認められる場合には，当該事業の内容に従って事業所得又はその他の各種所得に該当し，それ以外の場合には，当該事業の内容にかかわらず，その出資が匿名組合員自身の事業として行われているため事業所得となる場合を除き，雑所得に該当するものと解するのが相当である。平成17年改正後の所得税基本通達36・37共－21（新通達）は，その内容に照らし，これと同旨をいうものと解される。
(2)　平成17年改正前の通達（旧通達）においては，原則として当該事業の内容に従い事業所得又はその他の各種所得に該当するものとされているのに対し，改正後の新通達においては，原則として雑所得に該当するものとされている点で，両者は取扱いの原則を異にするものということができ，また，当該契約において匿名組合員に意思決定への関与等の権限

が付与されていない場合について，旧通達においては当該事業の内容に従い事業所得又はその他の各種所得に該当することとなるのに対し，新通達においては雑所得に該当することとなる点で，両者は具体的な適用場面における帰結も異にするものということができることに鑑みると，平成17年通達改正によって上記の所得区分に関する課税庁の公的見解は変更されたものというべきである。以上のような事情の下においては，平成17年通達改正の前に旧通達に従ってされた平成15年分及び同16年分の各申告において，納税者Ａが，本件リース事業につき生じた損失のうち本件匿名組合契約に基づく同人への損失の分配として計上された金額を不動産所得に係る損失に該当するものとして申告し，他の各種所得との損益通算により上記の金額を税額の計算の基礎としていなかったことについて，真にＡの責めに帰することのできない客観的な事情があり，過少申告加算税の趣旨に照らしてもなお同人に過少申告加算税を賦課することは不当又は酷になるというのが相当であるから，国税通則法65条4項にいう「正当な理由」があるものというべきである。

4．農事組合法人等から受ける従事分量配当の所得区分

　農業経営の事業を行う農事組合法人，漁業生産組合又は生産森林組合が，その事業に従事する組合員に対して，その事業に従事した程度に応じて支払う従事分量配当については，これらの法人がその事業に従事する組合員に対し給料，賃金，賞与その他これらの性質を有する給与を支給する法人であるかどうかによって，次のように，その組合員が受ける分配金の所得区分が異なる（所令62①②，所基通23〜35共－4）。

　① 給与を支給するものである場合……配当所得
　② 給与を支給しないものである場合……(a)農事組合法人から受ける従事分

量配当のうち，農業の経営から生じた所得を分配したと認められるものは事業所得，(b)漁業生産組合から受ける従事分量配当のうち，漁業から生じた所得を分配したと認められるものは事業所得，(c)生産森林組合から受ける従事分量配当のうち，その組合のその事業年度中における山林の伐採又は譲渡から生じた所得の大部分を分配したと認められるものは山林所得（当該山林の伐採又は譲渡が，その取得の日から5年以内にされたものは事業所得又は雑所得）

また，協同組合等の組合員がその協同組合等の事業を利用した分量に応じて支払を受ける事業分量配当で，その協同組合等の所得金額の計算上損金の額に算入されるもののうち組合員の事業に係るものは，事業所得の総収入金額とされる（所令62④，所基通23～35共－5）。

5．事業所得と山林所得の区分

山林所得とは，山林の伐採又は譲渡による所得をいうが，山林を取得した日から5年以内に伐採又は譲渡することによる所得は，山林所得に含まれない（所法32①②）。山林所得は，長期間にわたって育成した山林を伐採又は譲渡したときに一時に課税するものであることから，分離課税の5分5乗方式を採用して累進税負担の緩和措置を講じており（所法89①），短期間の山林の育成から生ずる所得は，このような山林所得に対する軽課措置になじまないというわけである。そこで，山林の所有者（山主）が保有期間5年を超える山林を伐採又は譲渡することによる所得は，たとえその山林経営が事業と認められる場合であっても，事業所得に該当せず，山林所得に分類されることになる。一方，山林を取得した日から5年以内に伐採又は譲渡することによる所得は，山林の経営が事業と認められる場合には事業所得，事業とまでいえない場合には雑所得に分類される。製材業者自らが植林し又は幼齢林を取得して育成した山林を伐採し，製材して販売した場合の所得は，形式的には植林から製材の販売までのすべての所得が販売時の製材業の所得（事業所得）と解されるが，実務的には，

次のように二つの所得に区分することを認めている（所基通23〜35共－12）。

① 植林又は幼齢林の取得から伐採までの所得……伐採した原木を製材業者の通常の原木貯蔵場等に運搬した時の価額で山林所得とする。

② 製材から販売までの所得……その製品を販売した時の事業所得とする。

一方，植木販売業者が植木として育成中の立木や山林苗木販売業者が苗木として育成中の立木は，たとえその育成完了までに5年超の歳月を要したとしても，その販売収入は山林所得ではなく，事業所得に該当することになる。植木販売業者が育成中の立木は，販売目的で所有する棚卸資産であって，山林所得にいう「山林」に当たらないからである。

6．事業所得と譲渡所得の区分

事業所得とは，各種の事業活動から生ずる所得をいい，事業の遂行に付随して生ずる収入も事業所得の総収入金額に含まれる（所法27①）。商品の製造や販売等は本来の事業活動であるが，営業用固定資産等の売却も事業に付随するものであることには相違ないから，その売却収入も事業所得に該当するのではないかという疑問が生ずる。しかし，所得税法では，資産の譲渡による所得は譲渡所得とし，①棚卸資産（これに準ずる資産を含む）の譲渡その他営利を目的として継続的に行われる資産の譲渡による所得，及び②山林の伐採又は譲渡による所得のみを譲渡所得から除外している（所法33②）。「棚卸資産」とは，商品又は製品，半製品，仕掛品，主要原材料，補助原材料，貯蔵品及びこれらの資産に準ずるもの（有価証券，暗号資産及び山林を除く）をいい（所法2①十六，所令3），「準棚卸資産」とは，棚卸資産に準ずるもののほか，少額減価償却資産（使用可能期間が1年未満のもの又は取得価額が10万円未満のもの，195頁参照）及び一括償却資産（取得価額が20万円未満のもの，195頁参照）で業務の性質上基本的に重要なもの（少額重要資産）に該当しないものをいう（所令81）。

　（注）　少額重要資産とは，製品の製造，農産物の生産，商品の販売，役務の提供等その者の目的とする業務の遂行上直接必要な減価償却資産で当該業務の遂行上欠く

ことのできないものをいう（所基通33－1の2）。少額重要資産の譲渡による所得は，営利を目的として継続的に行われる場合を除き，譲渡所得に該当する。ただし，使用可能期間が1年未満である減価償却資産は，その者の業務の性質上基本的に重要なものであっても，少額重要資産に含まれないから，その譲渡による所得は，事業所得又は雑所得になる（所基通33－1の3）。

また，営利を目的として継続的に行われる資産の譲渡による所得は，譲渡所得から除かれており事業所得又は雑所得に該当するが，営業用固定資産等（少額減価償却資産や一括償却資産等を除く）の売却収入は，棚卸資産等の譲渡ではなく継続的なものでもないから，譲渡所得に当たることになる。

そこで，事業所得と譲渡所得の区分に当たっては，「棚卸資産等の譲渡その他営利を目的として継続的に行われる資産の譲渡」に当たるかどうかが重要となるのであるが，実務上は次のように取り扱っている。

① 貸衣装業における衣装類の譲渡，パチンコ店におけるパチンコ器の譲渡，養豚業における繁殖用又は種付用の豚の譲渡，養鶏業における採卵用の鶏の譲渡のように，その事業の用に供された固定資産を反復継続して譲渡することが事業の性質上通常である場合，その固定資産の譲渡による所得は事業所得に該当する（所基通27－1）。

② 金融業者が担保権の実行等により取得した土地，建物，機械等の資産を譲渡した場合の所得は，金融業から生ずる事業所得に該当する（所基通27－4）。

③ 固定資産であった土地に販売の目的で宅地造成を行い，又はその上に建売住宅を建設したような場合には，その土地は「固定資産」から「棚卸資産又はこれに準ずる資産」に転化したものと考えられ，その譲渡による所得は事業所得又は雑所得に該当する。ただし，(a)宅地造成等をした土地が小規模（おおむね3,000㎡以下）であるときは譲渡所得，(b)その土地がきわめて長期間（おおむね10年以上）保有されていたものであるときは，宅地造成等に着手する直前の土地の値上り益に相当する部分を譲渡所得，宅地造成等の加工利益に相当する部分を事業所得又は雑所得とする（所基通33－4，33－5）。

7．事業所得の総収入金額

　事業所得の金額は，その年中の事業所得に係る総収入金額から必要経費を控除して計算する（所法27②）。事業所得の総収入金額には，本来の事業収入や付随収入のほか，①棚卸資産を自家消費した場合，②棚卸資産を贈与等した場合，③農産物を収穫した場合，④国庫補助金等を受けた場合，⑤棚卸資産等について損失を受けたことによる保険金，損害賠償金等などがある（157頁以下を参照されたい）。

8．事業所得の必要経費

　事業所得の金額の計算に当たっては，総収入金額から必要経費を控除するが，その場合の必要経費とは，①売上原価その他その総収入金額を得るために直接要した費用の額，及び②その年における販売費，一般管理費その他事業所得を生ずべき業務について生じた費用をいい（所法37①，詳細は第3章を参照されたい），次のような別段の定めが置かれている。

(1) 社会保険診療報酬に係る必要経費の特例

　医業又は歯科医業を営む個人が支払を受ける社会保険診療（社会保険診療報酬が5,000万円以下であり，かつ，医業又は歯科医業から生ずる事業所得に係る総収入金額が7,000万円以下である場合に限る）については，支払を受けるべき金額に一定の率（57％～72％）を乗じて計算した金額を社会保険診療に係る費用として必要経費に算入することができる（措法26①）。

　東京高裁令和3年2月27日判決（訟務月報68巻2号134頁）は，麻酔科医が業務委託契約先の病院から麻酔施術の対価として受けた報酬について，措置法26条にいう「社会保険診療につき支払を受けるべき金額」に当たるかが争われた事案である。裁判所は，「患者に対する一連の医療サービスを

> 提供したのは，麻酔医のほか，主治医，看護師，栄養士，診療放射線技師，臨床工学技士等であり，これを支える各種の物的設備を含めた有機的結合体である医療機関（各医院）である。この観点から，X（原告，控訴人）の関与は，業務委託先の各病院の提供する一連の医療サービスに吸収されているものとみるほかはない。Xの行う麻酔施術が重要な役割を果たしていることを考慮しても，租税関連法規の解釈としては，Xが自ら主体となって，各病院と共に，患者に対する療養の給付を行ったというには，無理があるというほかはない。」と説示して，Xが受けた報酬は，措置法26条が適用されないとする。

(2) 家内労働者等の事業所得等の所得金額の特例

家内労働者，外交員，集金人，検針人又は特定の者に継続的に人的役務を提供する者が事業所得又は雑所得を有する場合には，55万円（その者が給与所得を有するときは55万円から給与所得控除額を差し引いた残額）までの金額を必要経費に算入することができる（措法27，措令18の2）。内職による所得についても，パート収入と同様に給与所得控除額相当の必要経費を認めているのである。

(3) 債務処理計画に基づき評価減された減価償却資産等の損失の必要経費算入

青色申告者が債務処理計画に基づき債務免除を受けた場合（債務免除益の総収入金額不算入の適用を受ける場合を除く）において，不動産所得，事業所得又は山林所得を生ずべき事業の用に供される減価償却資産その他これに準ずる資産について評価減されたときは，その免除を受けた日の属する年分の不動産所得，事業所得又は山林所得の金額の計算上，必要経費に算入することができる。ただし，その必要経費に算入する金額は，この特例を適用しないで計算したその免除を受けた年分の不動産所得，事業所得又は山林所得の金額が限度とされる（措法28の2の2①）。

なお，確定申告書にこの特例の適用を受ける旨の記載があり，かつ，一定の書類の添付がある場合に限り適用される（措法28の2の2②③）。

（注）債務免除益の総収入金額不算入の適用については，161頁を参照されたい。

(4) 有限責任事業組合員の事業所得等の所得計算の特例

有限責任事業組合（いわゆる日本版ＬＬＰ）とは，有限責任事業組合契約法に基づく組合で，個人や法人が出資して共同で営利を目的とする事業を営むものをいう。その特徴は，①組合員全員が有限責任であり，②損益や権限の分配が自由に決められ，③組合員が納税義務者であって，組合段階では課税されないという点にあり，大企業同士，大企業と中小企業，産学連携，専門人材同士などの共同事業の展開が期待されている。この有限責任事業組合においては，組合員が有限責任であることから，その組合事業から生ずる不動産所得，事業所得又は山林所得の損失額のうち，その組合事業に係る当該個人の出資額を基礎として計算した金額（調整出資金額）を超える部分の金額は，必要経費に算入できないこととされている（措法27の2①）。この場合の損失の金額は，その組合事業から生ずる不動産所得，事業所得又は山林所得の個々の所得区分ごとに判定するのではなく，組合事業から生ずるこれらの所得の総収入金額及び必要経費をすべて合計したところで判定することになる（措令18の3①）。

（注）調整出資金額は，次の①＋②－③で計算する（措令18の3②）。
① その年に終了する計算期間までの出資額の合計
② その年の前年に終了する計算期間までの総収入金額等の合計額から必要経費等の合計額を控除した額
③ その年に終了する計算期間までの分配額の合計

9．臨時的な所得や変動所得に対する課税

プロ野球がシーズンオフになると，有名選手の契約更改で新聞紙上を賑わせるが，このような契約金などに対する課税はどのようになるのであろうか。所得税法は，原則として1年間の所得を総合した上で，5％～45％の超過累進税

率を適用する累進課税制度を採用している（所法89①）。このため，毎年経常的に発生する所得を各年に課税する場合と，数年間に一度という臨時的に発生する所得をその発生年分で一括して課税する場合とでは，その納税者の納める所得税額をトータルすると税負担が異なってくることになる。そこで，所得税法では，所得の性質に応じて超過累進税率を緩和する措置として，(a)長期譲渡所得や一時所得に対する２分の１総合課税，(b)退職所得（短期退職手当等のうち所定のもの及び特定役員退職手当等を除く）に対する２分の１分離課税，(c)山林所得に対する５分５乗方式による分離課税，(d)臨時所得や変動所得に対する５分５乗方式（平均課税）による総合課税の制度が設けられている（所法22②，30②，89①，90①）。

これらの臨時的・偶発的な所得のうちの臨時所得とは，役務の提供を約することにより一時に取得する契約金や不動産の貸付に係る権利金などの一定の所得をいう。具体的には，次のものがこれに該当する（所法２①二十四，所令８）。

① プロ野球の選手などが３年以上の期間の専属契約に際して受ける契約金で，その金額が報酬年額の２倍以上であるもの
② 不動産等を３年以上の期間にわたって貸し付けることにより受ける権利金，頭金等で，その金額が使用料年額の２倍以上であるもの
③ 業務の休止，廃止等により受ける補償金で，３年以上の期間の所得に係るもの
④ 鉱害等により業務用資産に被害を受けた場合の補償金で，３年以上の期間の所得に係るもの
⑤ 上記の①から④までに類するもの

また，変動所得とは，漁獲やのりの採取から生ずる所得，ハマチ，マダイ，ヒラメ，カキ，ウナギ，ホタテ貝又は真珠の養殖から生ずる所得，原稿や作曲に係る所得，著作権の使用料に係る所得をいう（所法２①二十三，所令７の２）。

なお，５分５乗方式とは，所得金額の５分の１に相当する金額に税率を乗じ，求められた税額を５倍した上で納付する税額を算出する方法をいい，変動所得と臨時所得については，その合計額が総所得金額の20％以上である場合に，平

第2章 各種所得の種類と計算

均課税を選択して超過累進税率の緩和をする方法が採用されている（所法90①，287頁参照）。

給与所得の意義と計算

1．給与所得の意義

　給与所得とは，俸給，給料，賃金，歳費及び賞与並びにこれらの性質を有する給与に係る所得をいい（所法28①），収入金額から給与所得控除額を差し引いて計算する（所法28②）。給与所得の典型的なものは，雇用契約に基づいて被用者が雇用者から受ける報酬であるが，これに限らず，広く雇用契約又はそれに類する関係その他一定の勤務関係に基づいて受ける報酬が給与所得に該当する。超過勤務手当，役付手当，家族手当，住宅手当などの各種の手当や現物給与といわれる経済的利益も勤務の対価としての性格を有するものは，給与所得に該当する。つまり，給与所得とは，一定の勤務関係に基づき，その勤務の対価として使用者から受ける報酬をいうのである（ただし，退職に伴い一時に支払われるものは退職所得に分類される）。最高裁判所も，「勤労者が勤労者たる地位に基づいて使用者から受ける給付は，すべて給与所得を構成する。」（昭和37年8月10日判決・民集16巻8号1749頁）とし，「給与所得とは，雇用契約又はこれに類する原因に基づき使用者の指揮命令に服して提供した労務の対価として使用者から受ける給付をいい，とりわけ，給与支給者との関係において何らかの空間的，時間的な拘束を受け，継続的ないし断続的に労務または役務の提供があり，その対価として支給されるものであるかどうかが重視されなければならない。」（昭和56年4月24日判決・民集35巻3号672頁）と判示しているところである。

　なお，①事業所得等の金額の計算に当たって必要経費に算入した青色事業専従者給与の金額及び事業専従者控除額（所法57①④），並びに②勤労者が受ける

財産形成給付金等のうち，7年サイクルの中途で受けるもの等（措法29の4）は給与所得とみなされる。

2．現物給与に対する課税

　フリンジ・ベネフィットに対する課税については，税の不公平問題をはじめとしていろいろな論議がある。フリンジ・ベネフィットとは，給与所得者が本来の給与のほかに受ける経済的な利益を意味し，企業の有する施設を利用したり，各種の費用を企業負担で受ける場合などの利益をいう。そして，これらの経済的な利益の供与は，福利厚生制度の充実など規模の大きい会社ほど，また，一般従業員よりも役員の方が利益を享受する度合いが強いことから，大企業と中小企業の従業員間，役員と従業員との間の課税上の不公平という問題が生ずるというわけである。

　給与所得者が勤務先から受ける各種の経済的な利益は「現物給与」といわれており，これには，(a)物品その他の資産を無償又は低い価額で譲り受けたり，(b)社宅等を無償又は低い価額で貸与されたり，(c)金銭を無利息又は低い価額で貸し付けられたり，(d)各種のサービスを無償又は低い価額で提供されたり，(e)債務免除を受けた場合の利益がある（所基通36－15参照）。そして，この現物給与はすべて課税対象となるわけではなく，経済的利益の特殊性から，所得税法や国税庁通達等によって課税除外とされているものが少なくない。主要なものを掲げると，次のとおりである。

　①　従業員の制服や残業した者の食事の提供を受ける利益，国家公務員宿舎法12条の規定による無料宿舎の貸与その他職務の遂行上居住場所の制約を受ける者が家屋の貸与を受けることによる利益などは，給与所得者の職務の性質上欠くことができない経済的利益であり，その供与が使用者自身の業務上の必要に基づくものであるもの（所法9①六，所令21，所基通9－8，9－9）。

　②　使用者が負担する各種のレクレーション費用，使用者が業務上の必要に

第2章　各種所得の種類と計算

基づいて負担するゴルフクラブや社交団体の入会金など，個人に対する利益の帰属ないしその程度が不明確なもの（所基通36－30，36－34～36－35の2）。保養所などの福利厚生施設を設け，その運営費等を使用者が負担している場合（所基通36－29）や掛け捨ての生命保険の保険料等を使用者が負担している場合などの経済的利益についても課税除外とされるが，役員だけを対象とするものは課税対象となる（所基通36－31～36－31の8）。

③　在宅勤務に通常必要な費用の実費相当額を精算する方法により従業員に対して支給する一定の金銭については，従業員に対する給与として課税されない。在宅勤務手当を支給した場合は，給与として課税される（国税庁ＨＰ「在宅勤務に係る費用負担等に関するＦＡＱ」）。

✣テレワーク手当が非課税となる実費相当額の例

〔通信費〕

1か月の通信費 × $\dfrac{\text{在宅勤務日数}}{\text{その月の日数}}$ × $\dfrac{1}{2}$ ＝ 非課税額

〔電気代〕

1か月の電気代 × $\dfrac{\text{在宅勤務日数}}{\text{その月の日数}}$ × $\dfrac{\text{業務に使用した部屋の床面積}}{\text{自宅の床面積}}$ × $\dfrac{1}{2}$ ＝ 非課税額

④　社会通念上相当と認められる永年勤続者の記念品，創業記念品など，少額不追求の趣旨で課税除外とされるもの（所基通36－21，36－22）。

　これ以外にも，(a)従業員等に対する一定の条件に該当する自社の商品や製品等の値引販売（所基通36－23），(b)従業員等に対する金銭の無利息又は低利による貸付で，災害又は疾病等に基因するもの又は使用者における平均調達金利以上の金利で貸し付けたもの（所基通36－28），(c)使用者が負担する少額の社会保険料（所基通36－32），(d)使用者が月額3,500円を超えない範囲で支給する食事のうち，従業員数等の負担額が50％相当額以上（所基通36－38の2）があり，同様な趣旨から課税除外とされている。

⑤　全国健康保険協会が管掌する健康保険等の被保険者が受ける事業主負担

部分の掛金に係る利益など，政策的観点から課税除外とされるもの（措法41の7）。

3．ストック・オプションの権利行使により取締役等が受ける経済的利益

　ストックオプションとは，会社が役員や従業員に対して自社株式をあらかじめ決められた価格（権利行使価額）で，一定の期間内に購入する権利を与える制度であって，権利行使価額は，権利付与日の時価を参考に決められ，その後，業績の向上によって株価が上がってもこの権利行使価額で株式を購入できる（経済的利益）。このストック・オプションの権利行使により受ける経済的利益のうち，株式会社の取締役，執行役もしくは使用人（発行済み株式の50％を超える株式を保有する子会社の取締役又は使用人を含む）又はその取締役等の相続人等が株主総会の付与決議に基づき新株予約権（新株引受権及び株式譲渡請求権を含む）を与えられ，これを権利行使することにより株式を取得した場合については，原則として給与所得に該当する。新株予約権等が退職を予定している者に付与され，かつ，退職後長期間にわたって生じた株式の値上り益に相当するものが主として供与されているなど，職務の遂行に関連を有しない利益が供与されていると認められるときは，雑所得となる（所基通23～35共－6）。

　ただし，次の要件が定められた付与契約に従って権利行使した場合（いわゆる税制適格ストック・オプション）の経済的利益については，所得税が課税されない（措法29の2）。

　①　付与決議の日後2年から10年以内に権利行使をすること（付与決議の日においてその設立の日以後の期間が5年未満であることその他の一定の要件を満たす株式会社が新株予約権を付与する場合には，付与決議の日後15年を経過する日までの間に権利行使すること）

　②　権利行使価額の年間の合計額が1,200万円を超えないこと

　③　1株当たりの権利行使価額は，付与契約締結時における1株当たりの時

価以上であること
④　新株予約権等は，譲渡禁止であること
⑤　権利行使により取得する株式は，その株式会社を通じて証券会社等の営業所に保管の委託等がされること

この場合の経済的利益は，その権利行使により取得した株式を譲渡した時点において，譲渡価額と権利行使価額との差額がキャピタル・ゲインとして課税される（申告分離課税）ので，一種の課税の繰延べである。

　外国法人からその子会社である日本法人の取締役等が受けたストック・オプションについて，その権利行使をした場合の利益に対する所得の区分が争われた訴訟では，給与所得説と一時所得説とに裁判例が二分していた。東京地裁平成15年8月26日判決（判例タイムズ1129号285頁）では，「ストック・オプションの権利行使益は，ストック・オプションに係る親会社の株価の変動及び原告自身の権利行使の時期に関する判断によってその発生の有無及び金額が決定づけられた偶発的・一時的な性格を有する経済的利益であるから，一時所得に該当すると判示する（同旨のものに，東京地裁平成14年11月26日判決・判例タイムズ1106号283頁ほかがある）。他方，その控訴審である東京高裁平成16年2月19日判決（判例時報1858号1頁）では，ストック・オプションは従業員等の労務の提供と不可分の関係にあるところ，従業員等は，権利行使によって付与会社が有していた株式の時価と権利行使価格との差額相当の経済的利益（含み益）を享受するのであるから，権利行使益は給与所得に該当すると判示している（横浜地裁平成16年1月21日判決・金融商事判例1184号4頁も同旨）。この問題について，最高裁平成17年1月25日判決（民集59巻1号64頁）は，「本件ストック・オプション制度は，外国法人グループの一定の執行役員及び主要な従業員に対する精勤の動機付けとすることなどを企画して設けられているものであり，外国法人は，上告人が職務を遂行しているからこそ，本件ストック・オプション制度に基づき上告人との間で本件付与契約を締結して上告人に対して本件ストック・オプション

を付与したものであって，本件権利行使益が職務を遂行したことに対する対価としての経済的利益であることは明らかである。」と説示して，ストック・オプションの権利行使益は給与所得に該当する旨結論づけている。

なお，最高裁平成18年10月24日判決（民集60巻8号3128頁）では，①ストック・オプションの権利行使益の所得区分に関して，課税庁がかつて一時所得として取り扱っていたこと，②一時所得とする見解にも相応の論拠があり，下級審の裁判例においても判断が分かれていたこと，③課税庁が従来の取扱いを変更しようとする場合には，通達を発するなどして変更後の取扱いを周知し定着するような必要な措置を講ずべきであることなどを理由に，納税者がストック・オプションの権利行使益を一時所得として申告したことは，国税通則法65条4項のいう「正当な理由」があるとして過少申告加算税の賦課決定処分を取り消している。

4．課税されない給与所得

租税法や国税庁通達等によって課税除外とされているもの（非課税所得）には，前記（80頁）の現物給与に関するもののほかに，主として次のものがある。

① 出張旅費等でその旅行に通常必要と認められるもの（所法9①四）
② 通勤手当のうち最も経済的かつ合理的と認められる通常の通勤経路及び方法による運賃等の額（所法9①五，所令20の2）

　非課税限度額（月額15万円まで）は，次のとおりである。

　　イ　交通機関又は有料道路の利用者…1か月当たりの合理的な運賃等の額
　　ロ　自転車や自動車などの利用者…通勤距離が片道55km以上は1か月当たり31,600円，45km以上55km未満は28,000円，35km以上45km未満は24,400円，25km以上35km未満は18,700円，15km以上25km未満は12,900円，10km以上15km未満は7,100円，2km以上10km未満は4,200円
　　ハ　交通機関又は有料道路を利用するとともに，自転車や自動車などを利用

する者…1か月当たりの合理的な運賃等の額にロの額を合計した金額
③　国外勤務者の在外手当（所法9①七）
④　外国政府，国際機関等に勤務する特定の者の給与（所法9①八）
⑤　学資に充てるため給付される金品のうち，使用者から通常の給与に加算して受けるもの（法人の役員や使用人の配偶者等の学資に充てる給付を除く。所法9①十五）
⑥　被災見舞金，結婚祝金等で社会通念上相当のもの（所基通9－23, 28－5）
⑦　業務上の負傷等により休業した場合に支給される休業補償等（所基通9－24）

　なお，使用者の責に帰すべき事由により休業した場合に支給される休業手当は，給与所得となる。

5．役員賞与の支給事実の認定

　法人が役員個人の費用となるべき支出を負担した場合には，当該役員は，その支出すべき負担を免れたことによる経済的利益を享受しているので，当該法人から賞与の支給があったものとされる。また，法人がその有する資産を時価よりも著しく低い価額で役員に譲渡した場合も，役員に対し当該資産の時価と譲渡価額との差額に相当する賞与を支給したものと認定される。これらと同様に，法人に対する税務調査に際して，売上計上漏れや架空仕入れの金額又は架空経費の計上が把握され，その使途が不明であった場合には，税務署長が役員に対する賞与の支給事実を認定することが少なくない。

　このように，法人の経理上は役員に対する賞与とされていないが，税務官庁がその実質からみて役員賞与の支給があったと認定するものを"認定賞与"と呼んでいる。課税の実務においては，役員が現実に会社から利益を得ている場合には，それが会社からの横領によるものか，実際に賞与として受けているものかをせんさくすることなく，経済的利益を受けている事実に基づいて賞与の支給があったものとして課税処理がされるのである。この場合の認定賞与が源

泉徴収になじむかどうかは，議論があり，学説はこれを否定するものが多いが，判例は給与所得に該当する以上これを肯定する。

　京都地裁平成14年9月20日判決（裁判所ＨＰ「下級裁判所判例集」）は，社会福祉法人の理事長が法人の経理を水増しし，不正に捻出した資金を自己の簿外預金に送金していたという事実関係の下において，その預金口座に入金された金員が理事長に対して賞与を支給したとする納税告知処分について，「理事長による横領行為の被害者というべき社会福祉法人に対し，理事長の所得について源泉徴収をして納付する義務があることを前提とする処分は，いかにも不当な結論であると考えられる。」と説示して，納税告知処分を取り消している。これに対し，その控訴審である大阪高裁平成15年8月27日判決（税務訴訟資料253号順号9416）は，「所得の受給者が源泉徴収義務者から不正に利得した場合であっても，その利得が給与所得と認められる以上は，源泉徴収義務者に納税義務を課すべきものであって，源泉徴収が困難であるかどうかは全く関係のないことである。」と断じている。

>　最高裁平成27年10月8日判決（裁判集民事251号1頁）は，権利能力のない社団であるＸ（被上告人）がその理事長Ａに対する貸付債権を免除したことにつき，給与の支払に当たるとした納税告知処分等の適否が争われた事案に係るものである。裁判所は，「Ａは，Ｘから長年にわたり多額の金員を繰り返し借り入れ，これを有価証券の取引に充てるなどしていたところ，Ｘが多額の金員の貸付けを繰り返し行ったのは，ＡがＸの理事長等の地位にある者としてその職務を行っていたことによるものとみるのが相当であり，Ｘが本件債務免除に応ずるに当たっては，Ｘに対するＡの理事長等としての貢献についての評価が考慮されたことがうかがえる。これらの事情に鑑みると，本件債務免除益は，雇用契約に類する原因に基づき提供した役務の対価として臨時的に付与された給付とみるのが相当である。」とした上で，「Ａが資力を喪失して債務を弁済することが著しく困難であったなど本件債務免除益をＡの給与所得における収入金額に算入しないものとす

べき事情が認められるなど，本件納税告知処分が取り消されるべきものであるか否かにつき審理を尽くさせるため」，広島高等裁判所に差し戻した。

　その差戻審である広島高裁平成29年2月8日判決（税資267号順号12978）は，「Aは，本件債務免除当時（直前）の負債が52億7,722万円，資産が17億2,519万円と認められるのであり，これによると，資産よりも負債が3倍以上と大幅に上回っており，Aが資力を喪失して本件債務全額を弁済することが著しく困難であったと認めることができるものの，本件債務免除により，Aは資産が負債を大幅に上回る状態になるから，本件債務免除に係る48億3,682万円の全額を債務免除益として給与等に算入した本件各処分は適法と認められないが，その上回った部分である12億8,479万円は，本件債務免除によってAの担税力を増加させるものであり，Aの利得に当たると認められる。」と説示した上で，納税告知処分の一部を取り消している。

（注）　① （資産）17億2,519万円
　　　　② （負債）52億7,722万円－（債務免除）48億3,682万円＝4億4,040万円
　　　　③ （Aの所得金額）①－②＝12億8,479万円

6．給与所得の金額の計算

(1) 給与所得控除

給与所得は，その年中の給与等の収入金額から，その収入金額に応じて算定される次の給与所得控除額を差し引いて算出する（所法28②③）。

◆給与所得控除額の計算

給与の収入金額	給与所得控除額
180万円以下	給与収入×0.4－10万円 （55万円に満たない場合には55万円）
180万円超　　360万円以下	給与収入×0.3＋8万円
360万円超　　660万円以下	給与収入×0.2＋44万円
660万円超　　850万円以下	給与収入×0.1＋110万円
850万円超	195万円

（注）　給与等の収入金額が660万円未満の場合には，所得税法別表第5により給与所得の金額を求める（所法28④）。

(2) 所得金額調整控除

① 子ども，特別障害者等を有する者等の所得金額調整控除

その年の給与等の収入金額が850万円を超える居住者で，①特別障害者に該当するもの，②年齢23歳未満の扶養親族を有するもの，③特別障害者である同一生計配偶者又は扶養親族を有するものの総所得金額を計算する場合には，給与等の収入金額（その給与等の収入金額が1,000万円を超える場合には，1,000万円）から850万円を控除した金額の10％に相当する金額をその年分の給与所得の金額から控除する（措法41の3の3①⑤）。

（注）　年末調整において所得金額調整控除の適用を受ける場合には，所要の事項を記載した「所得金額調整控除申告書」を提出しなければならない（措法41の3の4①②）。

② 給与所得と年金所得の双方を有する者に対する所得金額調整控除

その年の給与所得控除額後の給与等の金額及び公的年金等に係る雑所得の金額がある居住者で，給与所得控除後の給与等の金額及び公的年金等に係る雑所得の金額の合計額が10万円を超えるものの総所得金額を計算する場合には，給与所得控除後の給与等の金額（10万円を限度）及び公的年金等に係る雑所得の金額（10万円を限度）の合計額から10万円を控除した残額をその年分の給与所得の金額から控除する（措法41の3の3②⑤）。

7．給与所得控除の性格

給与所得についても，必要経費に該当する支出を観念できるが，旅費や通勤費あるいは職業上必要な用具の購入費などは，通常，使用者が負担する場合が多いし，教養のための書籍代のほか，衣服，靴等の身の回り品の購入費用，部下や同僚等の交際費などは，「家事費」又は「家事関連費」であって，所得税法上の必要経費には該当しない（所法45①）。このため，給与所得控除が必要経費の概算控除としての意味をもっているのである。かつて税制調査会は，給与所得控除の性格について，①勤務に必要な経費の概算的な控除，②勤労による所得で，有期的かつ不安定であり，他の所得に比して担税力が弱いことに対する斟酌，③源泉徴収の方法で徴税され，他の所得に比して相対的に把握が容易であることに対する配慮，④源泉徴収による早期納税に伴う金利の調整，の四つの要素があるといっていた。そして，平成12年7月の中期答申「わが国の税制の現状と課題」では，給与所得控除の性格について，勤務費用の概算控除及び他の所得との負担調整の二つの要素が含まれると整理し，雇用形態の変化などを挙げて他の所得との負担調整という配慮の必要性が薄れてきているので，勤務費用の概算控除としての性格をより重視する方向で，そのあり方について検討すべきであるとしている。もっとも，給与所得控除の水準が今日のように大幅に拡充されたのは，給与所得者の税負担が他の所得者に比べて相対的に重

いという点が配慮されたことも見逃せない。世上，"クロヨン""トーゴーサンピン"（サラリーマンの税の捕捉率は9割又は10割，自営業者のそれは6割又は5割，農家は4割又は3割，政治家は1割と比喩的に表現）といわれるように，サラリーマンの収入は，源泉徴収によってほぼ90％強把握されているのである。

8．給与所得者の特定支出

　給与所得は，給与収入から一定の税額が源泉徴収される（所法183①）が，その年の給与所得の総額に対する税額と源泉徴収された税額との過不足については，通常，年末調整により精算される（所法190）。そして，給与所得者が勤務に直接必要な特定の支出をした場合に，その年中の特定支出の合計額が給与所得控除額の2分の1相当額を超えるときは，次表により計算した給与所得の金額で確定申告をすることができる（所法57の2①）。

◆給与所得者の特定支出控除の特例による給与所得の金額

給与等の収入金額－給与所得控除額（A）－（特定支出の合計額のうち（A）の2分の1相当額を超える部分の額）

＝給与所得の金額

　この制度は，特定支出の負担を余儀なくされるサラリーマンを考慮し，給与所得者についても確定申告の途を拓く趣旨で設けられたものである。その契機となったサラリーマン税金訴訟（最高裁昭和60年3月27日判決，民集39巻2号247頁）では，背広代，クリーニング代，散髪代，書籍代等の勤務に必要な職業費を給与所得から控除すべきであり，この実額控除を認めていない所得税法の合憲性が争われたのである。最高裁判所は，「給与所得者の職務上必要な諸設備，備品等に係る経費は使用者が負担するのが通例であり，職務に関し必要な旅行や通勤の費用に充てるための金銭給付，職務の性質上欠くことのできない現物給付などがおおむね非課税所得として扱われていることを考慮すれば，給与所得者において自ら負担する必要経費の額が一般に所得税法所定の給与所得控除額

を明らかに上回るものと認めることは困難であって，給与所得控除の額は給与所得に係る必要経費の額との対比において相当性を欠くことが明らかであるということはできない。」と説示して，給与所得控除制度の合憲性を認めている。

給与所得者の特定支出とは，次に掲げる支出をいい，その支出について使用者により補塡される部分があり，その補塡される部分が非課税とされている場合には，その支出のうち補塡される部分を除く。また，教育訓練給付金及び自立支援教育訓練給付金が支給される部分の支出も除く（所法57の2②，所令167の3）。

① 通勤費

通勤のために必要な交通機関の利用又は交通用具の使用のための支出で，その通勤の経路及び方法が運賃，時間，距離その他の事情に照らして最も経済的かつ合理的であるもの……交通機関を利用する場合にはその年中の運賃及び料金の額の合計額，自動車その他の交通用具を使用する場合は，燃料費及び有料道路の料金の額並びにその交通用具の修理のための支出で通勤に係る部分の額（年額）

② 職務上の旅費

勤務する場所を離れて職務を遂行するために直接必要な旅行に要する運賃及び料金（経済的かつ合理的と認められる通常の経路及び方法によるもの），自動車その他の交通用具の使用に係る燃料費及び有料道路の料金，交通用具の修理のための支出

③ 転居費

転任に伴う転居のための支出（転任の事実が生じた日以後1年以内に転居するために自己又はその配偶者その他の親族に係る支出に限る）……旅行に必要な運賃及び料金の額，自動車の燃料費，有料道路の料金，宿泊費，家具その他の資産の運送費の額

④ 研修費

職務の遂行に直接必要な技術又は知識を習得することを目的として受講する研修であることにつき，給与等の支払者により証明されたもの又は

キャリアコンサルタントにより証明されたもの(雇用保険法に規定する教育訓練に係る部分に限る)

⑤ 資格取得費

人の資格を取得するための支出で，その支出がその者の職務の遂行に直接必要なものとして給与等の支払者により証明されたもの又はキャリアコンサルタントにより証明されたもの（教育訓練に係る部分に限る）

⑥ 帰宅旅費

転任に伴い勤務する場所又は居所とその配偶者その他の親族が居住する場所との間の旅行で，運賃，時間，距離その他の事情に照らして最も経済的かつ合理的であると認められる通常の経路及び方法によるものに要する運賃及び料金の額，並びに，帰宅のために通常要する自動車を使用することにより支出する燃料費及び有料道路の料金

⑦ 勤務必要経費

職務に関連する図書費，勤務場所において着用することが必要とされる衣服費及び職務上関係のある者に対する交際費等（年額65万円までの支出に限る）

なお，特定支出控除は，確定申告書等，修正申告書又は更正請求書にその適用を受ける旨及び特定支出の額の合計額を記載するとともに，特定支出に関する明細書及び給与等の支払者の証明書の添付がある場合に限り適用することができる（所法57の2③④）。

退職所得の意義と計算

1．退職所得の範囲

退職所得とは，退職手当，一時恩給その他の退職により一時に受ける給与及

びこれらの性質を有する給与に係る所得をいい（所法30①），退職時までの勤務に基づき使用者から支払われる一時の給与がこれに該当する。したがって，退職に際し，使用者以外の者から支払われる一時の給与は，退職に該当しないのであるが，過去の勤務に基づいて支給される点では，退職手当と同じ性質のものであることから，社会保険制度に基づく一時金などを退職所得とみなしている。主なものに次のものがある。

① 国民年金法，厚生年金保険法，国家公務員共済組合法，地方公務員等共済組合法，私立学校教職員共済法，独立行政法人農業者年金基金法，旧船員保険法に基づく一時金，厚生年金保険制度及び農林漁業団体職員共済組合制度の統合を図るための農林漁業団体職員共済組合法等を廃止する等の法律附則30条の規定に基づく一時金（令和2年3月31日において特例年金給付を受ける権利を有している者に対して支給するものに限る）（所法31一，所令72①）

② 厚生年金基金等から受ける一時金で加入者の退職に基因して支払われるもの（所法31二，所令72②）

③ 確定給付企業年金法の規定又は適格退職年金契約に基づく一時金で加入者の退職により支払われるもの（掛金の自己負担部分を除く），特定退職金共済団体が被共済者の退職により支給するもの，独立行政法人勤労者退職金共済機構が支給する退職金，独立行政法人中小企業基盤整備機構が支給する一定の共済金又は解約手当金，確定拠出年金法に規定する企業型年金規約又は個人型年金規約に基づいて老齢給付金として支給される一時金など（所法31三，所令72③）

なお，事業主の倒産等により賃金の支払を受けないで退職した者に対し，国が未払賃金立替制度に基づき弁済をする給与は，その労働者が退職した日の属する年分の退職所得とみなされる（措法29の6）。

2．打切り支給の退職金

雇用形態が多様化・流動化している今日，成果主義を徹底し退職金を廃止す

る企業や退職一時金から年金制に移行する企業が少なくなく，一部の企業では，制度の移行に際して過去の勤務期間に応ずる退職金を精算支給しているが，この場合に支給する一時金が退職所得に該当するかという問題が生ずる。所得税法上の退職所得とは，給与所得者が退職に際して元の勤務先から受ける一時金をいうのであるから，退職という事実がない場合に支給する一時金は，原則として，退職所得に該当しない。しかし，引き続き勤務する者に支給する一時金であっても，従業員が役員に昇任した場合に従業員分の退職金を支給するなど，退職金を支給することについて合理的な理由がある場合には，その退職金は，所得税法に規定する「これらの性質を有する給与」に該当するということもできる。そこで，実務上は，引き続き勤務する者に対する退職金であっても，その者が実際に退職する時の退職金の計算上その給与の計算期間の基礎となった勤続期間を一切加味しないという条件のもとで支払われるものは，退職所得として取り扱う。これを退職金の打切り支給といい，次のものがある（所基通30－2，30－2の2）。

① 新たに退職給与規程を制定し又は相当の理由により従来の退職給与規程を改正した場合における改正前の勤続期間に係る退職金
② 使用人から役員になった者（職制上使用人としての地位のみを有する使用人から一定の執行役員に就任した者を含む）に対してその使用人であった勤続期間に係る退職金
③ 役員の分掌変更等により変更後の報酬が激減した者や職務の内容・地位が激変した者に対して変更前の勤続期間に係る退職金
④ 定年に達した後引き続き勤務する使用人に対し定年に達する前の勤続期間に係る退職金
⑤ 労働協約等を改正して定年延長を行った場合における旧定年に達する前の勤続期間に係る退職金
⑥ 法人が解散した場合において引き続き役員又は使用人として清算事務に従事する使用人に対して解散前の勤続期間に係る退職金

なお，退職金制度を廃止することなどに伴って，引き続き在職する使用人に

対して過去の勤務期間に応じて支給する一時金については，退職金を打切り支給することに「相当の理由」があると認められる場合（役員に対してのみ打切り支給する場合は，「相当の理由」があると認められない）には，上記の場合と同様に退職所得として取り扱われることになろう。

> （注）　国税庁の取扱いでは，①労使協議のみを理由とした企業内退職金制度の廃止による一時金は，合理的な理由による退職金制度の実質的改変により精算の必要から支給されるものと認められないから，給与所得に該当するとし，②企業の財務状況の悪化等やむを得ない事情によって企業内退職金制度を廃止して退職手当等を支給する場合の給与は，退職所得とする（国税庁ＨＰ「質疑応答事例・所得税」参照）。

3．退職所得に関する最高裁判決

　打切り支給の退職手当が所得税法上の退職所得に当たるかどうかについては，二つの最高裁判所の判決がある。その一は，5年定年制に基づき会社から勤続5年に達した従業員に対して，退職金名義で支給された金員が給与所得に当たるとした昭和58年9月9日判決（民集37巻7号962頁）であり，その二は10年定年制に基づき会社から勤続10年に達した従業員に対して支給された金員の所得区分が争われた昭和58年12月6日判決（訟務月報30巻6号1065頁）である。これらの判決の原審は，①5年定年制に基づく金員が給与所得に当たると判断した東京高裁昭和53年3月28日判決（行集29巻3号364頁）と，②10年定年制に基づく金員は退職所得に当たると判断した大阪高裁昭和53年12月25日判決（行集29巻12号2107頁）とに分かれており，その行方が注目されていたところである。

　最高裁判所は，5年定年制に係る事件について，ある金員が所得税法にいう「退職手当，一時恩給その他の退職により一時に受ける給与」に当たるためには，①退職則ち勤務関係の終了という事実によって初めて給付されること，②従来の継続的な勤務に対する報償ないしその間の労務の対価の一部の後払いの性質を有すること，③一時金として支払われることの要件を備えることが必要であるとした上で，5年定年制に基づく退職金名義の金員は，「勤務関係の終了という事実によって初めて給付されること」という①の要件を欠くことは明

らかであるから退職所得に当たらないとした。次いで、最高裁判所は、10年定年制に係る事件についても、上記の判決を引用した上で、継続的な勤務の途中で支給される退職金名義の金員が、実質的にみて右の三つの要件の要求するところに適合し、課税上、「退職により一時に受ける給与」と同一に取り扱うことを相当とするというためには、当該金員が定年延長又は退職年金制度の採用等の合理的な理由による退職金支給制度の実質的改変により、精算の必要があって支給されるものであるとか、あるいは、当該勤務関係の性質、内容、労働条件等において重大な変動があって、形式的には継続している勤務関係が実質的には単なる従前の勤務関係の延長とはみられないなどの特別の事実関係があることを要するものと解すべきであると説示する。そして、その上で、原審の確定した事実関係の下においては、未だ、右のように本件金員が「退職により一時に受ける給与」の性質を有する給与に該当することを肯認させる実質的な事実関係があるということはできないとして、原審に差し戻している（差戻審の大阪高裁昭和59年5月31日判決（判例タイムズ534号115頁）は、当該金員を給与所得と判示）。

　この最高裁判所の判決の意味するところは、これからの企業が退職金の打切り支給をする場合、その金員が退職所得に該当するかどうかの判断基準になるものと思われる。

　大阪地裁平成20年2月29日判決（判例タイムズ1267号196頁）では、委員会等設置会社であるX社の使用人Aらが執行役に就任したことにより支給する退職金について、これが退職所得に当たるかどうかが争われている。X社の内規によると、同社の使用人が役員に就任した場合には、使用人としての退職金を支給した上で、役員退任時には、X社におけるすべての在職年数を基礎として算出された退職慰労金から既払いの使用人としての退職金額を控除することとされていたところから、課税庁（所轄税務署長）は、役員就任時の退職金が打切り支給ではないとの理由で、当該金員は給与所得に該当するとして源泉所得税の納税告知処分をしたのである。これに対

し裁判所は，前記の最高裁判決を引用した上で，「打切り支給明記要件は，継続的な勤務の中途で支給される退職金名義の金員が上記『これらの性質を有する給与』に当たるかどうかの判断の際の重要な要素となるということができるが」，「本件金員の支給に当たり打切り支給の条件が明示されていなかったとしても，本件金員は，Ａらが執行役への就任という従前の勤務関係の延長とはみられない実質を有する新たな勤務関係に入ったことに伴い，その時点でＡらのそれまでの継続的な勤務に対する報償ないしその間の労務の対価を一括して精算する趣旨で支給されたものと認めるに十分であり，そうである以上，本件金員は，課税上，『退職により一時に受ける給与』と同一に取り扱うのが相当である。」と説示して，当該納税告知処分を取り消している。

なお，大阪高裁平成20年9月10日判決（裁判所ＨＰ「行集」）は，「打切り支給明記要件を欠くという一事をもって，それが本来具有する実体を変じて退職手当性を喪失するというのは，退職手当等の判断が事柄の実体に即して判断されるべきとの要請に背理するし，もとより，所得税法30条1項も，その要件は要求していない。」と説示して被告（国）の控訴を排斥している。

4．退職所得の金額の計算

(1) 退職所得の課税標準

退職所得は長年の勤務に対する報酬であるとともに，退職後の長期にわたる生活の支えになるという点で税負担能力（担税力）が低く，このため退職所得の金額は退職手当等から退職所得控除額を差し引いた上で，その2分の1を他の所得と分離して課税の対象としているが，その年中に支払を受ける退職手当等のうち，①短期退職手当等の収入金額から退職所得控除額を差し引いた残額が300万円を超える場合，及び②特定役員退職手当等に該当する場合には，2分

の1課税の適用がない（所法22①③，30②）。

➕退職所得金額の計算

退職手当の区分	課税退職所得金額
一般退職手当等の場合	（一般退職手当等の収入金額－退職所得控除額）×$\frac{1}{2}$
短期退職手当等の場合	短期退職手当等の収入金額－退職所得控除額≦300万円の場合 （短期退職手当等の収入金額－退職所得控除額）×$\frac{1}{2}$
	短期退職手当等の収入金額－退職所得控除額＞300万円の場合 150万円＋｛短期退職手当等の収入金額－（300万円＋退職所得控除額）｝
特定役員退職手当等の場合	特定役員退職手当等の収入金額－退職所得控除額

（注） 一般退職手当等とは，短期退職手当等及び特定役員退職手当等以外の退職手当等をいい（所法30⑦），短期退職手当等とは，退職手当等の支払をする者から短期勤続年数（勤続年数のうち役員等以外の者としての勤続年数が5年以下であるものをいう）に対応する退職手当等として支払を受けるものであって，特定役員退職手当等に該当しないものをいう（所法30④，所令69の2①③）。

また，特定役員退職手当等とは，次に掲げる役員等としての勤続年数が5年以下である者が役員等勤続年数に対応する退職手当等として支払を受けるものをいう（所法30⑤，所令69の2②）。
① 法人税法2条15号に規定する役員（法人の取締役，執行役，会計参与，監査役，理事，監事，清算人，みなし役員）
② 国会議員，地方公共団体の議会の議員
③ 国家公務員，地方公共団体の公務員

(2) 退職所得控除額の計算

① 退職所得控除額は，次表の算式によって計算する（所法30③⑥）。

➕退職所得控除額の計算

勤続年数	退職所得控除額
20年以下	40万円×勤続年数（最低80万円）
20年超	800万円＋70万円×（勤続年数－20年）

第 2 章　各種所得の種類と計算

(注 1)　障害になったことに直接基因して退職したと認められる場合（退職手当等の支給を受ける者が在職中に障害者となったことにより，その該当することとなった日以後全く勤務しないか又はほとんど勤務に服さないで退職した場合に限られる）には，100万円を加算する（所法30⑥三，所令71，所基通30－15）。

(注 2)　前年以前に退職金を受け取ったことがあるとき又は同一年中に 2 か所以上から退職金を受け取るときなどは，控除額が調整される（所法30⑥，所令71）。

②　一般退職手当等及び短期退職手当等の支給がある場合の退職所得控除額は，次に掲げる金額の合計額となる（所法30⑦，所令71の 2 ①）。

◆短期退職所得控除額の計算

$$40万円 \times (短期勤続年数 - 重複勤続年数) + 20万円 \times 重複勤続年数 = 短期退職所得控除額$$

(注)　「短期勤続年数」とは，短期勤続期間の年数をいい，「重複勤続年数」とは，①短期勤続期間と一般勤続期間，②特定役員等勤続期間と短期勤続期間，③特定役員等勤続期間と一般勤続期間，④短期勤続期間と特定役員等勤続期間とが重複している期間により計算した年数をいう（所令71の 2 ②⑥⑧）。短期勤続期間又は重複している期間に 1 年未満の端数が生じたときは，これを 1 年として「短期勤続年数」又は「重複勤続年数」を計算する（以下同じ。所令69②，71の 2 ⑩）。

◆一般退職所得控除額の計算

$$退職所得控除額 - 短期退職所得控除額 = 一般退職所得控除額$$

③　一般退職手当等及び特定役員退職手当等の支給がある場合の退職所得控除額は，次に掲げる金額の合計額となる（所法30⑦，所令71の 2 ③）。

◆特定役員退職所得控除額の計算

$$40万円 \times (特定役員等勤続年数 - 重複勤続年数) + 20万円 \times 重複勤続年数 = 特定役員退職所得控除額$$

(注)　「特定役員等勤続年数」とは，特定役員等勤続期間により計算した年数をいう（所令71の2④）。

◆一般退職所得控除額の計算

退職所得控除額－特定役員退職所得控除額＝一般退職所得控除額

④　短期退職手当等及び特定役員退職手当等の支給がある場合の退職所得控除額は，次に掲げる金額の合計額となる（所法30⑦，所令71の2⑤）。

◆短期退職所得控除額の計算

退職所得控除額－特定役員退職所得控除額＝短期退職控除額

(注)　特定役員退職所得控除額は，上記の③と同じである。

⑤　一般退職手当等，短期退職手当等及び特定役員退職手当等の全ての支給がある場合の退職所得控除額は，次に掲げる金額の合計額となる（所法30⑦，所令71の2⑦）。

◆短期退職所得控除額の計算

40万円×｛短期勤続年数－（重複勤続年数＋全重複勤続年数）｝＋20万円×重複勤続年数＋13万円×全重複勤続年数＝短期退職所得控除額

◆特定役員退職所得控除額の計算

40万円×｛特定役員等勤続年数－（重複勤続年数＋全重複勤続年数）｝＋20万円×重複勤続年数＋14万円×全重複勤続年数
＝特定役員退職所得控除額

(注)　「重複勤続年数」とは，特定役員等勤続期間と短期勤続期間とが重複している期間（全重複期間を除く）及び特定役員等勤続期間と一般勤続期間とが重複している期間（全重複期間を除く）により計算した年数をいい，「全重複勤続年数」とは，特定役員等勤続期間，短期勤続期間及び一般勤続期間の全ての期間が重複している期間により計算した年数をいう（所令71の2⑧）。

第2章 各種所得の種類と計算

● 一般退職所得控除額の計算

退職所得控除額 −（特定役員退職所得控除額 ＋ 短期退職所得控除額）
　　　　　　　　　　　　　　　　　　　　　　　＝ 一般退職所得控除額

(3) 勤続年数の計算

一般退職手当等，短期退職手当等又は特定役員退職手当等に係る勤続年数は，次により計算する（所令69①，69の2①②）。

イ　原則……就職の日から退職の日まで引き続き勤務した期間（所令69①一）
　長期欠勤や休職（他に勤務するための休職を除く）の期間も，この勤務期間に含まれる（所基通30−7）。

ロ　就職の日から退職の日までに一時勤務しなかった期間がある場合（所令69①一イ）……A＋C

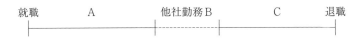

ハ　他社に勤務した期間を支給対象期間に含めている場合（所令69①一ロ）
　……A＋B＋C

ニ　退職手当等の支払者から前に退職手当等の支払を受けたことがある場合（所令69①一ハ）

　原　則……B

　退職手当等の支払金額の計算の基礎期間にBを含めて計算する場合
　　　……A＋B

ホ 退職手当とみなされる退職一時金等の場合（所令69①二）……退職一時金等の支払金額の計算の基礎とした期間

ヘ 同一年中に2か所以上から退職手当等の支給を受ける場合（所令69①三）……各勤続期間のうち最も長い期間とし，重複しない期間があればこれを加算する。

なお，勤続期間に1年未満の端数があるときは，その端数は1年に切り上げて計算する（所令69②，71の2⑩）。

◆特殊な場合の退職所得控除額の計算

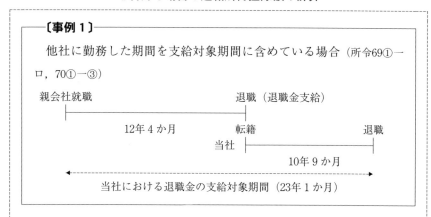

〔事例1〕

他社に勤務した期間を支給対象期間に含めている場合（所令69①一ロ，70①一③）

親会社就職 ─── 12年4か月 ─── 転籍 ─── 退職（退職金支給）
当社 ─── 10年9か月 ─── 退職
当社における退職金の支給対象期間（23年1か月）

（計 算）

① 今回の退職手当の勤続年数　24年（23年1か月……1年未満の端数切上げ）

② ①に対応する退職所得控除額
800万円＋70万円×（24年－20年）＝1,080万円

③ 親会社の勤続年数　12年（12年4か月……1年未満の端数切捨て）

④ ③に対応する退職所得控除額　40万円×12年＝480万円

⑤ 今回の退職手当についての退職所得控除額
1,080万円－480万円＝600万円

第2章 各種所得の種類と計算

〔事例2〕
前年以前4年内に他の退職手当を受けている場合（所令70①二③）

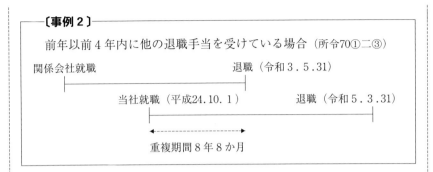

（計　算）

① 今回の退職手当の勤続年数　11年（10年6か月……1年未満の端数切上げ）

② ①に対応する退職所得控除額　40万円×11年＝440万円

③ 重複する勤続期間　8年（8年8か月……1年未満の端数切捨て）

④ ③に対応する退職所得控除額　40万円×8年＝320万円

⑤ 今回の退職手当についての退職所得控除額
　440万円－320万円＝120万円

〔事例3〕
前年以前4年内に他の退職手当を受けている場合で、退職手当の額

```
関係会社就職（平成20.7.1）        退職（令和元.6.30）
                       （平成28.6.30）（350万円支給）
                               △
  ├─────────────────────────────────┤
           当社就職（平成24.4.1）   退職（令和5.6.30）
           ├─────────────────────────┤
           ←- - - - - - - - - - - -→
              重複期間4年3か月
```

（計　算）

① 今回の退職手当の勤続年数12年（11年3か月……1年未満の端数切上げ）

② ①に対応する退職所得控除額　40万円×12年＝480万円

③ 関係会社の勤続期間の末日とみなされる日　平成28年6月30日

350万円÷40万円＝8.75（小数点以下切捨て）⇒ 8 年

平成20年7月1日から8年を経過した日の前日までが勤続期間とみなされる。

④ 重複する勤続期間　4年（4年3か月……1年未満の端数切捨て）
⑤ ④に対応する退職所得控除額　40万円×4年＝160万円
⑥ 今回の退職手当についての退職所得控除額
　480万円－160万円＝320万円

（注）　前年以前4年内に支払を受けた退職金の額が少額で，その退職金に係る退職所得控除額に満たない（控除不足がある）場合には，前の退職金に係る就職の日から，次の表の算式により求めた数（小数点以下の端数は切捨て）に相当する年数を経過する日までを勤続期間とみなして，その重複期間を計算する（所令70②）。

4年内の退職手当の収入金額	算　　　式
800万円以下の場合	その収入金額÷40万円
800万円を超える場合	（その収入金額－800万円）÷70万円＋20

短期勤続期間と一般勤続期間が重複している場合の退職所得控除額の計算

〔事例〕

A社の勤続期間……………平成30年4月1日～令和5年3月31日
B社の勤続期間……………平成25年4月1日～令和5年1月31日

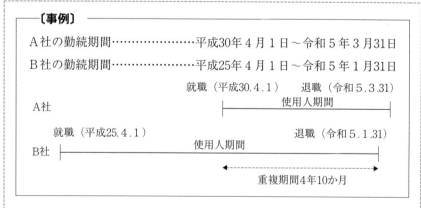

（計　算）

① 　短期勤続年数……5年（平30.4.1～令5.3.31）
② 　重複勤続年数……5年（4年10ヶ月……1年未満の端数切上げ）

③ 短期退職所得控除額……100万円

40万円×(5年－5年)+20万円×5年＝100万円

④ 一般退職控除額

退職所得控除額(40万円×10年)－短期退職所得控除額(100万円)
＝300万円

短期勤続期間と特定役員等勤続期間が重複している場合の退職所得控除額の計算

〔事例〕

勤続期間……………………平成30年4月1日～令和5年3月31日
　うち　短期勤続期間…………平成30年4月1日～令和4年3月31日
　　　　特定役員等勤続期間…平成31年4月1日～令和5年3月31日

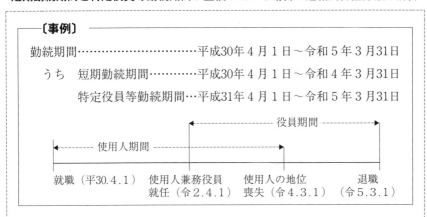

(計　算)

① 特定役員等勤続年数……3年（令2.4.1～令5.3.31）
② 重複勤続年数……2年（令2.4.1～令4.3.31）
③ 特定役員等退職所得控除額

40万円×(3年－2年)+20万円×2年＝80万円

④ 短期退職所得控除額

退職所得控除額(40万円×5年)－特定役員等退職所得控除額(80万円)
＝120万円

特定役員退職手当等がある場合の退職所得の金額

〔事　例〕

令和5年5月31日に退職した役員Aに対して次の退職手当を支払った。退職所得の金額はいくらか（所令71の2③④）。

① 平成11年4月1日から令和元年6月31日までの期間に対応する退職手当3,000万円
② 令和元年7月1日から令和5年5月31日までの期間に対応する退職手当1,000万円
③ Aの勤続期間等

	勤 続 期 間	平11.4.1～令5.5.31
内訳	一般勤続期間	平11.4.1～令3.7.31
	特定役員等勤続期間	令元.7.1～令5.5.31

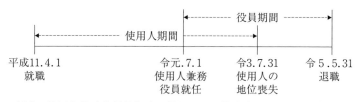

（注）使用人兼務役員就任時や使用人の地位喪失時に使用人期間に係る退職手当は支払われていない。

（計　算）

① 今回の退職手当の勤続年数　25年（24年2月……1年未満の端数切上げ）
② 退職所得控除額
　800万円＋70万円×（25年－20年）＝1,150万円
③ 特定役員等勤続年数　4年（3年11か月……1年未満の端数切上げ）
④ 重複勤続年数　3年（2年1か月……1年未満の端数切上げ）
⑤ 特定役員退職所得控除額
　40万円×（4年－3年）＋20万円×3年＝100万円

⑥ 退職所得の金額
(1,000万円－100万円)＋〔3,000万円－(1,150万円－100万円)〕×$\frac{1}{2}$
＝1,875万円

8 山林所得の意義と計算

1．山林所得の範囲

　山林所得とは，山林の伐採又は譲渡による所得をいい（所法32①），山林を取得の日以後5年以内に伐採又は譲渡することによる所得は，山林所得に含まれず事業所得又は雑所得となる（所法32②，所基通35－2(8)）。そして，ここでいう「山林」とは，販売を目的として伐採適期まで相当長期間にわたり育成管理した立木をいうものと解されるから，庭園の樹木や果樹園に栽培される果樹は「山林」に当たらず，その譲渡による所得は山林所得に該当しないし，販売目的で所有するものでもないから，事業所得にも該当しない（譲渡所得に該当する）。植木販売業者が販売用に育成中の立木や山林苗木業者が苗木を育成中の立木も，「山林」には該当しない。山林所得は，杉や檜などの苗木を育成し成木として販売できるようになるまでに長期間を要し，長年に蓄積された所得が伐採又は譲渡に際して一時に実現するものであるから，税額計算に当たっては5分5乗方式の分離課税とされているところであり，その課税の趣旨に照らしても，植木販売業者等が育成中の立木は，「山林」には該当しないというわけである。

　山林の伐採による所得とは，山林を伐採して譲渡したことによる所得をいい，山林の譲渡による所得とは，山林を伐採しないで譲渡したことによる所得をいうのである（所基通32－1）。土地付きで立木を譲渡したことによる所得については，立木の譲渡から生じる部分の所得が山林所得となり，土地の譲渡から生ずる部分は譲渡所得となる（所基通32－2）。

なお，生産森林組合に基づく分配金のうち一定のものは，山林所得となる（71頁参照）。

2．分収造林契約又は分収育林契約に係る収益

分収造林契約又は分収育林契約とは，(a)土地の所有者，(b)費用負担者，及び(c)造林者又は育林者それぞれが労務又は資本を出し合って造林又は育林を行い，その共同の成果としての山林を伐採又は譲渡をして，その収益を各当事者が一定の割合で分収するものである（所令78）。したがって，自己が所有する山林を伐採又は譲渡した場合の収入と同一の性格のものであることから，(a)分収造林契約等に基づき受ける金額で一定の要件を満たすもの，及び(b)これらの契約に係る権利の譲渡による収入金額は，山林所得の収入金額とされる（所令78の2①②，78の3①）。

ただし，分収造林契約等の各当事者が分収する金額のうち，次のいずれかに該当するものは，山林所得以外の所得とされる（所令78の2③，78の3②）。

① 土地の所有者又は費用負担者がその山林の伐採又は譲渡前に契約に定める一定割合で分収する金額（事業所得又は雑所得）
② 土地の所有者又は費用負担者が契約期間中引き続いて地代や利息等の支払を受けている場合において，その契約に定める一定割合で分収する金額（不動産所得もしくは事業所得又は雑所得）
③ 契約に係る権利を取得した日から5年以内にその契約の目的となった山林を伐採又は譲渡したことにより，その契約に定める一定割合で分収する金額（事業所得又は雑所得）
④ 契約の各当事者がその契約に係る権利を取得した日から5年以内に譲渡したことによる収入金額（事業所得又は雑所得）
⑤ 費用負担者がその契約に係る権利を譲渡したことによる収入金額（事業所得又は雑所得）

（注） 生産森林組合から受ける従事分量配当の所得区分については，72頁を参照され

たい。

3. 山林所得の総収入金額

　山林所得の金額は，その年中の山林所得に係る総収入金額から必要経費を控除し，その残額から山林所得の特別控除（最高50万円）を差し引いて計算する（所法32③④）。山林所得の総収入金額は，その年中に伐採又は譲渡した山林の対価の額と上記2.の収入金額の合計額であるが，所得税法には，①山林を伐採して自家消費した場合，②山林を法人に対して贈与等した場合，③山林について損失を受けたことによる保険金，損害賠償金等の別段の定めが置かれている（157頁以下を参照されたい）。

4. 山林所得の必要経費

　山林所得の必要経費は，別段の定めがあるものを除き，その山林の取得費，管理費，伐採費その他その山林の育成又は譲渡に要した費用（償却費以外の費用でその年において債務の確定しないものを除く）である（所法37②）。ただし，昭和27年12月31日以前から引き続き所有していた山林を伐採又は譲渡した場合には，その山林所得の必要経費は，昭和28年1月1日における相続税評価額と，同日以後に支出した管理費，伐採費その他その山林の育成又は譲渡に要した費用の合計額による（所法61①）。

　また，山林所得については，次の課税の特例がある。

(1) 山林所得の概算経費控除

　伐採又は譲渡した年の15年前の12月31日以前から引き続き所有していた山林については，次の算式により必要経費の額を計算することができる（措法30①④，措令19の6，措規12②，措通30－2）。

> {(収入金額)−(伐採費などの譲渡費用)}×50%
> ＋(伐採費などの譲渡費用)＋被災事業用資産の損失の金額
> ＝必要経費の額

(2) 山林所得の森林計画特別控除

森林経営計画に基づき山林の全部又は一部を伐採又は譲渡した場合には，通常の必要経費のほかに，次の①と②により計算した金額のうちいずれか低い金額（概算経費控除によった場合は①による）を山林所得の金額の計算上控除することができる（措法30の2①②）。

> ① {(収入金額A)−(伐採費などの譲渡費用B)}×20%
> 　　　　　　　　　　（収入金額が2,000万円を超える部分は10%）
> ② (A−B)×50%−{(Aに対応する部分の必要経費)−B
> 　　　−(Aに対応する部分の被災事業用資産の損失の金額)}

(3) 山林を収用された場合の課税の特例

土地収用法などの規定により山林が収用された場合や，保安林などを国有林と交換した場合などについては，収用等に伴い代替資産を取得した場合の課税の特例等がある（措法33ほか，詳細は302頁参照）。

山林所得の金額の計算

〔設　問〕

昭和27年に取得した山林を令和5年3月に伐採し，1,500万円で譲渡した。この山林の昭和28年1月1日の相続税評価額は120万円で，同日以後に支出した育成費と管理費の合計額は250万円，伐採費は200万円である。山林所得の金額はいくらか。

(計　算)

① 　総収入金額　1,500万円
② 　必要経費の額
　イ　必　要　経　費　120万円＋250万円＋200万円＝570万円
　ロ　概算控除額　（1,500万円－200万円)×0.5＋200万円＝850万円
　ハ　イ＜ロ　∴　850万円
③ 　特別控除額　　①－②≧50万円　∴　50万円
④ 　山林所得の金額　1,500万円－850万円－50万円＝600万円

 譲渡所得の意義と計算

1．譲渡所得の意義

　譲渡所得とは，資産の譲渡による所得をいい，建物等の所有を目的とする借地権等の設定により他人に土地を長期間使用させる行為で，その設定等の対価が土地の価額の2分の1を超える場合の土地の所有者が支払を受ける権利金などに係る所得を含む（所法33①，所令79)。ただし，「棚卸資産（棚卸資産に準ずる資産を含む）の譲渡その他営利を目的として継続的に行われる資産の譲渡」，及び「山林の伐採又は譲渡」による所得は，譲渡所得から除かれる（所法33②)。

　譲渡所得に対する課税は，保有期間中における資産の値上り益（キャピタル・ゲイン）について，その資産が売買等により所有者の支配を離れて他に移転する機会に，その保有期間中の値上り益に相当する所得の実現があったものとして一時に課税するものであり，その発生形態が非回帰的，不規則的であることから，継続的に発生する所得との担税力の差を考慮して，長期保有の資産に係る譲渡所得に対しては，累進税負担の緩和を図るために2分の1課税とされるなどの措置がとられている（所法22②二)。したがって，資産の譲渡による所

得であっても，一時的，偶発的な所得ではないものは，譲渡所得の範ちゅうから除外されることになり，棚卸資産等の譲渡による所得は，事業所得又は雑所得に該当するのである（73頁参照）。また，山林の伐採又は譲渡による所得は，山林所得等として課税されるので(107頁参照)，譲渡所得の範ちゅうから除外される（所法33②）。

2．譲渡所得の基因となる資産

譲渡所得の基因となる「資産」とは，上記１.の棚卸資産，準棚卸資産，営利を目的として継続に譲渡される資産，山林及び金銭債権以外の一切の資産をいい，動産，不動産，特許権又は著作権等の無体財産権のほか，借家権，営業権及び行政官庁の許認可等により発生した事実上の権利も含まれる（所基通33－1）。

したがって，家屋の明渡しに際して受け取る立退料の所得区分については，それが借家権の譲渡（消滅）の対価に該当すると，譲渡所得になる。立退料の経済的性質は，必ずしも一義的な内容をもつものではなく，①建物賃借権を消滅させる対価としての性質をもつもの，②移転に伴う費用の補償としての性質をもつもの，③明渡しに伴って喪失する営業上の損失などを補償するものなどがあると解されているところ，資産の譲渡による所得には，後述するように，契約等に基づき資産の消滅等により取得する補償金等も含まれるから(所令95)，個人が受け取る立退料のうち，①の性質のものは，譲渡所得の収入金額となるのである。そして，その立退料のうち，②の性質のものは，移転費用の補償であり対価性を有しないから，一時所得の収入金額になり（所法34①），③の性質のものは，休業又は廃業に伴う営業上の収益を補償するものであるから，立退料の支払の基となった業務の態様に応じて，事業所得，不動産所得又は雑所得の収入金額になるわけである（所令94）。

もっとも，賃貸借の当事者間で授受される立退料は，上記の①から③までの立退料に截然と区分されているわけではなく，その契約解除に至るまでの事情

に応じて渾然一体となったものが支払われるのが実情であるから、上記のように明確に所得区分を判断することには無理があり、実務上は、借家権の消滅の対価の額に相当する部分の金額は譲渡所得に該当し、それ以外の部分は一時所得に該当するものとして取り扱われている（所基通33－6，34－1(7)）。ただし、立退きに伴って業務の休止等により借家人の収入金額が減少したり、その休止期間中に使用人に給与等を支払ったりした場合など、収入や経費を補塡するための金額は、譲渡所得及び一時所得以外の所得に該当することになる（所令94①、所基通34－1(7)の注1，161頁参照）。つまり、業務上の収益の補償や経費の補償となる部分以外の金額は、一時的・偶発的な所得として譲渡所得か又は一時所得となるわけである。

　ここで、立退料が譲渡所得又は一時所得に該当するかどうかは、その地域のおける借家権取引の慣行の有無等の具体的事情を考慮して、借家権の消滅対価であるかどうかについて判断されるべきあるが、一般的にいえば、賃貸借期間が非常に長く多額の権利金を授受していた場合とか、店舗等の賃借に当たり建築費の相当部分を建築協力金等の名義で提供していた場合とか、新たな建物を賃借するための権利金や新旧家賃の差額を補償するといった要素が含まれていると認められる場合などは、その立退料は借家権の消滅の対価の額に相当し、譲渡所得に該当するというべきであろう（所令95）。

3．譲渡所得の基因となる譲渡

　譲渡所得の基因となる「譲渡」とは、所有権その他の権利の移転を広く含む概念であって、通常の売買のほか、交換、代物弁済、物納、競売、公売、収用、法人に対する現物出資などが含まれる。また、公有水面の埋立てなどによって漁業権等が消滅するなど、起業者がその資産を取得しない場合には、資産の譲渡があったものと解することは困難であるが、所得税法では、収用の場合と同様に、契約（行政処分その他の行為を含む）に基づき又は資産の消滅（価値の減少を含む）を伴う事業で、その消滅等に対する補償を約して行うものの遂行に

よって，譲渡所得の基因となる資産が消滅等をしたことにより取得する補償金等は，譲渡所得の収入金額に該当するものとしている（所令95）。

　上記のとおり，「譲渡」とは，所有権その他の権利の移転を広く含む概念であるから，資産の交換や買換えがあった場合にも，原則として譲渡所得の課税対象とされる（123頁参照）。最近の裁判例に，金地金を所有していたＸ（原告：控訴人）が貴金属製造販売会社Ａ社との間で，金の購入保管に係る契約を締結して取引をしたところ，この取引が資産の譲渡に当たるとして課税処分等を受けた事案がある。名古屋地裁平成29年6月29日判決（税務訴訟資料267号順号13028）はＸの請求を棄却したが，名古屋高裁平成29年12月14日判決（税務訴訟資料267号順号13099）は，要旨，次のとおり述べて，Ｘの請求を認容している。

① Ｘは，Ａ社との間で契約を締結すると同時に，Ｘが所有する金地金をＡ社が製錬した金地金と交換し（スワップ取引），交換した金地金について保管取引を行うというもの（交換・保管取引）であったと認められる。その法的性質は，ＸとＡ社とが互いの金地金の所有権を相手方に移転する民法上の交換と，Ｘがこれにより取得した金地金の保管をＡ社に委託する民法上の寄託（混蔵寄託）とを組み合わせた混合契約であると認められる。

② 本件約款によれば，Ａ社が交換・保管取引に応じるのは，Ｘが持ち込んだ金地金がＬＢＭＡブランドで純度99.99％以上の純金であると判定された場合であり，Ａ社がＸからの求めに応じて引き渡す金地金は，Ｘが寄託した交換後の金地金そのものではなく，同質かつ同重量の金地金であることが認められる。したがって，本件交換・保管取引における交換の対象となるＸ所有の金地金とＡ社所有の金地金は等価値であり，将来Ｘが引き渡しを受ける金地金は，Ｘが持ち込んだ金地金及び交換を受けた金地金そのものではなく，これと同質かつ同重量のものということになる。

③ 本件契約のうち，本件交換・保管取引は，交換と寄託（混蔵寄託）からなる混合契約の形をとっているものの，スワップ取引部分に係る交換は，寄託（混蔵寄託）をするための単なる準備行為にすぎず，本件交換・保管取引は，実質的には寄託（混蔵寄託）契約であると認めるのが相当である。した

がって，本件交換・保管取引は、実質的には寄託（混蔵寄託）契約であり，所得税法33条1項に規定する「資産の譲渡」に該当しない。

4．財産分与

　夫婦が離婚したことに伴い，その一方が他方に対し財産分与（民法768）をしたことは，所得税法33条1項の「資産の譲渡」に当たるかどうかが最高裁まで争われた事案がある。離婚の慰謝料として財産の移転が行われた場合には，慰謝料債務の履行として一種の代物弁済的意味をもつことから，その財産の時価相当額による資産の譲渡があったと解されるが，この事案は，離婚の調停調書の上では，慰謝料として土地建物を譲渡することとされていたところ，実質は慰謝料ではなく財産分与であり，これに対する譲渡所得の課税が争われたものである。最高裁昭和50年5月27日判決（民集29巻5号641頁）では，「財産分与の権利義務の内容は，当事者の協議，家庭裁判所の調停若しくは審判又は地方裁判所の判決を待って具体的に確定するが，右権利義務そのものは，離婚の成立によって発生し，実体的権利義務として存在するに至り，右当事者の協議等は，単にその内容を具体的に確定するものにすぎない。そして，財産分与に関し右当事者の協議等が行われてその内容が具体的に確定され，これに従い金銭の支払い，不動産の譲渡等の分与が完了すれば，右財産分与の義務は消滅するが，この分与義務の消滅は，それ自体一つの経済的利益ということができる。したがって，財産分与をして不動産等の資産を譲渡した場合，分与者は，これによって分与義務の消滅という経済的利益を享受したものというべく，譲渡資産について譲渡所得を生じる。」旨判示している。所得税基本通達では，財産分与による資産の移転が行われると，分与者が財産を分与した時の価額により資産を譲渡したことになる旨を明らかにしている（所基通33-1の4）。

5．遺産分割と譲渡所得

　共同相続人が相続財産を分割する方法としては，現物分割，代償分割，換価分割及び共有とする方法等があるが，遺産分割の方法によっては，次のとおり，譲渡所得として所得税が課税されることになる。

(1)　現物分割の方法による場合

　現物分割とは相続財産を具体的な姿のまま分割する方法をいう。分割を受ける財産は，他の相続人から取得するものではなく，分割を受けた相続人が被相続人から直接相続により承継するものであるから（民法909），譲渡所得としての課税問題は生じない。

(2)　代償分割の方法による場合

　代償分割とは，共同相続人のうちの一人又は数人が相続財産の現物を取得し，その者が他の共同相続人に対し金銭などを交付する債務を負担する方法をいう。代償分割によって財産を取得した相続人が債務の履行として金銭を交付した場合には，譲渡所得としての課税問題は生じないが，その債務の履行として不動産等の所有権の移転が行われた場合，その履行をした者がその履行によって消滅する債務の額に相当する経済的利益を対価とする資産の有償譲渡がなされたことになるから，その移転の時にその資産の時価相当額の収入があったとして譲渡所得の課税が生じる（所基通33－1の5）。

(3)　換価分割の方法による場合

　換価分割とは，相続財産を換価してその代金を相続人間で具体的な相続分に応じて配分する方法をいう。換価分割の方法によった場合，その換価代金の配分を受けた相続人は，相続により取得した相続財産に係る権利を譲渡したものと解されるから，その相続により取得した権利（割合）に応じて譲渡所得の課税が生じる。

第2章　各種所得の種類と計算

(4) 共有とする方法

これは相続財産の全部又は一部を相続人間の共有にしておく方法であるから，相続人各人は，共有物の全部について共有持分に応じた権利を取得することになる。したがって，相続時には譲渡所得としての課税問題は生じないが，その後，その共有物を分割した場合には，原則として，共有持分の交換（譲渡）があったものとして譲渡所得の課税問題が生じてくる。ただし，共有に係る一の土地をその持分に応じて現物で分割した場合には，その土地の全体に及んでいた所有権が単独所有することになったその土地の部分に集約されたにすぎないという点に着目して，分割による資産の譲渡はなかったものとして取り扱うことにされている（所基通33－1の7）。

(5) 遺留分侵害額の請求に基づく金銭の支払に代えて行う資産の移転

遺留分制度は，被相続人の有していた相続財産について，一定の相続人に一定割合の承継を保障する制度である。遺留分を有する者（遺留分権利者）は，被相続人の配偶者，子（代襲相続人を含む）及び直系尊属だけであり，兄弟姉妹には遺留分がない（民法1042）。被相続人が遺留分を侵害する遺贈や贈与をしても，その遺贈等が当然に無効となるものではなく，遺留分権利者及びその承継人は，受遺者又は受贈者に対し遺留分侵害額に相当する金銭の支払を請求して，遺留分を回復することになる（民法1046①）。遺留分侵害額に相当する金銭の支払請求があった場合において，金銭の支払に代えて，その債務の全部又は一部の履行として資産の移転があったときは，その履行をした者は，原則として，その履行があった時においてその履行により消滅した債務の額に相当する価額により当該資産を譲渡したこととなる（所令95，所基通33－1の6）。

6．配偶者居住権等の消滅による所得

被相続人の配偶者は，相続開始の時に被相続人に属する建物に同居している

と，遺産分割が終了するまでの間，無償でその居住建物を使用することができる（配偶者短期居住権，民法1037～1041）。また，当該配偶者は，終身又は一定期間において居住建物の使用を認める法定の権利（配偶者居住権）を取得することができる（民法1028～1036）。配偶者居住権は，遺贈や遺産分割の選択肢の一つとして，新しく生み出された権利であり，居住建物の所有権そのものを取得するのではなく，そこを使用・収益する権利を取得するものである。配偶者居住権は，配偶者の終身の間又は別段の定めがある場合はその定めるところまで存続するのであるが，合意解除や放棄により消滅させることも可能であるから，当該建物の所有者が対価を支払って配偶者居住権を消滅させることもできる。配偶者居住権又は配偶者敷地利用権（配偶者居住権の目的となっている建物の敷地の用に供される土地を当該配偶者居住権に基づき使用する権利）の消滅の対価の支払を受ける金員は，譲渡所得に係る収入金額に該当する（所令95，所基通33－6の8）。

なお，土地等に係る譲渡所得の分離課税の対象となる「土地の上に存する権利」とは，地上権，土地賃借権のような土地を直接利用することを内容とする権利及び地役権のような一定の土地の利用価値を増すために他の土地の上に支配を及ぼす権利をいうから（東京地裁昭和52年2月7日判決・税務訴訟資料91号3938頁），配偶者居住権又は配偶者敷地利用権の消滅に係る譲渡所得は，土地等の譲渡所得に係る分離課税ではなく，総合課税の対象となる（措通31・32共－1）。

7．職務発明の対価と所得区分

職務発明とは，企業の従業者等が行った発明で，使用者等の業務範囲に属し，その発明をするに至った行為がその使用者等における従業者等の現在又は過去の職務に属するものをいう（特許法35①）。職務発明に基づく特許権は従業者等にあるとされていたことから，従業者等が企業に特許権を譲った場合には，その代償として「相当の対価」を得る権利を取得できる（平成27年改正前の特許法35④）。課税実務では，「業務上有益な発明，考案等をした役員又は使用人が使

用者から支払を受ける報償金，表彰金，賞金等の金額は，次に掲げる区分に応じ，それぞれ次に掲げる所得に係る収入金額又は総収入金額に算入するもの」としている（所基通23～35共1）。

① 業務上有益な発明，考案又は創作をした者が当該発明，考案又は創作に係る特許を受ける権利，実用新案登録を受ける権利もしくは意匠登録を受ける権利又は特許権，実用新案権もしくは意匠権を使用者に承継させたことにより支払を受けるもの……これらの権利の承継に際し一時に支払を受けるものは譲渡所得，これらの権利を承継させた後において支払を受けるものは雑所得

② 特許権，実用新案権又は意匠権を取得した者がこれらの権利に係る通常実施権又は専用実施権を設定したことにより支払を受けるもの……雑所得

③ 事務もしくは作業の合理化，製品の品質の改善又は経費の節約等に寄与する工夫，考案等（特許又は実用新案登録もしくは意匠登録を受けるに至らないものに限る）をした者が支払を受けるもの……その工夫，考案等がその者の通常の職務の範囲内の行為である場合には給与所得，その他の場合には一時所得（その工夫，考案等の実施後の成績等に応じ継続的に支払を受けるときは，雑所得）

④ 災害等の防止又は発生した災害等による損害の防止等に功績のあった者が一時に支払を受けるもの……その防止等がその者の通常の職務の範囲内の行為である場合には給与所得，その他の場合には一時所得

⑤ 篤行者として社会的に顕彰され使用者に栄誉を与えた者が一時に支払を受けるもの……一時所得

上記の取扱いに従えば，従業者等が企業から受ける職務発明の対価は，上記①に該当することになり，その特許を受ける権利の承継に際し一時に支払を受けるものが譲渡所得（長期譲渡所得，所令82），これらの権利を承継させた後において支払を受けるものが雑所得に該当することになる。大阪地裁平成23年10月14日判決（訟務月報59巻4号1125頁）及びその控訴審である大阪高裁平成24年4月26日判決（訟務月報59巻4号1143頁）は，職務発明に係る相当の対価を求める

訴えにおいて受領した和解金の所得区分が争われた事案につき，当該和解金が雑所得に当たると判断している。

　もっとも，特許法は，平成27年7月10日に改正されており，改正後の特許法では，契約，勤務規則その他の定めにおいてあらかじめ使用者等に特許を受ける権利を取得させることを定めたときの特許を受ける権利は，その発生した時から使用者等に帰属するものとし（同法35③），従業者等は，特許を受ける権利を取得等させた場合には，相当の金銭その他の経済上の利益（相当の利益）を受ける権利を有するものと定めている（同法35④）。課税実務においては従業者等が受ける「相当の利益」について，①特許を受ける権利を移転させることにより生ずるものでないから，譲渡所得に該当しないこと，②使用人としての地位に基づいて支払を受けるものではなく，特許法の規定により「発明者」としての地位に基づいて支払を受けるものであるから，給与所得にも該当しないこと，③職務発明に係る特許を受ける権利を原始的に取得させることによって生ずるものであるから，一時所得にも該当しないとした上で，雑所得に該当する（平成29年1月27日付け「職務発明による特許を受ける権利を使用者に原始的に帰属させる制度を導入した場合の「相当の利益」に係る税務上の取扱いについて」国税庁文書回答事例）。改正特許法の下での従業者等が受ける「相当の利益」の所得区分が争われた裁判例は見当らない。

8．資産の譲渡による所得で非課税となるもの

　次に掲げる所得については，所得税が課税されない。
① 　生活に通常必要な動産の譲渡による所得（所法9①九，20頁参照）
② 　資力を喪失して債務を弁済することが著しく困難な場合における強制換価手続による資産の譲渡による所得その他これに類する所得（所法9①十）
③ 　特定子会社の株式を特定親会社の新株と交換又は移転したことによる所得（所法57の4，326頁参照）
④ 　国等に財産を寄附した場合の譲渡所得等（措法40）

⑤　国等に重要文化財等を譲渡した場合の所得等（措法40の2）

⑥　物納による譲渡所得等（措法40の3）

⑦　債務処理計画に基づき資産を贈与した場合の所得（措法40の3の2）

9．譲渡所得の金額の計算

　譲渡所得の金額は，その年中の譲渡所得に係る総収入金額からその資産の取得費及び譲渡に要した費用の合計額を控除し，その残額（これを譲渡益という）から譲渡所得の特別控除額（最高50万円）を差し引いて計算する（所法33③④）。譲渡所得に「短期譲渡所得」と「長期譲渡所得」とがある場合には，それぞれの譲渡所得に区分して譲渡益を計算するが，「短期譲渡所得」又は「長期譲渡所得」のうちいずれかの所得に係る総収入金額がその資産の取得費及び譲渡に要した費用の合計額に満たない場合には，その不足額に相当する金額は他の「長期譲渡所得」又は「短期譲渡所得」の金額から差し引いて計算する（所法33③）。また，この譲渡益から控除する特別控除額は，「短期譲渡所得」に係る譲渡益から先に差し引くことになる（所法33⑤）。

◆譲渡所得の金額の計算式

```
{(短期譲渡所得の総収入金額－その資産の取得費及び譲渡費用)
　＋(長期譲渡所得の総収入金額－その資産の取得費及び譲渡費用)}
　－特別控除(最高50万円)＝譲渡所得の金額
```

（長期譲渡所得と短期譲渡所得の区分）

長期譲渡所得

①　その資産の取得の日以後譲渡の日までの保有期間が5年を超える資産の譲渡（所法33③二）

②　ⓐ自己の研究の成果である特許権，実用新案権その他の工業所有権，ⓑ自己の育成の成果である育成者権，ⓒ自己の著作に係る著作権及びⓓ自己の探鉱により発見した鉱床に係る採掘権の譲渡による所得（所法33③一，所

令82一)

③　相続（限定承認に係るものを除く）又は遺贈（包括遺贈のうち限定承認に係るものを除く）により取得した配偶者居住権及び配偶者敷地利用権の消滅による所得（所法33③一，所令82二，三）

　　ただし，配偶者居住権又は配偶者敷地利用権の取得の時にその配偶者居住権付き建物又はその敷地の用に供される土地等を譲渡したものと仮定した場合に長期譲渡所得となる場合の配偶者居住権及び配偶者敷地利用権の消滅による所得に限られる。

短期譲渡所得

　その資産の取得の日以後譲渡の日までの保有期間が5年以内の資産の譲渡（所法33③一）

10. 譲渡所得の総収入金額

　譲渡所得の総収入金額は，その年において収入すべき金額であり，それが金銭以外の物又は権利その他経済的利益をもって収入される場合には，その金銭以外の物又は権利その他経済的利益の価額となる（所法36①）。借地権又は地役権の設定が譲渡取得とされる場合は，権利の設定対価が収入金額となる（所令79，59頁参照）。資産を交換したときには，交換取得資産の時価が譲渡収入となり，交換差金が授受されると交換差金を含めた価額が収入金額となるわけである。

　譲渡所得の収入金額をめぐる注目される裁判例に，東京高裁平成11年6月21日判決（判例タイムズ1023号165頁）がある。X（原告・控訴人）は，その所有する土地及び借地権を7億円でA社に売却する一方，A社からほぼ等価の土地を4億円で取得する契約を締結し，相殺残金3億円を受領した。Xは土地等の譲渡収入を7億円として確定申告をしたところ，税務署長は，本件土地等を7億円で譲渡して土地（7億円相当）と3億円の現金を取得したのであるから，Xの譲渡収入は10億円であると認めて更正処分をした。この更正処分の適否について，

東京地裁平成10年5月13日判決（判例時報1652号72頁）は，XとA社の取引が補足金付交換契約に当たると判断し課税処分を適法としたが，その控訴審判決では，「本件取引の法形式を選択するに当たり補足金付交換契約によることなく，本件譲渡資産及び本件取得資産の各別の売買契約とその売買代金の相殺という法形式を採用することとしたのは，本件譲渡資産の譲渡所得に対する税負担の軽減を図るためであったことが優に推認できるが，本件取引について，XとA社との間でどのような法形式を採用するかは，両当事者の自由な選択に任されている。」と説示した上で，「租税法律主義の下においては，法律の根拠なしに，当事者の選択した法形式を通常用いられる法形式に引き直し，それに対応する課税要件が充足されたものとして取り扱う権限が課税庁に認められているものではないから，本件譲渡資産及び本件取得資産の各別の売買契約とその各売買代金の相殺という法形式を採用して行われた本件取引を，本件譲渡資産及び本件取得資産との補足金付交換契約という法形式に引き直して，この法形式に対応した課税処分を行うことは許されない。」として，原審の判断を覆している。

11. 固定資産の交換の特例

　譲渡所得とは資産の譲渡による所得をいうのであり，ここでいう「譲渡」には交換や買換えも含まれるから，資産の交換，買換えがあった場合には，原則として譲渡所得の課税が行われる。しかしながら，例えば，同種で同一の用途の固定資産を交換し，交換取得資産を使用しているに等しいとみられるときにおいても，資産の譲渡益が実現したとして譲渡所得課税を行うのが相当かという問題は別のものである。そこで，所得税法や租税特別措置法では，一定の要件に該当する交換や買換えについて課税の繰延べ措置を講じている。いうまでもなく，交換や買換えの課税の特例は，交換（買換え）譲渡資産のうち，交換（買換え）取得資産の取得価額までを非課税とするというものではなく，将来，その交換（買換え）取得資産を譲渡等した場合には，譲渡所得の金額の計算上控除する取得費を交換（買換え）取得資産の実際の取得価額ではなく，交換（買

換え）譲渡資産の取得価額を引き継ぎ，課税の繰延べを図る制度である。ここでは，所得税法上の「固定資産の交換の特例」について概要を述べることとし，租税特別措置法における交換や買換えの課税の特例については，後述する（300頁以下参照）。

固定資産の交換の特例は，居住者が１年以上所有していた特定の固定資産を他の者が１年以上所有していた特定の固定資産と交換し，その交換取得資産を交換譲渡資産の譲渡直前の用途と同一の用に供した場合には，譲渡所得の金額の計算上，その譲渡はなかったものとされるものである（所法58①②）。この課税の特例については，次の要件を満たさなければならない。

① 交換譲渡資産と交換取得資産はいずれも固定資産であること
② 交換譲渡資産と交換取得資産は，いずれも，(a)土地，借地権及び耕作権，(b)建物・建物附属設備及び構築物，(c)機械及び装置，(d)船舶，(e)鉱業権（租鉱権及び採石権その他の土石を採掘・採取する権利を含む）等の区分に応ずる同種の資産であること
③ 交換譲渡資産は１年以上所有しているものであること
④ 交換取得資産は，交換の相手が１年以上所有しているものであり，かつ，交換のために取得したものでないこと
⑤ 交換取得資産は交換譲渡資産の譲渡直前の用途と同一の用途に供すること
⑥ 交換のときにおける交換取得資産の時価と交換譲渡資産の時価との差額がこれらのいずれか高い方の価額の20％に相当する金額を超えないこと

(注) 固定資産とは，土地（土地の上に算する権利を含む），減価償却資産，電話加入権及びこれらに準ずる資産（棚卸資産，暗号資産及び繰延資産を除く）をいう（所法２①十八，所令５）。

12. みなし譲渡所得

最高裁昭和47年12月26日判決（民集26巻10号2083頁）では，「譲渡所得に対する

第2章 各種所得の種類と計算

課税は，資産の値上りによりその資産の所有者に帰属する増加益を所得とし，これを清算して課税する趣旨のものであるから，その課税所得たる譲渡所得の発生には必ずしも当該資産の譲渡が有償であることを要しない。」と判示している。この判決の見解に従えば，贈与や相続によって資産の移転があった場合にも，時価により資産の譲渡があったものとして譲渡所得が生ずることになる。

しかし，現行の所得税法では，譲渡所得の金額は現実に収入すべきこととなった金銭その他の経済的利益を基として所得計算を行うこととし，「別段の定め」がない限り，贈与や相続等の無償による資産の移転については，譲渡所得が生じないこととしている（所法36①）。そして，所得税法に定める「別段の定め」においては，譲渡所得の基因となる資産を，①法人に対して贈与又は遺贈をした場合，②法人に対して時価の2分の1未満の対価で譲渡した場合のほか，③個人については相続（限定承認に係るものに限る）又は遺贈（包括遺贈のうち限定承認に係るものに限る）による資産の移転があった場合にのみ，時価により資産の譲渡があったものとみなして譲渡所得課税を行うこととしているのである（所法59①，所令169）。

ここで，限定承認というのは，相続によって得た財産の限度においてのみ，被相続人の債務や遺贈を弁済をするのを条件に相続の承認をするものである（民法922）。したがって，限定承認に係る相続等の場合においても，譲渡所得課税を行わず取得価額を引き継ぐこととした場合には，その相続人が債務の弁済のために相続によって取得した資産を譲渡すると，その譲渡による所得は，相続人の所得として課税されるわけであるから，本来被相続人に課されるべき所得税等（被相続人のキャピタル・ゲインに係る所得税等相当額）を相続人が自己の財産から負担するという結果が生ずる。このため，限定承認に係る相続等については，相続時に被相続人に対して譲渡所得として課税することとしたものである。

> 個人が法人に対して譲渡所得の基因となる資産を著しく低い価額で譲渡した場合には，「その時における価額」によって譲渡があったものとみなさ

れる（所法59①二）。最高裁令和2年3月24日判決（裁判集民事263号63頁）では，取引相場のない株式が譲渡されて株主の株式保有割合が変化した場合の「その時における価額」につき，①株式譲渡前の保有割合を基礎として類似業種比準方式によるべきか（国側の主張），②株式譲渡後の保有割合を基礎として配当還元方式を用いることができるか（納税者側の主張）が争点となっている。原審（東京高裁平成30年7月19日判決・訟務月報66巻12号1976頁）は，配当還元方式により評価すべきと判断したが，最高裁判所は，「相続税や贈与税は財産を取得した者の取得財産に課されるものだから取得した株主の会社への支配力に着目した評価方法を用いるべきであるが，譲渡所得は，譲渡人の資産の値上がり益に課されるものだから譲渡人の会社への支配力の程度に応じた評価方法を用いるべきである」として原審を破棄している。つまり，譲渡所得は，キャピタルゲインに対する課税であるから，所得税法59条に規定する「その時の価額」（みなし譲渡の価額）は，通常の取引価額（類似業種批准方式）を意味すると理解しているのである。

　最高裁判所は，国側の主張を認めたのであるが，その判決に付された裁判官の補足意見において，「所得税基本通達59－6については分かりやすさという観点から改善されることが望ましい」等の指摘がなされ，国税庁は通達改正を行っている（令和2年9月30日付け「資産税課情報」第22号）。

13. 国外転出をする場合の譲渡所得等の特例

(1) 概　　要

　国外転出（国内に住所及び居所を有しないこととなることをいう）をする居住者が有価証券等を有する場合又は未決済デリバティブ取引等に係る契約を締結している場合には，その者の事業所得の金額，譲渡所得の金額又は雑所得の金額の計算上，国外転出の時に当該有価証券等の譲渡又は未決済デリバティブ取引等の決済があったものとみなされる（所法60の2①～③）。また，居住者の有する有

価証券等又は締結している未決済デリバティブ取引等に係る契約について，贈与，相続又は遺贈により非居住者に移転した場合には，その居住者の事業所得の金額，譲渡所得の金額又は雑所得の金額の計算上，その贈与等の時に当該有価証券等の譲渡又は未決済デリバティブ取引等の決済があったものとみなされる（所法60の3①～③）。

(注) 有価証券等とは，有価証券又は匿名組合契約の出資の持分をいい，未決済デリバティブ取引等とは決済していないデリバティブ取引，信用取引もしくは発行日取引をいう。

(2) 特例の対象者

この特例の対象者は，次の①及び②に掲げる要件を満たす居住者である（所法60の2⑤，60の3⑤）。

① 有価証券等の価額に相当する金額又は未決済デリバティブ取引等の決済をしたものとみなして算出した利益の額もしくは損失の額が1億円以上である者

② 国外転出又は贈与等の日前10年以内に，国内に住所又は居所を有していた期間の合計が5年超である者

(3) 国外転出時に課税された資産の取得価額等

国外転出の日の属する年分の所得税について課税の適用を受けた個人（その相続人を含む）が，その国外転出の時に有していた有価証券等又は未決済デリバティブ取引の譲渡又は決済をした場合における事業所得の金額，譲渡所得の金額又は雑所得の金額の計算については，次により取得価額又は損益の額の調整をする（所法60の2④）。

① 国外転出時課税の適用を受けた有価証券等……有価証券等の時価に相当する価格により取得したものとする（取得価額の洗替え）

② 国外転出時課税の適用を受けた未決済デリバティブ取引等……国外転出時に生じたものとみなされる利益の額又は損失の額

(4) 国外転出後5年を経過する日までに帰国等をした場合

　この特例の適用を受けるべき者が国外転出の日から5年（10年間の納税猶予を受けている場合は10年）を経過する日までに帰国等をした場合……国外転出の時において有していた有価証券等又は契約を締結していた未決済デリバティブ取引等で国外転出の時以後引き続き有しているもの又は決済をしていないものについては，譲渡又は決済がなかったものとされる（所法60の2⑥⑦，60の3⑥⑦）。

　帰国等には，帰国（国内に住所を有し，又は現在まで引き続いて1年以上居所を有すること）のほか，①贈与により居住者に移転した場合，②相続又は遺贈により居住者に移転した場合も含まれる。

　　（注）　帰国等の日から4月を経過する日までに更正の請求をすることになる（357頁参照）。

(5) 申告及び納付

　この特例対象者が国外転出等の時までに納税管理人の届出をした場合は，その国外転出時における有価証券等の価額に相当する金額によりその有価証券等の譲渡があったものとみなして国外転出等をした年分の確定申告期限までに確定申告と納税をするのであるが（所法60の2①〜③，60の3①〜③，120①，128），担保を提供するなどの手続をすることにより，国外転出等の日から5年（納税猶予に係る期限の延長を受けたい旨の届出書を提出した場合は10年）を経過する日まで納税が猶予される（所法137の2①②，137の3①②）。

　なお，特例対象者が納税管理人の届出をしないで国外転出等をする場合には，国外転出の予定日から起算して3月前の日における有価証券等の価額(国外転出の予定日から起算して3月前の日後に取得した有価証券等については，その取得時の価額）に相当する金額によりその有価証券等の譲渡があったものとみなして国外転出等の時までに確定申告（準確定申告）と納税をする必要がある（所法127①，130）。

14. 譲渡資産の取得費

(1) 譲渡資産の取得費の計算

　譲渡所得の金額は，その年中の資産の譲渡に係る総収入金額から当該資産の取得費とその譲渡に要した費用との合計額を控除し，その残額（譲渡益）から譲渡所得の特別控除（最高50万円）を差し引いて計算する（所法33③④）。譲渡所得の金額の計算上控除される取得費は，原則としてその資産の取得に要した金額と設備費及び改良費の合計額となるが（所法38①），その資産が機械や器具備品のように時の経過によって減価するものであるときは，その保有期間中の減価償却費相当額を控除した金額がその資産の取得費となる（所法38②，所令85）。保有期間中の減価償却費相当額の計算は，次のとおりである。
　① 不動産所得，事業所得，山林所得又は雑所得の業務の用に供されていた期間……その期間内の必要経費に算入される償却費の累積額
　② ①に掲げる期間以外の期間（非業務供用期間）……（取得価額）×90％×（法定耐用年数の1.5倍の耐用年数に応ずる旧定額法の償却率）×（経過年数，6か月未満の端数は切捨て，6か月以上の端数は1年）

　また，譲渡資産を他から購入した場合には，購入代金のほか，購入手数料，登録免許税，不動産取得税，引取運賃等，その他その資産を取得するために要した費用が取得費となるのであるが，次のような取得費の特例がある。
　① 昭和27年12月31日以前から引き続き所有していた資産の取得費は，原則として，昭和28年1月1日現在の相続税評価額を基にして計算する（所法61②，所令172①）。
　② 昭和27年12月31日以前から引き続き所有していた土地建物等の取得費は，譲渡代金の5％相当額（その額が実際の取得費に満たないことが証明された場合には，実際の取得費）とされる（措法31の4①）。この概算取得費は，昭和28年1月1日以後に取得した土地建物等，及び土地建物等以外の資産にも適用することができる（所基通38－16，48－8，60－5，措通31の4－1，37の10・37－11共－13）。

③　相続直後（相続税申告書の提出期限の翌日以後3年内）に相続財産を譲渡した場合には，相続税と所得税の二重課税を調整するため，譲渡所得の計算上，その譲渡した資産に対応する相続税に相当する金額を取得費に加算する（措法39①，措令25の16①）。

♦取得費に加算する相続税額の計算

$$相続税額 \times \frac{譲渡資産の相続税評価額}{相続税の課税価格} = 取得費に加算する価額$$

（注）この特例を適用しないで計算した譲渡益（譲渡資産の収入金額－取得費－譲渡費用）を超える場合の価額は，譲渡益相当額となる。

④　交換や買換えなどの特例の適用を受けた場合には，取得価額の引継ぎが行われる（所法58，措法33の6，33の4，37の5，37の6，37の8）。

資産の取得費に関する裁判例には，(a)離婚に伴う財産分与として資産を取得した場合，取得者は財産分与請求権という経済的利益を消滅させる代償として当該資産を取得したことになるから，その資産の取得費は，財産分与請求権の価額と同額になるとしたもの（東京地裁平成3年2月28日判決・判例時報1381号32頁），(b)遺産分割に要した弁護士費用等は，資産の客観的価額を構成する費用ではないから取得費に含まれないとしたもの（東京高裁昭和55年10月30日判決・行集31巻10号2309頁），(c)遺産分割に際して他の相続人に支払った代償金は取得費に当たらないとしたもの（最高裁平成6年9月13日判決・裁判集民事173号79頁），(d)時効取得した土地の取得費は，時効援用時の当該土地の価額によるべきであり，時効取得に関して支出した弁護士費用は，その取得費に含まれないとしたもの（東京地裁平成4年3月10日判決・訟務月報39巻1号139頁），(e)贈与によって取得したゴルフ会員権を自己名義にするために支払った手数料が取得費に当たるとしたもの（最高裁平成17年2月1日判決・裁判集民事216具279頁）などがある。

（注）贈与等により譲渡所得の基因となる資産を取得した場合において，当該贈与等に係る受贈者等が当該資産を取得するために通常必要と認められる費用を支出しているときには，当該費用のうち当該資産に対応する金額については，各種所得

の金額の計算上必要経費に算入された登録免許税，不動産取得税等を除き，資産の取得費に算入できる（所基通60－2）。

(2) みなし譲渡所得と取得価額の引継ぎ

　譲渡所得は，保有資産の価値の増加益（キャピタル・ゲイン）を課税の対象とするが，贈与や相続等によって資産が移転した場合については，譲渡所得の課税が行われない。ただし，①法人に対する贈与や遺贈又は時価の2分の1未満の対価による譲渡，②個人に対する贈与や相続（限定承認に係るものに限る），遺贈（包括遺贈のうち限定承認に係るものに限る）があった場合には，みなし譲渡として課税が行われる（所法59①，124頁参照）。つまり，個人に対する贈与や相続等については，贈与者や被相続人等に対して譲渡所得の課税を行わずに，受贈者や相続人等に取得価額及びその時期を引き継ぐことにより，将来，受贈者等がその資産を譲渡した場合に前所有者の保有期間中のキャピタル・ゲインを含めて譲渡所得の課税を行うこととしているのである。また，個人に対して時価の2分の1未満の対価で資産を譲渡した場合で，その対価が資産の取得価額及び譲渡費用に満たないときは，その譲渡損失はないものとし，資産を譲り受けた者がその取得価額を引き継ぐこととしている（所法59②，60①二）。例えば，取得価額700万円，時価1,000万円の資産を400万円で譲渡すると，計算の上では300万円の譲渡損失が生じるが，所得税法ではその損失はないものとし，資産を譲り受けた者の取得価額を400万円ではなく700万円とする。

　このように，相続等があった場合には，前所有者の取得価額及び取得時期を引き継ぐのであるが，相続等により取得した配偶者居住権及び配偶者敷地利用権又は配偶者居住権に係る建物及び配偶者敷地利用権に係る土地等の取得費については，次により計算する（所法60②③，所令162①～④）。

① 配偶者居住権の取得費

　　建物の取得費（被相続人による取得から配偶者居住権の設定までの期間の減価の額を控除した取得費）に配偶者居住権割合を乗じて計算した金額から，その配偶者居住権の設定から消滅等までの期間に係る減価の額を控除した金額

② **配偶者敷地利用権の取得費**

　土地の取得費に配偶者居住権割合を乗じて計算した金額から，その配偶者敷地利用権の設定から消滅等までの期間に係る減価の額を控除した金額

　（注）　配偶者居住権割合とは，配偶者居住権の設定時における配偶者居住権又は配偶者敷地利用権の価額がそれぞれ建物又は土地の価額に占める割合をいう。

③ **配偶者居住権の目的となっている建物の取得費**

　建物の取得費（配偶者居住権の取得から建物の譲渡までの期間の減価の額を控除した取得費）から配偶者居住権の取得費を控除した金額

④ **配偶者敷地利用権の目的となっている土地等の取得費**

　土地の取得費から配偶者敷地利用権の取得費を控除した金額

　（注）　配偶者居住権及び配偶者敷地利用権を取得した後に，配偶者居住権の目的となっている建物又は当該建物の敷地の用に供される土地について改良，改造等が行われたときであっても，当該改良，改造等に要した費用の額は，配偶者居住権等の取得費に加算されない（所基通60－6）。

(3) 借入金の利子は譲渡資産の取得費か

　借入資金によって購入した非事業用不動産を譲渡した場合，その借入金の利子が譲渡所得の金額の計算上「資産の取得に要した金額」に当たるかについては，積極説と消極説のほか，当該資産の使用開始の日の前後によって区分し，使用開始の日までの部分についてのみ「資産の取得に要した金額」を構成するという中間説がある。この問題については，平成4年の最高裁判決があり，判例上は「中間説」で確立している。

　最高裁平成4年7月14日判決（民集46巻5号492頁）では，「資産の取得に要した金額には，当該資産の客観的価格を構成すべき取得代金のほか，登録免許税，仲介手数料等の当該資産を取得するための付随費用の額も含まれるが，他方，当該資産の維持管理に要する費用等の居住者の日常的な生活費ないし家事費に類するものは含まれない。借入金の利子は，原則として，居住の用に供される不動産の譲渡による譲渡所得の金額の計算上，資産の取得に要した金額に該当しないというほかない。しかしながら，右借入れの後，個人が当該不動産をその居住の用に供するに至るまでにはある程度の期間を要するのが通常であり，

したがって，当該個人は，右期間中，当該不動産を使用することなく，利子の支払を余儀なくされるものであることを勘案すれば，右借入金の利子のうち，居住のため当該不動産の使用を開始するまでの期間に対応するものは，当該不動産をその取得に係る用途に供する上で必要な準備費用ということができ，当該個人の単なる日常的な生活費ないし家事費として譲渡所得の金額の計算のらち外のものとするのは相当でなく，当該不動産を取得するための付随費用に当たるものとして，右資産の取得に要した金額に含まれるものと解するのが相当である。」旨判示した。

そしてその後，最高裁平成4年9月10日判決（訟務月報39巻5号957頁）は，上記の最高裁判決を引用して，非事業用不動産の使用開始の日以前の期間に対応する借入金の利子が「資産の取得に要した金額」に含まれる旨判示しているが，この判決には，①「中間説」に立ちながらも，非事業用不動産の使用可能となった日以前の期間に対応する借入金の利子のみが譲渡所得の金額の計算上控除されるべきであるとする意見，②非事業用不動産の取得のためにその借入れ及び利子の支払が実質的に欠かせないと認められる限り，その借入金の利子の全額が譲渡所得の金額の計算上控除されるべきであるとする積極説に立つ反対意見も付されているところである。

なお，実務では，「使用開始の日」（資産の取得後，使用しないで譲渡した場合には，譲渡の日）までの期間に対応する借入金の利子が取得費に算入される（所基通38－8）。

15. 譲渡費用の範囲

譲渡所得の金額は，その年中の資産の譲渡に係る総収入金額から当該資産の取得費とその資産を譲渡するに要した費用を控除して計算するが（所法33③），資産の譲渡に要した費用には，その譲渡の際に支出する契約費用，売買仲介人の仲介手数料，登記費用等のほか，借家人の立退料，有利な条件により譲渡するため売買契約を解約した場合に支出する違約金，土地を譲渡するために建物

等を取り壊した場合の取壊し費用や取壊しによる建物等の損失などがある（所基通33－7，33－8）。所得税法では，不動産所得，事業所得，山林所得及び雑所得については，総収入金額から必要経費の額を控除して所得金額を算出する仕組みをとっているが，譲渡所得の本質が保有資産の価値の増加益（キャピタル・ゲイン）であることから，譲渡所得については，総収入金額から必要経費を控除するのではなく，資産の取得費と譲渡費用の合計額を控除して所得金額を算出することとしている（所法33③）。このため，譲渡費用の範囲については，「譲渡を実現するために直接必要とする費用」とか「譲渡価額を増加させるためにその譲渡に際して支出した費用」などに限定されると解されている。その資産の修繕費，固定資産税その他その資産の維持又は管理に要した費用は，その資産の使用収益によって生ずる所得に対応する費用であることから，譲渡費用には該当しない。

　裁判例では，「資産の譲渡に要した費用とは，譲渡を実現するために必要な経費に限られ，当該資産の修繕費，固定資産税その他その資産の維持又は管理に要した費用はこれに含まれないと解すべく，例えば，譲渡のための仲介手数料，登記登録料，借家人を立ち退かせるための立退料等は，これに該当するが，譲渡資産に設定された抵当権を抹消させるために被担保債権を弁済した弁済金，山林所有権の帰属をめぐって第三者との紛争があり，その所有権確認のために要した訴訟費用，遺産分割の処理のために要した弁護士報酬等は，いずれも資産の譲渡に要した費用に当たらないものと解すべきである。」とするもの（大阪高裁昭和61年6月26日判決・税務訴訟資料152号540頁），「土地所有者が支払った立退料が譲渡費用と認められるためには，法律上，土地の譲受人に対抗することができる賃借人等に対して支払ったものであることを要すると解すべきであるから，経済的価値のない使用貸借権の権利者に対して，仮に立退料を支払ったとしても，それは譲渡費用に該当しない。」とするもの（東京地裁昭和63年4月20日判決・行集39巻3・4合併号302頁）などがある。

第2章 各種所得の種類と計算

> 最高裁平成18年4月20日判決（判例時報1933号76頁）では，「資産の譲渡に当たって支出された費用が所得税法33条3項所定の譲渡費用に当たるかどうかは，一般的，抽象的に当該資産を譲渡するために当該費用が必要であったかどうかによって判断するのではなく，現実に行われた資産の譲渡を前提として客観的にみてその譲渡を実現するために当該費用が必要であったかどうかによって判断すべきである。」と説示した上で，土地改良区の組合員が同区内の農地を転用目的で譲渡するに当たり，土地改良法42条2項に基づいて同区に支払った決済金等は，客観的にみて当該売買契約に基づく土地の譲渡を実現するために必要であった費用に該当し，譲渡費用に当たると判断している。

一時所得の意義と計算

1．一時所得の範囲

　一時所得とは，「利子所得，配当所得，不動産所得，事業所得，給与所得，退職所得，山林所得及び譲渡所得以外の所得のうち，営利を目的とする継続的行為から生じた所得以外の一時の所得で労務その他の役務又は資産の譲渡としての性質を有しないものをいう。」と定義されている（所法34①）。ある所得が一時所得に該当するには，(a)利子所得から譲渡所得までの8種類の所得に該当しないことが必要であり，さらに，(b)一時の所得であること，(c)労務その他の役務又は資産の譲渡としての性質を有しないものであることが必要となる。一時所得の典型的なものには，法人からの贈与による利益，懸賞の当選金品，遺失物の拾得報労金などがあるが（所基通34-1），このほかの主要なものを掲げると，次のとおりである。

　① 厚生年金基金や適格退職年金又は確定給付企業年金などの企業年金制度

において，従業員が退職に基因して受け取る一時金は，みなし退職所得に該当するが(所法31)，厚生年金基金の解散や確定拠出年金からの脱退など，退職以外の理由で受け取る一時金は，一時所得になる（所令76④参照）。事業主の負担した掛金が原資となっている一時金であり，従業員の地位に基づいて受け取るものではあるが，給与所得とはされない。

② 生命保険契約等に基づく一時金のうち，保険料の負担者自身が受け取る死亡保険金，満期保険金，解約一時金は，一時所得に該当する（所令183②，184②，所基通34－1(4)）。自ら負担した保険料の運用益に相当する部分も含まれる。ただし，業務に関して受けるものは一時所得ではなく，事業所得となる。

③ 被相続人の死亡により相続人等が受け取る退職手当等については，(a)被相続人の死亡後3年以内に支給が確定したものは相続財産とみなされるが（相法3①二），(b)被相続人の死亡後3年を経過して支給が確定したものは一時所得として取り扱われる（所基通34－2）。被相続人の勤労に由来する所得であるが，給与所得や退職所得には該当しない。

④ 競馬の馬券の払戻金，競輪の車券の払戻金等は，たとえ，その払戻しを受けた者が常連であっても，一時所得として取り扱われる（所基通34－1(2)）。クイズ等の懸賞金も同様である（所基通34－1(1)）。

⑤ 人格のない社団等の解散により受ける清算分配金又は脱退により受ける持分の払戻金は，一時所得に該当する（所基通34－1(6)）。

⑥ 借家人が賃貸借の目的とされている家屋の立退きに際して受け取る立退料は，借家権の消滅の対価としての性質を有するもの及び収益の補償としての性質を有するものを除いて，一時所得に該当する（所基通34－1(7)）。

⑦ 土地の時効取得による利益は，時効の援用時にそれまでの土地の値上り益（キャピタル・ゲイン）が一時に実現するものであるが，一時所得に該当する。

⑧ マイナポイントやすまい給付金等は，一時所得に該当する（国税庁ＨＰ「一時所得Q＆A」タックスアンサーNo1490）。

第2章　各種所得の種類と計算

●生命保険金等の課税関係

保険契約等関係者			保険事故等の区分		
保険料負担者	被保険者	保険金等受取人	傷　害	死　亡	満　期
A	A	A	非課税	相続税	一時所得（一時金）
A	A	B	非課税（親族）一時所得	相続税	贈与税
A	B	A	同上	一時所得	一時所得（一時金）
A	B	B	非課税	贈与税	贈与税
A	B	C	非課税（親族）一時所得	贈与税	贈与税
A 1/2 C 1/2	A	B	同上	相続税 贈与税	贈与税
法人	A（従業員）	A（従業員）	非課税 給与所得等*	相続税 給与所得等*	一時所得 給与所得等*

（注）保険金が保険契約や退職給与支給規程などで，従業員の退職金や支払うべき給与，賞与などに充当されるものであるときは，退職所得や給与所得となる。

　以上のように，競輪・競馬の払戻金や保険料の負担者が受け取る満期保険金などは，打算的な所得であって偶発的な所得といえるか疑問もあるが，これらの所得も一時所得に該当するのである。また，職業人以外の者が受け取る原稿料や出演料などは，たとえ一時的な所得であっても，報酬としての性格があることから一時所得の範ちゅうから除外される（所基通35－2(4)）。

　一時所得は，一時的で，偶発的な所得であるところから，長期保有資産の譲渡所得と同様に，50万円を限度とする特別控除後の2分の1相当額を総合課税の対象としている（所法34②③，22②二）。

2．一時所得に関する裁判例

　一時所得の所得区分が争われた主な裁判例には，次のものがある。
　福岡地裁昭和62年7月21日判決（訟務月報34巻1号187頁）及びその控訴審である福岡高裁昭和63年11月22日判決（税務訴訟資料166号505頁）では，電力会社の委託検針員が委託契約の解約に当たって受けた解約慰労金は退職所得ではなく

一時所得に該当すると判示している。その骨子は，委託検針員が受ける委託検針手数料収入が給与所得ではなく事業所得に該当するとした上で，「解約慰労金は，その沿革としては委託検針契約による委託手数料の清算ないし追加払いとしての性質というよりも，むしろ労働組合の運動に基づき，給与労働者の退職手当，厚生年金の一時金に相当するものとして実現されてきたものと認められ，そうとすれば，委任ないし請負契約である委託検針契約終了の際の特別の合意に基づき支払われる，いわゆる所得源泉のない所得と解すべく，一時所得に該当するとの帰結もやむを得ない。」とする。また，名古屋地裁平成4年9月16日判決（判例時報1470号65頁）及びその控訴審である名古屋高裁平成5年9月22日判決（税務訴訟資料198号1132頁）では，土地区画整理組合から交付された宅地整備補償金名義の金員は，土地価額の高騰により実際の保留地予定地の処分価額が事業計画上の保留地予定地の処分価額を大幅に上回ったことによって生じた余剰金等の分配であり，実質的には，組合の解散に伴う清算手続を経ない組合の残余財産の分配であるから，一時所得に該当すると判示している。

このほか，厚生年金基金の解散に伴う残余財産の分配金は，退職所得ではなく一時所得に該当するとしたもの（東京高裁平成18年9月14日判決・判例時報1969号47頁），適格退職年金制度の終了に伴い支払われた一時金は，当該年金基金の精算に伴う分配金として支払われたものであって，その支払の原因が退職にあるとは認められないから，みなし退職所得ではなく一時所得に該当するとしたもの（東京高裁平成25年7月10日判決・裁判所ＨＰ「行集」），父親の死亡に伴い父親が会員であった社団法人の共済制度に基づき受給した死亡共済金は，みなし贈与財産ではなく一時所得に該当するとしたもの（大阪高裁平成26年6月18日判決・裁判所ＨＰ「行集」）などがある。

他方，東京地裁平成22年10月8日判決（訟務月報57巻2号524頁）及び東京高裁平成23年6月29日判決（裁判所ＨＰ「行集」）は，「所得税法34条1項の『労務その他の役務の対価』とは，給付が具体的又は特定的な役務行為に対応する等価の関係にある場合に限られるものではなく，広く給付が抽象的又は一般的な役務行為に密接に関連してなされる場合を含むものと解するのが相当である。」と

した上で、「民法上の組合員が組合を通じて取得した新株予約権の行使による経済的利益は、当該組合が役務提供を約したことから新株予約権が割り当てられたのであり、『労務その他の役務の対価』としての性質を有するから、一時所得に該当せず雑所得になる。」とする。

また、東京高裁平成28年11月17日判決（税務訴訟資料266号順号12934）は、旧国立大学の助教授あったX（原告・控訴人）が発明に係る特許を受ける権利を同大学を通じて国に無償譲渡していたところ、国立大学法人が国から承継した特許権を譲渡したことに伴い、発明に係る特許を受ける権利の補償としてXが受け取った金員の所得区分が争われた事例である。裁判所は、「資産の譲渡の対価としての性質を有する所得については、資産の譲渡と反対給付の関係にあるような給付に限られるものではなく、資産の譲渡と密接に関連する給付であってそれがされた事情に照らし偶発的に生じた利益とはいえないものも含まれると解するのが相当である。」と説示した上で、本件金員は、Xが発明に係る特許を受ける権利を国に対して無償譲渡したことと密接に関連する給付であり、偶発的に生じた利益ではないから、一時所得ではなく雑所得に該当すると断じている。

> 最高裁平成27年3月10日判決（刑集69巻2号434頁）は、馬券の払戻金に係る所得について、所得税法違反の罪に問われた刑事判決である。裁判所は、①競馬の当たり馬券の払戻金が所得税法上の一時所得ではなく雑所得に当たる、②外れ馬券の購入代金は、雑所得である当たり馬券の払戻金から必要経費として控除することができると判断している。要旨は、以下のとおりである。
> 1　営利を目的とする継続的行為から生じた所得であるか否かは、文理に照らし、行為の期間、回数、頻度その他の態様、利益発生の規模、期間その他の状況等の事情を総合考慮して判断するのが相当である。所得税法の沿革を見ても、およそ営利を目的とする継続的行為から生じた所得に関し、所得や行為の本来の性質を本質的な考慮要素として判断すべき

であるという解釈がされていたとは認められない上，いずれの所得区分に該当するかを判断するに当たっては，所得の種類に応じた課税を定めている所得税法の趣旨，目的に照らし，所得及びそれを生じた行為の具体的な態様も考慮すべきであるから，当たり馬券の払戻金の本来的な性質が一時的，偶発的な所得であるとの一事から営利を目的とする継続的行為から生じた所得には当たらないと解釈すべきではない。被告人が馬券を自動的に購入するソフトを使用して独自の条件設定と計算式に基づいてインターネットを介して長期間にわたり多数回かつ頻繁に個々の馬券の的中に着目しない網羅的な購入をして当たり馬券の払戻金を得ることにより多額の利益を恒常的に上げ，一連の馬券の購入が一体の経済活動の実態を有するといえるなどの本件事実関係の下では，払戻金は営利を目的とする継続的行為から生じた所得として所得税法上の一時所得ではなく雑所得に当たるとした原判断は正当である。

2　本件においては，外れ馬券を含む一連の馬券の購入が一体の経済活動の実態を有するのであるから，当たり馬券の購入代金の費用だけでなく，外れ馬券を含む全ての馬券の購入代金の費用が当たり馬券の払戻金という収入に対応するということができ，本件外れ馬券の購入代金は必要経費に当たると解するのが相当である。

　また，最高裁平成29年12月15日判決（民集71巻10号2235頁）は，6年間にわたり1年当たり合計3億円から21億円程度となる多数の馬券を購入し続けた者の馬券の払戻金が雑所得に該当するとした上で，同人は，「偶然性の影響を減殺するために長期間にわたって多数の馬券を頻繁に購入することにより，年間を通じての収支で利益が得られるように継続的に馬券を購入しており，そのような一連の馬券の購入により利益を得るためには，外れ馬券の購入は不可避であったといわざるを得ない。」と説示した上で，当該外れ馬券の購入代金は，雑所得である当たり馬券の払戻金を得るため直接に要した費用として必要経費に当たると判断してい

る。

> （注）　国税庁は，上記の最高裁判決を踏まえて，「馬券を自動的に購入するソフトウエアを使用して定めた独自の条件設定と計算式に基づき，又は予想の確度の高低と予想が的中した際の配当率の大小の組合せにより定めた購入パターンに従って，偶然性の影響を減殺するために，年間を通じてほぼ全てのレースで馬券を購入するなど，年間を通じての収支で利益が得られるように工夫しながら多数の馬券を購入し続けることにより，年間を通じての収支で多額の利益を上げ，これらの事実により，回収率が馬券の当該購入行為の期間総体として100％を超えるように馬券を購入し続けてきたことが客観的に明らかな場合の競馬の馬券の払戻金に係る所得は，営利を目的とする継続的行為から生じた所得として雑所得に該当する。」とし，これ以外の馬券（競輪の車券等を含む）の払戻金に係る所得は一時所得に該当するとしている（所基通34−1⑵注）。

3．一時所得の金額の計算

　一時所得の金額は，一時所得に係るその年中の総収入金額からその収入を得るために支出した金額の合計額を控除し，その残額から「一時所得の特別控除額」（最高50万円）を差し引いて計算するが（所法34②③），総収入金額から控除する「支出した金額」は，その収入を生じた行為をするため，又はその収入を生じた原因の発生に伴い直接要した金額に限るものとされている（所法34②）。ここでいう「その収入を生じた行為をするため，又はその収入を生じた原因の発生に伴い直接要した金額」とは，例えば，次のようなものがこれに当たる（所基通34−3，34−4参照）。

①　借家の立退きに際して要した費用（立退料収入から控除）
②　懸賞クイズ等の当選金の一部を他に寄附することとされている場合の寄附金など（当選金収入から控除）
③　車券，馬券の購入費用（競輪，競馬の払戻金から的中した馬券等の購入費用のみ控除）
④　過去において支払った生命保険料等の総額（生命保険等の満期返戻金等から控除）

✚生命保険契約等に基づく一時金の所得計算 （所令183②④，184②③）

$$\left(\begin{array}{l}\text{生命保険契約等に係る一}\\\text{時金又は解約返戻金等}\end{array}+\begin{array}{l}\text{支払開始日以後に支}\\\text{払われる剰余金等}\end{array}-\begin{array}{l}\text{保険料等の総額}\\-\begin{array}{l}\text{支払開始日前に支}\\\text{払われる剰余金等}\end{array}\end{array}\right)-\text{特別控除額（最高50万円）}=\text{一時所得の金額}$$

　最高裁平成24年1月16日判決（裁判集民事239号555頁）は，①被保険者を法人の代表者の子，②死亡保険金の受取人を法人，③満期保険金の受取人を法人の代表者とする養老保険契約を締結し，支払保険料の2分の1を代表者に対する役員報酬として経理するとともに，その余の保険料を損金経理していたところ，満期保険金が当該法人の代表者に支払われたことから，当該代表者の満期保険金に係る一時所得の金額の計算上，法人の損金の額に計上した保険料の額についても総収入金額から控除することができるかが争われた事例である。裁判所は，①各種所得の計算方法は，個人の担税力を増加させる利得に当たる部分を所得とする趣旨に出たものと解されること，②所得税法34条2項にいう「支出した金額」とは，一時所得に係る収入を得た個人が自ら負担して支出したものといえる金額に限られると解するのが上記趣旨にかなうものであること，③「その収入を得るために支出した金額」という文言も，収入を得る主体と支出する主体が同一であることを前提としたものということができること，④所得税法施行令183条2項2号にいう「保険料……の総額」とは，保険金の支払を受けた者が自ら負担して支出したものといえる金額を指すと解すべきであること等を理由に，一時所得の金額の計算上，法人が保険料として損金経理した部分は「その収入を得るために支出した金額」に当たらないと判示している。同旨の判決に，最高裁平成24年1月13日判決（民集66巻1号1頁）がある。

　なお，生命保険契約等に基づく一時金に係る一時所得の金額の計算上，事業主が負担した保険料等は給与所得に係る収入金額に算入された部分に限って控除できる旨を明らかにしている（所令183④三，184③一）。

第2章 各種所得の種類と計算

一時所得の金額と総所得金額の計算例

〔設　問〕

　生命保険の満期一時金が1,000万円，払込保険料の総額が350万円である場合に，不動産所得の損失280万円があったときの総所得金額はいくらになるか。

〔計　算〕

① 一時所得の金額……1,000万円－350万円－50万円＝600万円
② 総所得金額……(600万円－280万円)×1／2＝160万円

(注)　一時所得の金額は常に2分の1にした金額になると理解していると，次のように計算してしまう結果となる。
　① 一時所得の金額……(1,000万円－350万円－50万円)×1／2＝300万円
　② 総所得金額……300万円－280万円＝20万円
　このような計算をすると，給与収入が2,000万円以下のサラリーマンは，給与所得以外の所得金額が20万円以下であるので，確定申告をしなくてもよいと誤解したり（所法121①），専業主婦は，所得金額が48万円以下となるから夫の所得税の計算に当たって配偶者控除の適用がある（所法2①三十三，83①）と誤解することになりかねない。

11　雑所得の意義と計算

1．公的年金等以外の雑所得

　雑所得は，利子所得から一時所得までの9種類のいずれの所得にも該当しない所得をいい（所法35①），種々雑多のものが含まれているから，ある種の所得が雑所得に該当するかどうかは，利子所得から一時所得まで各種の所得に該当するかどうかを検討し，いずれの所得にも該当しなければ雑所得になるのである。公的年金等以外の雑所得の主なものには，次のものがある（所基通35－

1，35－2参照）。

① 利子所得に類似するもの

公社債の償還差益，役員が勤務先に預けた金員の利子，国税及び地方税の還付加算金及び非営業貸金の利子

② 配当所得に類似するもの

株主優待券（法人が剰余金又は利益の処分として取り扱うものを除く。所基通24－2），株主等が創業記念や増資記念等として交付される記念品，匿名組合員が匿名組合契約に基づく営業者から受ける分配金（所基通36・37共－21）

③ 不動産所得に類似するもの

20トン未満の船舶及び舟の貸付けによる所得，時間極駐車場・駐輪場の所得，バンガロー等の貸付けによる所得（所基通26－1，27－2，27－3）

④ 事業所得に類似するもの

不動産や有価証券の継続的売買による所得，作家や作曲家以外の者が受ける原稿・作曲等の報酬又は著作権の使用料，動産の貸付や特許権等の使用料に係る所得

最近，サラリーマン等が副業として行ういわゆる"ネットビジネス"が注目されているが，その所得は事業所得ではなく雑所得に該当するケースが多い。ⓐインターネットのオークションサイトやフリーマーケットアプリなどを利用した個人取引による所得，ⓑビットコインをはじめとする暗号資産の売却等による所得，ⓒ民泊による所得については，原則として，雑所得に該当する（国税庁ＨＰ「給与所得者がネットオークション等により副収入を得た場合」タックスアンサーNo.1906）。

⑤ 給与所得に類似するもの

就職支度金等，職務に関連して会社の取引先等から贈与等により取得する金品，組合事務専従者以外の労働組合員が組合から受ける日当等（所基通23～35共－2）

⑥ 山林所得に類似するもの

保有期間が5年以内の山林の伐採又は譲渡による所得（事業所得に該当しない

のもの)

⑦ 譲渡所得に類似するもの

不動産や有価証券の継続的売買による所得（事業所得に該当しないのもの）

⑧ 一時所得に類似するもの

人格のない社団等の構成員が受ける収益の分配金

ただし，清算分配金及び脱退により受ける持分の払戻し金は一時所得となる（136頁参照）。

⑨ 公的年金等に類似するもの

郵便年金や生命保険年金等の利殖年金

⑩ タックスヘイブン対策税制

タックスヘイブン対策税制は，居住者又は内国法人が所得等に対する租税の負担がないか又は極端に低い国又は地域に子会社等を設立して経済活動を行い，当該子会社等に所得を留保することによって，我が国における租税の負担を回避しようとする事例が生ずるようになったことから，課税要件を明確化して課税執行面における安定性を確保しつつ，このような事例に対処して税負担の実質的な公平を図ることを目的として，一定の要件を満たす外国会社を特定外国子会社等と規定し，これが適用対象留保金額を有する場合に，その居住者等の有する株式等に対応するものとして算出された一定の金額を居住者の雑所得の収入金額に算入することとしたものである（最高裁平成19年9月28日判決・民集61巻6号2486頁参照）。ただし，特定外国子会社等が事業基準・実体基準・管理支配基準・非関連者基準の要件に該当する場合には，タックスヘイブン対策税制が適用されない（適用除外要件，措法40の4④）。

⑪ そ の 他

政治家の政治資金収入

2．公的年金等に対する課税

公的年金等は雑所得に該当し，その年中の公的年金等の額から公的年金等控

除額を差し引いて所得金額を算出する（所法35②一）。公的年金等とは，①社会保険又は共済の制度に基づく公的な制度から支給される年金，②恩給及び過去の勤務に基づき使用者であった者から支給される年金，③社外積立型の企業年金又は外部拠出性の企業年金をいう（所法35③）。①に該当するものには，国民年金法，厚生年金保険法，国家公務員共済組合法，地方公務員等共済組合法，私立学校教職員共済法，独立行政法人農業者年金基金法，旧船員保険法及び旧農林漁業団体職員共済組合法に基づく年金などがある（所法35③一，所令82の2①）。また，③に該当するものには，確定給付企業年金法に基づいて支給される年金，確定拠出年金法に規定する企業型年金規約又は個人型年金規約に基づいて老齢給付金として支給される年金，適格退職年金契約に基づいて支給される退職年金，特定退職金共済団体からの年金，外国年金，中小企業退職金共済法に基づく分割退職金及び小規模企業共済法に基づく分割共済金がある（所法35③三，所令82の2②）。

3．公的年金等に係る雑所得の金額の計算方法

公的年金等に係る雑所得の金額は，下記の表により算出する（所法35④，措法41の15の3①）。

> 公的年金等に係る雑所得＝(a)×(b)−(c)

第2章　各種所得の種類と計算

✤公的年金等に係る雑所得の速算表

公的年金等に係る雑所得以外の所得に係る合計所得金額が1,000万円以下			
受給者の年齢	（a）公的年金等の収入金額の合計額	（b）割合	（c）控除額
65歳未満	（公的年金等の収入金額の合計額が600,000円までの場合は所得金額はゼロとなる）		
	600,001円から1,299,999円まで	100%	600,000円
	1,300,000円から4,099,999円まで	75%	275,000円
	4,100,000円から7,699,999円まで	85%	685,000円
	7,700,000円から9,999,999円まで	95%	1,455,000円
	10,000,000円以上	100%	1,955,000円
65歳以上	（公的年金等の収入金額の合計額が1,100,000円までの場合は所得金額はゼロとなる）		
	1,100,001円から3,299,999円まで	100%	1,100,000円
	3,300,000円から4,099,999円まで	75%	275,000円
	4,100,000円から7,699,999円まで	85%	685,000円
	7,700,000円から9,999,999円まで	95%	1,455,000円
	10,000,000円以上	100%	1,955,000円

公的年金等に係る雑所得以外の所得に係る合計所得金額が1,000万円超2,000万円以下			
受給者の年齢	（a）公的年金等の収入金額の合計額	（b）割合	（c）控除額
65歳未満	（公的年金等の収入金額の合計額が500,000円までの場合は所得金額はゼロとなる）		
	500,001円から1,299,999円まで	100%	500,000円
	1,300,000円から4,099,999円まで	75%	175,000円
	4,100,000円から7,699,999円まで	85%	585,000円

65歳未満	7,700,000円から9,999,999円まで	95%	1,355,000円
	10,000,000円以上	100%	1,855,000円
65歳以上	(公的年金等の収入金額の合計額が1,000,000円までの場合は所得金額はゼロとなる)		
	1,000,001円から3,299,999円まで	100%	1,000,000円
	3,300,000円から4,099,999円まで	75%	175,000円
	4,100,000円から7,699,999円まで	85%	585,000円
	7,700,000円から9,999,999円まで	95%	1,355,000円
	10,000,000円以上	100%	1,855,000円

公的年金等に係る雑所得以外の所得に係る合計所得金額が2,000万円超			
受給者の年齢	(a)公的年金等の収入金額の合計額	(b)割合	(c)控除額
65歳未満	(公的年金等の収入金額の合計額が400,000円までの場合は所得金額はゼロとなる)		
	400,001円から1,299,999円まで	100%	400,000円
	1,300,000円から4,099,999円まで	75%	75,000円
	4,100,000円から7,699,999円まで	85%	485,000円
	7,700,000円から9,999,999円まで	95%	1,255,000円
	10,000,000円以上	100%	1,755,000円
65歳以上	(公的年金等の収入金額の合計額が900,000円までの場合は所得金額はゼロとなる)		
	900,001円から3,299,999円まで	100%	900,000円
	3,300,000円から4,099,999円まで	75%	75,000円
	4,100,000円から7,699,999円まで	85%	485,000円
	7,700,000円から9,999,999円まで	95%	1,255,000円
	10,000,000円以上	100%	1,755,000円

4．雑所得の金額の計算

雑所得の金額は，次の算式で計算する（所法35②）。

> ① 公的年金等の収入金額－公的年金等控除額
> ② 公的年金等以外の総収入金額－必要経費
> ③ 雑所得の金額＝①＋②
>   （注）②の金額が赤字の場合は，赤字の金額を①の金額から差し引く。

雑所得には各種の所得に類似するものがあるが，所得金額は各種所得に準じて計算するのではなく，総収入金額から必要経費を差し引いて計算する仕組みがとられている（所法35②二）。したがって，非営業貸金の利子が利子所得に類似するからといって，収入金額イコール所得金額となるわけではなく，利子収入を得るために必要な経費があれば，これを差し引くことができる。もっとも，非営業貸金の元本の貸倒れは，その年における雑所得の金額を限度として必要経費に算入されることになっている（所法51④）。

なお，生命保険契約等に基づく年金については，次の算式により所得金額を計算する（所令183①④，184①③）。

◆生命保険契約等に基づく年金の所得計算

$$\left\{\text{生命保険契約等に係る年金} + \text{支払開始日以後に支払われる剰余金等}\right\} - \left\{\text{その年に支払を受ける年金の額}\right.$$
$$\left. \times \frac{\text{保険料等の総額}-\text{支払開始日前に支払われる剰余金等}}{\text{年金の支払総額又は支払総額の見込額}}\right\}$$
$$=\text{雑所得の金額}$$

（注１） 上記の計算にあたって，年金のほかに一時金の支払がある場合には，保険料等の総額を次により計算する。

$$\text{保険料等の総額} \times \frac{\text{年金の支払総額又は支払総額の見込額（A）}}{\text{（A）＋一時金の額}}$$

（注２） 相続等に係る生命保険契約等に基づく年金に係る雑所得の計算については，①年金支給初年は全額非課税，②２年目以降は課税部分が階段状に増加してい

く方法により計算する（所令185，186，国税庁ＨＰ「相続等により取得した年金受給権に係る生命保険契約等に基づく年金の課税関係」タックスアンサーNo1620）。

(注３) 生命保険契約等に基づく年金等から控除する金額は，保険会社等で算出し，受給者に通知するので，受給者はいちいち上記の計算をする必要はない。

生命保険年金等の所得金額の計算例

〔設 問〕

居住者Ａ（73歳）は，令和５年中において，年金基金202万円及び国民年金（日本年金機構）68万円の支払を受けている。また，Ａは，同年中において，生命保険契約が満期となり，一時金200万円と10年有期の年金（年金総額300万円）を受け取っている。Ａが保険金等を受け取るまでに払い込んだ保険料は350万円である。Ａの令和５年分の各種所得の金額はいくらか。

（計　算）

1　雑所得の金額の計算
　①　公的年金等に係る雑所得の金額
　　イ　公的年金等の収入金額　202万円＋68万円＝270万円
　　ロ　公的年金等に係る雑所得の金額　270万円×0.75－27.5万円
　　　＝175万円
　②　公的年金等以外に係る雑所得の金額
　　イ　総収入金額　30万円
　　ロ　必要経費の額
　　　$350万円 \times \dfrac{300万円}{300万円＋200万円} = 210万円$ ……年金についての保険料等の総額Ⓐ

　　　$30万円 \times \dfrac{Ⓐ 210万円}{300万円} = 21万円$ ……雑所得の必要経費

　　ハ　公的年金等以外に係る雑所得の金額　30万円－21万円＝９万円
　③　雑所得の金額　175万円＋９万円＝184万円

2　一時所得の金額の計算
　　イ　総収入金額　200万円
　　ロ　支出した金額　350万円－Ⓐ210万円＝140万円
　　　　　　　　　　　　……一時金についての保険料等の総額
　　ハ　特別控除額　　イ－ロ≧50万円　　∴　50万円
　　ニ　一時所得の金額　　200万円－140万円－50万円＝10万円

第3章

収入金額及び必要経費の計算

1 収入金額には，金銭以外の物又は権利その他経済的利益を含み，その取得又は享受の時における価額で計算する。
2 収入金額の計上時期については，いわゆる権利確定主義がとられているが，その内容は一義的でない。
3 事業所得等の必要経費とは，業務の遂行上直接又は間接的に必要な費用をいうが，家事費及び家事関連費は必要経費に算入できない。その区分が重要である。
4 「業務用資産」と「生活用資産」の損失については，必要経費の算入など，課税上の取扱いを異にしている。
5 収入金額及び必要経費については，多くの特則が定められている。

1 収入金額の計算

1．収入金額の意義

　所得税法36条1項では，「その年分の各種所得の金額の計算上収入金額とすべき金額又は総収入金額に算入すべき金額は，別段の定めがあるものを除き，その年において収入すべき金額とする。」，「金銭以外の物又は権利その他経済的な利益をもって収入する場合には，その金銭以外の物又は権利その他経済的な利益の価額とする。」旨を規定している。そして，ここでいう「収入すべき金額」とは，その年中に現実に収入する金額（現金入金）をいうのではなく，未収入金や売掛金などのように，その年中に現実に収入してはいないが収入することが確実になっている金額をいうのであり，その収入の基因となった行為が適法であるかどうかを問わない（所基通36－1）。もとより，所得税法は，「収入金額」とは何をいうか明文の規定を置いていないので，専ら解釈によって明らかにするほかないが，同法が「収入」という用語を用いていることから，「収入金額」とは，一般的に外部からの経済的価値の流入を指すものであって，「別段の定め」のない限り，保有資産の価値の増加益などの未実現の利得を含まないと解されている（19頁参照）。

　なお，各種所得の金額の計算に当たっては，利子所得，配当所得，給与所得及び退職所得の金額については，その収益の内容が比較的単純であるので「収入金額」という用語が用いられ，不動産所得，事業所得，山林所得，譲渡所得，一時所得及び雑所得の金額については，その収益の内容が副収入や付随収入等も含み複雑な場合が多いことから，「総収入金額」という用語が用いられており（所法23～35），これに伴って，所得税法36条1項においても，「収入金額」のほか「総収入金額」という用語が用いられているのである。

第3章　収入金額及び必要経費の計算

2．金銭以外の物又は権利その他経済的利益の価額

　所得税法36条2項では，「金銭以外の物又は権利その他経済的利益の価額は，当該物若しくは権利を取得し，又は当該利益を享受する時における価額とする。」と規定しているから，(a)物品や権利を無償ないし低廉な価額で提供を受けたことによる利益は，その物又は権利の提供を受けた時の価額（低廉な価額の場合には時価と実際に支払った対価との差額，(b)に同じ）により，また，(b)用役を無償又は低廉な価額で提供を受けたことによる利益は，その用役の提供を受けた時の価額により，それぞれ収入金額に計上されることになる。

　ここで，経済的利益とは，例えば，(a)物品その他の資産の無償又は低額譲受け，(b)土地，家屋その他の現金以外の資産の無償又は低額借受け，(c)金銭の無利息又は低利息借受け，(d)福利厚生施設の利用などの用役の無償又は低額享受，(e)買掛金その他の債務の免除又は他人による債務の肩代わりなどの享受をいい（所基通36-15），その経済的利益を受けた時の価額により収入金額に計上するのであるが，その評価は難しく，実務上，現物給与などについては換金性が乏しいこと，本人に選択の余地がないことなどを考慮して，次によることとされている。

①　有価証券……支給時の価額（所基通36-36）
②　保険契約等に関する権利……解約返戻金の額（所基通36-37）
③　食事……(a)調理して支給する場合は，主食，副食費などの直接材料費に相当する額，(b)飲食店等から購入して支給する場合は，購入価額に相当する金額（所基通36-38）
④　商品，製品……(a)使用者が通常他に販売する物品である場合は，その使用者の通常の販売価額，(b)他に販売する物品でない場合は，その物品の通常売買される価額（所基通36-39）
⑤　利息相当額……(a)他から借入れて貸し付けたものであることが明らかな場合は借入金の利率，(b)その他の場合は0.9％（令和5年分，所基通36-49）

このほか，法令で手当てされたものに，次のものがある。

⑥ 譲渡制限付き株式……個人が法人から役務の提供の対価として特定譲渡制限付株式（リストリクテッド・ストック）等を交付された場合の経済的利益の価額は，譲渡制限が解除された日の価額（所令84①②）

　　特定譲渡制限付株式等には，法人に対する役務提供の対価として個人に生ずる債権の給付と引換えに交付される譲渡制限付株式のほか，実質的に法人に対する役務提供の対価と認められるものも含まれる。また，特定譲渡制限付株式等の交付を受けた個人が譲渡についての制限が解除された日前に死亡した場合において，当該個人の死亡の時に発行法人等が無償で取得することとなる事由に該当しないことが確定している当該特定譲渡制限付株式等については，当該個人の死亡の日における価額が経済的な利益の価額とされる（所基通23～35共－5の3）。

⑦ 株式等を取得する権利……(a)ストック・オプションを付与された場合の株式譲渡請求権，新株引受権又は有利発行による新株予約権，及び(b)株式と引換えに払い込むべき額が有利な金額である場合における当該株式を取得する権利については，権利行使により取得した株式等の権利行使日の価額から権利行使価額（権利行使に係る株式等の譲渡価額又は当該権利の取得価額にその行使に際し払い込む額を加算した金額）を控除した金額（所令84③）

⑧ 法人等の資産を専属的に利用することにより受ける経済的利益……その資産の利用について通常支払うべき使用料その他その利用の対価に相当する額（所令84の2）

　（注）　法人の役員が当該法人から住宅の貸与を受けた場合には，「通常支払うべき使用料」に相当する金額が経済的利益として課税されることになるが（所令84の2），この場合の「通常支払うべき使用料」とは，住宅の貸与を受けたことによる「社宅として通常支払うべき使用料」（「通常支払うべき使用料」よりも割安）をいい，課税実務では，その貸与を受けた家屋の床面積の広狭に応じて具体的な計算方法が定められている（所基通36－40，36－41）。

　　　　ただし，貸与を受けた家屋の床面積が240㎡を超えるものは，社会通念上一般に貸与される住宅等と認められないことから，「社宅として通常支払うべき使用料」ではなく「通常支払うべき使用料」により計算する（平成7年4月3日付け「使用者が役員に貸与した住宅等に係る通常の賃貸料の額の計算に当たっての取扱い」通達参照）。

3．棚卸資産を自家消費した場合

　棚卸資産（準棚卸資産を含む）を自家消費した場合又は山林を伐採して自家消費した場合には，その消費した時における価額（通常の販売価額）をその消費した日の属する年分の事業所得の金額，山林所得の金額又は雑所得の金額の計算上，総収入金額に算入する（所法39，所令86，所基通39－1）。棚卸資産の購入代金は，売上原価を通じて事業所得の必要経費に算入されるので，棚卸資産の自家消費があった場合には，その通常の販売価額をもって事業所得の総収入金額に算入することとしているのである。

　なお，自家消費した棚卸資産について，帳簿書類に取得価額（取得価額が通常の販売価額のおおむね70％未満であるときは，通常の販売価額のおおむね70％相当額）で計算した金額を収入金額として記載しているときは，その記載している金額によることができる。棚卸資産等を贈与等した場合も同様である（所基通39－2）。

4．棚卸資産を贈与等した場合

　棚卸資産（事業所得の基因となる山林，有価証券及び暗号資産を含む）を贈与（死因贈与を除く）又は遺贈（包括遺贈及び相続人に対する特定遺贈を除く）した場合には，その贈与等の時における価額（通常の販売価額）をその贈与等の日の属する年分の事業所得の金額又は雑所得の金額の計算上，総収入金額に算入する（所法40①一，所令87，所基通39－1）。また，棚卸資産を著しく低い価額の対価で譲渡した場合には，その対価の額と譲渡の時における価額（通常の販売価額）との差額のうち実質的に贈与したと認められる金額をその譲渡の日の属する年分の事業所得の金額又は雑所得の金額の計算上，総収入金額に算入する（所法40①二，所基通39－1）。この場合の「著しく低い価額の対価」とは，通常の販売価額のおおむね70％相当額に満たない対価をいい，「実質的に贈与したと認められる金額」は，通常の販売価額のおおむね70％相当額からその対価の額を差し引いた金額とすることができる（所基通40－2，40－3）。

5．山林又は譲渡所得の基因となる資産を法人に贈与等した場合

　山林（事業所得の基因となる山林を除く）又は譲渡所得の基因となる資産を①法人に対して贈与又は遺贈した場合，②限定承認に係る相続又は個人に対する包括遺贈のうち限定承認に係る遺贈があった場合，③法人に対して著しく低い価額（時価の2分の1に満たない金額）で譲渡した場合には，その事由が生じたときに，その時における価額（時価）により，これらの資産の譲渡があったものとみなし，その事由が生じた年分の山林所得の金額，譲渡所得の金額又は雑所得の金額の計算上，総収入金額に算入する（所法59①）。

6．農産物を収穫した場合

　農業を営む者が農産物を収穫した場合には，その収穫した時におけるその農産物の価額（生産者販売価額）を収穫日の属する年分の事業所得の金額の計算上，総収入金額に算入する（所法41①，所基通41-1）。農産物を収穫した時点でいったん総収入金額に算入し，次にこれを販売等をすると，その時点で売上金額に計上するとともに，収穫時の生産者販売価額を必要経費に算入することになるのである（所法41②）。

7．発行法人から与えられた株式を取得する権利を譲渡した場合

　株式を無償又は有利な価額により取得することができる権利を発行法人から与えられ，当該権利を発行法人に譲渡したときは，譲渡の対価の額から権利の取得価額を控除した金額が事業所得，給与所得，退職所得，一時所得又は雑所得等に係る収入金額とみなされる（所法41の2）。

8．国庫補助金等を受けた場合

　国又は地方公共団体等から受けた補助金又は給付金等（以下「国庫補助金等」という）は，原則として各種所得の金額の計算上，総収入金額に算入されるのであるが，その国庫補助金等をもってその交付の目的に適合した固定資産（山林を含む。以下同じ）の取得又は改良をした場合には，その国庫補助金等の返還を要しないことがその年の12月31日（年の中途において死亡又は出国した場合は，その死亡又は出国の時）までに確定した場合に限り，その国庫補助金等のうちその固定資産の取得又は改良に充てた部分の金額は，所定の手続をすると総収入金額に算入されない（所法42①）。国庫補助金等に代えて固定資産を交付された場合も同様である（所法42②）。

　固定資産が国庫補助金等の交付を受けた年の前年以前に取得等をした減価償却資産である場合は，次に掲げる金額が総収入金額に算入されない（所令91）。

$$国庫補助金等の額 \times \frac{減価償却資産の未償却残高}{減価償却資産の取得価額}$$

　また，国庫補助金等の交付を受けた場合で，その年の12月31日までに国庫補助金等の返還を要しないことが確定していないときは，国庫補助金等相当額を総収入金額に算入せずに（所法43①），その後，返還を要しないことが確定した際に，その交付の目的に適合した固定資産の取得等に充てられなかった部分の金額を総収入金額に算入する（所法43②，所令91①）。国庫補助金等で取得等をした固定資産については，取得等に要した金額からその国庫補助金等のうち返還を要しないこととされた金額を差し引いた金額が取得費となる（所法42⑤，43⑥，所令90，91②）。一種の課税の繰延べである。

　なお，国又は地方公共団体等から転廃業助成金等を受けている場合には，その転廃業助成金等のうち，機械その他の減価償却資産の減価を補填する金額は総収入金額に算入しない（措法28の3①）。

9．資産の移転等の支出に充てるために交付金を受けた場合

　国又は地方公共団体から資産の移転，移築，除却等の費用に充てるために交付を受けた補助金等は，各種所得の金額の計算上総収入金額に算入しない（所法44）。土地収用法の規定による収用その他これらに類する行為に伴い資産の移転等に充てるために交付を受けた場合も同様である（所法44）。移転補償金のうち，その交付の目的に従って支出された移転等の費用に充てられた金額以外の金額は，一時所得の総収入金額となる（所基通34－1(9)参照）。

　　最高裁平成22年3月30日判決（裁判集民事233号327頁）は，道路事業の用地として所有地が買い取られたことに伴い，同土地上に存する所有建物を移転することに対する補償金の支払を受けた納税者が，当該建物を他に譲渡して上記土地外に曳行移転させた場合において，上記建物が取り壊されずに現存していることなどから，直ちに，上記補償金には，租税特別措置法33条1項及び所得税法44条のいずれの適用もなく，その全額を一時所得の金額の計算上総収入金額に算入すべきであるとした原審の判断に違法があるとして，原判決を破棄し差し戻している。
　　右判決では，「上告人は，県が施行する道路事業の用地としてその所有する土地を買い取られ，これに伴い，県に対してその土地上に存する物件を移転することを約し，その移転及び損失の補償として建物移転補償金の支払を受けたものであるところ，少なくとも居宅については，これを譲渡して残地上に曳行移転させることによって，移転義務を果たしたものということができるから，建物移転補償金のうちに曳行移転の費用に充てた金額がある場合には，当該金額については，所得税法44条の適用を受けるものというべきである。」とする。
　　なお，差戻し審である仙台高裁平成22年12月8日判決（裁判所ＨＰ「行集」）は，当該納税者が本件居宅の曳行移転費用を負担していないから，本件建

第３章　収入金額及び必要経費の計算

> 物移転補償金のうち，移転等の費用に充てた金額として，所得税法44条の適用を受けるべき部分は結局存在しないことになるとして，納税者の請求を棄却している。

10. 免責許可の決定等により債務免除を受けた場合

　破産法の規定による免責許可の決定又は再生計画許可の決定があった場合その他資力を喪失して債務を弁済することが著しく困難である場合において，その有する債務の免除を受けたときは，当該免除により受ける経済的な利益の価額については，その者の各種所得の金額の計算上，総収入金額に算入しない（所法44の２①）。

　ただし，当該経済的な利益の価額のうち，免除を受けた年において，①当該経済的な利益の価額がないものとして債務を生じた業務に係る事業所得等の金額を計算した場合の損失額，②この特例の適用がないものとして総所得金額等を計算した場合に，当該総所得金額等から純損失の繰越控除により控除すべきこととなる金額の合計額に相当する部分については，この限りでない（所法44の２②）。

　なお，確定申告書にこの規定の適用を受ける旨，その適用により総収入金額に算入された金額及び一定の事項の記載がある場合に限り適用される（所法44の２③④）。

> 　東京地裁平成30年４月19日判決（裁判所ＨＰ「行集」）は，農業や不動産賃貸業を営む納税者が受けた債務免除に係る経済的利益について，不動産所得，事業所得又は雑所得に区分されるか，それとも一時所得に該当するか否かが争点となっている。裁判所は，「債務免除益の所得区分の判断においては，借入目的や債務免除に至った経緯等を総合的に考慮して判断するのが相当である。」と説示した上で，債務免除益のうち，①賃貸用住宅の

建築費用に充てられた借入金に係る部分は不動産所得，②農業用機械の購入費用に充てられた借入金に係る部分は事業所得，③その余の部分は一時所得に該当すると判断している。

　この規定（免責許可の決定等により債務免除を受けた場合の経済的利益の総収入金額不算入）は，平成26年度の税制改正で明文化されたものであるが，改正前の実務においては，「債務免除益は各種所得の金額の計算上収入金額に算入するが，その債務者が資力を喪失して債務を弁済することができない場合には課税しない」とされていた（平成26年改正前の所基通36－17）。大阪地裁平成24年2月28日判決（訟務月報56巻11号3913頁）は，病院事業を営む納税者が法人から受けた債務免除益について，所得税基本通達36－17の適用により非課税とされた事例である。裁判所は，「所得税法は，所得をその源泉ないし性質によって10種類に分類し，それぞれについて所得金額の計算方法を定めているところ，これらの計算方法は，個人の収入のうちその者の担税力を増加させる利得に当たる部分を所得とする趣旨に出たものと解される。そして，債務免除を受ける直前において，債務者が資力を喪失して債務を弁済することが著しく困難であり，債務者が債務免除によって弁済が著しく困難な債務の弁済を免れたにすぎないといえる場合には，当該債務免除という経済的利益によって債務者の担税力が増加するものとはいえない。」とした上で，所得税基本通達36－17の解釈は，所得税法36条の趣旨に整合すると判断している。

11. 外国所得税の額が減額された場合

　外国税額控除の適用を受けた年の翌年以後7年内の各年に外国所得税額が減額（外国政府からの還付）された場合には，減額された年分の外国税額控除を調整することになるので（332頁参照），その調整に充てられた部分の金額は，不動産所得，事業所得，山林所得，一時所得又は雑所得の金額の計算上，総収入金

額に算入しない（所法44の3）。調整に充てられない部分の金額は，減額年分の雑所得の金額の計算に当たって，総収入金額に算入することとなる。

12. 収入金額に代わる性質を有するもの

　不動産所得，事業所得，山林所得又は雑所得の金額の計算上，①棚卸資産，山林，工業所有権等又は著作権等について損失を受けたことにより取得する保険金，損害賠償金，見舞金等，②業務の全部又は一部の休止，転換又は廃止等により，その業務の収益の補償として取得する休業補償金，転換補償金，廃業補償金等は，これらの所得の収入金額とされる（所令94①）。

　また，契約等に基づき譲渡所得の基因となる資産が消滅したことなどに伴い，その消滅につき一時に受ける補償金等の額は，譲渡所得に係る収入金額とされる（所令95，113頁参照）。

> 　東京高裁平成26年2月12日判決（税務訴訟資料264号順号125405）は，弁護士事務所の移転に伴い受領した立退料の所得区分について，「所得税法施行令94条1項2号にいう『収益の補償として取得する補償金その他これに類するもの』には，その授受に係る合意等において当該事由により増加する必要経費の金額を補填する趣旨の金銭等も含まれる」と説示した上で，当該立退料は，新旧事務所の賃料等の差額補填分であり，弁護士の事業所得に係る必要経費の金額を補填する趣旨のものであるから，事業所得に係る収入金額に該当すると判断している。

2 収入金額の計上時期

1．いわゆる権利確定主義について

　所得税法は，原則として，暦年単位での所得を対象に超過累進税率を適用して課税することとしているから（所法89①），いつの年分の収入とするかによってその負担額に大きな差が生ずることになる。そこで，所得税法では，収入金額の計上時期について，別段の定めがあるものを除き，その年において「収入すべき金額」であると規定しているところである（所法36①）。そして，「別段の定め」については，①リース譲渡に係る収入金額，②工事の請負に係る収入金額，及び③小規模事業者に係る現金主義の明文の規定を置いているが（所法65①～67①），「収入すべき金額」の一般的な意義については，所得税法上何ら明確な規定がなく，専ら解釈に委ねられている。

　この点に関する実務の取扱いは，かつて「収入金額とは収入すべき金額をいい，収入すべき金額とは収入する権利の確定した金額をいうものとする。」（旧所基通194）として，いわゆる権利確定主義を標榜し，「詐欺又は強迫により取得した財物は一応所有権が移転するものであるから，当該財物から生ずる所得」及び「賭博による収入」に対しては原則として課税するが，「窃盗・強盗又は横領により取得した財物については，所得税を課さない。」としていたところである（旧所基通148）。その後，右取扱いは，「収入すべき金額又は総収入金額に算入すべき金額は，その収入の基因となった行為が適法であるかどうかを問わない。」に改められ（所基通36－1），課税所得は，「法律上の権利」に拘泥せずに，経済的・実質的に把握すべきであるという考え方に基づいて，「権利の確定」という文言は通達の上では削除されている。

　しかしながら，「収入すべき金額」の解釈について，判例上は，権利確定主義の考え方が定着しているところであり，例えば，最高裁昭和49年3月8日判

決（民集28巻2号186頁）では、「所得税は経済的な利得を対象とするものであるから、究極的には実現された収支によってもたらされる所得について課税するのが基本原則であり、ただ、その課税に当たって常に現実収入のときまで課税できないとしたのでは、納税者の恣意を許し、課税の公平を期し難いので、徴税政策上の見地から、収入すべき権利の確定したときを捉えて課税することとしたものである。」と判示する（このほか、最高裁昭和40年9月8日判決・刑集19巻6号630頁、同昭和40年9月24日判決・民集19巻6号1688頁、同昭和53年2月24日判決・民集32巻1号43頁などがある）。このように、収入すべき時期については、解釈上、現実の収入がなくても、法律上権利が確定したときに課税となるという意味での「権利確定主義」がとられているが、この収入すべき時期について、金子宏東大名誉教授は、「権利の確定という『法的基準』ですべての場合を律するのは妥当でなく、場合によっては、利得が納税者のコントロールのもとに入ったという意味での『管理支配基準』を適用するのが妥当な場合もある。」と指摘する（『租税法（第24版）』319頁）。

2．収入金額計上時期に関する裁判例

収入すべき時期に関する主要な裁判例には、次のようなものがある。
(1) 不動産所得に関するものに、上記の最高裁昭和53年2月24日判決がある。右判決は、賃料増額請求訴訟において仮執行宣言付判決があり、その判決に基づき支払われた増額分の賃料はいつの収入金額に計上すべきかが争われた事案である。裁判所は、「収入の原因となる権利が確定する時期は、それぞれの権利の特質を考慮し決定されるべきものであり、賃料増額請求に係る増額賃料債権については、それが賃借人により争われた場合には、原則として、右債権の存在を認める裁判が確定した時にその権利が確定するものと解するのが相当であるが、これに関し既に金員を収受し、所得の実現があったとみることができる状態が生じているときには、その時期の属する年分の収入金額として所得を計算すべきものであることは当然である。」とする。また、

最高裁昭和60年6月7日判決（税務訴訟資料145号782頁）では，ビル貸室の賃貸借に当たり収受した保証金のうち，物件明渡し又は契約解除のときに返還不要となる部分の金額は，賃貸建物を引き渡し，保証金を収受した時点の年分の収入金額に算入すべきものであると判示している。

　さらに，福岡高裁那覇支部平成8年10月31日判決（判例タイムズ929号151頁，その上告審である最高裁平成10年11月10日判決・裁判集民事190号145頁も同旨）では，駐留米軍用地として使用するため10年間の強制使用裁決がされたことに伴い，国から受領した損失補償金に係る所得の計上時期が争われた事案につき，前掲最高裁昭和53年2月24日判決を引用した上で，「収入の原因となる権利の確定」とは，「収入の原因となる法律関係が成立し，この法律関係に基づく収入を事実上支配管理し得る事実の生じたことをいい，将来における不確定な事情によって，権利の全部又は一部が消滅することなく，終局的に確定していることまでを要するものではないと解され，したがって，これを本件についていえば，権利取得裁決により，国は，定められた権利取得時期に土地の使用権限を原始取得し，右土地の所有者は，国から本件損失補償金の一部を受けているというのであるから，右支払を受けた日以後，本件損失補償金の全額を事実上支配管理し得る状況に至ったというべきである。」と判示している。

(2)　譲渡所得に関するものには，最高裁昭和47年12月26日判決（民集26巻10号2083頁）がある。右判決は，不動産の売買代金の支払が長期の割賦弁済による場合であっても，売買契約成立の日に所有権移転登記が経由され，その所有権が確定的に移転したときは，右契約の日の属する年分の収入金額となると判示する。また，最高裁昭和48年10月5日判決（税務訴訟資料71号506頁）は，土地収用法に基づく収用裁決に対して裁決取消訴訟が提起されていても，被収用者は裁決に係る補償金額について，裁決時に「収入すべき権利の確定した金額」を取得したことになると判示している。このほか，名古屋地裁昭和54年1月29日判決（行集30巻1号80頁）では，農地の譲渡に関し，農地法所定の知事の許可がなされる以前にすでに譲渡代金が収受され，所得の実現が

あったとみることができる状態が生じたときは，その時期の属する年分の収入金額として所得を計算することは，何ら違法と目すべきではないというべきであるとする。

(3) 事業所得に関するものとして，静岡地裁昭和60年3月14日判決（税務訴訟資料144号485頁）は，「医師の診療報酬債権は，原則として，医師が診療契約に基づいて患者に対する診療行為を行うことによって，直ちに行使できる性質の権利であるから，医師が患者に対して診療を行った時期にその権利が確定すると解するのが相当である。」と判示する。また，高松高裁平成8年3月26日判決（行集47巻3号325頁）は，歯科医師が歯列矯正の治療に伴い受領した歯科矯正料の収入時期が争われた事案につき，「その年において収入すべき金額とは，その年において収入すべきことが確定し，相手方にその支払を請求し得ることとなった金額，換言すれば，納税者が収入金額として管理・支配し得ることとなった金額をいうものと解されるから，当該金額がこれに当たるか否かは，専ら現実に利得を管理し，それを享受しているかどうかという事実関係に着目して判断すべきである。」とした上で，当該医師は，患者に対し検査・診断結果に基づいて矯正料金規定を示し，矯正治療契約を締結し，同時に矯正料を請求して一括受領しているから，矯正料全額を矯正装置の装着日の属する年分の収入金額に計上すべきであるとし，矯正料は治療期間（3年ないし8年）に応じて収入金額に計上するのが相当である旨の納税者の主張を排斥しているところである。

(4) 退職所得に関するものとして，東京地裁平成29年1月13日判決（税務訴訟資料267号順号12954）は，免職処分に係る訴訟確定後に受領した退職手当の収入時期が争われた事例につき，「本件退職手当については，原告の収入となるべき権利が発生する原因となる免職処分の存在という事実関係が外観上存在しており，かつ，その後になされた供託の時点では，原告の退職手当に係る権利は一応の実現をみたことが客観的に認識することができる状態に至ったということができるから，本件退職手当の債権は，税法上は，免職処分がされた年中に確定したというべきであり，本件退職手当は，原告の退職所得の

金額の計算上，同年において収入すべき金額であると認められる。」と判示している。

(5) 違法所得に関して，最高裁昭和38年10月29日判決（裁判集民事68号529頁）は，「税法の見地においては，課税の原因となった行為が，厳密な法令の解釈適用の見地から，客観的評価において不適法・無効とされるかどうかは問題でなく，税法の見地からは，課税の原因となった行為が関係当事者の間で有効のものとして取り扱われ，これにより，現実に課税の要件事実がみたされていると認められる場合であるかぎり，右行為が有効であることを前提として租税を賦課徴収することは何等妨げられないものと解すべきである。たとえば，所得税法についていえば，売買による所得が問題となる場合，右売買が民商法の厳密な解釈・適用上無効とされ，或いは物価統制令の見地から不適法とされる場合でも，当事者間で有効として取り扱われ，代金が授受され，現実に所得が生じていると認められるかぎり，右売買が有効であることを前提として所得税を賦課することは何等違法ではない。」と説示して，この所得に対する課税を是認している。また，最高裁昭和46年11月9日判決（民集25巻8号1120頁）では，利息制限法による制限超過の利息・損害金について，当事者間の約定により現実に収受した金額については，収入実現の可能性が高度であると認められるから，これを「収入すべき金額」に当たるとし，右利息・損害金に関する約定の履行期が到来してもなお未収の金額については，収入実現の蓋然性があるものとは言い難いから，これは「収入すべき金額」に当たらないとする。

なお，最高裁平成2年5月11日判決（訟務月報37巻6号1080頁）では，所得発生の基因となった契約が後に合意解除されて法律的に遡及消滅効が生じても，右契約によって収入が現実に消滅していない以上，所得として更正した処分は適法であるとする。

(6) 一時所得に関して，静岡地裁平成8年7月18日判決（行集47巻7・8合併号632頁）は，「資産を時効取得した占有者は，実体法上，取得時効の援用時に当該資産の所有権を取得するのであり，また，取得時効の援用によって，占

有者が当該資産について時効利益を享受する意思が明らかになり，時効取得に伴う一時所得に係る収入金額を具体的に計算することが可能になるので，所得税法上，資産を時効取得した場合の一時所得に係る収入金額は，取得時効の援用時に発生するものと解すべきである。」とする（同旨，東京地裁平成4年3月10判決・訟務月報39巻1号139頁）。

3．各種所得ごとの収入金額の計上時期

　所得税法上の収入金額の計上時期については，いわゆる権利確定主義がとられていると解されているが，現行の課税実務では，次のとおり，各種の所得ごとにその計上基準を明らかにしている。
(1) 利子所得の収入金額の計上時期（所基通36－2）
　① 定期預金の利子……預入期間の満了の日
　② 普通預金の利子……支払を受ける日又は元本への繰入日
　③ 公社債投資信託，公募公社債等運用投資信託，合同運用信託の収益の分配（無記名のものを除く。以下，公社債の利子，配当等について同じ）……収益計算期間の満了の日
　④ 公社債の利子……支払開始日と定められた日
(2) 配当所得の収入金額の計上時期（所基通36－4）
　① 剰余金の配当，利益の配当，剰余金の分配，金銭の分配，基金利息……当該剰余金の配当等について定めたその効力を生ずる日。その効力を生ずる日を定めていない場合は，当該剰余金等の配当等を行う法人の社員総会その他正当な権限を有する機関の決議があった日
　② 投資信託（公社債投資信託及び公募公社債等運用投資信託を除く）の収益の分配……信託期間中のものについては収益計算期間の満了の日，信託の終了又は解約によるものについてはその終了又は解約の日
　　（注）　源泉徴収選択口座内配当等については，その年に交付を受けた日が収入計上時期となる（措法37の11の6⑧）。

(3) 不動産所得の総収入金額の計上時期（所基通36-5～36-7）
① 契約や慣習により支払日が定められている場合……その支払日
② 契約や慣習により支払日が定められていない場合……支払を受けた日
（請求があったときに支払うべきものとされている場合は請求の日）

(注) 事業的規模による不動産の貸付による所得にあっては，継続記帳に基づき前受け，未収等の経理を行っていると，期間に応じて収入金額に計上できる（昭和48年直所2-78通達）。

③ 賃貸借契約の存否の係争がある場合……和解等のあった日
④ 賃貸料の額に係争がある場合……(a)供託されている部分の賃貸料は支払日，(b)新旧差額部分の賃貸料は和解等のあった日
⑤ 頭金，権利金，名義書換料，更新料等……(a)資産の引渡しを要するものは，引渡しのあった日（契約の効力が発生した日でも可），(b)資産の引渡しを要しないものは，契約の効力が発生した日
⑥ 敷金，保証金等……返還を要しないこととなった日

敷金，保証金等の総収入金額の計上時期

─［設　問］──────────────────────────────

次の契約の場合，敷金はいつの時点で総収入金額に計上すべきか。
① 敷金100万円を受け取るが，そのうち30％を償却金とし，残額は賃貸借契約終了時に返還する。
② 賃貸借期間10年で敷金100万円を受け取るが，3年以内に解約した場合は敷金の全額を返還し，5年以内に解約した場合は敷金の70％を返還するが，以後の解約や契約満了にあっては敷金の50％を返還する。
③ 賃貸借期間10年で敷金100万円を受け取るが，3年以内に解約した場合は敷金の50％を返還し，5年以内に解約した場合は敷金の70％を返還するが，以後の解約や契約満了にあっては敷金の全額を返還する。

第3章　収入金額及び必要経費の計算

　(計　算)
① 貸付資産の引渡し時に，100万円×30％＝30万円を総収入金額に計上する。
② 貸付期間が3年経過した日に100万円×30％＝30万円，5年経過した日に100万円×(50％－30％)＝20万円をそれぞれ総収入金額に計上する。
③ 貸付期間の3年以内に解約した場合はその日に100万円×50％＝50万円，5年以内に解約した場合はその日に100万円×30％＝30万円をそれぞれ総収入金額に計上するが，それ以外の場合は，総収入金額に計上しない。

(4) 事業所得の総収入金額の計上時期（所基通36－8）
　① 棚卸資産の販売収入……引渡しの日，試用販売の場合は相手方が購入の意思表示をした日，委託販売の場合は受託者が委託品を販売した日
　② 請負による収入……目的物を相手方に引き渡した日，引渡しを要しないものは役務提供を完了した日
　③ 人的役務の提供による収入……人的役務の提供を完了した日
　④ 資産の貸付による賃貸料（その年に対応するもの）……その年の末日
　⑤ 金銭の貸付による利息（その年に対応するもの）……その年の末日

(5) 給与所得の収入金額の計上時期（所基通36－9）
　① 給料，賃金等
　　イ　支給日が定められている場合は，その支給日
　　ロ　支給日が定められていない場合は，支給を受けた日
　② 役員に対する賞与等……株主総会の決議等があった日，決議等が支給総額だけを定めた場合は，各人ごとの支給額が具体的に定められた日
　③ 給与規程の改訂により既往の期間に対応して支払われる新旧給与との差額相当額
　　イ　支給日が定められている場合は，その支給日
　　ロ　支給日が定められていない場合は，その改訂の効力が生じた日

(6) 退職所得の収入金額の計上時期 (所基通36-10)
  ① 原則……退職の日
  ② 役員の退職給与等……株主総会の決議等があった日，決議等が支給することだけを定めた場合は，その金額が具体的に定められた日
(7) 山林所得又は譲渡所得の総収入金額の計上時期 (所基通36-12)
  山林等の引渡しがあった日，山林等の譲渡に関する契約の効力が発生した日によることもできる。
(8) 一時所得の総収入金額の計上時期 (所基通36-13)
  支払を受けた日，支払を受けるべき金額が支払前に通知されているものについては，その通知を受けた日
(9) 雑所得の総収入金額の計上時期 (所基通36-14)
  ① 公的年金等以外の雑所得……その収入内容に応じて，他の所得の収入計上時期に準ずる。
  ② 公的年金等の雑所得……原則として，法令等に定められた支給の日
    (注) 過去の年金記録の修正等により支給漏れ年金の一部について，一括支払を受けた場合には，当該年金の計算の対象とされた期間に係る各々の支給日において収入金額に算入されることになる (所基通36-14参照)。

4．無記名公社債の利子等

　無記名の公社債の利子，無記名株式等の剰余金の配当，無記名の貸付信託又は投資信託もしくは特定受益証券発行信託の受益証券に係る収益の分配については，現実に支払を受けた年分の利子所得又は配当所得の収入金額に計上する(所法36③)。

　なお，無記名の公社債であっても振替記載等又は登録したものについては，記名式の公社債と同様に取り扱われて利払期が収入金額の計上時期となる(所基通36-3)。

第3章 収入金額及び必要経費の計算

3 必要経費の計算

1．必要経費の意義

　所得税は個人の経済活動の成果である所得を課税対象とする租税であるから，その所得金額の計算に当たっては，収入を獲得するために要した金額が控除されるべきであり，この収入を獲得するために要した金額が広義の意味での"必要経費"に該当する。ただし，所得税法では，各種所得のうち不動産所得，事業所得，山林所得及び雑所得（公的年金等に係る雑所得を除く）についてのみ，総収入金額から必要経費の額を差し引いて所得金額を計算することとしているから，同法に規定する"必要経費"とは，不動産所得，事業所得，山林所得及び雑所得に係る業務について支出した費用を指すことになるのである。そして，所得税法に規定する必要経費は，①不動産所得，事業所得及び雑所得（山林の伐採又は譲渡による所得以外の事業所得及び雑所得をいう。以下同じ）と，②山林の伐採又は譲渡に係る事業所得，山林所得及び雑所得とに区分した上で，別段の定めがあるものを除き，それぞれ次によることとされている（所法37①②）。

(1)　不動産所得，事業所得及び雑所得の必要経費

　①売上原価のように，収入金額に直接対応する費用（個別対応の費用）と，②販売費，一般管理費等のようにその年分の業務上の費用（期間対応の費用）とがある。これらの所得に係る必要経費は，収入を上げる上で直接因果関係があるもののほか，業務の遂行上直接又は間接的に必要な費用（業務の遂行に不可欠ないし適切なもの，不可避的に生ずる損失も含む）も含まれることになる。

　大阪高裁平成30年5月18日判決（裁判所HP「行集」）は，「ある支出が不動産所得の金額の計算上必要経費として控除されるためには，当該支出が所得を生ずべき業務（不動産賃貸業）と合理的な関連性を有し，かつ，当該業務の遂行上

必要であることを要すると解するのが相当である。」とする。

　また，千葉地裁令和2年6月30日判決（訟務月報67巻5号701頁）は，「不動産貸付業務の用に供されていた建物の建築費用及び改修費用に充てられた借入金に係る借入金利子は，その建物の一部につき持分譲渡がされた場合には，その残余持分に対応する部分のみに当該不動産貸付業務との関連性が認められ，その後，当該持分譲渡を受けた者が，相続により当該借入金に係る債務及び上記残余持分を承継した場合においても，上記残余持分に対応する部分にのみ相続人の不動産貸付業務との関連性が認められ，所得税法37条1項所定の必要経費に該当する。」と判断している。

(2) 山林の伐採又は譲渡による所得（事業所得，山林所得及び雑所得）の必要経費

　山林の植林費，取得に要した費用，管理費，伐採費その他その山林の育成又は譲渡に要した費用など，山林の伐採又は譲渡による収入金額に直接対応する費用（個別対応の費用）が必要経費となる。山林の伐採又は譲渡による所得は，植林から伐採に至るまでの長期間にわたって生じた所得が一時に実現するものであるから，収入金額が発生した段階で過去の費用を控除するのである。

　なお，上記(1)及び(2)の必要経費に算入すべき償却費以外の費用は，原則として，その年の12月31日現在で債務の確定しているものに限られ（債務確定主義，所法37①②），債務の確定とは，その年の12月31日までに，①債務が成立していること，②給付をすべき原因となる事実が発生していること，③金額が合理的に算定できることの要件を満たしている場合をいう（所基通37－2）。

2．家事費及び家事関連費の必要経費不算入

　所得税法では，事業所得等の所得金額の計算に当たって，総収入金額から必要経費を控除するとともに，家事費及び家事関連費については必要経費に算入しないこととしている（所法45①一）。家事費は，人の衣食住に関する支出や社

第3章　収入金額及び必要経費の計算

会的，文化的生活を営む上で必要とされる諸出費（生活費，交際費，教育費，医療費，住宅費など）を意味し，所得を得た後の消費支出，すなわち所得の処分に相当するものであるから，家事費が必要経費に算入できないことは規定を待つまでもなく明らかである。しかし，所得税法上の納税義務者である個人は，所得の獲得行為としての経済活動を行うと同時に消費生活活動をも行っているのであるから，個人の支出を「必要経費」と「家事費」に区分することは必ずしも容易でない。このため，「家事費」を必要経費に算入しないと規定するとともに，必要経費の要素と家事費の要素とが混在している「家事関連費」については，次のものに限って必要経費に算入することとしているところである（所令96）。

① 家事関連費の主たる部分が不動産所得，事業所得，山林所得又は雑所得を生ずべき業務の遂行上必要であり，かつ，必要な部分を明らかに区分できる場合……その明らかに区分できる部分の金額

（注）主たる部分が業務の遂行上必要であるかどうかは，その支出する金額のうちその業務の遂行上必要な部分が50％を超えるかどうかにより判定するが，その必要な部分が50％以下であっても，その必要な部分を明らかに区分できる場合には，その必要である部分の金額を必要経費に算入して差し支えないこととされている（所基通45-2）。

② 青色申告者の場合……取引の記録等に基づいて不動産所得，事業所得又は山林所得を生ずべき業務の遂行上直接必要であったことがを明らかにされる部分の金額

> 長野地裁平成30年9月7日判決（訟務月報65巻11号1644頁）及びその控訴審である東京高裁令和元年5月22日判決（訟務月報65巻11号1657頁）は，ロータリークラブに所属する弁護士が支出した同クラブの年会費について，事業所得の必要経費に算入できるかが争点となっている。裁判所は，「Ｘ（原告・控訴人）の支出した年会費は，例会等へ参加し，同クラブの委員会に所属して活動するために納入されたものであるなどの事実関係の下では，Ｘの事業所得を生ずべき業務である法律事務を行う弁護士としての経済活動と直接の関連を有し，客観的にみて当該経済活動の遂行上必要なものと

いうことはできず，事業所得の計算上必要経費に算入することはできない。また，当該年会費が必要経費と家事費の性質を併有しており，同会費にXの業務の遂行上必要なものが一部含まれていて，家事関連費に該当するとしても，同会費のうちXの弁護士としての業務の遂行上必要である部分を明らかに区別することはできないから，これを必要経費に算入することはできない。」と判示している。

3．売上原価の計算

　事業所得の金額は，原則として一暦年における総収入金額から売上原価その他の必要経費の額を控除して計算するのであるが（所法37①），この場合の売上原価の計算は，企業会計と同様に，期首及び期末の棚卸資産の価額とその期中の仕入金額に基づいて，次の算式で計算する。

> 期首棚卸高＋その期中の仕入高－期末棚卸高＝売上原価

　上記のように，売上原価は，期首及び期末の棚卸資産の評価を通じて間接的な方法によって計算することとなっているので，その評価方法が重要であり，所得税法では，以下のとおり，棚卸資産の方法等について具体的な取扱いを定めている（所法47）。

　　（注）　棚卸資産とは，①商品又は製品（副産物及び作業くずを含む），②半製品，③仕掛品（半成工事を含む），④主要原材料，⑤補助原材料，⑥消耗品で貯蔵中のもの，⑦その他上記の各資産に準ずるものをいい，有価証券，暗号資産及び山林を除く（所法2①十六，所令3）。

(1)　棚卸資産の取得価額

　棚卸資産の取得価額は，その取得の区分に応じて，それぞれ次により計算する（所令103①）。

　①　購入した棚卸資産……(a)その購入の代価（引取運賃，荷役費，運送保険料，

購入手数料，関税などを含む），及び(b)その資産を消費し又は販売の用に供するために直接要した費用（検収や選別の費用，荷造費，保管費など）の合計額

② 自己が製造等をした棚卸資産……(a)原材料費，労務費などの製造原価，及び(b)その資産を消費し又は販売の用に供するために直接要した費用の合計額

③ その他の方法で取得した棚卸資産……(a)取得の時におけるその資産の取得のために通常要する価額，及び(b)その資産を消費し又は販売の用に供するために直接要した費用

(注) 棚卸資産のうち，①災害によって著しく損傷したもの，②著しく陳腐化したもの，③これらに準ずる特別の事実が生じたことにより通常の価額では販売できないような場合（破損，型くずれ，棚ざらし，品質変化など）には，これを他の棚卸資産と区分し，処分可能価額をもって取得価額とすることができる（所令104）。

(2) 棚卸資産の評価方法

棚卸資産の評価方法には，(a)原価法（個別法，先入先出法，総平均法，移動平均法，最終仕入原価法，売価還元法の6種），(b)低価法（青色申告者に限る），(c)特別な評価方法（税務署長の承認が必要）がある（所令99，99の2）。

① 個別法……棚卸商品の全部について個々の取得価額により計算する。

② 先入先出法……年末棚卸商品は，年末に最も近い日に仕入れたものから順に存在しているとみなして計算する。

③ 総平均法……次の算式によって計算する。

$$\frac{(年初の在庫高)+(期中の仕入高)}{(年初の在庫数量)+(期中の仕入数量)}=平均単価$$

$$(平均単価)\times(年末の在庫数量)=年末在庫高$$

④ 移動平均法……商品を仕入れたつど，在庫高と仕入高とをその総量で平均し，単価を改定して計算する。

⑤ 最終仕入原価法……年末に最も近い時期に仕入れた際の仕入単価を年末の在庫数量に乗じて計算する。

⑥ 売価還元法……年末の在庫品について通常の差益率の異なるごとに区分し，次の算式により計算する。

$$\text{(年末在庫の販売価額の総額)} \times \frac{\text{(年初在庫高)}+\text{(その年中の仕入総額)}}{\text{(年末在庫の販売価額の総額)}+\text{(その年中の売上総額)}} = \text{年末在庫高}$$

⑦ 低価法……(a)原価法のうちいずれかの方法に評価した価額と，(b)その年12月31日におけるその取得のために通常要する価額（時価）とを比較して，いずれか低い価額で計算する。

(3) 評価方法の選定

① 新たに事業を開始した場合……事業を開始した日の翌年3月15日までに評価方法を選定して税務署長に届け出る（所法47①，所令100②一）。
② 法定評価方法……届出をしない場合又は届け出た方法によらない場合は，最終仕入原価法によって評価する（所法47①，所令102①）。
③ 評価方法の変更……新たな評価方法を採用しようとする年の3月15日までに申請をして，税務署長の承認を受けなければならない（所令101①②）

4．有価証券の譲渡原価等

　事業所得の金額の計算上必要経費に算入される有価証券の譲渡原価は，棚卸資産の場合と同様に，その種類及び銘柄を同じくするものごとに期首と期末の有価証券の評価を基に計算する。

　株式等の譲渡による所得の金額の計算上控除する取得価額の計算方法は，その所得が事業所得に該当する場合と譲渡所得又は雑所得に該当する場合では，次のように異なっている（所法48①③）。

(1) 事業所得の基因となる有価証券

有価証券の種類ごとに総平均法及び移動平均法のうち，あらかじめ選定して届け出た方法によって評価する（所法48①②，所令105，106）。評価方法の届出がない場合又は届け出た方法によって評価しなかった場合には，総平均法により評価した金額を期末の有価証券の評価額とする（所令108）。

なお，申告分離課税の株式等の譲渡による事業所得の金額の計算に当たっては，移動平均法の規定を適用しないこととされている（措令25の8⑧，25の9⑪）。

(2) 譲渡所得又は雑所得の基因となる有価証券

2回以上にわたって取得した同一銘柄の有価証券の取得費又は必要経費に算入する金額は，その有価証券を最初に取得したとき（その後既にその有価証券を譲渡している場合には，直前の譲渡のとき）からその譲渡のときまでの期間を基礎として，その最初に取得したときにおいて有していた有価証券及びその期間内に取得した有価証券につき，総平均法に準ずる方法によって算出した1単位当たりの金額により計算する（所法48③，所令118）。

2回以上にわたって取得した株式等の取得費等の計算

〔設 問〕

上場株式A銘柄の売買状況は次表のとおりである。令和5年8月18日に売却した株式の取得費等はいくらか。

年 月 日	売買の別	株 数	単 価	金 額
令2. 9.23	買い	5,000株	1,520円	7,600,000円
3. 1.25	売り	4,000株	1,980円	7,920,000円
3. 7.27	買い	2,000株	1,840円	3,680,000円
4. 2. 4	買い	3,000株	2,140円	6,420,000円
5. 8.18	売り	4,000株	2,020円	8,080,000円

(計　算)

① 令和3年1月25日の売却後の株式1,000株の取得費等の計算

1,000株×1,520円＝1,520,000円

② 令和5年8月18日に売却した株式4,000株の取得費等の計算

$$\frac{1,520,000円＋3,680,000円＋6,420,000円}{1,000株＋2,000株＋3,000株} ＝ 1,936.66…⇒1,937円^{(注)}$$

4,000株×1,937円＝7,748,000円

(注) 1単位当たりの金額に1円未満の端数があるときは，その端数を切り上げる（措通37の10・37の11共－14）。

(3) 信用取引等による株式の取得価額

　信用取引，発行日取引又は有価証券先物取引の方法によって株式又は公社債の売買を行い，株式等の売付けと買付けによってその取引の決済を行っている場合には，これらの取引においてその買付けに係る株式等を取得するために要した金額（個別原価）をその年分の事業所得の金額又は雑所得の金額の計算上必要経費に算入する（所令119）。

5．暗号資産の譲渡原価等

(1) 暗号資産の評価方法

　事業所得又は雑所得の金額の計算上必要経費に算入する金額を算定する場合における算定の基礎となるその年12月31日において有する暗号資産の価額は，移動平均法又は総平均法により算出した取得価額をもって評価した金額とする（所法48の2，所令119の2①）。

① 総　平　均　法

　暗号資産をその異なる種類ごとに区別し，その種類の同じものについて，次の算式のよって計算する。

第3章 収入金額及び必要経費の計算

$$\frac{(年初の取得価額の総額)+(期中の取得価額の総額)}{(年初の総量)+(期中の総量)}=平均単価$$

$$(平均単価)\times(期末の総量)=期末暗号資産の評価額$$

② 移動平均法

　暗号資産をその異なる種類ごとに区別し，その種類の同じものについて，暗号資産を取得するつど，その時において有する暗号資産とその取得をした暗号資産との数量及び取得価額を基礎として算出した平均単価によって改定されたものとみなし，その年12月31日に最も近い時の平均単価により評価する。

$$(平均単価)\times(期末の総量)=期末暗号資産の評価額$$

　なお，上記における暗号資産の取得には，暗号資産を購入し，もしくは売却し，又は種類の異なる暗号資産に交換しようとする際に一時的に必要なこれらの暗号資産以外の暗号資産を取得する場合におけるその取得を含まない（所令119の2②）。

(2) 評価方法の選定等と法定評価方法

　暗号資産の評価方法は，その種類ごとに選定し，取得の日の属する年分の確定申告期限までに税務署長に届け出をしなければならない（所令119の3①②）。評価方法を変更しようとする場合には，税務署長の承認が必要である（所令119の4①）。

　なお，暗号資産の評価方法を選定しなかった場合又は選定した方法により評価しなかった場合には，総平均法により算出した取得価額とする（所令119の5①）。

(3) 暗号資産の取得価額（所令119の6）

　① 購入した暗号資産……購入の代価（購入手数料その他暗号資産の購入のために

要した費用がある場合には，その費用の額を加算した金額）
② 上記以外の暗号資産……取得の時における暗号資産の取得のために通常要する価額
③ 死因贈与，相続又は包括遺贈及び相続人に対する特定遺贈により取得した暗号資産……被相続人の死亡の時において，その被相続人がその暗号資産につきよるべきものとされていた評価方法により評価した金額
④ 著しく低い価額の対価により取得した暗号資産……対価の額と実質的に贈与をしたと認められる金額の合計額

(4) 信用取引による暗号資産の取得価額

　居住者が暗号資産信用取引の方法による暗号資産の売買を行い，かつ，その暗号資産信用取引による売付けと買付けとにより暗号資産信用取引の決済を行った場合には，その売付けに係る暗号資産の取得に要した経費として事業所得の金額又は雑所得の金額の計算上必要経費に算入する金額は，暗号資産信用取引において買付けに係る暗号資産を取得するために要した金額となる（所令119の7）。

6．販売費，一般管理費等の必要経費

　所得税法37条1項では，「必要経費に算入すべき金額は，別段の定めがあるものを除き，これらの所得の総収入金額に係る売上原価その他当該総収入金額を得るために直接要した費用の額及びその年における販売費，一般管理費その他これらの所得を生ずべき業務について生じた費用（償却費以外の費用でその年において債務の確定しないものを除く）の額とする。」と規定しており，販売費，一般管理費等については，その発生年分の必要経費に算入する。
　したがって，未払費用であっても，その支払うべき原因や事実が存在し，近いうちに支払うことが確実なものは，その事実が生じた日の属する年分の必要

経費に算入できるが，前払費用のように翌年以後の期間に対応する部分の金額は，支払った日の属する年分の必要経費に算入できない。また，別段の定めがない限り，費用の見越計上は認められない。

なお，販売費，一般管理費等の中に，家事関連費が含まれている場合には，業務用の部分を合理的に算定して必要経費に算入することになる（所法45①一，所令96）。

(注) 実務上，短期の前払費用は，継続適用を要件に，支払った日の属する年分の必要経費に算入することが認められている（所基通37－30の２）。また，翌年以後の期間の賃貸料を一括して収受した場合には，翌年以後の賃貸料も収入金額に算入されることとの兼ね合いで，費用の見越計上が認められる（所基通37－３）。

(1) 租税公課

事業税，自動車税，固定資産税及び不動産取得税並びに登録免許税（業務用の資産に係るもの），印紙税，消費税などの税金や，商工会議所，協同組合，同業者組合，商店会などの会費又は賦課金（繰延資産に該当する部分の金額を除く）は，必要経費に算入される。

必要経費に算入する時期は，原則として申告・賦課決定等の手続によりその納付すべきことが具体的に確定した時によるのであるが，既にその年分の収入金額に計上されている酒税などについては，翌年３月15日までに申告等があったものであれば，年内に確定していないものであってもその年の必要経費に算入できる（所基通37－６）。事業税を課税される事業を営む者が当該事業を廃止した場合における当該廃止した年分の所得につき課税される事業税については，事業税の課税見込額をその年分の必要経費に算入することもできる（所基通37－７）。

また，不動産所得，事業所得又は山林所得を生ずべき事業を行う者が所得税の延納をした場合には，次の算式で計算した利子税の額が必要経費に算入される（所法45①二，所令97）。

◆必要経費に算入される利子額の計算

$$ (利子税の額) \times \frac{事業的規模の不動産所得,事業所得,山林所得の金額}{各種所得の合計額(給与所得及び退職所得を除く)} $$

　所得税，森林環境税，住民税，延滞税（延滞金），加算税（加算金），罰金，科料，所定の課徴金及び延滞金などは，必要経費に算入できない（所法45①二〜十四）。

　なお，外国所得税の額は，不動産所得，事業所得，山林所得，雑所得又は一時所得の金額の計算上，必要経費や支出した金額に算入するか又は外国税額控除を適用するかの選択が認められるが，その外国所得税の額の一部について，外国税額控除を受けたり還付を受けると，外国所得税の額の全額が必要経費等に算入できない（所法46，所基通46－1，95－1）。

　（注）　特許権，鉱業権のように登録により権利が発生する資産に係る登録免許税は，資産の取得費に算入する（所基通37－5，49－3）。

> 　東京高裁平成26年4月9日判決（訟務月報60巻11号2448頁）は，不動産貸付業務を行う者が貸付業務用の土地建物を購入するに際して，その年の固定資産税及び都市計画税のうち日割計算による未経過分に相当する金額を支払うこととした場合の清算金につき，「固定資産税等の納税義務者は，地方税法において賦課期日における当該固定資産の所有者と定められており，賦課期日後の当該年度の途中で所有者となった者につき当該年度の所有者となった後の期間に相当する固定資産税等の納税義務があると解することはできない」と説示した上で，当該清算金のうち，①建物に係る部分は，建物の取得価額に算入されて減価償却費の額のみが不動産所得の金額の計算上必要経費に算入されるのであり，また，②土地に係る部分は，所得税法37条1項にいう「所得を生ずべき業務について生じた費用」に該当しないと判示している。

(2) 水道光熱費，通信費，損害保険料，地代家賃など

業務のために使用した水道光熱費及び通信費，業務用資産に係る損害保険料及び地代家賃，業務のための借入金の利子などは，必要経費に算入される。店舗兼住宅で事業を営む場合の建物に係る諸経費（固定資産税，水道光熱費，損害保険料，地代家賃等）については，使用面積，使用時間，使用頻度など適切な基準によって店舗部分と住宅部分に合理的に按分した場合に限って，その店舗部分の費用を必要経費に算入することができる（所基通45－2）。

なお，業務の用に供する借地権又は地役権の存続期間を更新するに当たって更新料を支払った場合には，次の算式によって計算した金額を更新時の必要経費に算入する（所令182）。

◆借地権等の更新料を支払った場合の必要経費算入

$$(A + B - C) \times \frac{D}{E} = 借地権等の取得費の必要経費算入額$$

A……借地権又は地役権の取得費
B……この更新前に支出した改良費（前回までの更新料を含む）の額
C……取得費のうち前回までに必要経費に算入した額
D……借地権又は地役権の更新料
E……借地権又は地役権の更新時の価額

> 奈良地裁昭和57年6月25日判決（判例タイムズ481号109頁）は，「自宅に架設されている電話は，その利用料金からみると，家族の日常的な使用を明らかに超えて大半が業務の用に供されているものと認めることができないほか，仮に業務遂行に必要な使用がなされているとしても，これを区分特定することはできないから，家庭用電話料金については必要経費とすることはできない。」とする。

(3) 旅費交通費，海外渡航費，福利厚生費，研修費，給料賃金等

　旅費交通費（宿泊代などを含む），福利厚生費（従業員の健康保険料，慰安旅行費用など）及び従業員に対する給料賃金や賞与は，必要経費に算入される。納税者本人又は従業員等（家族専従者を含む。以下同じ）がその事業に直接必要な知識や技能を習得するための研修などを受けた場合に負担する費用も，その研修等のために通常必要と認められるものに限り，必要経費に算入され，従業員等に対する現物給与とはみなされない（所基通37-24，9-15）。同様に，納税者本人又は従業員等が海外渡航する場合の費用については，①その海外渡航が事業の遂行上直接必要と認められるものであるときは，その旅費として合理的な範囲内の金額が必要経費に算入され，②事業の遂行上直接必要とされる目的と観光目的等を兼ねた海外渡航であると認められるものであるときであっても，海外渡航の直接の動機が事業の遂行のためであり，これを機会として観光を併せて行ったものである場合には，目的地までの往復の旅費は必要経費に算入されるが，その他の費用は旅行日程等に基づいて按分し，事業の遂行上直接必要と認められる旅行に係る部分の金額のみが必要経費に算入される。③観光渡航の許可を得て行う旅行や団体旅行については，原則として事業の遂行上直接必要な海外渡航に該当しないが，旅行先，仕事の内容等からみて事業に直接関連があると認められる部分の旅費については，必要経費に算入できる（所基通37-16〜37-22）。

> 　名古屋地裁平成5年11月19日判決（税務訴訟資料199号819頁）は，納税者本人と家族専従者及びその子供のみによる慰安旅行費用につき，「青色事業専従者を慰安するという趣旨で企画実行した旅行であっても，客観的には，生計を一にする夫婦，親子がその良好な家族関係を維持すべく企画実行したものと認められ，事業主が従業員の勤労意欲を高め，もって自己の事業に資するためといった経済的合理性に基づき使用者の立場から実施したものとはいえないから，当該旅行費用は，所得税法37条1項の「その他これらの所得を生ずべき業務について生じた費用」に該当しないとする。

第3章　収入金額及び必要経費の計算

　また，大阪高裁令和2年5月22日判決（訟務月報66巻12号1991頁）は，接骨院を開業していたＸ（原告・控訴人）が柔道整復師養成施設に支払った授業料等（本件支払額）につき，「Ｘは免許を有さずに柔道整復に該当しないカイロプラクティック等を行うとともに，柔道整復師を雇用して柔道整復を行わせるという形態の事業を営んでいたところ，自らが免許を取得して柔道整復を行うことで接骨院の経営の安定及び事業拡大を図ることを目的として本件支払額を支出したものということができるが，本件支払額は，当時において前記の形態の事業による収入の維持又は増加をもたらす効果を有するものではなく，接骨院を経営するためにＸが免許を取得することが必須ではないことを考え合わせれば，本件支払額の全額を必要経費に算入することができるとは認められないし，本件支払額のうち必要経費に算入できる部分が特定されているともいえない。」と説示して，所得税法37条1項所定の必要経費に該当しないと判断している。

(4)　寄附金，接待交際費

　寄附金は，慈善，公益，災害救助などを目的として支出するほか，営業上の配慮に基づいて支出する要素も少なくなく，事業に関連する支出であるか否かは必ずしも明らかでない。このため，法人税法では，寄附金の損金算入につき，①国又は地方公共団体に対する寄附金及び指定寄附金の全額を損金に算入するが，②それ以外の寄附金は一定の限度額までの金額に限って損金に算入することとしている（法法37①③④）。

　また，接待交際費は，事業上の付き合いという点において，事業上の必要に基づいて支出する費用ではあるが，個人的な趣味，娯楽，飲み食い的な要素が混入していることも否定できない。このため，法人税に関しては，冗費，濫費を抑制し，租税負担の不当軽減を防止するいう観点から，交際費の損金不算入制度が設けられているところである（措法61の4）。

　一方，所得税法においては，所得控除の中に寄附金控除を設けているが（所

法78)，寄附金や交際費が必要経費に算入できるかどうかについて特に明記してなく，解釈に委ねられている。したがって，寄附金や交際費が必要経費に算入できるかどうかは，その支出の内容等に従って個別に判断することになるが，寄附金や交際費は，その性格上，業務遂行上必ずしも必要な支出とは認め難いのみならず，個人的費用の付け替えといった面も少なくないことから，支出の相手方やその理由などからみて，専ら，業務の遂行上の必要に基づく場合に限って必要経費に算入される。ただし，専ら業務の遂行上直接必要と認められる場合であっても，賄賂又は外国公務員等に対し不正に供与する金銭の額及び金銭以外の物又は権利その他経済的利益の価額は必要経費に算入できない（所法45②)。

　徳島地裁平成7年4月28日判決（訟務月報42巻7号1818頁）では，歯科医師が大学医学部の関係者らを接待した費用や歯科医師会の会合に出席した場合の費用等は，その目的や金額が相当な範囲のものである場合には必要経費とされるものの，単なる情報交換の会食や二次会の費用，慶弔，贈答等の費用は，これらによって患者の紹介を受けるなど，医院経営に有益なものと期待されることがあるとしても，右支出はいずれも家事関連費に該当し，必要経費にならないとする。同様に，歯科医師が負担したゴルフのプレー費用も，個人の趣味，娯楽としてゴルフを行っていると認められるから，必要経費に算入できないとする。

　他方，東京高裁平成24年9月19日判決（判例時報2170号20頁）は，弁護士会の役員等として負担した会務のための支出が弁護士の事業所得に係る必要経費に該当するかどうかにつき，「弁護士会等の活動は，弁護士に対する社会的信頼を維持して弁護士業務の改善に資するものであり，弁護士として行う事業所得を生ずべき業務に密接に関係するとともに，会員である弁護士がいわば義務的に多くの経済的負担を負うことにより成り立っているものであるということができるから，弁護士が人格の異なる弁護士会等の役員等としての活動に要した費用であっても，弁護士会等の役員等の業

務の遂行上必要な支出であったということができるのであれば，その弁護士としての事業所得の一般対応の必要経費に該当すると解するのが相当である。」と説示した上で，弁護士会等の公式行事後に催される懇親会等の出席費用（二次会への出席費用を除く）は，その額が過大でない限り，必要経費に算入することができると断じている。

(5) 損害賠償金など

　不動産所得，事業所得，山林所得又は雑所得を生ずべき業務に関連して，故意又は重大な過失によって他人の権利を侵害したことにより支払う損害賠償金，慰謝料，示談金等は，必要経費に算入できない（所法45①七，所令98，所基通45－7）。納税者本人の「故意又は重大な過失」によって支払う損害賠償金は，義務違反に対する制裁として科される罰金等と同様に，個人の責任に帰せられる個人的費用であるからである。このように，損害賠償金等が必要経費に算入できるかどうかは，納税者本人に「故意又は重大な過失」があるかどうかを基準に判断することになるから，従業員等の「故意又は重大な過失」に基因して支払う損害賠償金等については，納税者本人に「故意又は重大な過失」がなければ必要経費に算入できることになる（所基通45－6）。

　また，所得税法では，罰金や故意又は重大な過失による損害賠償金等について必要経費に算入しない旨の規定を置いているが，このような定めがない「違法な支出」，すなわち，納税者が業務に関連して違法な行為を行い，それに伴い支出した金員が必要経費に算入されるかどうかについては議論がある。裁判例では，「宅地建物取引業法及び同規則は，宅地等の取引の代理等について不動産仲介業者の受ける報酬の上限を定めて，不動産仲介業者が不動産取引の代理又は仲介行為によって不当な利益を禁止しているから，右法律に違反する報酬契約の私法上の効力いかんは問題であるとしても，現実に右法律所定の報酬額以上のものが支払われた場合には，所得税法上は，右現実に支払われた金額を経費として認定すべきである」としたものがある（高松地裁昭和48年6月28日

判決・行集24巻6・7合併号511頁)。他方，いわゆる暴力団への用心棒代は，事業遂行上一般に必要であると客観的に認められる経費支出ではないとしたものもあり（大阪高裁昭和52年9月29日判決・税務訴訟資料100号1257頁），経済法規違反の支出はともかくとして，公序良俗違反や刑罰法規に違反する「違法な支出」については，必要経費性を否定する判決が多い。

> 最高裁平成6年9月16日決定（刑集48巻6号357頁）では，いわゆる脱税協力金の損金該当性について，「架空の経費を計上するという会計処理に協力したことに対する対価は，公正処理基準に反する処理により法人税を免れるための費用であるというべきであるから，このような支出を費用又は損失として損金に算入する会計処理もまた，公正処理基準に従ったものであるということはできないと解される。」として損金性を否定している。

(6) 簿外経費の必要経費不算入

その年において不動産所得，事業所得もしくは山林所得を生ずべき業務を行う者又はその年において雑所得を生ずべき業務を行う者でその年の前々年分の雑所得を生ずべき業務に係る収入金額が300万円を超えるものが，隠蔽仮装行為に基づき確定申告書（その申告に係る所得税についての調査があったことにより当該所得税について決定があるべきことを予知して提出された期限後申告書を除く）を提出しており，又は確定申告書を提出していなかった場合には，これらの確定申告書に係る年分のこれらの所得の総収入金額に係る売上原価その他当該総収入金額を得るため直接に要した費用の額及びその年の販売費，一般管理費その他これらの所得を生ずべき業務について生じた費用の額は，その者の各年分のこれらの所得の金額の計算上，必要経費に算入しない（所法45③）。

ただし，次の場合に該当する売上原価の額又は費用の額については，必要経費に算入できる（所法45③ただし書き）。

① その者の保存する帳簿書類その他の物件により，売上原価の額又は費用の額の基因となる取引が行われたこと及びこれらの額が明らかである場合

(災害その他やむを得ない事情により，取引に係る帳簿書類の保存をすることができなかったことをその居住者において証明した場合を含む)。

② その者の保存する帳簿書類その他の物件により，売上原価の額又は費用の額の基因となる取引の相手方が明らかである場合その他その取引が行われたことが明らかであり，又は推測される場合であって，その相手方に対する調査その他の方法により，税務署長がその取引の額を認める場合

(7) 弁護士費用など

業務に関連して紛争が生じた場合に，その解決のために支出する弁護士報酬などの費用は，その係争等の内容に従って個別に必要経費に算入されるかどうかが判断されるべきであるが，実務上は，民事事件と刑事事件に区分した上で，次のように取り扱うこととしている（所基通37-25，37-26）。

① 民事事件

次に掲げるようなものを除き，その支出した日（山林所得の場合は，当該山林の伐採又は譲渡の日）の属する年分の必要経費に算入する。

イ 資産の取得の時においてすでに紛争の生じているもの，資産の取得後紛争が生ずることが予想されるもの（資産の取得費になる）

ロ 山林又は譲渡所得の基因となる資産の譲渡に関するもの（譲渡費用になる）

ハ 係争の本体が必要経費に算入されない租税公課や損害賠償金に関するもの（家事費になる）

> 東京地裁昭和50年3月25日判決（訟務月報21巻6号1322頁）では，過去の年分に係る課税処分等の取消訴訟のために支出した弁護士費用は，その支出年分の所得の必要経費とすることができないと判示している。
> また，東京地裁平成28年11月29日判決（裁判所HP「行集」）は，所得税の更正処分等の取消訴訟に要した弁護士費用につき判決確定後に支払われた還付加算金に係る雑所得の必要経費に算入できないとする。

② 刑事事件

処罰を受けないこととなった場合(違反がないとされたり,処分を受けないこととなったり,又は無罪の判決が確定した場合)に限り,必要経費に算入する。

(8) 修繕費と資本的支出

業務用の建物,機械,装置,器具備品,車両などの修繕に要した費用は,必要経費に算入できるが,資産の価値を増加したり,使用可能期間を延長したりする支出は,資本的支出として減価償却の対象とされるから,支出した年分の必要経費に算入することができない(所令181)。修繕費等とは,固定資産の通常の維持管理のため,又は災害等により毀損した固定資産を災害直前の状態に戻すために要した費用をいい,資本的支出の金額を含まないのであるが(所基通37-11),資本的支出であっても,一の計画に基づき同一資産について行う修理,改良等の費用が少額(20万円未満)であるか,又はその支出周期が短いもの(おおむね3年以内)については,その修理,改良等に要した金額を修繕費として必要経費に算入して差し支えないこととされている(所基通37-12)。

なお,資本的支出の金額は次により計算する(所令181)。

① 使用期間を延長させる部分に対応する金額

$$\text{支出金額} \times \frac{\text{支出後の使用可能年数} - \text{支出しなかった場合の残存使用可能年数}}{\text{支出後の使用可能年数}} = \text{資本的支出の金額}$$

② 価値を増加させる部分に対応する金額

$$\text{支出後の時価} - \text{通常の管理又は修理をしていた場合の時価} = \text{資本的支出の金額}$$

(注) 資本的支出に該当するものには,①建物の避難階段の取付けなど物理的に付加した部分に係る金額,②用途変更のための模様替えなど改造又は改装に直接要した金額,③機械の部品を特に品質又は性能の高いものに取り替えた場合のその取替えに要した金額のうち,通常の取替えの場合にその取替えに要すると認められる金額を超える部分の金額などがある(所基通37-10)。

第3章　収入金額及び必要経費の計算

◆資本的支出と修繕費の区分

〔設問1〕

　不動産貸付業を営むAは、賃貸住宅（平成22年に7,000万円で取得、鉄筋コンクリート造、耐用年数47年、前年末の未償却残高5,160万円）について、令和5年5月、外壁の塗装工事及び陸屋根の防水工事を行った。その工事費は650万円（別途、消費税65万円）である。Aは、税抜経理方式を採用しているが、この工事費について修繕費として処理できるか。

（計　算）

　一の修理、改良等のために要した金額のうちに資本的支出であるか修繕費であるかが明らかでない金額がある場合において、①その金額が60万円未満であるとき、②その金額が固定資産の前年12月31日における取得価額のおおむね10％相当額以下であるときは、修繕費とすることができる（所基通37−13）。

　設問の場合は、次のとおりとなる。

（工事費）650万円＜（建物の前年末における取得価額）7,000万円×0.1
　　　　　　　　　　　　　　　　　　　　　　　　　　　　＝700万円
　　　　　　　　　　　　　……全額が修繕費に該当する。

〔設問2〕

　本年7月に事務所用建物（前年末の取得価額3,000万円）を修理して750万円を支払った。750万円の全額を修繕費に計上できるか。

（計　算）

　一の修理、改良等のために要した金額のうちに資本的支出であるか修繕費であるかが明らかでない金額がある場合において、継続してその金額の30％相当額とその修理、改良等をした固定資産の前年12月31日における取得価額の10％相当額とのいずれか少ない金額を修繕費の額とし、残余の額を資本的支出の額とすることができる（所基通37−14）。

193

設問の場合は，次のとおりとなる。
（修理代）750万円×0.3＝225万円
（建物の前年末における取得価額）3,000万円×0.1＝300万円
∴ 225万円………修繕費
　　750万円－225万円＝525万円……資本的支出

7．減価償却費の計算

　建物，機械及び装置等の固定資産は，時の経過や使用などのために徐々に資産価値が減少していくことになる。そこで，このような資産を取得するために要した費用は，その取得時に費用計上するのは合理的でなく，その資産を使用することによって得られる収益に対応して，使用期間に配分すべきである（減価償却）。企業会計上は，適正な損益を計算するために，一般に認められる所定の方法によって，資産価値の減少分を計画的かつ規則的に費用計上するが，所得税法や法人税法では，租税負担の公平を図る見地から，減価償却資産の範囲や減価償却の方法等を法定している。
　なお，法人の場合は損金経理を要件として償却費の額を損金に算入するのであるが（法法31①），所得税法では，納税者の選択いかんにかかわらず，税法の規定に従って計算される償却費の額が必要経費に算入されることになる（強制償却，所法49①）。

(1)　減価償却資産の範囲

　減価償却の対象となる資産は，次に掲げる資産で，不動産所得もしくは雑所得の基因となるもの，又は不動産所得，事業所得，山林所得もしくは雑所得の業務の用に供されるものをいう（所法2①十九，所令6）。
　① 　有形固定資産……建物及び附属設備，構築物，機械及び装置，船舶，航空機，車両及び運搬具，工具，器具及び備品

② 無形固定資産……鉱業権，漁業権，ダム使用権，水利権，特許権，実用新案権，意匠権，商標権，ソフトウェア，育成者権，営業権，樹木採取権等
③ 生物……牛，馬，果樹等

ただし，次の資産は，減価償却の対象外である（所令6，138，139，措法28の2）。
① 少額の減価償却資産……取得価額が10万円未満であるもの（一定のリース資産及び貸付けの用に供したものを除く。ただし，主要な業務として行われる貸付けは，少額の減価償却資産の対象となる。以下，②及び③に同じ）又は使用可能期間が1年未満である資産
② 一括償却資産…… 取得価額が20万円未満である資産で，その全部又は特定の一部を一括したもの
③ 中小企業者の少額減価償却資産…… 常時使用する従業員数が500人以下に該当する青色申告者が取得した資産で，取得価額が10万円以上30万円未満であるもの
④ 減耗しない資産……土地及び土地の上に存する権利，電話加入権，美術品等，素材となる貴金属の価額が大部分を占める固定資産
⑤ 棚卸資産及び建設又は制作中の資産

(注) 少額減価償却資産は，その取得価額の全額を業務の用に供した年の必要経費に算入できるし（所令138），また，一括償却資産は，取得価額の合計額の3分の1に相当する金額について，その資産を業務の用に供した年以後3年間の各年にわたって必要経費に算入できる（所令139①）。

　なお，中小企業者の少額減価償却資産は，その業務の用に供した年にその取得価額の全額を必要経費に算入することができる。ただし，その年中における少額減価償却資産の取得価額の合計額が300万円を超える場合は，300万円までとする（措法28の2①）。

(2) 減価償却の方法

　減価償却費は，①平成19年3月31日以前に取得した減価償却資産と，②同年4月1日以後に取得した減価償却資産とに分けた上で，次の方法の中から，その減価償却資産の区別に応じて選定した方法（税務署長に届け出る）で計算する。

ただし,平成10年4月1日以後に取得した建物のほか,営業権やソフトウェアなどの無形固定資産又は生物については,旧定額法又は定額法に限られる(所令120①,120の2①)。また,平成28年4月1日以後に取得した建物附属設備及び構築物は定額法に限られる。

① 平成19年3月31日以前に取得したもの(所令120①)

イ 旧定額法

$$(取得価額-残存価額)\times 旧定額法による償却率=償却費の額$$

(注) 残存価額は,①有形減価償却資産は取得価額の10%,②無形固定資産及び坑道は0,③生物はその種類に応じて5%ないし50%とされている(所令129,耐令6)。

ロ 旧定率法

$$(取得価額-前年までの償却費の合計額)\times 旧定率法による償却率$$
$$=償却費の額$$

ハ 旧生産高比例法

$$\frac{(取得価額-残存価額)}{総採掘予定量}\times 各年の採掘量=償却費の額$$

(注)鉱業用減価償却資産及び鉱業権の償却方法である。

ニ 旧国外リース期間定額法

$$\frac{(取得価額-見積残存価額)}{リース期間の総月数}\times 各年におけるリース期間の月数$$
$$=償却費の額$$

(注) リース取引の目的とされている減価償却資産で,非居住者又は外国法人に対して賃貸されているものの償却方法である。平成20年3月31日までに締結されたものについて適用される。

② 平成19年4月1日以後に取得したもの（所令120の2①）
　イ　定　額　法

取得価額×定額法による償却率＝償却費の額

　ロ　定　率　法

（取得価額－前年までの償却費の合計額）×定率法による償却率
　＝償却費の額（「調整前償却額」という）

（注）　定率法による償却率は，①平成24年3月31日以前に取得した減価償却資産は定額法の償却率の2.5倍，②平成24年4月1日以後に取得した減価償却資産は定額法の償却率の2倍とされる（所令120の2①）。

なお，調整前償却額がその減価償却資産の取得価額に「保証率」（耐令別表十）を乗じて計算した金額に満たない場合には，最初に満たないこととなる年の期首未償却残高を「改定取得価額」として，次により計算する。

改定取得価額×改定償却率＝償却費の額

　ハ　生産高比例法

$$\frac{取得価額}{総採掘予定量} \times 各年の採掘量 ＝ 償却費の額$$

　ニ　リース期間定額法

$$\frac{（取得価額－残価保証額）}{リース期間の総月数} \times その年におけるリース期間の月数$$
　＝償却費の額

（注）　所有権移転外リース取引に係る賃借人が取得したものとされる減価償却資産の償却方法である。所有権移転外リース取引とは，リース期間の終了時又は中途において，①リース取引の目的とされている資産（リース資産）が無償又は名目的な対価の額で賃借人に譲渡されるもの，②リース資産を著しく有利な価額で買い取る権利が賃借人に与えられているもの，③リース資産がその使用可能期間中賃借人によってのみ使用されると見込まれるものなど，その所有権が賃借人に移転

すると認められるリース取引以外のリース取引をいう（所令120の2②五）。また，残価保証額とは，リース期間終了の時に，リース資産の処分価額が所有権移転外リース取引に係る契約において定められている保証額に満たない場合に，その満たない部分の金額を当該取引に係る賃借人がその賃貸人に支払うこととされている場合における当該保証額をいう（所令120の2②六）。

③　そ の 他

取替法（レール，枕木，電柱，電線のように多量に同一目的に使用される減価償却資産などに適用される。税務署長の承認が要件），及び特別な償却率による方法(国税局長の認定）のほか，特別な償却方法（税務署長の承認が要件）がある（所令120の3～122）。

(3) 償却方法の選定

① 新たに業務を開始した場合……業務を開始した日の翌年3月15日までに償却方法を選定して税務署長に届け出る（所令123①②一）。

② 償却方法を選定している資産以外の減価償却資産を取得した場合……資産を取得した日の翌年3月15日までに償却方法を選定して税務署長に届け出る（所令123②二）。

③ 法定償却方法……届出をしない場合は，①鉱業用減価償却資産及び鉱業権については生産高比例法（又は旧生産高比例法），②それ以外の資産は定額法（又は旧定額法）によって償却する（所令125）。

④ 償却方法の変更……新たな償却方法を採用しようとする年の3月15日までに申請をして，税務署長の承認を受けなければならない（所令124①②）。

(4) 減価償却資産の取得価額

減価償却資産の取得価額は，その取得の区分に応じて，それぞれ次により計算する（所令126①②）。

① 購入した資産……(a)その購入の代価（引取運賃，荷役費，運送保険料，購入手数料，関税などを含む），及び(b)業務の用に供するために直接要した費用（搬入費，据付費など）の合計額

② 自己が建設等をした資産……(a)原材料費，労務費などの経費，及び(b)業務の用に供するために直接要した費用の合計額

（注） 自己が成育させた生物や成熟させた果樹は，購入の代価，種付費，飼料代，種苗費，肥料代などを基に，これに準じて計算する。

③ その他の方法で取得した資産……(a)取得の時におけるその資産の取得のために通常要する価額，及び(b)業務の用に供するために直接要した費用の合計額

④ 贈与，相続（限定承認以外のもの），遺贈等（包括遺贈のうち限定承認以外のもの）又は著しく低い対価の額で譲り受けた資産……その資産を取得した者が引き続き所有していたものとみなして計算する（取得価額の引継ぎ，129頁参照）

⑤ 昭和27年12月31日以前から引き続き所有していた非業務用資産を業務の用に供した場合……昭和28年1月1日の相続税評価額とその後に支出された設備費及び改良費の合計額（所令128）

(5) 減価償却費の計算

① 各年分の償却費の計算（所令131）……その資産について納税者が採用している償却の方法に基づいて計算する。

② 年の中途で業務の用に供した資産の償却費（所令132①②）

$$\text{その年分の償却費の額} \times \frac{\text{業務の用に供した月数（1月未満切上げ）}}{12}$$

③ 償却累積額による償却費の特例（所令134①②）……平成19年4月1日以後に取得する減価償却資産については，耐用年数経過時に備忘価額（1円）まで償却できる（無形固定資産は取得価額の100％まで償却が可能）。平成19年3月31日以前に取得した減価償却資産のうち，無形固定資産は取得価額の100％まで償却できるが，有形減価償却資産は取得価額の95％を超えて償却することはできない（例外，鉄骨鉄筋コンクリート造り及びれんが造り等の建

物，構築物，装置は１円まで償却が可能）。

　なお，平成19年３月31日以前に取得した減価償却資産について，必要経費に算入された累積額が償却可能限度額まで達している場合には，その達した年分の翌年以後において，次により計算した金額を償却費の額として償却を行い，１円まで償却することができる（所令134②）。

$$（取得価額 \times 0.05 - 1円） \div 5$$

④　青色申告者……通常の使用時間を超えて使用される機械及び装置の償却費の特例（所令133）がある。

✥中古資産を取得した場合の減価償却費の計算

〔設　問〕

　令和３年４月16日に室内装飾用の備品を390万円で購入した。この備品の法定耐用年数は８年で，製作後３年を経過したものである。定率法を採用している場合，各年分の減価償却費の額はいくらか（耐用年数５年の定率法の償却率は0.500，保証率は0.06249，改定償却率は1.000である）。

（計　算）

　中古資産を取得した場合の耐用年数は，取得後の使用可能年数を見積もって計算するが，見積もりが困難な場合は，大規模の改良をしていない限り，次の算式で計算した年数（その年数が２年末満のときは２年，その年数に１年末満の端数があるときは，その端数を切り捨てる）を耐用年数とすることができる（耐令３）。

①　法定耐用年数の全部を経過した資産
　　　……法定耐用年数×0.2＝耐用年数
②　法定耐用年数の一部を経過した資産
　　　……法定耐用年数－（経過年数×0.8）＝耐用年数

　設問の場合は，次のとおりとなる。

① 耐用年数は，8年－(3年×0.8)＝5.6年→5年
② 減価償却費の計算
令和3年分　3,900,000円×0.500×9/12＝1,462,500円
令和4年分　(3,900,000円－1,462,500円)×0.500＝1,218,750円
令和5年分
　　調整前償却額の計算　(3,900,000円－2,681,250円)×0.500
　　　　　　　　　　　　　　　　　＝609,375円
　　　償却保証額の計算　　3,900,000円×0.06249＝243,711円
　　　調整前償却額＞償却保証額　　∴　609,375円（令和5年分の償却費）

✚資本的支出を行った場合の減価償却

原　則…　支出の対象となった減価償却資産と種類及び耐用年数を同じくする減価償却資産を新たに取得したものとして定額法又は定率法等により償却費の額を計算する（所令127①）。

特　例…　資本的支出を行った減価償却資産が平成19年3月31日以前に取得したものである場合には，その減価償却資産に係る取得価額に資本的支出の額を加算して旧定額法又は旧定率法等により償却費の額を計算する（所令127②）。

平成19年3月31日以前に取得した減価償却資産に資本的支出をした場合

〔設　問〕

平成15年1月に取得した事務所用建物（木造）について旧定額法により減価償却費の計算をしていたが，令和5年5月に修理し500万円を支払った。資本的支出と修繕費の区分は困難である。

①取得価額2,000万円，②建物の耐用年数24年，③償却率（旧定額法0.042，定額法0.042）

(**計　算**)

1　資本的支出と修繕費の区分（193頁参照）

（修繕費）500万円×0.3＝150万円

（建物の前年末における取得価額）2,000万円×0.1＝200万円

∴　150万円……修繕費

500万円－150万円＝350万円……資本的支出

2　減価償却費の計算

(1)　原　　　則

①　2,000万円×0.9×0.042＝756,000円……本体部分

②　350万円×0.042×$\dfrac{8}{12}$＝98,000円……資本的支出部分

③　償却費の額　756,000円＋98,000円＝854,000円

(2)　特　　　例

①　2,000万円×0.9×0.042＝756,000円……本体部分

②　350万円×0.9×0.042×$\dfrac{8}{12}$＝88,200円……資本的支出部分

③　償却費の額　756,000円＋88,200円＝844,200円

(6)　特別償却

　特別償却は，減価償却資産の早期償却を認めることにより特定の政策目的を達成しようとする特別措置であって，通常の減価償却費のほかに特別償却費を必要経費に算入することができる。この特別償却には，①その適用対象資産を取得して事業の用に供した最初の年において，その取得価額の一定割合の特別償却を認めるもの（特別償却）と，②その適用対象資産を取得して事業の用に供した最初の年から一定期間について，その各年分の償却費の額に一定割合を割り増しして償却することを認めるもの（割増償却）とがある。これらの特別償却には，①中小企業者が機械等を取得した場合の特別償却（措法10の3），②障害者を雇用する場合の特定機械装置の割増償却（措法13），③地方活力向上地域等において特定建物等を取得した場合の特別償却（措法10の4の2），④特定中小

事業者等が特定経営力向上設備等を取得した場合の特別償却（措法10の5の3），⑤事業適応設備を取得した場合の特別償却（措法10の5の6）など多数のものが租税特別措置法に設けられているが，ここでは，次の代表的な①と④について概要を述べることとする。

中小企業者が機械等を取得した場合等の特別償却（中小企業投資促進税制）

青色申告書を提出する中小企業者（常時使用する従業員数が1,000人以下）が，令和7年3月31日までに製作後使用されたことのない次に掲げる資産を取得等（製作を含む）して，これを製造業，建設業，農林漁業，鉱業，一定の飲食業，サービス業などの事業の用に供した場合には，通常の減価償却費に，取得価額（船舶については取得価額の75％相当額）の30％相当額を加算して必要経費に算入することができる（措法10の3，措令5の5）。

(a)取得価額が160万円以上の機械装置，(b)事務処理の能率化等に資する120万円以上の電子計算機などの工具・器具備品，(c)70万円以上のソフトウェア，(d)長距離輸送の効率化に資する一定の車両運搬具，(e)一定の海上運送業に供される船舶

特定中小事業者等が特定経営力向上設備等を取得した場合の特別償却（中小企業経営強化税制）

青色申告書を提出する中小企業等経営強化法に定める経営力向上計画の認定を受けた一定の中小事業者が令和7年3月31日までの期間（指定期間）内に，新品の機械及び装置等のうち特定経営力向上設備等に該当するものを取得（製作もしくは建設を含む）して，指定事業の用に供した場合には，取得価額の全額を償却できる（即時償却，措法10の5の3）。

なお，特定経営力向上設備等とは，中小企業等経営強化法に規定する次の設備をいう（措法10の5の3①，措令5の6の3）。

① 生産性向上設備……生産性が旧モデル比年平均1％以上向上する機械装置，測定工具及び検査工具，器具備品，建物附属設備，情報収集機能及び分析・指示機能を有するソフトウエア

② 収益力強化設備……投資収益率が年平均5％以上の投資計画に係る機械装置，工具，器具備品，建物附属設備，ソフトウエア
③ デジタル化設備（令和2年にテレワーク等のための設備として追加）……遠隔操作，可視化，自動制御化のいずれかを可能にする機械装置，工具，器具備品，建物附属設備，ソフトウエア

8．繰延資産の償却費の計算

　支出の効果が1年以上の期間に及ぶ開業費，開発費や建物を賃借するための権利金などは，支出した金額の全額を必要経費に算入するのではなく，繰延資産として，次の算式により計算した償却費の額を各年分の必要経費に算入する(所法50①，所令137①)。ただし，開業費又は開発費にあっては，その支出した金額のうち任意の金額を償却費として必要経費に算入することができる(所令137③)。また，開業費又は開発費以外の繰延資産についても，支出した費用が20万円未満である場合には，その全額を支出した日の属する年分の必要経費とすることができる(所令139の2)。

　なお，資産の取得に要した金額とされるべき費用及び前払費用は，繰延資産に該当しない（所令7①）。

✢繰延資産の償却費の計算

$$\text{繰延資産の支出額} \times \frac{\text{その年中における業務期間の月数}}{\text{償却期間の月数}} = \text{償却費の額}$$

（注）「その年中における業務期間の月数」は，繰延資産を支出した年分にあっては，支出した日からその業務を行っていた期間の月数とし，1月未満の端数がある場合は，1月とする（所令137②）。

◆主要な繰延資産の範囲とその償却期間（所令137，所基通50－3）

種類	内容	償却期間
① 開業費	事業を開始するまでの間に開業準備のために特別に支出する費用（開業までの広告宣伝費，給料等）	5年
② 開発費	新たな技術，新たな経営組織の採用，資源開発又は市場の開拓のために特別に支出する費用	
③ 共同的施設の負担金	協会等の会館を建設する負担金等	耐用年数の70%
	商店街のアーケード，日よけ，すずらん灯，アーチ等の設置に係るもの	5年（耐用年数が5年より短い施設はその耐用年数）
④ 建物を賃借するための権利金，立退料その他の費用	賃借建物の新築に際して賃借部分の建築費用の大部分を占める額を支払うものであって，建物の存続期間中賃借できるもの	その建物の耐用年数の70%
	明渡しの際に借家権として転売できるもの	その建物の賃借後の見積耐用年数の70%
	その他のもの	5年（賃借期間が5年未満のものは，その期間）
⑤ 同業者団体の加入金		5年

4 必要経費の計算の特則

1．資産損失の必要経費算入

　個人の有する資産は，所得の獲得に寄与する「業務用資産」（事業用資産と事業と称するに至らない程度の業務用資産がある）と消費生活に供される「生活用資産」がある。そして，所得税法では，これらの資産を取り壊したり，災害等に

より減失等をした場合に生ずる損失について,「業務用資産」と「生活用資産」とではそれぞれ異なった取扱いをしている。資産損失のうち,必要経費に算入するものは,以下のとおりである。

(1) 事業用固定資産等の損失

不動産所得,事業所得又は山林所得を生ずべき事業の用に供される固定資産又は繰延資産について,取壊し,除却,減失(損壊による価値の減少を含む)その他の事由によって生じた損失の金額は,これらの所得の金額の計算上,その損失の生じた日の属する年分の必要経費に算入する(所法51①)。ただし,保険金,損害賠償金などにより補塡される部分の金額は,損失の金額から除かれ,また,資産の譲渡又はこれに関連して生じた損失は,その資産の譲渡による所得から控除されるので(所基通33-8),不動産所得,事業所得又は山林所得の金額の計算上は必要経費に算入できない(所法51①)。

損失の金額は,次の算式によって必要経費に算入する(所令142,所基通51-2)。

$$\begin{array}{l}\text{固定資産の取得価額,} \\ \text{繰延資産の支出額}\end{array} - \begin{array}{l}\text{固定資産の減価償却費の累積額,} \\ \text{繰延資産の償却費の累積額}\end{array} - \begin{array}{l}\text{廃材の処分} \\ \text{可能価額}\end{array}$$
$$- \begin{array}{l}\text{保険金や損害賠償金など} \\ \text{で補塡される金額}\end{array} = \text{資産損失の金額}$$

(注) スクラップ化していた資産の譲渡損失は必要経費に算入できる(所基通51-4)。

(2) 債権の貸倒れ等の損失

不動産所得,事業所得又は山林所得を生ずべき事業の遂行上生じた売掛金,貸付金,前渡金その他これらに準ずる債権(以下,「貸金等」という)の貸倒れその他の事由による損失は,これらの所得の金額の計算上,その損失を生じた日の属する年分の必要経費に算入する(所法51②)。貸倒れ以外の事由には,次のものがある(所令141)。

① 販売した商品の返戻又は値引(これらに類する行為を含む)により収入金額が減少することとなったこと

第3章　収入金額及び必要経費の計算

② 保証債務の履行に伴う求償権の全部又は一部を行使することができないこととなったこと
③ 不動産所得の金額，事業所得の金額もしくは山林所得の金額の計算の基礎となった事実のうちに含まれていた無効な行為により生じた経済的効果がその行為の無効であることに基因して失われ，又はその事実のうちに含まれていた取り消すことのできる行為が取り消されたこと

(注)　貸倒れが生じた場合とは，債務者の資産状態や支払能力等からみて，貸金等の全額を回収できないことが明らかになった場合をいうのであるが，①会社更生法の規定による更生計画認可の決定等，又は債権者集会の協議決定で切り捨てられることとなった部分の金額，及び②債務者の債務超過の状態が相当期間継続し，その貸金等の弁済を受けることができないと認められる場合において，その債務者に対し書面により明らかにされた債務免除額のほか，③債務者との取引の停止後1年以上経過した場合において，売掛債権の額から備忘価額を差し引いた残額などを貸倒れとしたときは，その計算が認められる（所基通51－11～51－13）。

　東京高裁平成23年10月6日判決（訟務月報59巻1号173頁）は，医師が不正又は不当な診療報酬を受領していた場合の返還債務が事業所得の金額の計算上必要経費に算入できるかどうかにつき，「現に生じた利得について，納税者に法律上の義務としてその返還義務が存在しても，実際に利得の返還が行われない限り，納税者が無効な行為により生じた経済的成果を支配管理し，自己のためにそれを享受している状態は何ら変動することはない。したがって，所得税法52条2項の適用上，同法施行令141条3号所定の事由により損失が生じたというためには，単に当該利得について返還債務が存在したり，その額が当事者間で明確になったというだけでは足りず，当該利得についての返還義務が現実に履行されるなど当該利得が消滅していることを要すると解すべきである。」と説示して，当該債務の履行があった時点において初めて必要経費に算入することができることを明らかにしている。

(3) 山林の損失

　災害，盗難又は横領により山林について生じた損失は，その損失を生じた日の属する年分の事業所得又は山林所得の金額の計算上，必要経費に算入する（所法51③）。必要経費に算入される損失額は，損失の日までに支出した山林の植林費，取得に要した費用，管理費その他その山林の育成に要した費用の合計額から，保険金，損害賠償金などにより補填される部分の金額を差し引いた残額である（所令142二）。

(4) 事業と称するに至らない業務用資産の損失

　事業と称するに至らない程度の不動産所得もしくは雑所得を生ずべき業務の用に供され又はこれらの所得の基因となる資産（山林及び生活に通常必要でない資産を除く。以下「業務用資産」という）の損失の金額は，その損失を生じた日の属する年分の不動産所得又は雑所得の金額を限度として，これらの所得の金額の計算上，必要経費に算入する（所法51④）。ただし，①保険金，損害賠償金などにより補填される部分の金額，及び②資産の譲渡又はこれに関連して生じた損失は除かれる（所法51④）。

　なお，災害，盗難又は横領により業務用資産について受けた損失は，雑損控除の対象となるので（所法72①），条文上は必要経費に算入できないのであるが（所法51④），実務上，納税者が不動産所得又は雑所得の金額の計算上必要経費に算入した場合には，これを認めることとしている（所基通72-1）。

第3章 収入金額及び必要経費の計算

✚資産損失の取扱いの概要

資産の種類	損失の発生事由	損失の取扱い	翌年以後の繰越し	損失の評価
事業用固定資産	取壊し，除却，滅失，その他の事由	損失の生じた日の属する年分の不動産所得，事業所得又は山林所得の金額の計算上，必要経費に算入される（所法51①）。	被災事業用資産の損失は，青色申告者以外の者であっても翌年以降3年間繰越控除される（所法70②）。	1　その資産の取得価額等からその損失の基因となった事実の発生直後におけるその資産価額及び発生資材（例えば廃材等）の価額の合計額を控除した残額に相当する金額（所令142，143，178，所基通51－2）。 2　保険金，損害賠償金等で補塡される部分の金額は，除かれる（所法51，62）。
棚卸資産	事由のいかんを問わず	損失の生じた日の属する年分の事業所得の金額の計算上，必要経費に算入される（所法37①）。		
山　　林	災害，盗難，横領	損失の生じた日の属する年分の事業所得又は山林所得の金額の計算上，必要経費に算入される（所法51③）。		
生活に通常必要でない資産	災害，盗難，横領	損失の生じた日の属する年分又はその翌年分の譲渡所得の金額の計算上，控除すべき金額とみなされる（所法62）。	損失の生じた日の属する年分の譲渡所得の金額の計算上控除しきれない部分の金額は，翌年分の譲渡所得の金額の計算上控除される（所法62）。	
事業以外の業務用資産	災害，盗難，横領以外の事由	損失の生じた日の属する年分の不動産所得又は雑所得の金額を限度として，必要経費に算入される（所法51④）。	（損益通算，繰越控除なし）	
	災害，盗難，横領	雑損控除の対象（所法72①） ただし，業務用資産の損失については，「災害，盗難，横領以外の事由」の場合に準ずる取扱いを選択することもできる（所基通72－1）。	翌年以降3年間繰越控除される（所法71）。	1　損失の生じた日の時価により計算する（所令206③）。 2　保険金，損害賠償金等で補塡される部分の金額は，除かれる（所令206②）。
その他の資産	災害，盗難，横領			

2．各種引当金等

　必要経費に算入すべき償却費以外の費用は，その年の12月31日現在で債務の確定しているものに限られ（債務確定主義，所法37①②），原則として費用の見越し計上を認めないのであるが，費用等の期間配分及び租税負担の平準化の見地から，別途，将来発生する費用や損失額の見込みについて各種引当金の設定が認められており，その繰入額を必要経費に算入することとしている（所法52〜54）。また，租税特別措置法では，青色申告者の事業所得等の計算につき，各種の準備金に関する規定が設けられており，その積立額を必要経費に算入することとしている（措法21〜24の2）。

(1) 貸倒引当金

　貸倒引当金には，個別に評価する金銭債権に係るものと一括して評価する金銭債権（個別に評価する金銭債権に係るものを除く）に係るものがあり，一定の方法で引当金を設定することができる（所法52）。ただし，事業の全部を譲渡し又は廃止した日の属する年は，貸倒引当金の設定が認められない。

　なお，必要経費に算入した貸倒引当金の金額は，その繰入れをした翌年分の不動産所得，事業所得又は山林所得の金額の計算上，総収入金額に算入する（洗替え方式，所法52③）。

① 個別に評価する金銭債権

　不動産所得，事業所得又は山林所得を生ずべき事業を営む者は，その事業の遂行上生じた売掛金，貸付金，前渡金その他これらに準ずる金銭債権（債券に表示されるべき権利を除く。次の②も同じ。以下，「貸金等」という）の貸倒れその他これに類する事由による損失の見込み額として，次の金額に達するまでの金額を貸倒引当金に繰り入れることができる（所法52①，所令144）。

イ　会社更生法等の規定による更生計画認可の決定，民事再生法の規定による再生計画認可の決定，会社法の規定による特別清算に係る協定の認可の決定等の事由により，貸金等が弁済を猶予され又は賦払により弁済されることと

なった場合……その事由が生じた年の翌年1月1日から5年を経過する日までに弁済されることとなっている金額以外の金額（取立て等の見込みがあると認められる金額を除く）

ロ　債務超過の状態が相当期間継続し，その営む事業に好転の見通しがないこと等により，その貸金等の一部の金額につき，その取立て等の見込みがないと認められる場合……その取立て等の見込みがないと認められる金額

ハ　会社更生法等の規定による更生手続開始の申立て，民事再生法の規定による再生手続開始の申立て，破産法の規定による破産手続開始の申立て，会社法の規定による特別清算開始の申立て，手形交換所による取引停止処分等の事由が生じている場合……

（貸金等の額－取立て等の見込みがあると認められる金額）×50％

ニ　外国の政府等に対する貸金等のうち，長期にわたる債務の履行遅滞によりその経済的価値が著しく減少し，かつ，その弁済を受けることが著しく困難であると認められる事由が生じている場合……

（貸金等の額－取立て等の見込みがあると認められる金額）×50％

② 　**一括して評価する金銭債権**

青色申告書を提出する事業所得者は，その事業に関して生じた売掛金，貸付金その他これらに準ずる金銭債権（個別に評価する金銭債権を除く。以下，「一括評価貸金」という）の貸倒れによる損失の見込み額として，次の金額に達するまでの金額を貸倒引当金に繰り入れることができる（所法52②，所令145）。

$$\left(\begin{array}{l}\text{年末において有する}\\\text{一括評価貸金の額}\end{array} - \begin{array}{l}\text{実質的に債権と}\\\text{みられないもの}\end{array}\right) \times \frac{55}{1,000} \left(\begin{array}{l}\text{金融業の場合は}\\\text{1,000の33}\end{array}\right)$$

(2)　返品調整引当金

出版業，出版取次業又は医薬品等（農薬，化粧品，既製服，レコード，テープレコーダー等により音声を再生することができる磁気テープ等）の製造業や卸売業（以下，「指定事業」という）を営む青色申告者のうち，販売した商品を買い戻す特約

などを締結している者は，買戻しによる損失の見込額として，次のいずれかの方法により計算した金額を返品調整引当金とすることができる（旧所法53①，旧所令148，150）。

① その年12月31日現在における指定業種の売掛金合計額×返品率×売買利益率
② その年12月31日以前2か月間における指定業種の棚卸資産の販売価額合計額×返品率×売買利益率

この引当金制度は，平成30年度の改正により廃止されたが，平成30年から令和12年までの各年分について所要の経過措置が講じられている（平成30年所法等改正附則5）。

(3) 退職給与引当金

退職給与規程等を定めている青色申告者は，従業員の退職に際して支給する退職金に充てるため，次のいずれかの方法により計算した金額のうち最も低い金額を退職給与引当金とすることができる（所法54①，所令153，154）。

① 期末退職給与の要支給額 $-$ 前年末から引続き在職する全従業員の前年末における退職給与の要支給額

② 期末退職給与の要支給額 $\times \dfrac{20}{100} -$ 年末における前年から繰り越された退職給与引当金の金額

③ 年末現在に在職する全従業員に対するその年中の給与総額 $\times \dfrac{6}{100}$

（注）労働協約による退職給与規程がある者については，上記の③を適用することができない。

なお，従業員が退職した場合や青色申告の承認が取り消された場合等には，その従業員に係る前年末退職給与の要支給額相当額の退職給与引当金を取り崩し，その取り崩すこととなった日の属する年分において事業所得の金額の計算上，総収入金額に算入しなければならない（所法54②③）。

第3章　収入金額及び必要経費の計算

3．親族が事業から受ける対価の特例

　所得税法56条では，①居住者と生計を一にする配偶者その他の親族がその居住者の営む不動産所得，事業所得又は山林所得を生ずべき事業に従事したことその他の事由によりその事業から対価の支払を受ける場合には，その対価の金額は，その事業に係る不動産所得，事業所得又は山林所得の金額の計算上，必要経費に算入しないとし，②その親族のその対価に係る各種所得の金額の計算上必要経費に算入されるべき金額は，その居住者のその事業に係る不動産所得，事業所得又は山林所得の金額の計算上，必要経費に算入するが，③その親族の受ける対価の額及びその対価に係る各種所得の金額の計算上必要経費に算入されるべき金額は，その親族が各種所得の金額を計算する場合にはないものとみなす旨規定している。例えば，生計を一にする妻から夫が建物を賃借して事業を営んでいたと仮定しよう。その場合に，夫が妻に賃借料を支払ったとしても，その賃借料は夫の事業所得の金額の計算上，必要経費に算入できないのである。その代わり，妻が支払う固定資産税や減価償却費は，夫の事業所得の金額の計算上，必要経費に算入できるというわけである。このことから，妻が夫から受け取った賃貸料は，妻の所得とはみなさない。

　この規定は，昭和25年のシャウプ税制で，個人単位課税が採用されたことに伴い，家族ぐるみで事業に従事する場合の事業所得等について給与支給等の方法による家族間での恣意的な所得分割を防止するために，納税者と生計を一にする配偶者等の親族が，当該事業に従事したことその他の事由により当該事業から給与，地代，家賃等の支払を受けても必要経費に算入しないとしたものである。この規定の解釈について争われた裁判例がある。東京地裁平成15年7月16日判決（判例時報1891号44頁）は，弁護士業を営む夫が独立した事業者（税理士）である妻に支払った報酬について，所得税法56条の適用の有無が争われた事案であるが，裁判所は，同条の「従事したことその他の事由により（中略）対価の支払を受ける場合」とは，親族が，事業自体に何らかの形で従たる立場で参加するか，又は事業者に雇用され，従業員としてあくまでも従属的な立場で労

務又は役務の提供を行う場合や，これらに準ずるような場合を指し，親族が，独立の事業者として，その事業の一環として納税者たる事業者との取引に基づき役務を提供して対価の支払を受ける場合については，同条の上記要件に該当しないものというべきであるとした上で，本件税理士報酬については，同条の適用がないと判断している。もっとも，その控訴審である東京高裁平成16年6月9日判決（判例時報1891号18頁）では，「従事したことその他の事由により当該事業から対価の支払を受ける場合」とは，親族が，事業自体に何らかの形で従たる立場で参加する場合，事業者に雇用されて従業員としてあくまでも従属的な立場で労務又は役務の提供を行う場合及びこれらに準ずるような場合のみを指すものと解することはできず，親族が，独立の事業者として，その事業の一環として納税者たる事業者との取引に基づき役務を提供して対価の支払を受ける場合も，上記の要件に該当するというべきであり，事業の形態・事業から対価の支払を受ける親族がその事業に従属的に従事しているか否か，対価の支払事由，対価の額の妥当性などといった個別の事情によって，同条の適用が左右されるものとは解されないとして，第一審の判断を覆している。同控訴審判決では，「生計を一にする親族間で支払われる対価に相当する金額については，支払を受けた者ではなく，支払をした者の所得に対応する累進税率によって所得税を課税すべき担税力を認めたものと理解される。」とするのである。

　なお，最高裁平成16年11月2日判決（訟務月報51巻10号2615頁）は，弁護士業を営む夫が独立した事業者（弁護士）である妻に支払った報酬について，所得税法56条の適用の有無が争われた事案の上告審であるが，「同法56条の趣旨及びその文言に照らせば，居住者と生計を一にする配偶者その他の親族が居住者と別に事業を営む場合であっても，そのことを理由に同条の適用を否定することはできず，同条の要件を満たす限りはその適用があるというべきである。」と判示している。

　　（注）「生計を一にする」という用語は，所得税法56条及び57条のほか，同一生計配偶者，源泉控除対象配偶者，ひとり親，扶養親族の定義や雑損控除，医療費控除等の所得控除に関する規定においても用いられている。生計を一にする親族とは，一般的には，家族と共に生活をし（同一の生活共同体に属し），消費生活を共同

（日常生活の資を共通）しているものをいい，必ずしも同一家屋に起居していることをいうものではなく，勤務の都合上妻子と別居し，又は就学や療養中の子弟等と日常の起居を共にしていないような場合であっても，常に生活費や学資金又は療養費等を送金している場合，あるいは日常の起居を共にしていない親族が勤務や就学の余暇に納税者等の下で起居を共にすることを常例としている場合には，生計を一にするものとされる（所基通2－47）。親族が同一家屋内に起居している場合にあっては，明らかに互いに独立して生活を営んでいると認められる場合を除き，これらの親族は生計を一にするものと解される。

4．青色事業専従者給与等

青色申告者が不動産所得，事業所得又は山林所得を生ずべき事業を営む場合には，生計を一にする配偶者やその他の親族（15歳未満の者を除く）で一定の要件に該当する者（以下，「青色事業専従者」という）に支払った給与について，①青色事業専従者の労務に従事した期間，労務の性質及びその提供の程度，②その事業に従事する他の使用人が支払を受ける給与の状況及び同種，同規模の事業に従事する者が支払を受ける給与の状況，③その他その事業の種類，規模，収益の状況からみて，労務の対価として相当であると認められる金額を必要経費に算入することができる（所法57①，所令164①）。青色事業専従者に該当するには，①年を通じて6か月を超える期間について，専ら青色申告者の事業に従事していること（ただし，年の中途で開業した場合など一定の事由に該当するときは，その事業に従事できると認められる期間の2分の1を超える期間に専ら従事すれば足りる），②「青色専従者給与に関する届出書」（専従者給与の額，支給期などを記載したもの）をその年の3月15日までに税務署長に提出していることが必要である（所法57①②，所令165，所規36の4）。

また，青色申告者以外の者（いわゆる白色申告者）と生計を一にする配偶者やその他の親族（15歳未満の者を除く）で専らその事業に従事する者（以下，「事業専従者」という）がある場合には，その事業者の不動産所得の金額の金額，事業所得の金額又は山林所得の金額の計算上，次の①と②のうち，いずれか低い金額が必要経費とみなされる（所法57③）。

① 配偶者の場合は86万円,配偶者以外の親族の場合は50万円
② 事業専従者控除額の控除前の所得金額÷(事業専従者+1)

なお,必要経費に算入された金額は,青色事業専従者又は事業専従者の給与所得に係る収入金額とされる(所法57①④)。

5．青色申告特別控除

不動産所得又は事業所得を生ずべき事業を営む青色申告者(現金主義の適用を受ける者を除く)は,不動産所得の金額又は事業所得の金額の計算上,総収入金額から必要経費を控除した上で,これらの所得の黒字の金額を限度として,次の青色申告控除額を差し引くことができる(措法25の2①③)。

青色申告特別控除額

取引を正規の簿記の原則に従って記録している者	その他の者
55万円	10万円

(注) 取引を正規の簿記の原則に従って記録している者であって,①その年分の事業に係る仕訳帳及び総勘定元帳について優良な電子帳簿の要件を満たして電子データによる備付け及び保存を行い,一定の事項を記載した届出書を提出し,かつ,②その年分の所得税の確定申告書,貸借対照表及び損益計算書等の提出をその提出期限までに電子情報処理組織(e-Tax)を使用している場合には,65万円の青色申告特別控除額が適用される(措法25の2④)。

青色申告特別控除は,必要経費ではなく,青色申告の一層の普及・奨励を図り,適正な記帳慣行を確立し申告納税制度の実を上げるとともに,事業経営の健全化を推進する観点から設けられているのである。

6．消費税の経理処理

不動産所得,事業所得,山林所得又は雑所得を生ずべき業務(以下,「事業所得等」という)に係る所得金額の計算における消費税の会計処理としては,①消

費税(地方消費税を含む。以下同じ)に相当する額を売上高及び仕入高等に含めて処理する税込経理方式と，②消費税に相当する額を売上高及び仕入高等に含めないで消費税等に係る取引の対価の額と消費税額とに区分して処理する税抜経理方式とがあり，これらの経理方式のいずれを採用するかは任意である(平元直所3-8通達)。そして，税込経理方式によった場合には，納付する消費税額を租税公課として必要経費に算入し，還付を受けた消費税額を雑収入として総収入金額に計上することになるが，税抜経理方式によった場合は，原則として損益に影響しない(「仮受消費税－仮払消費税」の差額が納付又は還付される)。

　もっとも，税抜経理方式を適用している事業者の課税売上割合が95％未満である場合，又は課税売上割合が95％以上であっても，その課税期間の課税売上高が5億円を超える場合には，非課税売上げに対応する仕入等に係る消費税額が仕入税額控除の対象とならないので(消費税法30②)，その部分の金額は仮払消費税としてそのまま残ることになる(この金額を「控除対象外消費税額等」という)。そこで，控除対象外消費税額等のうち経費に係るものは，その年分の必要経費に算入するのであるが，資産に係る控除対象外消費税額等については，次の区分により，事業所得等の金額の必要経費に算入することになる(所令182の2)。

① 課税売上割合が80％以上である場合……その年の必要経費に算入する。
② 課税売上割合が80％未満である場合……(a)棚卸資産に係るもの，(b)特定課税仕入れに係るもの，及び(c)棚卸資産以外の一の資産に係るものの金額が20万円未満のものは，その年の必要経費に算入するが，(d)それ以外のものは，繰延消費税額等として資産に計上し5年間で償却する。

・資産に係る控除対象外消費税額等が生じた年

$$繰延消費税額等 \times \frac{業務期間の月数}{60} \times \frac{1}{2} = 必要経費算入額$$

- その後の年（繰延消費税額等に達するまで）

> 繰延消費税額等 × $\dfrac{業務期間の月数}{60}$ ＝必要経費算入額

※　月数は，暦に従って計算する。1月未満の端数は切り上げ。

(注)　特定課税仕入れとは，課税仕入れのうち，事業として他の者から受けた「事業者向け電気通信利用役務の提供及び特定役務の提供」（インターネット等を介した電子商取引など）をいう（消費税法5①）。

5 外貨建取引の換算等

1．外貨建取引を行った場合の換算

　経済取引の国際化に伴い，個人が外貨建取引を行った場合には，その外貨建取引を行った時の外国為替の売買相場（為替レート）により，その外貨建取引の金額を円換算して各種所得の金額を計算する（所法57の3①）。ここでいう外貨建取引とは，外国通貨で支払が行われる資産の販売及び購入，役務の提供，金銭の貸付け及び借入れその他の取引をいい（所法57の3①），同一の金融機関において同一の外国通貨で行われる預貯金の預入れは，外貨建取引に該当しないし（所令167の6②），外国通貨で金額が表示されている場合であっても，本邦通貨(円)で支払が行われるものは，外貨建取引に該当しない（所基通57の3－1）。

　東京地裁令和4年8月31日判決（公刊物未搭載）は，外国通貨により他の外国通貨を取得する取引に係る為替差損益について，「ある外国通貨(A)により他の種類の外国通貨(B)を取得する取引については，当該他の種類の外国通貨(B)の取得価額の円換算額から当該外国通貨(A)の取得価額の円換算額を控除した差額が，正の値であるときは，その取引によって，新たな経済的利益が得られたことになり，所得が生ずることになる。」とし

> た上で，その為替差損益による所得は雑所得に該当すると判断している。

　なお，外貨建取引の換算に用いる為替レートは，原則として，対顧客直物電信売相場（TTS）と対顧客直物電信買相場（TTB）との仲値（TTM）によるのであるが，不動産所得，事業所得，山林所得又は雑所得を生ずべき業務に係る所得金額の計算においては，継続適用を条件として，①売上その他の収益又は資産については電信買相場（TTB），②仕入その他の費用又は負債については電信売相場（TTS）によることができる（所基通57の3－2）。

(注1)　利子等の支払の取扱者は，外国通貨で支払を受けた利子等を居住者又は内国法人に外国通貨で交付する場合には，邦貨換算日における電信買相場（TTB）により邦貨換算して源泉徴収をする（措通3の3－7，9の2－3）。

(注2)　外国株式等を外貨決済で譲渡した場合には，株式等に係る譲渡所得等の金額の計算に当たって，①収入金額については電信買相場（TTB），②取得価額については電信売相場（TTS）により邦貨換算する（措通37の10・37の11共－6）。

2．先物外国為替契約等により円換算額を確定させた場合の換算

　外国為替相場の変動によるリスクを避けるために，あらかじめ為替予約などを行って外貨建資産又は負債の円換算額を確定させている場合には，取引日の為替相場で円換算するよりも，その確定させた金額で円換算する方が合理的であると考えられる。そこで，不動産所得，事業所得，山林所得又は雑所得を生ずべき業務を行う者が，①先物外国為替契約等により外貨建取引によって取得し，又は発生する資産・負債の金額を確定させ，かつ，②その先物外国為替契約等の締結の日において，その旨を帳簿書類等に記載した場合には，その確定させた円換算額により各種所得の金額を計算することとされている（所法57の3②）。

⑥ 収入金額及び必要経費等の計算の特例

1．生活に通常必要でない資産の災害による損失

　災害又は盗難もしくは横領により，生活に通常必要でない資産について受けた損失は，保険金，損害賠償金その他これらに類するものにより補塡される部分の金額を除き，その損失を受けた日の属する年分又はその翌年分の譲渡所得の金額の計算上控除すべき金額とみなされる（所法62①）。生活に通常必要でない資産の災害等による損失は，雑損控除の対象から除かれているが（所法72①），これらの資産に係る所得がある場合には，その所得金額を限度として損益の通算を認める趣旨である（昭和36年12月税制調査会中期答申及び審議の内容と経過説明554頁参照）。

　ここで，生活に通常必要でない資産とは，次に掲げる資産をいう（所令178①，25）。

① 　競走馬（その規模，収益の状況等に照らし事業と認められるものの用に供されるものを除く）その他射こう的行為の手段となる動産

② 　通常自己及び自己と生計を一にする親族が居住の用に供しない家屋で主として趣味，娯楽，保養又は観賞の目的で所有する不動産（別荘等）

③ 　主として趣味，娯楽，保養又は鑑賞の目的で所有する不動産以外の資産（ゴルフ会員権，リゾート会員権等）

④ 　生活の用に供する動産のうち，貴石，半貴石，貴金属，真珠及びこれらの製品，べっこう製品，さんご製品，こはく製品，ぞうげ製品並びに七宝製品，書画，こっとう及び美術工芸品で1個又は1組の価額が30万円を超えるもの（生活に通常必要でない動産）

　（注）　生活に通常必要でない資産の災害等による損失は，その損失を生じた日の属

する年分の譲渡所得の金額から控除し（短期譲渡所得の金額と長期譲渡所得の金額がある場合には，短期譲渡所得の金額から先に控除する），なお控除しきれない損失の金額がある時は，これを翌年分の譲渡所得の金額から控除する（所令178②）。

2．資産の譲渡代金が回収不能となった場合の所得計算の特例

　譲渡所得の金額の計算における総収入金額とは，その年中に行われた資産の譲渡による収入すべき金額のことをいうから（所法36①），譲渡代金の全部又は一部が未収となっていたとしても，その未収金を含めたところで譲渡所得の金額を計算することになる。もっとも，譲渡代金が未収であり，その後に未収金の全部又は一部を回収することができなくなったときには，その回収不能の金額に相当する所得を享受していないことになるから，譲渡所得としての課税は是正されるべきものである。そこで，所得税法では，各種所得の金額のうち，不動産所得，事業所得又は山林所得を生ずべき事業に係る所得を除き，その収入金額の回収不能が生じた場合（一定の事由により収入金額の全部又は一部を返還することとなった場合を含む）には，回収不能に係る部分の所得はなかったものとみなすこととしている（所法64①，所令180）。

　ここで，総収入金額の全部又は一部を回収することができなくなった場合とは，会社更生法等の規定により債権の全部又は一部が切り捨てられた場合のほか，債務者の資産状況，支払能力等からみて債権回収の見込みのないことが確実となった場合などをいう（所基通64－1，51－11，51－12）。

　なお，確定申告書を提出し又は決定があった後に資産の譲渡代金が回収不能となった場合には，その事由が生じた日の翌日から2か月以内に後発的な事由による更正の請求をすることになる（所法152）。

> 大阪地裁昭和57年7月16日判決（行集33巻7号1558頁）は，「所得税法64条1項の規定の趣旨は，有償譲渡の対価の全部又は一部がやむを得ない事情で回収不能となったときには，回収不能となった部分の金額だけ低い価額の対価で譲渡したのと同様となり，それだけ譲渡所得の金額も縮減されるべきであるというにある。」とした上で，譲渡代金の回収が不可能であることを知りながら，あえて資産を譲渡したような場合には，右にいう「やむを得ない事情に該当しないから，同条項を適用することはできない。」旨判示している。この判決では，代金の回収不能であることを承知して資産を譲渡したということは，譲り受けた者に対して利益を供与したことになると評価するのである。

3．保証債務を履行するために資産を譲渡した場合の所得計算の特例

(1) 規定の趣旨

　譲渡所得は，保有資産が保有者の手を離れるのを機会に，その保有期間中の価値の増加益（キャピタル・ゲイン）に相当する所得が実現したものとして一時に課税するものである。したがって，保証債務の履行のために資産を譲渡した場合であっても，譲渡所得の課税が行われるのであるが，他方，所得税法では，資産の譲渡代金が回収不能となった場合，回収不能に係る部分の所得はなかったものとみなす旨の規定を置いている（所法64①）。他人の債務を保証していた者が資産を譲渡し，その譲渡代金を保証債務の履行に充てたところ，その履行に伴う求償権の全部又は一部を行使できなくなった場合には，譲渡先から代金が回収できなくなったわけではないのであるが，その求償権を行使できなくなった金額に相当する所得を享受していないことには相違ない。そこで，所得税法では，保証債務を履行するために譲渡所得の基因となる資産の譲渡をし，その履行に伴う求償権の全部又は一部の行使ができなくなった場合には，その

求償権の行使ができないこととなった金額に対応する所得はなかったものとして，譲渡所得の課税を行わないこととしている（所法64②）。

「保証債務の履行」があった場合とは，民法446条に規定する保証人の債務又は同法454条に規定する連帯保証人の債務の履行があった場合のほか，①不可分債務の債務者の債務の履行があった場合，②連帯債務者の債務の履行があった場合，③合名会社，合資会社の無限責任社員による会社の債務の履行があった場合，④身元保証人の債務の履行があった場合，⑤他人の債務を担保するため質権もしくは抵当権を設定した者がその債務を弁済し又は質権もしくは抵当権を実行された場合，⑥法律の規定により連帯して損害賠償の責任がある場合において，その損害賠償金の支払があったときも含まれることとされている（所基通64-4）。

なお，保証債務の履行のため資産を譲渡した場合の所得計算の特例は，その年分の確定申告書，修正申告書又は更正請求書に所定の事項を記載し，一定の書類を添付して申告することが適用要件とされており(所法64③)，その求償権の行使することができなくなった事実の発生が確定申告書を提出し又は決定があった後に生じたときは，その事由が生じた日の翌日から2か月以内に後発的な事由による更正の請求をすることになる（所法152）。

> 東京高裁平成7年9月5日判決（税務訴訟資料213号553頁）では，「所得税法64条2項の規定の趣旨は，保証人が，たとえ将来保証債務の履行をすることになったとしても，求償権を行使することによって最終的な経済的負担は免れ得るとの予期のもとに保証契約を締結したにもかかわらず，一方では，保証債務の履行を余儀なくされたために資産を譲渡し，他方では，求償権の相手方の無資力その他の理由により，予期に反してこれを行使することができないというような事態に立ち至った場合に，その資産の譲渡に係る所得に対する課税を求償権が行使できなくなった限度で差し控えようとするものであると解される。」旨判示する。この趣旨に従えば，求償権の行使がそもそも不能であることを知りながら，あえて保証をしたとき

のように，最初から主債務者に対する求償を前提としていない場合には，所得税法64条2項を適用することができないことになる（大阪地裁昭和56年6月26日判決・行集32巻6号972頁）。

　さいたま地裁平成16年4月14日判決（判例タイムズ1204号299頁）は，課税庁が「債権者からの請求がなく，債務の弁済期が到来する前に保証人が資産の譲渡をして債務を弁済した場合には，所得税法64条2項を適用することはできない。」と主張したことにつき，「本件特例の適用を受けるためには，実体的要件として，納税者が，①債権者に対して債務者の債務を保証したこと，②保証債務を履行するために資産を譲渡したこと，③保証債務を履行したこと，④履行に伴う求償権の全部又は一部を行使することができないこととなったことが必要であり，かつ，これで足りるものであって，それ以上に債権者の請求があったことや主債務者の期限到来が要求されているとは解し得ない。」と説示し，課税庁の主張を排斥している。

(2) 求償権の行使不能

　保証債務を履行するために資産を譲渡した場合に，その履行に伴う求償権の全部又は一部を行使することができなくなったときは，行使不能額相当の譲渡代金が回収不能であるとして譲渡所得の課税は行われない。この場合の「求償権の行使ができないこととなったとき」の意義について，裁判例は，「求償権行使の相手方である主債務者が倒産して事業を廃止してしまったり，事業回復の目処が立たず破産もしくは私的整理に委ねざるを得ない場合はもちろんのこと，主債務者の債務超過の状態が相当期間継続し，衰微した事業を再建する見通しがないこと，その他これらに準ずる事情が生じ，求償権の行使すなわち債権の回収の見込みのないことが確実となった場合をいうものと解すべきである。」と判示する（大阪高裁昭和60年7月5日判決・行集36巻7・8合併号1101頁参照）。主債務者が死亡又は失踪するなどの客観的な事実があり，みるべき資産もない場合には，「求償権の行使ができないこととなったとき」に当たるというべき

であろうが，主債務者の存在が明らかであってその者が事業を継続しているときは，求償権の行使が不能といえるか，事実認定の上で問題がある。課税実務は，主債務者が事業を継続している場合には，回収の可能性が事実上推定されるのであるから，保証人が保証債務を履行した場合であっても回収の可能性がある限り，譲渡所得課税は維持されるべきであるとして，所得税法64条2項の適用要件である求償権の行使不能を厳格に解している。

なお，所得税法64条2項が適用されるためには，保証債務の履行に伴う経済的負担を回復するために法律上付与された権利のいずれもが実効性を有しない場合であることを必要とし，したがって，保証債務の履行により，主たる債務者に対する求償権のほか，共同保証人に対する求償権が成立する場合においては，主たる債務者に対する求償権はもとより，共同保証人に対する求償権もこれを行使することができないことを要するものと解される（静岡地裁平成5年11月5日判決・訟務月報40巻10号2549頁参照）。

> 裁判例の中にも，「債権の回収不能による貸倒れが認められるためには，一般に債務者において破産，和議，強制執行等の手続を受け，あるいは事業閉鎖，死亡，行方不明，刑の執行等により，債務超過の状態が相当期間継続しながら，他から融資の見込みもなく，事業の再興が望めない場合のほか，債務者にいまだ右のような事情が生じていないときでも，債務者の負債及び資産状況，事業の性質，事実上の経営手腕及び信用，債権者が採用した取立方法，それに対する債務者の態度等を総合考慮して事実上債権の回収ができないと認められるような場合を含む。」としたものがある（水戸地裁昭和48年11月8日判決・判例タイムズ303号235頁）。一方，東京高裁平成16年3月16日判決（訟務月報51巻7号1819頁）では，「所得税法64条2項の特例は，求償不能という異例の事態について租税政策上の見地から特に課税上の救済を図った例外的規定であると解されるから，本件特例を適用するに当たっては，条文を厳格に解すべきであり，本件特例を基礎付ける事実の主張立証責任は，その適用を受けようとする者にあるというべきであ

る。」旨説示した上で，主たる債務者は，保証債務を履行するために資産の譲渡があった年分の所得税の確定申告期限において，企業として存続して事業を行っていたのであるから，債務を弁済する能力を有していたと判断し，保証債務の履行に伴う求償権は行使可能であると結論づけている。

4．事業を廃止した後に費用又は損失が生じた場合の計算

　不動産所得，事業所得又は山林所得を生ずべき事業を廃止した後において，それらの事業に関する費用又は損失で事業を継続していれば必要経費に算入されるべき金額が生じた場合には，その費用又は損失の金額を廃業した日の属する年分（廃業の年にそれらの所得の収入金額がなかった場合には，収入金額があった最近の年分）又はその前年分の事業に係る所得の金額の計算上，必要経費に算入することができる（所法63，所令179）。

　なお，事業を廃止した年分の所得税について，確定申告書を提出し又は決定を受けた後に，必要経費に算入される費用又は損失の金額が生じた場合には，その日の翌日から2か月以内に更正の請求をすることができる（所法152）。

　東京高裁平成5年5月28日判決（行集44巻4・5合併号479頁）は，「所得税法63条の規定は，事業を廃止して不動産所得，事業所得又は山林所得が生じなくなると，事業廃止後に生ずる当該事業に係る損失を右各所得の金額の計算上控除する機会がなくなることを考慮して，右損失につき，右所得に係る総収入金額があった最後の年分あるいはその前年分の所得の金額の計算上，必要経費に算入できることとしたものであるから，右規定にいう「事業を廃止した場合」とは，事業を廃止した結果，事業収入を生じなくなった場合を指すものと解するのが相当である。」とした上で，複数の事業を営む納税者がその一部の事業を廃止しただけでは，同法63条の「事業

> 所得を生ずべき事業を廃止」した場合に当たらないと判示している。

5．リース譲渡に係る収入及び費用の帰属時期

　居住者がリース資産の引渡し（以下，「リース譲渡」という）を行った場合において，そのリース譲渡に係る収入金額及び費用につき，そのリース譲渡の日の属する年以後の各年において，延払基準の方法により経理したときは，各年分の事業所得の金額の計算上，その経理した金額が総収入金額及び必要経費に算入される（所法65①）。

　ただし，リース譲渡に係る収入金額及び費用の額につき，同日の属する年の翌年以後のいずれかの年において延払基準の方法により経理しなかった場合には，そのリース譲渡に係る収入金額及び費用の額（その経理しなかった年の前年分以前において総収入金額及び必要経費に算入されるものを除く）は，その経理しなかった年分の事業所得の金額の計算上，総収入金額及び必要経費に算入する（所法65①，所令189②）。

　延払基準の方法は，次のとおりである（所令188①）。

① 　リース譲渡の対価の額及びその原価の額に賦払金割合を乗じて計算する方法

> 収入金額……リース譲渡の対価の額×賦払金割合
> 費用の額……（リース譲渡の原価＋手数料の額）×賦払金割合

（注）　賦払金割合とは，リース譲渡に係る対価の額のうちに，当該対価の額に係る賦払金であってその年においておいて支払期日が到来するものの合計額の占める割合をいう（所令188①一）。

② リース譲渡の対価の額を元本相当額と利息相当額に区分して計算する方法

> 収入金額……①＋②
>
> ① （リース譲渡の対価の額－利息相当額）× $\dfrac{その年のリース期間の月数}{リース期間の月数}$
>
> ② 利息相当額が元本相当額のうちその支払期日が到来していないものの金額に応じて生ずるものとした場合にその年におけるリース期間に帰せられる利息相当額（利息法）
>
> 費用の額……（リース譲渡の原価＋手数料の額）× $\dfrac{その年のリース期間の月数}{リース期間の月数}$

(注) 利息相当額は、リース譲渡の対価の額からその原価の額を控除した金額の100分の20に相当する金額となる（所令188②）。

6．工事の請負に係る収入及び費用の帰属時期

長期大規模工事の請負契約を締結した場合には、その長期工事を着工した年から工事の目的物の引渡しの日の前年までの各年分の事業所得の金額の計算上、工事進行基準の方法により計算した金額を総収入金額及び必要経費に算入する（所法66①）。

(注) 長期大規模工事は、①請負期間が1年以上であること、②請負金額が10億円以上であること、③請負の対価の額の2分の1以上が引渡し期日から1年を経過する日後に支払われるものでないことの要件を満たす必要がある（所法66①、所令192①②）。

また、工事（着工年中にその目的物の引渡しが行われないものに限る。長期大規模工事を除く）の請負契約を締結した場合において、その請負（損失が生ずると見込まれるものを除く）に係る収入金額及び費用の額につき、その工事を着工した年から工事の目的物の引渡しの日の前年までの各年において工事進行基準の方法により経理したときは、各年分の事業所得の金額の計算上、その経理金額が総

収入金額及び必要経費に算入される（所法66②）。ただし，着工年の翌年以後のいずれかの年において工事進行基準の方法により経理しなかった場合には，その経理しなかった年の翌年分以後の年分の事業所得の金額の計算上，この特例を適用することができない（所法66②）。

工事進行基準の計算は，次のとおりである（所令192③）。

$$\text{工事の請負対価} \times \frac{\text{本年までの工事原価}}{\text{全体の工事原価}} - \text{前年以前の各年分の収入金額の合計額} = \text{本年分の収入金額}$$

（注）　工事原価の額についても，上記と同様に工事進行割合を乗じて本年分の費用の額を計算する。

7．小規模事業者等の収入及び費用の帰属時期

青色申告者で不動産所得又は事業所得を生ずべき業務を行う小規模事業者（その年の前々年分の不動産所得の金額及び事業所得の金額の合計額が300万円以下であることなどの要件を満たすもの）は，その年分の不動産所得の金額又は事業所得の金額の計算上，その年において収入した金額及び支出した金額を総収入金額及び必要経費とすることができる（現金主義，所法67①，所令195，196）。

また，雑所得を生ずべき業務を行う居住者のうち小規模の業務を行う者（その年の前々年分の雑所得を生ずべき業務に係る収入金額が300万円以下）は，その年分のその業務に係る雑所得の金額（山林の伐採又は譲渡に係るものを除く）の計算上，その年において収入した金額及び支出した費用の額を総収入金額及び必要経費とすることができる（現金主義，所法67②，所令196の2，196の3）。

8．リース取引に係る所得の金額の計算

リース取引は資産の賃貸借であるから，業務に係る各種所得の金額の計算上，賃貸人は受け取るリース料を総収入金額に算入し，賃借人は支払うリース料を

必要経費に算入する。しかし，そのリース取引において，①リース資産の耐用年数よりも短い期間をリース期間とすると，賃借人は実質的に資産を賦払いで購入したにもかかわらず，早期に費用化できるし，逆に，②リース資産の耐用年数よりも長い期間をリース期間とした場合，賃貸人は，そのリース資産を定率法で償却すると，数年間は，リース収入よりも償却費の方が多くなる。そこで，所得税法においても，「リース取引」とは，次の要件を満たす資産の賃貸借をいい，土地の価額が2分の1以上下落する借地権の設定など，所有権が移転しない土地の賃貸借を除くとした上で（所法67の2③，所令197の2①），所要の措置を講じている。

① その賃貸借契約がリース期間の中途において契約を解除することができないもの又はこれに準ずるものであること
② その賃貸借契約に係る賃借人がリース資産からもたらされる経済的利益を実質的に享受することができ，かつ，リース資産の使用に伴って生ずる費用を実質的に負担するものであること

なお，リース期間中に賃借人が支払うリース料の合計額が賃貸人におけるリース資産の取得価額のおおむね90％を超える場合は，上記②の「リース資産の使用に伴って生ずる費用を実質的に負担するもの」に該当する（所令197の2②）。

(1) 売買とされるリース取引

居住者が上記の「リース取引」を行った場合には，リース資産の賃貸人から賃借人への引渡しの時にそのリース資産の売買があったものとして，賃貸人又は賃借人の各種所得の金額を計算する（所法67の2①③）。

・ 賃借人……所有権移転外リース取引により取得したものとされるリース資産は，「リース期間定額法」（所令120の2①六，196頁参照）により計算した償却費の額を必要経費に算入し，それ以外のリース取引により取得したものとされるリース資産は，資産の種類に応じて計算した償却費の額を必要経費に算入する。所有権移転外リース取引とは，リース期間の終了時に

リース資産の所有権が賃借人に無償で移転するもの，賃借人にリース資産を著しく有利な価額で買い取る権利が付与されているものなど以外のリース取引をいう（所令120の2②五）。
・　賃貸人……リース譲渡の日の属する年において総収入金額及び必要経費の額に算入する方法や延払基準の方法によるほか，リース譲渡の対価の額を利息相当額と元本相当額に区分して総収入金額及び必要経費の額に算入する方法がある（所法65②，所令188②④，227頁参照）。

(2)　金銭の貸借とされるリース取引

　居住者が譲受人から譲渡人に対する賃貸を条件に資産の売買（リースバック取引）を行った場合には，その資産の種類，売買及び賃貸に至るまでの事情その他の状況に照らし，これらの取引が実質的に金銭の貸借と認められると，その資産の売買はなかったものとされる（所法67の2②）。譲受人から譲渡人に対して金銭の貸付けがあったものとして所得金額の計算をすることになるのである。

（注）　金銭の貸借とされるリース取引の判定については，所基通67の2－4を参照されたい。

9．信託に係る所得の金額の計算

　信託法の改正によって，多様な信託の類型が可能となるなど信託の利用機会が大幅に拡大するとともに，受益者の定めのない信託（いわゆる目的信託）等の設定も認められたから，信託等に対する課税上の対応が明確化されている。

① 　受益者（受益者とみなされる者を含む。以下，「受益者等」という）の存在しない信託（遺贈により設定された目的信託，委託者の地位を有する者のいない信託で受益者が特定されていないもの等）については，その受託者に対し，信託財産から生ずる所得について，受託者の固有財産から生ずる所得と区別して法人税が課税される（所法6の2①，法法4の6①）。受託法人（会社でないものに限る）は，会社とみなされる（所法6の3三）。

②　受益者等が存在しない信託の委託者がその有する資産を信託した場合には，受託法人に対する贈与により当該資産の移転があったものとみなされる（委託者のみなし譲渡所得となる。所法6の3⑦）。

③　受益者等が存在しない信託に受益者等が存在することとなった場合には，その受益者等がその受託法人から信託財産に属する資産及び負債の引継ぎを受けたものとして，各種所得の金額を計算する（所法67の3①）。その引継ぎにより生じた収益の額は，受益者等の各種所得の金額を計算上，総収入金額に算入しないし（所法67の3②），引継ぎにより生じた損失の額は生じなかったものとみなされる（所令197の3③）。信託財産に係る資産のキャピタル・ゲイン等は受益者等に引き継がれることになるのである。

④　信託（集団投資信託，退職年金等信託又は法人課税信託を除く）の委託者がその有する資産を信託した場合において，受益者等となる者（法人に限る）が適正の対価を負担しないときは，信託の委託者から受益者等となる者に対して贈与によりその信託に関する権利に係る資産の移転があったものとして，信託の委託者の各種所得の金額を計算する（所法67の3③）。すなわち，その法人が対価を負担せずに（又は低廉な対価の額を負担して）受益者等となるときは，みなし譲渡所得の課税（所法59①）が行われるのである。信託に新たな受益者等が存在するに至った場合や信託が終了した場合などについても，同様である（所法67の3④～⑥）。

10. 贈与等により取得した資産に係る利子所得等の金額の計算

　次に掲げる事由により利子所得，配当所得，一時所得又は雑所得の基因となる資産を取得した場合におけるその資産に係る利子所得の金額，配当所得の金額，一時所得の金額又は雑所得の金額の計算については，別段の定めがあるものを除き，その者が引き続きその資産を所有していたものとみなして，所得税法の規定を適用する（所法67の4）。

① 贈与，相続（限定承認に係るものを除く）又は遺贈（包括遺贈のうち限定承認に係るものを除く）
② 法人に対する時価の2分の1未満の価額の対価での譲渡

> 大阪地裁平成27年4月14日判決（裁判所ＨＰ「行集」）は，所得税法25条1項3号所定のみなし配当課税は，株主等が法人の清算によってそれまで当該法人に留保されていた利益を残余財産の分配として受けたことを課税対象とするものであり，当該法人の株式を相続人が相続した場合における株式についての相続税の課税とは課税対象を異にするものであるから，みなし配当課税の対象となる経済的利益は，相続等を原因として取得したものということはできず，したがって，清算手続結了前の株式を相続した場合に当該株式について相続税を課すことと，清算後に生じる留保利益の分配を原因としてみなし配当について所得税を課すことは二重課税に当たらないと判示している。

第4章

損益通算と損失の繰越控除等

1 不動産所得,事業所得,山林所得又は譲渡所得の金額の計算上生じた損失の金額があるときは,これらの損失の金額を他の所得の金額から控除できる。
2 配当所得,一時所得及び雑所得の金額の計算上生じた損失は,他の所得の金額から控除できない。
3 生活に通常必要でない資産に係る所得の損失や土地建物等及び株式等の譲渡による損失などは,他の所得の金額から控除できない。
4 経常所得グループと譲渡所得グループとは,区分して一定の順序で損益通算する。
5 純損失や雑損失のほか,特定の居住用財産の譲渡損失及び上場株式等の譲渡損失などは,翌年以降3年間(特定非常災害の雑損失は5年間)の繰越しができる。

1 損益通算

1．損益通算の意義

　所得税法では，所得を10種類に分類した上でこれらの各種所得ごとにその金額を計算し（所法21①一），これを合算して課税標準である総所得金額，退職所得金額及び山林所得金額を計算することとしている（所法21①，22）。また，租税特別措置法では，上場株式等に係る配当所得等の金額（以下，「分離課税の配当所得等の金額」という），土地等又は建物等の譲渡による所得の金額（以下，「分離課税の長期（短期）譲渡所得の金額」という），一般株式等に係る譲渡所得等の金額，上場株式等に係る譲渡所得等の金額及び先物取引に係る雑所得等の金額については総所得金額に含めないで，各別に課税することとされている（措法8の4，31，32，37の10，37の11，41の14）。このため，所得税の課税標準は，①総所得金額，②分離課税の配当所得等の金額，③分離課税の長期譲渡所得の金額，④分離課税の短期譲渡所得の金額，⑤一般株式等に係る譲渡所得等の金額，⑥上場株式等に係る譲渡所得等の金額，⑦先物取引に係る雑所得等の金額，⑧山林所得金額，及び⑨退職所得金額の9つに分類することができる。

　そして，これらの課税標準を計算する場合に，不動産所得の金額，事業所得の金額，山林所得の金額又は譲渡所得の金額（分離課税とされるものを除く）の計算上生じた損失の金額があるときは，一定の順序によって，これを他の各種所得の金額から控除することとしている（損益通算，所法69①）。

2．損益通算の対象とならない損失

　損益通算の対象となる損失は，不動産所得の金額，事業所得の金額，山林所得の金額又は譲渡所得の金額の計算上生じた損失に限られるとともに，これら

の所得の金額の計算上生じた損失であっても，生活に通常必要でない資産に係るものは，原則として，損益通算の対象から除外される。損益通算の対象とならない損失を掲げると，次のとおりとなる。

(1) 配当所得の金額の計算上生じた損失

　配当所得の金額は，配当収入から株式等の元本を取得するために要した負債の利子を控除して計算する（所法24②）。したがって，配当収入よりも負債の利子の額が多い場合には，配当所得の金額はマイナスとなるが，①株式等の元本を取得するために要した負債の利子は，配当収入と株式の値上がり益に対応すべきものであること，②有配の株式と無配の株式がある場合には，理屈からいうと，負債の利子は有配の株式の配当収入からのみ控除すべきものであること等を考慮して，配当等の収入金額を限度として負債利子の額を控除することとし，控除しきれない部分を「損益通算」の対象外としたものである。

(2) 一時所得の金額の計算上生じた損失

　一時所得の金額は，その年中の一時所得に係る総収入金額からその収入を得るために支出した金額の合計額を控除し，その残額から「一時所得の特別控除」を控除した金額であるが，「支出した金額」はその収入を生じた行為をするため，又はその収入を生じた原因の発生に伴い直接要した金額に限られる（所法34②）。一時所得の金額の計算については，このように厳格な収入及び支出の個別的な対応関係を求めているのであり，その支出の金額には家事費的な要素が混入していることから，一時所得の金額の計算上生じた損失の金額は「損益通算」の対象外としたものである。つまり，投下費用は収入金額の限度しか差し引かないのである。

(3) 雑所得の金額の計算上生じた損失

　公的年金等以外の雑所得の金額は，その年中の雑所得に係る総収入金額から必要経費を控除した金額とされるが（所法35②二），雑所得の必要経費の中には，

個人的費用（家事費又は家事関連費）としての性質があることから，その損失の金額を「損益通算」の対象外としたものである。

(4) 生活に通常必要でない資産に係る所得の金額の計算上生じた損失

不動産所得の金額，事業所得の金額，山林所得の金額又は譲渡所得の金額の計算上生じた損失であっても，生活に通常必要でない資産に係る所得の金額の計算上生じた損失は，原則として，損益通算ができない（所法69②）。ここで，「原則として」というのは，生活に通常必要でない資産について災害，盗難又は横領により生じた損失は，その損失の生じた年分又はその翌年分の譲渡所得の金額の計算上，これらの年分の譲渡所得の金額を限度として控除されるからである（所法62，所令178②，220頁参照）。また，競走馬の譲渡に係る譲渡所得の金額の計算上生じた損失は，その競走馬の保有に係る雑所得の金額を限度として控除することができる（所法69②，所令200①②）。

> 東京地裁平成10年2月24日判決（判例タイムズ1004号142頁）は，いわゆるコンドミニアム形式のリゾートホテルの一室を購入してホテル経営会社に貸し付けている医師がその貸付に係る所得（不動産所得）の損失金額を事業所得の金額と損益通算した事案について，同ホテルの一室は，所得税法施行令178条1項2号に規定する生活に通常必要でない資産に該当するとして，損益通算を認めないとした課税処分は適法であるとする。その要旨は，「生活に通常必要でない資産に係る所得の金額の計算上生じた損失について損益通算を認めていないのは，その資産に係る支出ないし負担の経済的性質を理由とするものであるところ，このような支出ないし負担の経済的性質は，本来，個人の主観的な意思によらず客観的に判定されるべきものであることからすれば，所得税法施行令178条1項2号の要件該当性を判断する上でも，当該不動産の性質及び状況，所有者が当該不動産を取得するに至った経緯，当該不動産より所有者が受け又は受けることができた利

益及び所有者が負担した支出ないし負担の性質，内容，程度等諸般の事情を総合的に考慮し，客観的にその主たる所有目的を認定するのが相当である。」とした上で，①本件不動産が著名なリゾート地に所在していること，②その所有者が受ける利用上の利益，③所有者が件不動産を貸し付けることによる収支の状況等から，本件不動産は主として保養の目的で所有しているものと判断している。

(5) 損失が生じないとされているもの

所得税法等の規定では，次のように所得金額の計算上生じた損失はないものとみなしており，その損失の金額は損益通算の対象外とされる。

① 生活用動産の譲渡による所得及び強制換価手続等による資産の譲渡による所得は非課税とされ（所法9①九，十），その所得の計算上生じた損失はないものとみなされる（所法9②）。

② 不動産所得又は雑所得を生ずべき業務（事業と称するに至らない程度のもの）の用に供され又はこれらの所得の基因となる資産（生活に通常必要でない資産を除く）の損失の金額のうち，その年分の不動産所得又は雑所得の金額を超える部分は必要経費に算入できない（所法51④）。したがって，この部分の金額は損益通算の対象とされない。

③ 山林（事業所得の基因となるものを除く）又は譲渡所得の基因となる資産を個人に対して時価の2分の1未満の対価によって譲渡した場合には，その対価の額がその資産の譲渡に係る必要経費又は取得費及び譲渡費用の合計額に満たない部分は，その山林所得の金額，譲渡所得の金額又は雑所得の金額の計算上なかったものとみなされる（所法59②，131頁参照）。

④ 有限責任事業組合の組合事業から生ずる不動産所得，事業所得又は山林所得の損失額のうち，調整出資金額を超える部分の金額は，必要経費に算入できないこととされている（措法27の2，77頁参照）。したがって，この部分の金額は損益通算の対象とされない。調整出資金額の範囲内の損失は，

組合事業から生ずる所得以外の所得と損益通算できるのである。

⑤　分離課税の長期（短期）譲渡所得の金額の計算上生じた損失は，生じなかったものとみなされる（措法31①，32①）。ただし，居住用財産の買換え等の場合の譲渡損失及び特定居住用財産の譲渡損失については，損益通算の対象となる（措法41の5①，41の5の2①，308頁以下参照）。

⑥　株式等の譲渡所得等の金額の計算上生じた損失は，生じなかったものとみなされる（措法37の10①，37の11①）。

⑦　不動産所得の損失の金額のうち，不動産所得を生ずべき土地等を取得するために要した負債の利子に相当する部分の金額は，生じなかったものとみなされる（措法41の4①）。

⑧　不動産所得を生ずべき事業を行う民法組合等（外国におけるこれに類似するものを含む）の個人組合員（組合事業に係る重要な業務の執行の決定に関与し，契約を締結をするための交渉等を自ら執行する個人組合員を除く）が組合事業から生じた損失は，不動産所得の金額の計算上生じなかったものとみなされる（措法41の4の2）。信託の受益者が信託から生ずる不動産所得を有する場合も，同様に，その損失は生じなかったものとみなされる（措法41の4の2）。

⑨　国外中古建物から生ずる不動産所得の損失の金額は，生じなかったものとみなされる（措法41の4の3①）。国外中古建物とは，個人において使用され，又は法人において事業の用に供された国外にある建物であって，個人が取得をしてこれをその個人の不動産所得を生ずべき業務の用に供したもののうち，不動産所得の金額の計算上その建物の償却費として必要経費に算入する金額を計算する際に所得税法の規定により定められている耐用年数をいわゆる「簡便法」等により算定しているものをいう（措法41の4の3②）。

⑩　先物取引に係る雑所得等の金額の計算上生じた損失は，生じなかったものとみなされる（措法41の14①）。

3．損益通算の順序

　損益通算は，その損失が「不動産所得の金額又は事業所得の金額の計算上生じた損失の金額」であるか，「譲渡所得の金額の計算上生じた損失の金額」であるか，又は「山林所得の金額の計算上生じた損失の金額」であるかにより，他の所得の金額から控除する順序を異にしており，さらに，損失の金額の中に「変動所得の損失の金額」や「被災事業用資産の損失の金額」がある場合にも，その控除する順序を異にしている。その概要は次のとおりである（所法69①，所令198）。

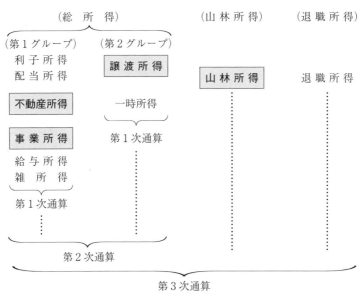

（注）　□で囲んだ所得は，その損失額を他の所得金額と通算できる。

(1) 経常所得内での損益通算

　不動産所得の金額又は事業所得の金額の計算上生じた損失の金額は，これをまず他の利子所得の金額，配当所得の金額（分離課税の配当所得等の金額を除く），不動産所得の金額，事業所得の金額，給与所得の金額及び雑所得の金額（これ

を「経常所得の金額」という）から控除する（所令198一）。また，不動産所得の金額又は事業所得の金額の計算上生じた損失の金額の中に変動所得の金額の計算上生じた損失の金額，被災事業用資産の損失の金額又はその他の損失の金額の2以上がある場合には，まずその他の損失の金額を控除し，次に被災事業用資産の損失の金額及び変動所得の損失の金額を順次控除する（所令199一）。

なお，株式等の譲渡による事業所得の金額，譲渡所得の金額及び雑所得の金額については，その所得間での損益の通算をすることができるが（一般株式等の譲渡所得等と上場株式等の譲渡所得等との間の損益通算は不可，措令25の8①，25の9①），通算をしてもなお損失の金額が生ずるときには，その損失の金額を株式等の譲渡による所得以外の所得から控除することができない（措法37の10①，37の11①）。また，株式等の譲渡による所得以外の所得の損失は，株式等の譲渡による事業所得の金額，譲渡所得の金額及び雑所得の金額と通算することができない（措法37の10⑥四，37の11⑥）。先物取引に係る事業所得の金額及び雑所得の金額についても同様である（措法41の14②三，措令26の23①）。

　（注1）　被災事業用資産の損失の金額とは，棚卸資産，事業用の固定資産もしくは繰延資産又は山林について，災害により受けた損失の金額（災害に関連するやむを得ない支出を含み，保険金，損害賠償金その他これらに類するものにより補塡される部分の金額を除く）で，変動所得の金額の計算上生じた損失の金額に該当しないものをいう（所法70③，所令203）。
　（注2）　変動所得の金額については，78頁を参照のこと。
　（注3）　公募株式投資信託を解約（償還）した場合の損失は，解約（償還）金額が譲渡による収入金額とみなされるので（措法37の10④，37の11④），株式等の譲渡による所得と通算ができる。
　（注4）　上場株式等の譲渡損失は，上場株式等の配当所得等の金額(申告分離課税を選択したものに限る）を限度として，当該年分の上場株式等に係る配当所得等の金額から控除することができる（措法37の12の2①）。

(2)　譲渡所得と一時所得での損益通算

総合課税の対象となる譲渡所得の金額の計算上生じた損失の金額は，これをまず一時所得の金額（特別控除後，2分の1をする前の金額）から控除する（所令198二）。譲渡所得には，総合課税の対象となる譲渡所得と分離課税の対象とな

る譲渡所得とがあるが、損益通算の対象となるのは、総合課税の対象となる譲渡所得の計算上生じた損失の金額に限られる。

分離課税の長期譲渡所得金額の計算上生じた損失の金額は、①他の分離課税の長期（短期）譲渡所得金額から控除し、②控除しきれない損失の金額はないものとみなされて、③分離課税の長期（短期）譲渡所得以外の他の所得から控除することはできない（措法31①③二，32①）。分離課税の対象となる短期譲渡所得の金額の計算上生じた損失の金額についても、同様である（措法31①，32①④）。また、逆に、分離課税の長期（短期）譲渡所得以外の他の所得金額の計算上生じた損失は、分離課税の長期（短期）譲渡所得から控除することはできない（措法31①③二，32①④）。

ただし、居住用財産の買換え等の場合の譲渡損失（措法41の5①）や特定居住用財産の譲渡損失（措法41の5の2①）については、損益通算が認められる（308頁以下参照）。

(3) 経常所得内での損益通算の結果、損失が生ずる場合の損益通算

上記(1)の損益通算をしてもなお控除しきれない損失の金額がある場合には、この損失の金額を譲渡所得の金額及び一時所得の金額（上記(2)により損益通算をした後の金額）から順次控除する。この場合に譲渡所得金額の中に、短期譲渡所得に係る部分と長期譲渡所得に係る部分とがあるときには、まず短期譲渡所得に係る部分の金額から控除する（所令198三）。

(4) 譲渡所得と一時所得での損益通算の結果、損失が生ずる場合の損益通算

上記(2)の損益通算をしてもなお控除しきれない損失の金額がある場合には、この損失の金額を経常所得の金額（上記(1)により損益通算をした後の金額）から控除する（所令198四）。

(5) 総所得金額の計算上損失が生ずる場合の損益通算

上記(1)から(4)までの損益通算をしてもなお控除しきれない損失の金額がある場合には，この損失の金額をまず山林所得の金額から控除し，なお控除しきれない損失の金額があるときは，退職所得の金額から控除する（所令198五）。

(6) 山林所得金額の計算上生じた損失の金額の損益通算

山林所得金額の計算上生じた損失の金額があるときは，この損失の金額をまず経常所得の金額（上記(1)又は(4)により損益通算をした後の金額）から控除し，なお控除しきれない損失の金額があるときは，譲渡所得の金額及び一時所得の金額（上記(2)又は(3)により損益通算をした後の金額）から順次控除する。この場合に譲渡所得金額の中に，短期譲渡所得に係る部分と長期譲渡所得に係る部分とがあるときには，まず短期譲渡所得に係る部分の金額から控除する。さらに控除しきれない損失の金額があるときは，退職所得の金額（上記(5)により損益通算をした後の金額）から控除する（所令198六）。

なお，山林所得金額の計算上生じた損失の金額の中に，被災事業用資産の損失の金額とその他の損失の金額があるときは，まずその他の損失の金額を控除し，次に被災事業用資産の損失の金額を控除する（所令199）。

損益通算の計算例

―〔設　問〕―

次の場合の損益通算後の総所得金額はいくらか。

①不動産所得の金額300万円，②事業所得の金額△350万円，③譲渡所得の金額（総合課税のもの）△150万円，④一時所得の金額240万円，⑤雑所得の金額30万円

(計　算)

1　第1次通算

　①　経常グループ　（300万円＋30万円）－350万円＝△20万円

　②　譲渡・一時所得グループ　240万円－150万円＝90万円

2　第2次通算

$$（90万円－20万円）×\frac{1}{2}＝35万円（総所得金額）$$

2　損失の繰越控除

1．純損失の繰越控除

　その年分の不動産所得の金額，事業所得の金額，山林所得の金額又は譲渡所得の金額の計算上生じた損失の金額がある場合において，その損失の金額につき損益通算の規定を適用してもなお控除しきれない損失の金額（以下，「純損失の金額」という。所法2①二十五）があるときには，その純損失の金額をその年の翌年以後3年内の各年分の所得金額から控除する。これを純損失の繰越控除といい，繰越控除の対象となる純損失の金額は，青色申告者の場合とそれ以外の者（いわゆる白色申告者）の場合とでは，次のように異なっている。

　（注）　分離課税の長期（短期）譲渡所得，株式等に係る譲渡所得等及び先物取引に係る雑所得等の金額の計算上生じた損失はなかったものとみなされるので，これらの損失の金額は純損失の金額に含まれない（措法31①，32①，37の10①，37の11①，41の14①）。

(1)　青色申告者の純損失の繰越控除

　青色申告者について純損失の金額が生じた場合には，その純損失の金額（純損失の繰戻し還付の適用を受ける金額及び居住用財産の買換え等の場合の譲渡損失又は特定居住用財産の譲渡損失に係る特定純損失の金額を除く）をその年の翌年以後3年内の各年分の総所得金額，退職所得の金額又は山林所得の金額から控除する（所法70①，措法41の5⑧，41の5の2⑧）。この繰越控除の適用を受けるには，純

損失の金額が生じた年分の所得税について確定申告書を提出し，かつ，その後の年において連続して確定申告書を提出する必要がある（所法70④）。

(2) いわゆる白色申告者の純損失の繰越控除

青色申告者以外の者について純損失の金額が生じた場合には，純損失の金額のうち，被災事業用資産の損失の金額及び変動所得の金額の計算上生じた損失の金額に限り，その年の翌年以後3年内の各年分の総所得金額，退職所得の金額又は山林所得の金額から控除する（所法70②）。この繰越控除の適用を受けるには，純損失の金額が生じた年分の所得税について，確定申告書を提出し，かつ，その後の年において連続して確定申告書を提出する必要がある（所法70④）。

(3) 特定非常災害に係る純損失の繰越控除の特例

特定非常災害の指定を受けた災害により，事業所得者等の有する棚卸資産，事業用資産等に損失（以下「特定被災事業用資産の損失」という）が生じた場合は，次の要件のいずれかを満たすと，その純損失の金額を特定非常災害発生年の翌年以降5年内の各年分の総所得金額等から控除できる（所法70の2①②）。

① 青色申告者でその有する事業用資産等（土地等を除く）のうちに特定被災事業用資産の損失額の占める割合が10％以上であるものは，被災事業用資産の損失による純損失を含むその年分の純損失の総額

② 青色申告者以外の者でその有する事業用資産等（土地等を除く）のうちに特定被災事業用資産の損失額の占める割合が10％以上であるものは，その年に発生した被災事業用資産の損失による純損失と変動所得に係る損失による純損失との合計額

＊ 特定非常災害とは，「特定非常災害の被害者の権利利益の保全等を図るための特別措置に関する法律」2条1項の規定により，「著しく異常かつ激甚な非常災害」として指定された非常災害をいう（所法70の2①）。

第4章　損益通算と損失の繰越控除等

2．雑損失の繰越控除

(1) 雑損失の繰越控除

　その年において雑損控除を行ってもなお控除しきれない部分の金額（以下，「雑損失の金額」という。所法2①二十六）があるときは，その雑損失の金額をその年の翌年以後3年内の各年分の総所得金額，分離課税の配当所得等の金額，分離課税の長期（短期）譲渡所得の金額，一般又は上場株式等に係る譲渡所得等の金額，先物取引に係る雑所得等の金額，退職所得の金額又は山林所得の金額から控除する（所法71①，措法8の4③三，31③三，32④，37の10⑥五，37の11⑥，41の14②四）。

　なお，雑損失の繰越控除は，雑損失の金額が生じた年分の所得税について確定申告書を提出し，かつ，その後の年において連続して確定申告書を提出しているときに限り適用される（所法71②）。

(2) 特定非常災害に係る雑損失の繰越控除の特例

　居住者の有する住宅，家財等につき特定非常災害の指定を受けた災害により生じた損失について，雑損控除を適用してその年分の総所得金額等から控除しても控除しきれない損失額は，その雑損失の金額を特定非常災害発生年の翌年以降5年内の各年分の総所得金額等から控除できる（所法71の2①②）。

3．その他の繰越控除

　以上のほかに，租税特別措置として，①上場株式等に係る譲渡損失の繰越控除（措法37の12の2，318頁参照），②特定中小会社が発行した株式に係る譲渡損失の繰越控除（措法37の13の2，323頁参照），③居住用財産の買換え等の場合の譲渡損失の繰越控除（措法41の5，308頁参照），④特定居住用財産の譲渡損失の繰越控除（措法41の5の2，309頁参照），⑤先物取引の差金決済等に係る損失の繰越控除（措法41の15，329頁参照）がある。

4．繰越控除の方法

　その年分に繰り越された純損失の金額又は雑損失の金額は，次により控除する。
① 　前年以前3年間（特定非常災害に係る純損失等の場合は5年間）の2以上の年に生じた損失の金額があるときは，古い年分の損失の金額から順次控除する（所令201一，204①一）。
② 　同一年に生じた損失のうちに純損失の金額と雑損失の金額があるときは，先に純損失の金額を控除し，次に雑損失の金額を控除する（所令204②）。
③ 　繰り越された純損失の金額（居住用財産の買換え等の場合の譲渡損失及び特定居住用財産の譲渡損失に係る特定純損失の金額を除く）は，その年分の所得から次の順序で控除する（所令201二，三，措法41の5⑧，41の5の2⑧）。
　　イ　純損失の金額のうち，(a)総所得金額の計算上生じた損失は，その年分の総所得金額から控除し，(b)山林所得の金額の計算上生じた損失は，その年分の山林所得金額から控除する。
　　ロ　イの控除によってもなお控除しきれない総所得金額の計算上生じた損失又は山林所得の金額の計算上生じた損失がある場合には，(a)総所得金額の計算上生じた損失はその年分の山林所得の金額及び退職所得の金額の順に控除し，(b)山林所得の金額の計算上生じた損失はその年分の総所得金額及び退職所得の金額の順に控除する。
　　ハ　その年分の各種所得の金額の計算上生じた損失がある場合には，損益通算をした後に純損失の金額を控除する。
④ 　繰り越された雑損失の金額は，その年分の総所得金額，分離課税の短期譲渡所得金額，分離課税の長期譲渡所得金額，分離課税の配当所得等の金額，一般株式等に係る譲渡所得等の金額，上場株式等に係る譲渡所得等の金額，先物取引に係る雑所得等の金額，山林所得の金額及び退職所得の金額の順に控除する（所令204①二，措法8の4③三,31③三，32④，37の10⑥五，37の11⑥，41の14②四，措通31・32共―4，37の10・37の11共―5）。

第4章　損益通算と損失の繰越控除等

3　純損失の繰戻し還付

　青色申告者は，その年において生じた純損失の金額（居住用財産の買換え等の場合の譲渡損失及び特定居住用財産の譲渡損失に係る特定純損失の金額を除く）がある場合には，青色申告書の提出と同時に，次の①の金額から②の金額を控除した金額に相当する所得税の還付を請求することができる（所法140①，措法41の5 ⑨，41の5の2⑨）。

① 　その年の前年分の課税総所得金額，課税退職所得金額及び課税山林所得金額につき税率を適用して計算した所得税額

② 　その年の前年分の課税総所得金額，課税退職所得金額及び課税山林所得金額から，その年において生じた純損失の金額の全部又は一部を控除した金額につき税率を適用して計算した所得税額

ただし，この算式により計算した差額に相当する所得税の額が純損失を生じた年の前年分の所得税の額（附帯税の額を除く）を超えるときは，その年の前年分の所得税の額を限度として還付請求をすることになる（所法140②）。

　なお，この還付請求は，その年の前年分の所得税につき青色申告書を提出している場合であって，その年分の青色申告書をその提出期限までに提出した場合（やむを得ない事情があると認められる場合には，期限後に青色申告書を提出した場合を含む）に限り適用される（所法140④）。

第5章

所 得 控 除

1 所得税法では，最低生活費に対する課税の排除や個別的事情に応じた課税の実現等を考慮して，15種類の所得控除を設けている。
2 所得控除の内容は，それぞれ法令に定められているが，医療費控除のように通達でその範囲が拡げられているものも少なくない。
3 所得控除の額は，①支払った金額の全額が対象となるもの，②足切限度があるもの，③最高額が設けられているもの，④一定額とされているものなど複雑である。
4 所得控除についても，租税特別措置法に特例が設けられている。
5 所得控除の適用に当たっては，確定申告書に所定事項の記載や証明書類の添付を要するものがある。

1 所得控除の意義

1．所得控除の意義と種類

　所得税法等では，総所得金額，分離課税の配当所得等の金額，分離課税の長期（短期）譲渡所得金額，株式等に係る譲渡所得等の金額，先物取引に係る雑所得等の金額，退職所得金額又は山林所得金額から各種の「所得控除」の額を差し引いて課税総所得金額等を計算することとしている（所法21①三，措法8の4③三，31③三，32④，37の10⑥五，37の11⑥，41の14②四）。これらの所得控除が設けられた趣旨については，おおむね次のように分類できる。
　① 課税最低限を保障するためのもの
　　　代表的なものには基礎控除があり，ほかに，社会保険料控除，配偶者控除，配偶者特別控除及び扶養控除を加えることができる。
　② 担税力への影響を考慮するもの
　　　災害被害や医療費の支出による担税力に差が生ずることを考慮するもので，雑損控除や医療費控除がある。
　③ 社会政策上の要請によるもの
　　　一定の政策目的を税制面から助成するための措置であり，社会保険料控除，小規模企業共済等掛金控除，生命保険料控除，地震保険料控除及び寄附金控除がこれに当たる。
　④ 納税者の個別的事情を考慮するためのもの
　　　納税者の個別的事情を考慮し，担税力に応じた適正な税負担を求めるもので，障害者控除，寡婦控除，ひとり親控除及び勤労学生控除がこれに当たる。
　（注1）　課税最低限とは，課税されることとなる限界をいい，所得税においては，納税者の大半を占める給与所得者について，その水準以下では課税されず，

第5章 所得控除

その水準を超えると課税が始まる給与収入の水準を示す指標を課税最低限と呼んでいる。具体的には，給与所得控除，基礎控除，配偶者控除，配偶者特別控除，扶養控除，社会保険料控除の額を合計した金額が課税最低限となる。
（注2） 所得控除は，税率の累進構造との関連上，税額控除と異なって高い上積税率の適用を受ける高額所得者ほど，控除による税負担の軽減額が大きくなるという特色を有している。

2．所得控除の順序

所得控除のうち雑損控除は，他の所得控除と区分して最初に所得金額から差し引き，それ以外の所得控除については特に順序が設けられていない（所法87①）。雑損控除の金額は，その年分の所得金額から控除し切れない部分の金額について翌年以後3年間（特定非常災害に係る雑損失の場合は5年間）の所得金額から控除できる「雑損失の繰越控除」の制度が設けられているからである（所法71①，71の2①，247頁参照）。

また，所得控除の金額は，原則として，総所得金額，分離課税の短期譲渡所得金額（特別控除前），分離課税の長期譲渡所得金額（特別控除前），分離課税の配当所得等の金額，株式等に係る譲渡所得等の金額，先物取引に係る雑所得等の金額，山林所得金額，退職所得金額から順次控除する（所法87②，措法8の4③三，31③三，32④，37の10⑥五，37の11⑥，41の14②四，措通31・32共—4，37の10・37の11共—5）。

(注) 分離課税の長期譲渡所得金額，分離課税の配当所得等の金額，株式等に係る譲渡所得等の金額，先物取引に係る雑所得等の金額から差し引く所得控除の金額は，上記と異なる順序によることができる。

2 雑損控除

1．雑損控除の内容

　雑損控除は，納税者又はその納税者と生計を一にする配偶者その他の親族（その年分の総所得金額等の合計額が48万円以下の者に限られる）の有する資産について，災害，盗難又は横領による損害を受けた場合や災害等に関連してやむを得ない支出をした場合に，その損失の金額（災害等に関連したやむを得ない支出を含み，保険金，損害賠償金その他これらに類するものにより補塡される部分の金額を除く）のうち次表による金額を，納税者のその年分の総所得金額，退職所得金額又は山林所得金額等から控除するものである（所法72①，所令205①，206②）。

　雑損控除の適用を受けるためには，確定申告書に所定の事項を記載するとともに，災害等に関連してやむを得ない支出をした金額について領収書を添付又は提示しなければならない（所法120③，所令262①一）。

✢雑損控除の金額

区　　　分	控　　除　　額
その年の損失の金額のうちに，災害関連支出の金額がない場合又は5万円以下の場合	損失の金額－総所得金額等の合計額×$\frac{1}{10}$
その年の損失の金額のうちに，5万円を超える災害関連支出の金額がある場合	損失の金額－次のいずれか低い金額 ① 損失の金額－（災害関連支出の金額－5万円） ② 総所得金額等の合計額×$\frac{1}{10}$
その年の損失の金額がすべて災害関連支出の金額である場合	損失の金額－次のいずれか低い金額 ① 5万円 ② 総所得金額等の合計額×$\frac{1}{10}$

（注1）　総所得金額等の合計額とは，総所得金額，分離課税の配当所得等の金額，分離課税の長期譲渡所得金額（特別控除前），分離課税の短期譲渡所得金額（特別控除前），株式等に係る譲渡所得等の金額，先物取引に係る雑所得等

第5章 所得控除

の金額,退職所得金額及び山林所得金額の合計額をいう(以下,この章において同じ。所法72①,措法8の4③三,31③三,32④,37の10⑥五,37の11⑥,41の14②四)。

なお,①源泉分離課税とされる利子所得,②確定申告をしないことを選択した配当所得等,③源泉分離課税とされる金融類似商品の収益,④源泉徴収口座を通じて行った上場株式等の譲渡による所得で,確定申告をしないことを選択したものについては,総所得金額等の合計額に含まれない(措通3－1,8の2－2,8の3－1,37の11の5－1,41の9－4,41の10・41の12共－1)。

(注2) 損失の金額＝損害金額(災害等に関連したやむを得ない支出を含む)－保険金などで補塡される金額

2．雑損控除の対象となる資産

雑損控除の対象となる資産は,棚卸資産,山林,事業用固定資産(繰延資産を含む。以下同じ)及び生活に通常必要のない資産(220頁参照)を除いた「生活に通常必要な資産」に限られ,納税者本人のほか,納税者と生計を一にする配偶者その他の親族でその年分の総所得金額等の合計額が48万円以下である者が所有する資産も含まれる(所法72①,所令205①)。

(注1) 棚卸資産,山林又は事業用固定資産の災害等による損失については,事業所得や山林所得の金額の計算上必要経費に算入され(所法37,51①③),その被災損失は繰越控除が認められており(所法70②),生活に通常必要のない資産の災害等による損失は,その年分及びその翌年分の譲渡所得の金額から控除し,原則として他の所得の金額との通算は認められていない(所法62,69)。
(注2) 事業用以外の業務用資産の災害等による損失については,その所得の金額の計算において必要経費に算入することができるし,雑損控除を適用することもできる(所基通72－1,208頁参照)。

3．雑損控除の対象となる損失

雑損控除の対象となる損失の発生原因は,災害,盗難及び横領に限られており(所法72①),災害とは,①震災,風水害,火災,②冷害,雪害,干害,落雷,噴火その他の自然現象の異変による災害,③鉱害,火薬類の爆発その他の人為

による異常な災害,④害虫,害獣その他生物による異常な災害をいう(所法2①二十七,所令9)。最高裁昭和36年10月13日判決(民集15巻9号2332頁)は,「控除される雑損とは,納税義務者の意思に基づかない,いわば災難を指すことは,規定上からも明らかである」旨判示しており,大阪高裁平成23年11月17日判決(訟務月報58巻10号3621頁)は,「人為による異常な災害」により損失が生じたというためには,少なくとも,納税者の意思に基づかないことが客観的に明らかな,納税者の関与しない外部的要因(他人の行為)による,社会通念上通常でないことを原因として損失が発生したことが必要である旨説示した上で,納税者が自宅建物の取壊しに伴い支払ったアスベスト除去工事費用等は「人為による異常な災害」による損失に当たらないと断じている。

　また,雑損控除の対象となる損失は,資産(以下,「住宅家財等」という)そのものの損失のほか,納税者が災害等に関連してやむを得ない支出をした場合には,その支出の金額が含まれる(所法72①,所令206)。この場合の「災害等に関連するやむを得ない支出」とは,①災害により住宅家財等が滅失し,損壊し又はその価値が減少した場合のその住宅家財等の損壊又は除去等の支出,②災害により住宅家財等が滅失し,損壊し又はその住宅家財等を使用することが困難になった場合に,災害がやんだ日の翌日から1年を経過した日(大規模な災害の場合その他やむを得ない事情がある場合には,3年を経過した日)の前日までに支出する住宅家財等の原状回復費用及び土砂等の障害物等の除去費用並びに当該住宅家財等の損壊又は価値の減少を防止する費用,③災害により住宅家財等につき現に被害が生じ,又はまさに被害が生ずるおそれがあると見込まれる場合に,被害の拡大又は発生を防止するため緊急に必要な措置を講ずるための支出(雪下ろし費用など),④盗難又は横領による損失が生じた住宅家財等の原状回復費用をいう(所令206①)。ただし,資本的支出に該当する部分を除く(所基通72-3参照)。

　なお,雑損控除の対象となる住宅家財等の損失の金額は,損失を受けた時の直前におけるその資産の価額(時価)によって計算するが,その資産が減価する資産にあっては,簿価(取得価額－減価償却費相当額)を選択することができる

第5章 所得控除

（所令206③，所基通72－2）。減価償却費相当額の計算は，129頁参照。

（注1） 詐欺や恐喝による損失は雑損控除の対象とならない。名古屋高裁平成元年10月31日判決（税務訴訟資料174号521頁）では，「納税者の意思に基づかない災害，盗難，横領による損失と，瑕疵はあっても納税者の意思に基づくといい得る詐欺，恐喝による損失とを税法の雑損控除の適用上区別することについては，憲法14条違反の問題は生じない。」とする。

（注2） 災害関連支出は，納税者本人が支出したものに限られ，その納税者と生計を一にする親族等が支出したものは含まれない（所法72①）。また，当該支出は，その支出した年分の雑損控除の対象となるのであるが，実務上は，災害等のあった年の翌年3月15日以前に支出したものについて，災害等のあった年分の雑損控除の対象とすることが認められている（所基通72－5）。

（注3） 配偶者居住権付き建物，配偶者居住権又は配偶者敷地利用権について受けた損失の金額は，時価又は簿価を基礎として計算することができる（所令206③）。

雑損控除の金額の計算例

──〔設　問〕──
次の場合の雑損控除額はいくらか。配偶者の総所得金額等の合計額は48万円以下である。
1　納税者のその年分の所得金額　600万円
2　被害額（時価）　納税者本人200万円，配偶者30万円
3　災害関連支出　（納税者本人が支出したもの）　25万円
4　保険金等の額　50万円

（計　算）

1　損失の金額　　（200万円＋30万円＋25万円）－50万円＝205万円
2　雑損控除の額
　①　205万円－(25万円－5万円)＝185万円
　②　600万円×$\frac{1}{10}$＝60万円
　①＞②　　∴　205万円－60万円＝145万円

4. 災害減免法との関係

災害により被害を受けた場合には，雑損控除の適用を受けるか又は災害減免法の規定によって所得税額の軽減免除を受けることができる。災害減免法の適用が受けられるのは，次の場合に限られる（災免法2，同法施行令1）。

① 住宅又は家財について，その価額の2分の1以上の損害を受けていること
② その年分の総所得金額等の合計額が1,000万円以下であること

この場合の所得税額の軽減額は，次表のとおりである。

◆災害減免法による所得税額の軽減額

その年の総所得金額等の合計額	軽減額
500万円以下	全額免除
500万円超750万円以下	2分の1軽減
750万円超1,000万円以下	4分の1軽減

3 医療費控除

1. 医療費控除の内容

医療費控除は，納税者又はその納税者と生計を一にする配偶者その他の親族の医療費を支払った場合に，その年中の医療費の金額（保険金，損害賠償金その他これらに類するものにより補填される部分の金額を除く）のうち次表による金額を，納税者のその年分の総所得金額，退職所得金額又は山林所得金額等から控除するものである（所法73①）。医療費控除は，雑損控除の場合と異なり，生計を一にする配偶者その他の親族の所得金額の多寡を問わないし，生計を一にする親族であるかどうかは，医療費を支出すべき事由が生じた時又は現実に医療費を

第5章 所得控除

支払った時の現況により判定する（所基通73-1）。

　医療費控除の適用を受けるためには，確定申告書に所定の事項を記載するとともに，医療費の額などを記載した明細書又は医療保険者等の医療費通知書を添付又は提示しなければならない（所法120④）。

　なお，医療費通知書は，医療保険者が発行する医療費の額等を通知する書類で，①被保険者等の氏名，②療養を受けた年月，③療養を受けた者，④療養を受けた病院等の名称，⑤支払った医療費の額，⑥保険者等の名称の記載があるもの及びインターネットを利用して医療保険者から通知を受けた医療費通知情報でその医療保険者の電子署名並びにその電子署名に係る電子証明書が付されたものをいう（所規47の2⑬）。

✚医療費控除の金額

> （その年中に支払った医療費の額－保険金などで補塡される金額）
> 　－（10万円又は総所得金額等の合計額×5％のうちいずれか低い額）
> ＝医療費控除額（最高200万円）

（注1）　医療費は，その年中に実際に支払った金額に限られ，未払の額は支払った年分の医療費控除の対象となる（所基通73-2）。
（注2）　保険金などで補塡される金額には，①社会保険などから支給を受ける療養費，出産育児一時金，配偶者出産育児金，高額療養費等，②医療費の補塡を目的として支払を受ける損害賠償金，医療保険金，入院費給付金等がある（所基通73-8）。

2．医療費控除の対象となる医療費

　医療費控除の対象となる医療費は，次に掲げるものの対価のうち，その病状に応じて一般的に支出される水準を著しく超えない部分の金額である（所法73②，所令207，所規40の3）。
　①　医師又は歯科医師による診療又は治療
　②　治療又は療養に必要な医薬品の購入
　③　病院，診療所，指定介護老人福祉施設，指定地域密着型介護老人福祉施

設,助産所に収容されるための人的役務の提供
④ あん摩マッサージ指圧師,はり師,きゅう師,柔道整復師などによる施術
⑤ 保健師,看護師,准看護師による療養上の世話
⑥ 助産師による分べんの介助
⑦ 介護福祉による喀痰吸引等又は認定特定行為業務従事者による特定行為

また,次のような費用で,医師等による診療や治療などを受けるために直接必要なものは,医療費控除の対象となる医療費に含まれる(所基通73-3,昭和62.12.24直所3-12通達,平成12.6.8課所4-9,4-11通達)。

① 通院費や医師等の送迎費,入院の部屋代や食事代の費用,医療用器具の購入又は賃借の費用で通常必要なもの
② 義手,義足,松葉づえ,補聴器,義歯等の購入の費用
③ 6か月以上寝たきり状態でおむつの使用が必要であると医師が認めた場合のおむつ代(「おむつ使用証明書」が必要)
④ 介護保険制度の下で提供された一定のサービスの対価のうち,指定介護老人福祉施設におけるサービス(介護費及び食事)として支払った額の2分の1相当額又は一定の居宅サービスの自己負担額

なお,(a)医師等に対する謝礼,(b)健康診断(健康診断により重大な疾病が発見され,かつ,引き続きその疾病の治療をした場合を除く)や美容整形の費用,(c)疾病予防や健康増進などのための医薬品や健康食品の購入費,(d)親族に支払う療養上の世話の費用,(e)治療を受けるために直接必要としない近視,遠視のためのメガネや補聴器等の購入費,(f)通院のための自家用車のガソリン代,分べんのため実家に帰るための交通費などは,医療費控除の対象となる医療費に含まれない(所基通73-4~73-6参照)。

(注) 特定保健指導を受ける者のうち,特定健康診査の結果が高血圧症等と同等の状態である者に対して行われる特定保健指導に係る費用の自己負担分は,医療費控除の対象となる(所規40の3①二)。

3．特定一般用医薬品等購入費を支払った場合の医療費控除の特例

　納税者が平成29年1月1日から令和8年12月31日までの間に自己又は自己と生計を一にする配偶者その他の親族に係る特定一般用医薬品等購入費を支払って，健康の保持増進及び疾病の予防への一定の取組みを行っているときは，医療費控除との選択により，その年中に支払った特定一般用医薬品等購入費の金額（保険金，損害賠償金その他これらに類するものにより補填される部分の金額を除く）のうち，次表による金額を納税者のその年分の総所得金額等から控除する（セルフメディケーション税制，措法41の17，措令26の27の2）。

(注)　「健康の保持増進及び疾病への一定の取組み」とは，①健康診査（人間ドック），②予防接種，③定期健康診断（事業主検診），④特定健康診査（メタボ健診），⑤がん検診をいう（平成28年厚生労働省告示）。

✚医療費控除の特例の計算

> （その年中に支払った特定一般用医薬品等購入費の額 − 保険金などで補填される金額）− 1万2千円 ＝ 医療費控除額（最高8万8千円）

✚特定一般用医薬品等（スイッチＯＴＣ医薬品）の範囲

①　その製造販売の承認の申請に際して既に承認を与えられている医薬品と有効成分，分量，用法，用量，効能，効果等が明らかに異なる医薬品

②　その製造販売の承認の申請に際して，①の医薬品とその有効成分，分量，用法，用量，効能，効果等が同一性を有すると認められる医薬品

③　上記①②のスイッチＯＴＣ医薬品と同種の効能又は効果を有す要指導医薬品又は一般用医薬品で，医療保険療養給付費の適正化の効果が著しく高いと認められるもの

この特例の適用を受ける場合には，確定申告書に医療費控除の特例に関する事項を記載するとともに，①スイッチOTC医薬品の購入費の明細書等を添付又は提示しなければならない（措法41の17④）。

4 社会保険料控除

1．社会保険料控除の内容

社会保険料控除は，納税者又はその納税者と生計を一にする配偶者その他の親族の負担すべき社会保険料を支払った場合又は給与から差し引かれた場合に，その金額を納税者のその年分の総所得金額，退職所得金額又は山林所得金額等から控除するものである（所法74①）。社会保険料とは，①健康保険の保険料，②国民健康保険の保険料又は国民健康保険税，③後期高齢者医療保険の保険料，④介護保険の保険料，⑤雇用保険の労働保険料，⑥国民年金の保険料又は国民年金基金加入員の掛金，⑦農業者年金の保険料，⑧厚生年金保険の保険料又は厚生年金基金加入員の掛金，⑨船員保険の保険料，⑩国家公務員共済組合の掛金，⑪地方公務員等共済組合の掛金，⑫私立学校教職員共済法の掛金，⑬恩給法の規定による納金，及び⑭その他これらに準ずる政令で定めるものをいい，外国で勤務する居住者の受ける給与のうち，所得税を課されない在勤手当から控除されるものを除く（所法74②，所令208）。

なお，全国健康保険協会が管掌する健康保険等の被保険者が承認法人等に対し支払う金銭の額は，社会保険料とみなされる（措法41の7②）。

(注1) 生計を一にする配偶者等が年金から天引されている介護保険料及び後期高齢者医療保険料は，納税者本人の社会保険料控除の対象とならない。
(注2) 前記⑥の国民年金の保険料等にあっては，確定申告書にその支払を証する書類（電磁的記録印刷書面を含む）を添付又は提示しなければならない（所法120③，所令262①二）。ただし，給与所得に係る年末調整の際に控除された保険料等については，証明書の添付等を要しない（所令262①）。

2．社会保険料控除の金額

社会保険料等の額は，法律によって定められていることから，その年中に支払った金額の全額が控除の対象となるが，前納保険料については，前納期間が1年以内の場合を除き，次の算式により計算した金額がその年分の社会保険料控除の額となる（所基通74・75-1，74・75-2）。

●社会保険料を前納した場合の社会保険料控除額

$$\text{前納した社会保険料の総額（前納により割り引かれた場合には，割引後の金額）} \times \frac{\text{前納した社会保険料に係るその年中に到来する納付期日の回数}}{\text{前納した社会保険料に係る納付期日の総回数}}$$

なお，使用者が使用人の負担すべき社会保険料を負担した場合には，その金額は社会保険料控除の対象とならないが，その金額が現物給与として課税された場合は，これを社会保険料の金額に含めることになる（所基通74・75-4）。

5　小規模企業共済等掛金控除

1．小規模企業共済等掛金控除の内容

小規模企業共済等掛金控除は，納税者が小規模企業共済等掛金を支払った場合に，その金額を納税者のその年分の総所得金額，退職所得金額又は山林所得金額等から控除するものである（所法75①）。

小規模企業共済等掛金とは，小規模企業共済法2条2項に規定する共済契約に基づく掛金，確定拠出年金法に規定する企業型年金又は個人型年金の加入者掛金，地方公共団体が実施する心身障害者扶養共済制度に係る契約に基づく掛金をいう（所法75②，所令20②）。

（注） 小規模企業共済制度は，常時使用する従業員の数が20人以下（商業やサービス業では5人以下）の個人事業主（その事業に携わる者を含む）又は同規模の会社の役員などを加入者とし，その加入者が毎月掛金（月額7万円を限度）を払い込むと，個人事業の廃止，会社の解散，個人事業主の死亡，役員の疾病や負傷による退任等のほか，契約者が65歳以上でその掛金納付期間が15年に達した場合の契約者の請求により，一定の共済金を受けることができる制度である。また，心身障害者扶養共済制度とは，精神又は身体に障害のある者を扶養する者を加入者とし，その加入者が地方公共団体に掛金を納付し，加入者の死亡や疾病その他一定の事故を原因として，地方公共団体が心身障害者を扶養するための年金を給付する制度である。

2．小規模企業共済等掛金控除の金額

　小規模企業共済等掛金額は，その年中に支払った金額の全額が控除の対象となるほか，前納保険料等の取扱いは社会保険料控除の場合と同様である。

　小規模企業共済等掛金控除の適用を受けるためには，確定申告書に所定の事項を記載するほか，小規模企業共済等掛金などの額を証明する書類（電磁的記録印刷書面を含む）を添付又は提示しなければならない（所法120③，所令262①三）。ただし，給与所得に係る年末調整の際に控除された小規模企業共済等掛金については，証明書の添付等を要しない（所令262①）。

6　生命保険料控除

1．生命保険料控除の内容

　生命保険料控除は，納税者が生命保険契約等に係る保険料又は掛金を支払った場合に，①平成24年1月1日以後に締結した介護医療保険契約等に係る保険料又は掛金（以下，「介護医療保険料」という），②一定の個人年金保険契約等に係る保険料等（傷害特約や疾病特約等が付されている契約にあっては，その特約部分に

係る保険料等を除く。以下,「個人年金保険料」という)と,③それ以外の保険料等(以下,「一般の生命保険料」という)とに区分し,納税者のその年分の総所得金額,退職所得金額又は山林所得金額等から控除するものである(所法76①～④)。

　生命保険料控除の適用を受けるためには,確定申告書に所定の事項を記載するほか,その年中に支払った保険料等のうち,①一般の生命保険契約等(平成23年12月31日までに締結したもの)に基づき支払った保険料等が9,000円を超えるもの,②個人年金保険契約等並びに平成24年1月1日以後に締結した介護医療保険契約及び一般の生命保険契約等に基づいて支払った保険料等については,その額を証明する書類(電磁的記録印刷書面を含む)を添付又は提示しなければならない(所法120③,所令262①四)。ただし,給与所得に係る年末調整の際に控除された保険料等については,証明書の添付等を要しない(所令262①)。支払った生命保険料が生命保険料控除の対象となるか否かについては,保険会社などから送付される証明書(電磁的記録印刷書面を含む)によって確認することができる。

　生命保険料控除額は,次の①②のとおり,介護医療保険料の控除額,一般の生命保険料の控除額及び個人年金保険料の控除額をそれぞれ計算し,その合計額(最高12万円を限度)である(所法76①～④)。

① 平成24年1月1日以後に締結した保険契約等

　介護医療保険料控除,一般の生命保険料(新生命保険料)控除及び個人年金保険料(新個人年金保険料)控除の金額

　　(適用限度額はそれぞれ4万円)

年間の支払保険料等	控除額
20,000円以下	支払保険料等の全額
20,000円超　40,000円以下	支払保険料等 $\times \dfrac{1}{2} + 10,000$円
40,000円超　80,000円以下	支払保険料等 $\times \dfrac{1}{4} + 20,000$円
80,000円超	一律40,000円

② 平成23年12月31日以前に締結した保険契約等

一般の生命保険料（旧生命保険料）及び個人年金保険料（旧個人年金保険料）控除の金額

（適用限度額はそれぞれ5万円）

年間の支払保険料等	控　除　額
25,000円以下	支払保険料等の全額
25,000円超　50,000円以下	支払保険料等 $\times \dfrac{1}{2}$ ＋12,500円
50,000円超　100,000円以下	支払保険料等 $\times \dfrac{1}{4}$ ＋25,000円
100,000円超	一律50,000円

③ 新契約と旧契約の双方に加入している場合の控除額

新契約と旧契約の双方に加入している場合の新(旧)生命保険料又は新(旧)個人年金保険料は，生命保険料又は個人年金保険料の別に，次のいずれかを選択して控除額を計算することができる。

適用する生命保険料控除	控　除　額
新契約のみ生命保険料控除を適用	①に基づき算定した控除額
旧契約のみ生命保険料控除を適用	②に基づき算定した控除額
新契約と旧契約の双方について生命保険料控除を適用	①に基づき算定した新契約の控除額と②に基づき算定した旧契約の控除額の合計額（最高4万円）

（注1）　その年において生命保険契約等に基づく剰余金の分配もしくは割戻金の割戻しを受け，又は生命保険契約等に基づき分配を受ける剰余金もしくは割戻しを受ける割戻金をもって生命保険料の払込みに充てた場合には，その剰余金又は割戻金の額を控除した残額が一般の生命保険料，個人年金保険料又は介護医療保険料の支払額とされる（所法76①～③）。

（注2）　前納保険料等の取扱いや使用者が使用人の負担すべき生命保険料等を負担した場合の取扱いについては，社会保険料控除の場合とほぼ同様である（所基通76－3，76－4）。

第5章 所得控除

2．生命保険料控除の対象となるもの

(1) 一般の生命保険料

　生命保険料控除の対象となる一般の生命保険料は，次に掲げる生命保険契約等のうち，保険金，年金，共済金又は一時金（これらに類する給付を含む）の受取人のすべてを納税者本人又はその配偶者その他の親族とするものに基づいて支払った保険料等をいう。ただし，(a)保険期間又は共済期間が5年に満たない生命保険契約等のうち，被保険者が保険期間等の満了の日に生存している場合や保険期間中に災害，特定の感染症その他これらに類する特別の事由で死亡した場合にだけ保険金等を支払うこととされている貯蓄型の保険契約等，(b)外国生命保険会社等と国外で締結した生命保険契約等，(c)海外旅行期間内に発生した疾病又は身体の傷害等に基因して保険金等が支払われる保険契約，(d)傷害保険契約や信用保険契約，(e)勤労者財産形成貯蓄保険契約等に基づく保険料等は除かれる（所法76⑤⑥，所令208の3，208の4，209～210の2，措法4の4②）。

平成24年1月1日以後に締結した保険契約（新生命保険料）
①　生命保険会社又は外国生命保険会社等と締結した生存又は死亡に基因して一定額の保険金が支払われる保険契約
②　旧簡易生命保険契約のうち生存又は死亡に基因して一定額の保険金等が支払われる保険契約
③　農業協同組合と締結した生命共済契約その他これに類する共済に係る契約のうち生存又は死亡に基因して一定額の保険金等が支払われる保険契約
④　確定給付企業年金に係る規約又は適格退職年金契約

平成23年12月31日以前に締結した保険契約（旧生命保険料）
①　生命保険会社又は外国生命保険会社等と締結した生存又は死亡に基因して一定額の保険金等が支払われる保険契約
②　旧簡易生命保険契約
③　農業協同組合と締結した生命共済に係る契約その他これに類する共済に係る契約
④　生命保険会社，外国生命保険会社等，損害保険会社又は外国損害保険会

社等と締結した身体の疾病又は身体の傷害その他これらに類する事由に基因して保険金等が支払われる保険契約のうち、医療費支払事由に基因して保険金等が支払われるもの
⑤　確定給付企業年金に係る規約又は適格退職年金契約

(2)　介護医療保険料

　生命保険料控除の対象となる介護医療保険料は、平成24年1月1日以後に締結した次に掲げる契約又は他の保険契約に附帯して締結した新契約のうち、これらの新契約に基づく保険金等の受取人のすべてをその保険料等の払込みをする者又はその配偶者その他の親族とするものをいう（所法76⑦、所令208の6、208の7）。

①　生命保険会社、外国生命保険会社等、損害保険会社又は外国損害保険会社等と締結した身体の傷害等又は疾病により保険金等が支払われる保険契約のうち、病院又は診療所に入院して医療費を支払ったことに基因して保険金等が支払われるもの

②　身体の傷害等又は疾病により保険金等が支払われる旧簡易生命保険契約又は生命共催契約のうち、病院又は診療所に入院して医療費を支払ったことに基因して保険金等が支払われるもの

(3)　個人年金保険料

　生命保険料控除の対象となる個人年金保険料は、(1)の「新生命保険料」欄及び「旧生命保険料」欄に掲げる①～③の契約のうち、年金（退職年金を除く）を給付する定めのある保険契約等又は他の保険契約等に附帯して締結した契約で、次の要件の定めがあるものをいう（所法76⑧⑨、所令211、212）。

①　年金の受取人は、保険料もしくは掛金の払込みをする者又はその配偶者となっている契約であること

②　保険料等は、年金の支払を受けるまでに10年以上の期間にわたって、定期に支払う契約であること

第5章 所得控除

③ 年金の支払は，年金受取人の年齢が原則として満60歳になってから支払うとされている10年以上の定期又は終身の年金であること
(注) 被保険者等の重度の障害を原因として年金の支払を開始する10年以上の定期年金又は終身年金であるものも対象となる。

 地震保険料控除

1．地震保険料控除の内容

　地震保険料控除は，納税者が，①納税者本人又は納税者と生計を一にする配偶者その他の親族の所有する家屋で常時その居住の用に供するもの（以下，「居住用家屋」という），又は②これらの者の所有する生活に通常必要な動産を保険又は共済の目的とし，かつ，地震等損害によりこれらの資産について生じた損害を塡補する保険又は共済金が支払われる損害保険契約等に係る地震保険料を支払った場合に，その地震保険料の合計額（最高5万円）を納税者のその年分の総所得金額，退職所得金額又は山林所得金額等から控除するものである（所法77①）。地震等損害とは，地震もしくは噴火又はこれらによる津波を直接又は間接の原因とする火災，損壊，埋没又は流出による損害をいう。

　地震保険料控除の適用を受けるためには，確定申告書に所定の事項を記載するとともに，その年中に支払った保険料などを証明する書類（電磁的記録印刷書面を含む）を添付又は提示しなければならない（所法120③，所令262①五）。ただし，給与所得に係る年末調整の際に控除された保険料等については，証明書の添付等を要しない（所令262①）。

◆地震保険料控除額の計算

支払った保険料等の区分		保険料等の金額		控　除　額
①	地震保険料等のすべてが地震保険料控除の対象となる損害保険契約等である場合	－	－	その年中に支払った地震保険料の金額の合計額（最高5万円）
②	地震保険料等に係る契約のすべてが旧長期損害保険契約等に該当するものである場合	旧長期損害保険料の金額の合計額	10,000円以下	その合計額
			10,000円超 20,000円以下	支払保険料×½ ＋5,000円
			20,000円超	15,000円
③	①と②がある場合	①，②それぞれ計算した金額の合計額	50,000円以下	その合計額
			50,000円超	5万円

(注1)　「旧長期損害保険契約等」とは，次のすべてに該当する平成18年12月31日までに締結した長期損害保険契約等をいう（保険期間又は共済期間の始期が平成19年1月1日以後のものを除く）。
　　　①　保険期間又は共済期間の満了後に満期返戻金を支払う旨の特約のある契約その他一定の契約（建物又は動産の耐存を共済事故とする共済に係る契約）であること
　　　②　保険期間又は共済期間が10年以上であること
　　　③　平成19年1月1日以後にその損害保険契約等の変更をしていないものであること
(注2)　その年において損害保険契約等に基づく剰余金の分配もしくは割戻金の割戻しを受け，又は損害保険契約等に基づき分配を受ける剰余金もしくは割戻しを受ける割戻金をもって地震保険料の払込みに充てた場合には，その剰余金又は割戻金の額を控除した残額が地震保険料の支払額とされる（所法77①）。
(注3)　前納保険料等の取扱いや使用者が使用人の負担すべき地震保険料等を負担した場合の取扱いについては，社会保険料控除の場合とほぼ同様であり（所基通77－7），居住用家屋と事業用家屋とが一括して保険又は共済の目的とされている場合は，居住用家屋に係るものだけが控除の対象とされる（所基通77－5，77－6）。

2．地震保険料控除の対象となるもの

　地震保険料控除の対象となる保険金等は，次に掲げる損害保険契約等に基づいて支払った地震等損害部分の保険料等をいう（所法77②，所令214）。

① 損害保険会社又は外国損害保険会社等と締結した損害保険契約のうち，一定の偶然の事故によって生ずることのある損害を填補するもの（身体の傷害又は疾病により保険金が支払われる一定の保険契約は除く。また，外国損害保険会社等については国内で締結したものに限る）
② 農業協同組合又は農業協同組合連合会と締結した建物更生共済契約又は火災共済契約
③ 農業共済組合又は農業共済組合連合会と締結した火災共済契約又は建物共済契約
④ 漁業協同組合，水産加工業協同組合又は共済水産業協同組合連合会と締結した建物もしくは動産の共済期間中の耐存を共済事故とする共済契約又は火災共済契約
⑤ 火災等共済組合と締結した火災共済契約
⑥ 消費生活協同組合連合会と締結した火災共済契約又は自然災害共済契約
⑦ 法律の規定に基づく共済に関する事業を行う法人と締結した火災共済又は自然災害共済契約（財務大臣が指定するもの）

なお，次に掲げる保険料等は地震保険料控除の対象とならない（所法77①，所令213，措法4の4②）。

① 地震等損害により臨時に生ずる費用又はその家屋等の取壊しもしくは除去に係る費用その他これらに類する費用に対して支払われる保険金又は共済金に係る保険料等
② 一の損害保険契約等の契約内容につき，次の算式により計算した割合が20％未満であることとされている場合における地震等損害部分の保険料等

$$\frac{\text{地震等損害により家屋等について生じた損失を填補する保険金又は共済金の額}}{\text{火災による損害により家屋等について生じた損失を填補する保険金又は共済金の額}}$$

（注）「火災」には，地震もしくは噴火又は津波を直接又は間接の原因とするものを除く。

③ 勤労者財産形成貯蓄保険契約等に係る損害保険の保険料等

8 寄附金控除

1．寄附金控除の内容

　寄附金控除は，納税者が特定寄附金を支出した場合に，納税者のその年分の総所得金額，退職所得金額又は山林所得金額等から次の金額を控除するものである（所法78①）。

✛寄附金控除の金額

> 特定寄附金の額又は総所得
> 金額等の合計額の40％相当－2,000円＝寄附金控除額
> 額のいずれか低い金額

　寄附金控除の適用を受けるためには，確定申告書に所定の事項を記載するとともに，特定寄附金を受領した旨及びその額を証明する書類等（電磁的記録印刷書面を含む。政治活動に関する寄附については，選挙管理委員会等の確認印のある「寄附金（税額）控除のための書類」が必要）を添付又は提示しなければならない（所法120③，所令262①六，所規47の2③）。

(注1)　政党や政治資金団体，認定ＮＰＯ法人及び公益社団法人等に対する寄附については，寄附金控除の適用を受けるか，税額控除の適用を受けるか，有利の方を選択できる（措法41の18①②，41の18の2①②，41の18の3①，355頁以下参照）。

(注2)　寄附金控除の限度額を定めている所得税法の規定は，法人税法37条の規定との対比の上で，憲法14条1項又は84条に違反するものではないとしたものに，東京地裁平成3年2月26日判決（行集42巻2号278頁），控訴審・東京高裁平成4年3月30日判決（行集43巻3号559頁），上告審・最高裁平成5年2月18日判決（判例タイムズ812号168頁）がある。

2．寄附金控除の対象となる特定寄附金

特定寄附金とは，次に掲げる寄附金をいい，学校の入学に関してするものは除かれる（所法78②③，所令217，措法41の18①，41の18の2①，41の18の3①，41の19）。

① 国又は地方公共団体に対する寄附金（寄附をした者に特別の利益が及ぶと認められるものを除く。⑤⑥に同じ）

② 公益社団法人，公益財団法人その他公益を目的とする事業を行う法人又は団体に対する寄附金で，広く一般に募集され，教育や科学の振興，文化の向上，社会福祉への貢献その他公益の増進に寄与するための支出で緊急を要するものに充てられることが確実なものとして財務大臣が指定したもの（指定寄附金）

③ 教育又は科学の振興，文化の向上，社会福祉への貢献その他公益の増進に著しく寄与するものとして定められた特定公益増進法人に対する寄附金（出資に関する業務に充てられることが明らかなものを除く）で，その法人の主たる目的である業務に関連するもの

　特定公益増進法人とは，ⓐ独立行政法人，ⓑ地方独立行政法人のうち一定の業務を主たる目的とするもの，ⓒ自動車安全運転センター，日本司法支援センター，日本私立学校振興・共済事業団及び日本赤十字社，ⓓ公益社団法人及び公益財団法人，ⓔ私立学校法人で学校の設置もしくは学校及び専修学校もしくは各種学校の設置を主たる目的とするもの，ⓕ社会福祉法人，ⓖ更生保護法人をいう。

④ その目的が教育又は科学の振興，文化の向上，社会福祉への貢献その他公益の増進に著しく寄与すると認められる一定の公益信託（特定公益信託）の信託財産とするために支出した金銭

⑤ 政治活動に関する寄附金のうち，政党，政治資金団体，国会議員が主宰する又は主たる構成員であるその他の政治団体，国会議員，都道府県議会の議員，知事又は指定都市の市会議員もしくは市長の職（以下，「公職」と

いう）の後援団体，特定の公職の候補者又はその候補者となろうとする者の後援団体に対する寄附で政治資金規正法の規定により報告されたもの，公職の候補者に対し政治活動に関してされる寄附で公職選挙法の規定により報告されるもの（政治資金規制法の規定に違反することとなるものなどを除く）

⑥ 特定非営利法人（ＮＰＯ法人）のうち，一定の要件を満たすものとして所轄庁の認定を受けた認定ＮＰＯ法人（仮認定ＮＰＯ法人を含む）又は国税庁長官の認定を受けた旧認定ＮＰＯ法人の行う特定非営利活動に係る事業に関連する寄附金（出資に関する業務に充てられることが明からなものを除く）

⑦ 特定新規中小会社により発行される株式（特定新規株式）を払込みにより取得し，その年12月31日において有している場合の出資額（800万円を限度）

（注１） 入学に関する寄附とは，納税者本人又はその子女等の入学を希望する学校に対する寄附で，その納入がない限り入学を許されないこととされるもの，その他その入学と相当の因果関係があるものをいうのであるが，入学願書受付の開始日から入学が予定される年の年末までの期間内に納入したものは，原則として相当の因果関係があるものされる（所基通78－２）。入学決定後に募集の開始があったもので，新入生以外の者と同一の条件で募集される部分は，入学に関する寄附とはならない。

（注２） 「特定新規中小会社」とは，①中小企業等経営強化法６条に規定する特定新規中小企業者に該当する株式会社（その設立の日以後の期間が１年未満のものその他の一定のものに限る），③内国法人のうちその設立の日以後５年を経過していない株式会社，③内国法人のうち沖縄振興特別措置法57条の２に規定する指定会社で令和７年３月31日までの間に指定を受けたもの，④国家戦略特別区域法27条の５に規定する株式会社，⑤内国法人のうち地域再生法16条に規定する事業を行う株式会社をいう（措法41の19①）。

（注３） 新型コロナウイルス感染症及びまん延防止の影響により，文化芸術又はスポーツに関する行事が中止・延期・規模の縮小を行った場合には，入場料金等払戻請求権の全部又は一部を放棄した部分の金額（20万円を限度）について，寄附金控除又は公益社団法人等に寄附をした場合の所得税額の特別控除を適用できる（新型コロナ税特法５①③）。

（注４） 国又は地方公共団体に対する財産の贈与又は遺贈及び公益法人等に対する財産の贈与又は遺贈で国税庁長官の承認を受けたものは，その財産の贈与又は遺贈に係る譲渡所得等の金額に相当する部分は非課税となるので，その資産の価額のうち，取得費（贈与又は遺贈するために支出金額を含む）に相当する金額が特定寄附金に該当する（措法40①⑲）。

第5章　所得控除

 障害者控除

　障害者控除は，納税者が障害者である場合又は同一生計配偶者や扶養親族が障害者である場合に，納税者のその年分の総所得金額，退職所得金額又は山林所得金額等から障害者1人につき27万円（特別障害者の場合は1人につき40万円，同居特別障害者は1人につき75万円）を控除するものである（所法79①～③）。障害者又は特別障害者とは次に掲げる者をいう（所法2①二十八，二十九，所令10）。

① 精神上の障害により事理を弁識する能力を欠く状況にある者（特別障害者に該当する）

② 児童相談所，知的障害者更生相談所，精神保健福祉センター又は精神保健指定医から知的障害者と判定された者（重度の知的障害者は特別障害者に該当する）

③ 精神障害者保健福祉手帳の交付を受けている者（障害等級が1級と記載されている者は特別障害者に該当する）

④ 身体障害者手帳に身体の障害があると記載されている者（障害の程度が1級又は2級と記載されている者は特別障害者に該当する）

⑤ 戦傷病者手帳の交付を受けている者（障害の程度が恩給法に規定する特別項症から第三項症までの者は特別障害者に該当する）

⑥ 原子爆弾被爆者で厚生労働大臣の認定を受けている者（特別障害者に該当する）

⑦ 常に就床を要し，複雑な介護を要する者（特別障害者に該当する）

⑧ 精神又は身体に障害がある年齢65歳以上の者で，その障害の程度が①，②又は④に該当する者に準ずるものとして市町村長や福祉事務所長の認定を受けている者（障害の程度が①，②又は④の特別障害者に準ずるものとして認定を受けている者は特別障害者に該当する）

　また，同居特別障害者とは，同一生計配偶者又は扶養親族が特別障害者

で，かつ，納税者又はその配偶者もしくは生計を一にする親族のいずれかとの同居を常況にしている者をいう（所法79③）。

(注1) 納税者本人，同一生計配偶者又は扶養親族が同居特別障害者もしくはその他の特別障害者又は特別障害者以外の障害者であるかどうかの判定は，その年の12月31日（年の中途で死亡し又は出国する場合には，その死亡又は出国の時）の現況による（所法85①）。

(注2) 同一生計配偶者とは，納税者の配偶者でその納税者と生計を一にするもの（青色事業専従者として給与の支払を受ける者及び事業専従者を除く）のうち，合計所得金額が48万円以下である者をいう（所法2①三十三）。

10 寡婦控除

寡婦控除とは，納税者が寡婦である場合に，納税者のその年分の総所得金額，退職所得金額又は山林所得金額等から27万円を控除するものである（所法80①）。

寡婦とは，次に掲げる者でひとり親に該当しないものをいう（所法2①三十，所令11，所規1の3）。

① 夫と離婚した後婚姻をしていない者のうち，ⓐ扶養親族を有すること，ⓑ合計所得金額が500万円以下であること，ⓒその者と事実上婚姻関係と同様の事情があると認められる者として一定のものがいないことの要件を満たすもの

② 夫と死別した後婚姻をしていない者又は夫の生死の明らかでない者のうち，上記①ⓑ及びⓒに掲げる要件を満たすもの

なお，寡婦及びひとり親に該当するかどうかの「事実上婚姻関係と同様の事情にあると認められる者として一定のもの」とは，次に掲げる場合の区分に応じ次に定める者をいう（所規1の3，1の4）。

① その者が住民票に世帯主と記載されている者である場合には，その者と同一の世帯に属する者の住民票に世帯主との続柄が世帯主の未届の夫又は

未届の妻である旨その他の世帯主と事実上婚姻関係と同様の事情にあると認められる続柄である旨の記載がされた者
② その者が住民票に世帯主と記載されている者でない場合には，その者の住民票に世帯主との続柄が世帯主の未届の夫又は未届の妻である旨その他の世帯主と事実上婚姻関係と同様の事情にあると認められる続柄である旨の記載がされているときのその世帯主

(注1) 納税者が寡婦やひとり親に該当するかどうかの判定は，その年の12月31日(その者がその年の中途において死亡し，又は出国する場合には，その死亡又は出国の時の現況による。ただし，納税者の子がその当時すでに死亡している場合におけるその子がひとり親の定義にある「生計を一にする子」に該当するかどうかの判定は，その死亡の時の現況による（所法85①）。

(注2) 合計所得金額とは，総所得金額，分離課税の配当所得等の金額，分離課税の長期（短期）譲渡所得金額（特別控除前），株式等に係る譲渡所得等の金額，先物取引に係る雑所得等の金額，退職所得金額及び山林所得金額の合計額をいう。ただし，純損失や雑損失の繰越控除，居住用財産の買換え等の場合の譲渡損失の繰越控除，特定居住用財産の譲渡損失の繰越控除，上場株式等に係る譲渡損失の繰越控除，特定中小会社が発行した株式に係る譲渡損失の繰越控除又は先物取引の差金等決済に係る損失の繰越控除の適用を受けている場合には，その適用前の金額による（以下，この章において同じ。所法2①三十，三十一，措法8の4③一，31③一，32④，37の10⑥一，37の11⑥，37の12の2⑩，37の13の2⑥，41の5⑫一，41の5の2⑫一，41の14②一，41の15④）。

なお，非課税所得の金額のほか，①源泉分離課税とされる利子所得及び配当所得，②確定申告をしないことを選択した配当所得等，③源泉分離課税とされる金融類似商品の収益及び割引債の償還差益，④源泉徴収口座を通じて行った上場株式等の譲渡による所得で，確定申告をしないことを選択したものについては，合計所得金額に含まれない（所基通2－41，措通3－1，8の2－2，8の3－1，8の5－1，37の11の5－1，41の10・41の12共－1）。

11 ひとり親控除

　ひとり親控除とは，納税者がひとり親である場合に，納税者のその年分の総所得金額，退職所得金額及び山林所得金額等から35万円を控除するものである（所法81①）。ひとり親とは，現に婚姻をしていない者又は配偶者の生死の明らかでない者のうち，ⓐその者と生計を一にする子（他の者と同一生計配偶者又は扶養親族とされている者を除き，総所得金額等の合計額が48万円以下であるものに限る）を有すること，ⓑ合計所得金額が500万円以下であること，ⓒその者と事実上婚姻関係と同様の事情があると認められる者として一定のものがいないことの要件を満たす必要がある（所法2①三十一，所令11の2，所規1の4）。

12 勤労学生控除

　勤労学生控除とは，納税者が勤労学生である場合に，納税者のその年分の総所得金額，退職所得金額又は山林所得金額等から27万円を控除するものである（所法82①）。勤労学生とは，自己の勤労に基づいて得た事業所得，給与所得，退職所得又は雑所得（以下，「給与所得等」という）を有する次に掲げる者のうち，合計所得金額が75万円以下で，かつ，合計所得金額のうち給与所得等以外の所得の金額が10万円以下である者をいう（所法2①三十二，所令11の3）。

① 学校教育法に規定する小学校，中学校，高等学校，中等教育学校，大学，高等専門学校，特別支援学校の学生，生徒又は児童

② 国，地方公共団体，学校法人，医療事業を行う農業協同組合連合会，医療法人などの設置した専修学校又は各種学校の生徒で，職業に必要な技術の教授をするなど一定の要件に該当する課程を履修するもの

③ 職業訓練法人の行う認定職業訓練を受けた者で、一定の要件に該当する課程を履修するもの

なお、専修学校、各種学校又はいわゆる職業訓練学校の生徒が勤労学生控除の適用を受けようとする場合には、専修学校の長等から交付を受けた一定の証明書等を確定申告書に添付又は提示しなければならない（所法120③、所令262⑤、所規47の2⑦）。ただし、給与所得に係る年末調整の際に控除された勤労学生控除の額については、この限りでない（所令262④）。

13 配偶者控除

1．配偶者控除の内容

配偶者控除とは、納税者が控除対象配偶者を有する場合に、納税者のその年分の総所得金額、退職所得金額又は山林所得金額等から次表に掲げる区分に応じた金額を控除するものである（所法83①）。

控除対象配偶者とは、同一生計配偶者（276頁参照）のうち、合計所得金額が1,000万円以下である納税者の配偶者をいい（所法2①三十三の二）、控除対象配偶者のうち、年齢70歳以上の者を老人控除対象配偶者という（所法2①三十三の三）。

（注）配偶者とは、法律上の婚姻をした配偶者をいうのであって、いわゆる内縁関係を含まない（所基通2－46）。生計を一にする親族等の意義については、211頁を参照されたい。

✚配偶者控除額

納税者の合計所得金額	一般の控除対象配偶者	老人控除対象配偶者
900万円以下	380,000円	480,000円
900万円超　　950万円以下	260,000円	320,000円
950万円超　1,000万円以下	130,000円	160,000円

なお、生計を一にする親族のうちに2人以上の納税者があり、配偶者が1人の納税者の同一生計配偶者に該当し、同時に他の納税者の扶養親族にも該当する場合には、その配偶者はこれらのうちいずれか一にのみ該当するものとみなされる。いずれに該当するかは、原則として納税者の提出する申請書、申告書に記載されたところによるが、いずれに該当するか定められてないときは、その夫又は妻である納税者の同一生計対象配偶者とされる（所法85④、所令218）。

2．控除対象配偶者等の判定の時期

老人控除対象配偶者又はその他の控除対象配偶者に該当するかどうかの判定は、その年12月31日（その納税者が年の中途で死亡し又は出国した場合には、その死亡又は出国の時）の現況による。ただし、その判定に係る者がその当時すでに死亡している場合は、その死亡の時の現況による（所法85③）。このことは、①配偶者特別控除の適用に関する生計を一にする配偶者、②扶養控除の適用に関する特定扶養親族、老人扶養親族その他の控除対象扶養親族又はその他の扶養親族に該当するかどうかの判定においても同様である（所法85③）。

また、年の中途において納税者の配偶者が死亡し、その年中にその納税者が再婚した場合には、その死亡した配偶者又は再婚した配偶者のうちいずれか1人に限り、配偶者控除の適用が認められ、他の配偶者は他の納税者の扶養親族にはならない（所法85⑥、所令220①②）。ただし、死亡した配偶者が死亡前に他の納税者の扶養親族として申告されている場合には、その死亡した配偶者は他の納税者の扶養親族に該当するものとし、再婚した配偶者はその納税者の控除対象配偶者又は他の納税者の扶養親族に該当するものとされる（所令220③）。

第5章 所得控除

14 配偶者特別控除

　配偶者特別控除とは，納税者が生計を一にする配偶者（青色事業専従者として給与の支払を受ける者及び事業専従者を除く）で控除対象配偶者に該当しない者を有する場合に，納税者のその年分の総所得金額，退職所得金額又は山林所得金額等からその配偶者の所得金額に基づいて次の「早見表」で求めた金額を控除するものである（所法83の2①）。ただし，納税者の合計所得金額が1,000万円を超える場合には適用がない（所法83の2②）。

　なお，納税者の配偶者が「給与所得者の扶養控除等申告書」もしくは「従たる給与についての扶養控除等申告書」又は「公的年金等の受給者の扶養親族等申告書」に記載された源泉控除対象配偶者がある者として給与等又は公的年金等に係る源泉徴収の規定の適用を受けている場合（当該配偶者が年末調整の適用を受けた者である場合又は確定申告書の提出もしくは決定を受けた者である場合を除く）には，その納税者は，確定申告において配偶者特別控除の適用を受けることができない（所法83の2②）。

＋配偶者特別控除額

			納税者の合計所得金額		
			900万円以下	900万円超 950万円以下	950万円超 1,000万円以下
配偶者の 合計所得金額	38万円超	95万円以下	38万円	26万円	13万円
	95万円超	100万円以下	36万円	24万円	12万円
	100万円超	105万円以下	31万円	21万円	11万円
	105万円超	110万円以下	26万円	18万円	9万円
	110万円超	115万円以下	21万円	14万円	7万円
	115万円超	120万円以下	16万円	11万円	6万円
	120万円超	125万円以下	11万円	8万円	4万円
	125万円超	130万円以下	6万円	4万円	2万円
	130万円超	133万円以下	3万円	2万円	1万円

　パートで働く主婦の給与収入が一定額を超える場合には，納税者の所得税の

計算上配偶者控除が適用されなくなり、かえって世帯全体の税引き後の手取額が減少してしまう（手取りの逆転現象）というようなことから、その対応として配偶者特別控除が創設されている。このため控除額は、配偶者の収入金額に応じて減少する「消失控除」という方式をとっている。

　（注）　夫婦の双方が互いに配偶者特別控除の適用を受けることはできないので（所法83の2②）、いずれか一方の配偶者はこの控除の対象とならない。

15　扶養控除

扶養控除とは、納税者が控除対象扶養親族を有する場合に、納税者のその年分の総所得金額、退職所得金額又は山林所得金額等から、次表に掲げる区分に応じた金額を控除するものである（所法84①、措法41の16①②）。

◆扶養控除額

区　分		控　除　額 （各1人につき）
一般の控除対象扶養親族 （年齢16歳以上の扶養親族、下記以外の者）		380,000円
特定扶養親族 （年齢19歳以上23歳未満の扶養親族）		630,000円
老人扶養親族 （年齢70歳以上の扶養親族）	同居老親等以外	480,000円
	同居老親等	580,000円

　（注）　納税者又はその配偶者の直系尊属でこれらの者と同居を常況としている老人扶養親族を「同居老親等」という（措法41の16①）。

　控除対象扶養親族とは、扶養親族のうち年齢16歳以上の者をいい（所法2①三十四の二）、扶養親族とは、納税者と生計を一にする配偶者以外の親族、児童福祉法の規定により養育を委託された里子及び老人福祉法の規定により養護を委託された養護老人（青色事業専従者として給与の支払を受ける者及び事業専従者を除く）で、合計所得金額が48万円以下である者をいう（所法2①三十四）。日本国内

に居住する親族にあっては，①年齢16歳以上30歳未満である者，②30歳以上70歳未満で，かつ，ⓐ留学により国内に住所又は居所を有しなくなった者，ⓑ障害者，ⓒその適用を受ける納税者からその年において生活費又は教育費に充てるための支払を38万円以上受けている者が控除対象扶養親族に該当する（所法2①三十四の二）。

なお，生計を一にする親族のうちに2人以上の納税者があり，いずれの扶養親族にも該当する場合には，その者はこれらのうちいずれか一にのみ該当するものとみなされる。いずれに該当するかは，原則として納税者の提出する申請書，申告書に記載されたところによるが，いずれに該当するか定められてないときは，①すでに特定の納税者が申告書等の記載によってその扶養親族としている場合にはそれにより，②上記①によっても，いずれの扶養親族か定められない場合は，納税者の合計所得金額又はその見積額が最も多い者の扶養親族とされる（所法85⑤，所令219）。

(注) 国外居住親族に係る扶養控除，配偶者控除及び配偶者特別控除又は障害者控除の適用を受ける納税者は，親族関係書類及び送金関係書類並びに留学証明書類を確定申告書に添付又は提示しなければならない。また，年齢30歳以上70歳未満の国外に居住する親族（障害者である親族を除く）に係る扶養控除の適用を受ける納税者は，その該当する旨を明らかにする書類を確定申告書に添付等しなければならない（所法120③，所令262③④）。ただし，給与等又は公的年金等の源泉徴収において，これらの書類を添付等した場合には，確定申告書に添付等を要しない。

16 基礎控除

　基礎控除とは，納税者のその年分の総所得金額，退職所得金額又は山林所得金額等から次表に掲げる区分に応じた金額を控除するものである（所法86）。

◆基礎控除額

納税者の合計所得金額	控　除　額
2,400万円以下	480,000円
2,400万円超　2,450万円以下	320,000円
2,450万円超　2,500万円以下	160,000円
2,500万円超	0

　基礎控除の額は，その配偶者に係る配偶者控除，配偶者特別控除，扶養親族に係る扶養控除と合わせて基礎的な人的控除と呼んでおり，最低生活費の保障の意味をもつものといわれている。

第6章

税額の計算

1 課税総所得金額，課税退職所得金額及び課税山林所得金額に対する税額は，各課税所得金額に累進税率を適用して計算する。
2 土地建物等や株式等の譲渡による所得などは，課税所得金額に比例税率を適用して税額を計算する。上場株式等の配当等については，申告分離課税を選択することができる。
3 土地建物等の譲渡による所得については，軽減税率の適用のほか，特別控除，買換え（交換），収用，損失の繰越控除等の多くの所得計算の特例がある。
4 上場株式等の譲渡による所得についても，確定申告不要，源泉分離課税の選択，非課税，損失の繰越控除等の多くの所得計算の特例がある。
5 先物取引に係る雑所得等については，比例税率で課税されるとともに，損失の繰越控除の適用がある。

1 通常の税額計算

1. 税額計算の仕組み

　居住者に課される所得税の額は，総所得金額，分離課税の配当所得等の金額，土地の譲渡等に係る事業所得等の金額（令和8年12月31日までは適用されない），分離課税の長期（短期）譲渡所得の金額，株式等に係る譲渡所得等の金額，先物取引に係る雑所得等の金額，山林所得金額及び退職所得金額から，所得控除額を差し引いて課税総所得金額，分離課税の課税配当所得等の金額，土地の譲渡等に係る課税事業所得等の金額，分離課税の課税長期（短期）譲渡所得の金額，株式等に係る課税譲渡所得等の金額，先物取引に係る課税雑所得等の金額，課税山林所得金額及び課税退職所得金額を算出し，これらの課税所得金額に超過累進税率又は比例税率を適用して算出税額を求める。そして，さらにその算出税額から税額控除を行ってその年分の所得税額を求めるのである（所法89）。

2. 課税総所得金額と課税退職所得金額に対する税額

　課税総所得金額及び課税退職所得金額に対する税額は，それぞれ次の「所得税の速算表」により計算する（所法89①）。

❖所得税の速算表

課税される所得金額	税率	控除額
1,000円～ 1,949,000円	5%	0円
1,950,000円～ 3,299,000円	10%	97,500円
3,300,000円～ 6,949,000円	20%	427,000円
6,950,000円～ 8,999,000円	23%	636,000円
9,000,000円～17,999,000円	33%	1,536,000円
18,000,000円～39,999,000円	40%	2,796,000円
40,000,000円以上	45%	4,796,000円

3．課税山林所得金額に対する税額

　山林所得の金額に対する税額は，課税山林所得金額の5分の1に相当する税額について総所得金額に対する税額と同一の方法で計算した金額を5倍して算出する（5分5乗方式，所法89①）。

4．変動所得・臨時所得の平均課税

　その年分の総所得金額のうち，変動所得（78頁参照）及び臨時所得（78頁参照）の金額があり，かつ，これらの所得の合計金額が総所得金額の100分の20以上である場合には，納税者の選択により，変動所得及び臨時所得の平均課税の方法で課税総所得金額に対する税額を計算することができる（所法90①）。ただし，その年の変動所得の金額が前年分及び前々年分の変動所得の金額の合計額の2分の1に相当する金額以下のときは，臨時所得の金額だけが平均課税の対象とされる（所法90①）。

　平均課税の方法による課税総所得金額に対する税額の計算は，次の算式1によって「調整所得金額」と「特別所得金額」を求めた上で，「調整所得金額に対する税額」（算式2）と「特別所得金額に対する税額」（算式3）の合計額とされる（所法90①②）。

<算式1> 「調整所得金額」と「特別所得金額」の計算

区　　　　分	調 整 所 得 金 額	特 別 所 得 金 額
課税総所得金額が平均課税対象金額を超える場合	課税総所得金額 －平均課税対象金額×$\dfrac{4}{5}$	課税総所得金額 －調整所得金額
課税総所得金額が平均課税対象金額以下の場合	課税総所得金額×$\dfrac{1}{5}$	課税総所得金額 －調整所得金額

　（注）　平均課税対象金額とは，変動所得の金額（前年又は前々年に変動所得の金額がある場合には，その年の変動所得の金額が前年分及び前々年分の変動所得の金額の合計額の2分の1に相当する金額を超える場合のその超える部分の金額）と臨時所得の金額との合計額をいう（所法90③）。

＜算式2＞
調整所得金額×税率（所得税の速算表）＝調整所得金額に対する税額

＜算式3＞
特別所得金額×平均税率＝特別所得金額に対する税額

$$平均税率＝\frac{調整所得金額に対する税額}{調整所得金額}\quad\left(\begin{array}{l}小数点2位まで算出し，\\3位以下切捨て\end{array}\right)$$

なお，変動所得や臨時所得について平均課税を適用して税額を計算する場合には，確定申告書，修正申告書又は更正の請求書に平均課税の適用を受ける旨の記載があり，かつ，その計算に関する明細を記載した書類の添付をしなければならない（所法90④）。

平均課税による課税総所得金額に対する所得税額の計算例

〔設　問〕

次の場合の課税総所得金額に対する令和5年分の所得税額はいくらか。

① 総所得金額　　　　　　　　　　9,500,000円
② 総所得金額のうち変動所得の金額　3,000,000円
③ 所得控除の合計額　　　　　　　　2,985,000円
④ 前年分の変動所得の金額　　　　　1,500,000円
⑤ 前々年分の変動所得の金額　　　　　500,000円

（計　算）

1　課税総所得金額　9,500,000円－2,985,000円＝6,515,000円
2　平均課税の判定　3,000,000円≧9,500,000円×20％
3　課税総所得金額に対する税額
　① 平均課税対象金額
　　　$3,000,000円－(1,500,000円＋500,000円)×\frac{1}{2}＝2,000,000円$

② 調整所得金額
  $6,515,000円 - 2,000,000円 \times \dfrac{4}{5} = 4,915,000円$

③ 特別所得金額
  $6,515,000円 - 4,915,000円 = 1,600,000円$

④ 調整所得金額に対する税額
  $4,915,000円 \times 0.2 - 427,000円 = 556,000円$

⑤ 平均税率
  $556,000円 \div 4,915,000円 \fallingdotseq 11\%$

⑥ 特別所得金額に対する税額
  $1,600,000円 \times 0.11 = 176,000円$

⑦ 税額の計
  $556,000円 + 176,000円 = 732,000円$

5．復興特別所得税

平成25年から令和19年までの各年分の所得については，復興特別所得税を納める義務がある（復興財確法8，13）。

◆復興特別所得税額の計算

基準所得税額×2.1％＝復興特別所得税額

なお，基準所得税額は，次表のとおりである（復興財確法10）。

区　　　分		基準所得税額
居住者	非永住者以外の居住者	すべての所得に対する所得税額
	非永住者	国内源泉所得及び国外源泉所得で国内払いのもの又は国内に送金されたものに対する所得税額
非居住者		国内源泉所得に対する所得税額

6．特定の基準所得金額の課税の特例

　その年分の基準所得金額が3億3,000万円を超えるものについては，超える部分の金額の22.5％に相当する金額からその年分の基準所得税額を控除した金額に相当する所得税を課する（措法41の19）。

　上記の「基準所得金額」とは，その年分の所得税について申告不要制度を適用しないで計算した合計所得金額（その年分の所得税について適用する特別控除額を控除した後の金額）をいい，「基準所得税額」とは，その年分の基準所得金額に係る所得税の額（分配時調整外国税相当額控除及び外国税額控除を適用しない場合の所得税の額とし，附帯税及び上記により課す所得税の額を除く）をいう。

```
①　通常の所得税額
②　合計所得金額－特別控除額（3.3億円）×22.5％
                    ↓
     ②が①を上回る場合に限り，差額分を申告納税
```

　令和7年分以後の所得税について適用する（令和5年所法等改正附則36）。

2　上場株式等の配当所得等の金額に対する税額計算

1．上場株式等に係る配当所得等の申告分離課税

　居住者又は恒久的施設を有する非居住者（以下，「居住者等」という）が支払を受けるべき利子等（一般利子等を除く）又は配当等（私募公社債等運用投資信託等の収益の分配に係る配当等を除く）で，次に掲げるもの（以下，「上場株式等の配当等」という）を有する場合には，他の所得と区分し，その年中の上場株式等の配当等に係る課税配当所得等の金額として所得税15％（ほかに復興特別所得税

0.315％）の税率で課税される（申告分離課税，措法8の4①）。この場合において，上場株式等の配当等に係る配当所得については，配当控除の適用がない（措法8の4①）。

① 金融商品取引所に上場されている株式等その他これに類するものの配当等で，内国法人から支払がされるその配当等の支払に係る基準日においてその内国法人の発行済株式の総数又は出資金額の3％以上を保有する者（以下「大口株主等」という）以外の者が支払を受けるもの

② 公募証券投資信託（特定株式投資信託を除く）の収益の分配

③ 特定投資法人の投資口の配当等

④ 特定受益証券発行信託（公募のもの）の収益の分配

⑤ 特定目的信託（公募のもの）の社債的受益権の剰余金の配当

⑥ 特定公社債の利子

なお，上記①の配当等及び②公社債投資信託以外の証券投資信託に係る配当等並びに③の配当等（以下，「特定上場株式等の配当等」という）については，申告分離課税を選択した場合に限り適用され，特定上場株式等の配当等について総合課税を選択した場合には，その者が同一の年中に支払を受けるべき他の特定上場株式等の配当等に係る配当所得については，申告分離課税を選択することができない（措法8の4②）。

2．確定申告不要制度

上場株式等の配当等については，確定申告を要しないこととされている（措法8の5①，9の2⑤）。ただし，配当等から負債の利子を控除したり，配当控除の適用を受ける場合（総合課税の選択）などは，確定申告をして源泉徴収税額の還付を受けることもできる。

① 上場株式等の配当等……金額の制限はない。

確定申告をするかどうかは，1回に支払を受けるべき配当等の額ごとに，また，源泉徴収選択口座内配当等にあってはその口座ごとに選択すること

ができる（措法8の5④, 37の11の6⑨）。

② 上記以外の配当等（大口株主等が受ける上場株式の配当等及び非上場株式の配当等）……1回に支払を受けるべき金額が次の算式で計算した金額以下であるもの（少額配当）

$$10万円 \times \frac{配当計算期間の月数}{12}$$

(注) 配当計算期間とは，前回の配当等の基準日の翌日から今回の配当等の基準日までの期間をいい，配当計算期間の月数は，①年4回の配当等があるときは3，②年2回の配当等があるときは6がこれに当たる（措法8の5①）。また，国内における支払の取扱者を通じて交付される外国株式の配当等が少額配当に該当するかどうかは，外国税額控除後の金額を基にして計算する（措法9の2⑤）。

3．上場株式等の配当等に対する源泉徴収税率

上場株式等の配当等については，15％（ほかに復興特別所得税0.315％）の税率で源泉徴収（特別徴収）される。大口株主等が支払を受けるべき上場株式等の配当等（配当所得に該当するもの）は，20％（ほかに復興特別所得税0.42％）の税率で源泉徴収される（措法9の3①，9の3の2①）。

(注1) 国内における支払の取扱者を通じて交付される外国株式の配当等は，外国税額控除後の金額に税率を乗じて源泉徴収される（措法9の2③）。
(注2) 国内における支払の取扱者を通じて交付される上場株式等の配当等は，支払の取扱者が源泉徴収義務者となる（措法9の3の2①）。

4．源泉徴収選択口座内配当等に係る所得計算及び源泉徴収等の特例

金融商品取引業者等と締結した上場株式配当等受領委任契約に基づき「特定上場株式配当等勘定」に受け入れられた上場株式等の配当等（以下，「源泉徴収選択口座内配当等」という）の所得金額については，源泉徴収選択口座内配当等以

第6章　税額の計算

外の配当等と区分して計算する（措法37の11の6①④）。源泉徴収選択口座が開設されている金融商品取引業者等は，その配当等の交付に際して源泉徴収をするのであるが，源泉徴収選択口座内の上場株式等の譲渡損失又は信用取引による決済損失の金額があるときは，当該損失額を控除（損益通算）した残額を配当等の金額とみなして源泉徴収税額を計算する（措法37の11の6⑥）。源泉徴収選択口座内配当等の交付の際に既に徴収した所得税の額が損益通算後の所得税額を超えるときは，その超える部分の所得税額が還付される（措法37の11の6⑦）。

5．投資信託の収益分配金に対する課税

　投資信託の運用収益は，利子，配当，証券の売却益など各種の収益が混在しており，公社債投資信託の収益の分配金（期中分配金のほかに，解約による差益，償還による差益を含む）は，貯蓄の果実である預貯金の利子と類似するところから，利子所得に分類され（所法23①），また，株式投資信託の収益の分配金は，投資者がファンドから出資者の立場で受ける利益の分配に当たるところから，配当所得に分類される（所法24①）。この投資信託の収益分配金に対しては，租税特別措置法により，次の課税方法がとられている。

(1)　公社債投資信託の収益の分配金は，利子所得に該当し（所法23①），公募のものは，上場株式等の配当等として，①申告分離課税及び②確定申告不要制度が適用される（措法8の4①二，8の5①三）。これには，ＭＲＦ（マネー・リザーブ・ファンド）及びＭＭＦ（マネー・マネジメント・ファンド）などがある。

(2)　公募株式投資信託（特定株式投資信託を除く）の収益の分配金は，配当所得に該当し（所法24①），上場株式等の配当等として，①申告分離課税，②確定申告不要制度，③上場株式等の配当等に係る源泉徴収税率の特例が適用される（措法8の4①二，8の5①三，9の3①二）。公募株式投資信託の収益の分配金について総合課税を選択して確定申告をすると，配当控除の適用があるが，投資信託約款の定める外貨建資産の割合又は株式以外の資産割合によって配当控除率が異なる（所法92①，措法9④，335頁参照）。また，オープン型の公募

株式投資信託の特別分配金は，元本の払戻しに相当する分配であるから非課税となる（所法9①十一）。

なお，株式投資信託の収益分配金のうち，居住者等が受ける解約・償還差益については，株式等の譲渡に係る収入金額とみなされる（措法37の10④一，37の11④一）。

(3) 特定株式投資信託とは，特定の株価指数に採用されている銘柄のみに投資を行う公募・契約型の投資信託をいうが（所令336②五，措法3の2），その受益権は金融商品取引所に上場され，株式と同じように売買される。これには，日経300株価指数連動型上場投資信託のほか，東証株価指数や日経平均株価指数に連動する株価指数連動型上場投資信託（ＥＴＦ）がある。その収益の分配金は，上場株式等の配当等と同様の課税の対象とされている（措法8の4①一，8の5①二，9の3①一，9の3の2①一，37の11②一）。

(4) 会社型投資信託（公募・オープン・エンド型）の収益の分配金は，配当所得に該当し（所法24①），上場株式等の配当等と同様の課税となる（措法8の4①三，8の5①四，9の3①三，9の3の2①三）。会社型投資信託には，投資家の請求に応じて投資証券の払戻しを行うオープン・エンド型と，投資証券の払戻しを行わないクローズ・エンド型があるが，税法では，公募のオープン・エンド型の投資法人を「特定投資法人」という（措法8の4①三）。

(5) 不動産投資信託（REIT）やインフラファンドは，投資者から集めた資金を不動産やインフラ資産に投資して賃貸収入や売却収入などの運用益を投資者に分配する投資信託である。金融商品取引所に上場されている不動産投資信託等の受益権は，会社型のクローズ・エンド型に該当する投資証券であり，その収益の分配金は，上場株式等の配当等と同様の課税とされているが（措法8の4①一，8の5①二，9の3①一，9の3の2①一，37の11②一），投資法人が支払う配当等について損金算入が認められているので（措法67の15①），株式配当と異なって配当控除が適用されない（措法9①七）。

(6) 私募公社債等運用投資信託の収益の分配金は，配当所得に該当するが（所法24①），所得税15％の一律分離課税である（措法8の2①）。

(7) 特定受益証券発行信託の収益の分配金は，配当所得に該当するが（所法24①），配当控除の適用はなく（所法92①），その受益権の譲渡は，株式等に係る譲渡所得等として課税される（措法37の10①②五）。また，特定受益証券発行信託以外の受益証券発行信託の受益権は，株式等とみなされ（所法6の3四），その収益の分配は，資本剰余金の減少に伴わない剰余金の配当とみなされて（所法6の3八），配当所得として課税され（所法24①），その譲渡による所得は株式等に係る譲渡所得等として課税される（措法37の10②一）。ＥＴＮ（上場投資証券，指標連動証券）は，上場株式等と同じ税制となる。

なお，特定受益証券発行信託とは，法人課税信託とされる受益証券発行信託のうち，次の要件を満たすものをいう（所法2①十五の五，法法2二十九ハ）。

イ　税務署長の承認を受けた法人が引き受けたものであること
ロ　信託に係る未分配利益の額が信託の元本総額の2.5％以下であること
ハ　各計算期間が1年以下であること
ニ　受益者が存在しない信託に該当したことがないこと

＜期中分配金に対する課税＞

個別元本の額10,500円，基準価額11,500円の公募株式投資信託について，1,500円の分配金が支払われた場合

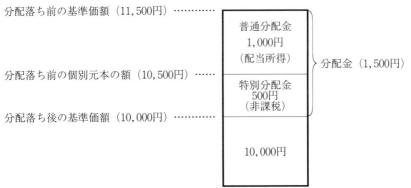

6．非課税口座内の少額上場株式等に係る配当所得等の非課税

　居住者等（非課税口座を開設しようとする年の1月1日において18歳以上の者に限る）が，金融商品取引業者等の営業所に開設した非課税口座に，非課税管理勘定，特定累積投資勘定もしくは特定非課税管理勘定を設けた日から同日の属する年の1月1日以後5年を経過する日までの間又は累積投資勘定を設けた日から同日の属する年の1月1日以後20年を経過する日までの間に支払を受けるべき非課税口座内上場株式等の配当等については，所得税が課されない（NISA制度，措法9の8，措法37の14⑤一）。非課税口座に受け入れることができる上場株式等は，非課税口座に非課税管理勘定，累積投資勘定，特定累積投資勘定又は特定非課税管理勘定が設けられた日から同日の属する年の12月31日までの間に取得等をした上場株式等で，取得対価の合計額が非課税管理勘定については120万円，累積投資勘定については40万円，特定累積投資勘定については20万円，特定非課税管理勘定については102万円を超えないもの等一定のものに限られる（措法37の14⑤二，四，六）。

　なお，上記のNISA制度は，令和5年度の税制改正において，非課税保有期間を無期限化するとともに，口座開設可能期間については期限を設けず，恒久的な措置とされている。

　＊　NISA制度の詳細は，319頁を参照されたい

第6章　税額の計算

3　分離課税の長期（短期）譲渡所得の金額に対する税額計算

1．長期譲渡所得と短期譲渡所得に対する比例税率

　土地等又は建物等の譲渡による所得は，租税特別措置法により分離課税とされており，譲渡した年の1月1日において所有期間が5年を超えているかどうかによって，長期譲渡所得と短期譲渡所得に区分され，次のような課税方法がとられている。贈与又は相続等による取得は，贈与者又は被相続人等の取得時期によって判定する（措法31②，措令20③）。

　なお，土地等とは土地又は土地の上に存する権利をいい，建物等とは建物及びその附属設備もしくは構築物をいう（措法31①，116頁参照）。

(1) 分離課税の長期譲渡所得に対する課税

　長期所有の土地等又は建物等に係る譲渡所得に対しては，譲渡益から所得控除不足額（総所得金額及び短期譲渡所得の金額から控除しきれなかった所得控除額）を差し引いた残額（課税長期譲渡所得の金額）に対して，原則として15％（ほかに復興特別所得税0.315％）の税率による所得税を課することとしている（措法31①）。

(2) 課税長期譲渡所得に対する税額の軽減

　国や地方公共団体等に対し，あるいは優良住宅地の造成等のために長期所有の土地等を譲渡した場合には，①課税長期譲渡所得金額2,000万円以下の部分は10％（ほかに復興特別所得税0.21％。以下同じ），②課税長期譲渡所得金額2,000万円を超える部分は15％（ほかに復興特別所得税0.315％。以下同じ）の税率による所得税が課されることになる（措法31の2①）。

　同様に，譲渡した年の1月1日において所有期間が10年を超える土地等で居住用財産に該当するものを譲渡した場合には，①課税長期譲渡所得金額6,000

万円以下の部分は10％，②課税長期譲渡所得金額6,000万円を超える部分は15％の税率による所得税が課される（措法31の3①）。

> （注） 優良住宅地の造成等のための譲渡に対する軽減税率の特例は，収用交換等により代替資産を取得した場合の課税の特例や収用交換等の5,000万円特別控除などと重複して適用することができない（措法31の2④）。また，居住用財産を譲渡した場合の軽減税率の特例は，居住用財産を譲渡した場合の3,000万円特別控除と重複して適用することができるが，居住用財産の買換え等の特例などとは選択適用とされる（措法31の3①）。

(3) 長期譲渡所得の概算取得費控除

長期譲渡所得の金額の計算に当たって収入金額から控除する取得費は，譲渡資産の取得の日が昭和27年12月31日以前である場合には，実際の取得価額に取得の日以後に支出した設備費及び改良費の合計額によるか，又は昭和28年1月1日における相続税評価額とその日以後に支出した設備費及び改良費の合計額によるのであるが（所法61②③，所令172），これによらず，その収入金額の5％相当額を取得費とする特例が設けられている（措法31の4①）。この概算取得費の特例は，昭和28年1月1日以後に取得した土地等又は建物等の長期譲渡所得のほか，分離課税の短期譲渡所得や土地等又は建物等以外の資産の譲渡による所得の計算においても適用できるなど，実務では幅広い取扱いがなされている（所基通38－16，48－8，60－3，措通31の4－1，37の10・37の11共－13）。

(4) 分離課税の短期譲渡所得に対する課税

短期所有の土地等又は建物等に係る譲渡所得に対しては，課税短期譲渡所得の金額の30％（ほかに復興特別所得税0.63％）の税率による所得税を課することとされている（措法32①）。

ただし，国や地方公共団体等に対する譲渡あるいは収用交換等による譲渡にあっては，課税短期譲渡所得の金額の15％の税率による所得税が課されることになる（措法32③）。

なお，短期譲渡所得の課税の特例が適用される資産には，土地等又は建物等

のほか，その有する資産が主として土地等である法人の発行する株式又は出資（土地譲渡類似株式等）も含まれる（措法32②，措令21③）。

（注） 土地譲渡類似株式等の譲渡

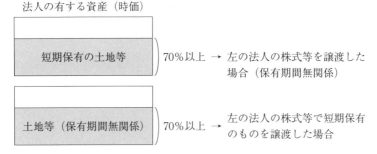

(5) 損益通算及び損失の繰越控除の適用除外

　分離課税の長期（短期）譲渡所得の金額の計算上生じた損失の金額は，特定の居住用財産の買換え等の場合を除き（307頁参照），分離課税の長期（短期）譲渡所得以外の他の所得との通算及び翌年以降の繰越しが認められない。①分離課税の長期（短期）譲渡所得の金額が赤字の場合には，その赤字の金額を分離課税の長期（短期）譲渡所得（黒字）の金額と相殺することはできるが，分離課税の長期（短期）譲渡所得以外の他の所得（黒字）の金額から控除することはできないし，また，②分離課税の長期（短期）譲渡所得以外の他の所得が赤字であった場合には，その赤字の金額を分離課税の長期（短期）譲渡所得（黒字）の金額から控除することもできない（措法31①③二，32①④）。

(6) 特別控除の特例

　所得税法に規定する譲渡所得の特別控除額は，長期譲渡所得及び短期譲渡所得の区分にかかわりなく50万円とされているが（所法33④），分離課税の長期（短期）譲渡所得については，原則として特別控除の適用はなく（所法31①，32①），次に掲げる譲渡に該当する場合に限って，それぞれに掲げる特別控除額を適用することができることとされている（措法33の4①，34①，34の2①，34の3

①，35①，35の2①，35の3①）。

① 収用対象事業のための土地等の譲渡……5,000万円
② 特定土地区画整理事業等のための土地等の譲渡……2,000万円
③ 特定住宅地造成事業等のための土地等の譲渡……1,500万円
④ 農地保有の合理化等のための農地等の譲渡……800万円
⑤ 居住用家屋及びその敷地の譲渡……3,000万円
⑥ 特定の土地等の譲渡（長期）……1,000万円
⑦ 低未利用土地等の譲渡（長期）……100万円

なお，その年中の土地等又は建物等の譲渡について，上記の特別控除額のうち2以上の適用を受けることにより特別控除額の合計額が5,000万円を超えるときは，5,000万円で頭打ちとされる（措法36①）。

（注） 上記①から③の特別控除は，その適用があるものとした場合においてもその年分の所得税について確定申告書を提出しなければならない者については，原則として，確定申告書に所定の事項及び一定の書類の添付がある場合に限り適用する（確定申告書の提出義務のない者は申告要件ではない。措法33の4④，34④，34の2④）。他方，上記④から⑦の特別控除は，原則として，確定申告書に所定の事項及び一定の書類の添付がある場合に限り適用する（申告要件，措法34の3③，35⑪，35の2③，35の3③）。

2．交換・買換え等の特例

譲渡所得とは資産の譲渡による所得をいい，「譲渡」には交換や買換えも含まれるから，資産の交換，買換えがあった場合には，原則として，譲渡所得の課税が行われるのであるが，所得税法や租税特別措置法では，一定の要件に該当する資産の交換や買換えについて課税の繰延べ措置を講じている（123頁参照）。

この交換・買換え等の特例には，固定資産の交換の特例（所法58①，123頁参照）のほか，租税特別措置として，①収用等の場合の課税の特例，②特定の居住用財産の買換え（交換）の特例，③事業用資産の買換え（交換）の特例など多くのものがある。その主なものは後述する。

第6章　税額の計算

　これらの特例は，原則として，確定申告書に特例の適用を受ける旨を記載するとともに，一定の書類を確定申告書に添付した場合に限り適用する（申告要件，所法58③，措法33⑤，33の2③，36の2⑤，36の5，37⑥，37の4，37の5②⑥，37の6②，37の9の4②等）。

3．収用等の場合の課税の特例

　土地等が土地収用法，都市計画法，道路法などの法律の規定により，強制収用権の認められる公共事業の施行に伴って収用されたり，又は強制収用権を背景とした事業のために売買契約に基づいて買い取られた場合には，その譲渡等が特別の法律に基づいて強制的に行われたものであり，あるいは半ば強制的に近い状態で買い取られたものであることを考慮して，また，公共事業の円滑な遂行にも配意して，譲渡所得の金額の計算について特例が設けられている。これは公権力に基づいて譲渡所得が実現された場合に，その補償金によって代替資産を取得し，従前と同様の生活を再現するときは課税関係を生じさせないという趣旨のものである。また，収用権と収用権を背景として行われる任意買収とでは，土地収用法等に基づく収用手続を経ているか否かの違いがあるから，任意買収による土地等の譲渡等については，課税の特例を適用すべきでないという考え方もあり得よう。しかし，その任意買収は，買取り等の申出を拒むときは土地収用法等の規定により収用されることとなるといった事情の下に行われるため，形式的には任意の私法上の手続による売買契約であっても，実質的には土地収用法等に基づく収用の場合と何ら異なるところはなく，いわば間接的な収用権の発動であるということもできる。そこで，このような任意買収であっても，収用に準じて取り扱われる。

　なお，この特例は，納税者の選択により，①代替資産を取得した場合の課税の繰延べと，②5,000万円の特別控除のいずれか一方の特例を受けることができる。

(1) 収用等に伴い代替資産を取得した場合の課税の特例

収用等によって資産を譲渡してその資産の譲渡対価又は補償金（以下，「補償金等」という）を取得した場合において，当該補償金等の全部又は一部をもって一定期間内に代替資産を取得したときは，納税者の選択により，①その補償金等の額が代替資産の取得価額以下である場合には，その譲渡した資産の譲渡はなかったものとし，②その補償金等の額が代替資産の取得価額を超える場合にあっては，その譲渡資産のうち，その超える金額に相当する部分についてのみ譲渡があったものとして課税する（措法33①）。

この場合の代替資産は，譲渡資産と同種の資産であることを原則とするが（措令22④），譲渡資産が土地等又は建物等でその区分の異なる2以上の資産が一組として一の効用を有しているもの（例えば，居住用の土地と建物）である場合には，それらの資産と同じ効用を有する資産（例えば，居住用の建物）を代替資産とすることができ（一組法，措令22⑤），また，収用等により事業（事業に準ずるものを含む。以下同じ）の用に供されている資産を譲渡し，従来の事業を継続したり新たな事業の開始や事業の転換を図る必要がある場合には，これらの事業の用に供する資産（減価償却資産，土地及び土地の上に存する権利に限る）を代替資産とすることもできる（事業継続法，措令22⑥）。

この課税の特例を受けるには，原則としてその収用等があった日の属する年中に代替資産を取得することが必要であるが（措法33①），代替資産を収用等があった日の属する年中に取得できなかった場合であっても，収用等があった年の翌年1月1日から収用等があった日以後2年（2年以内に収用事業が完了しないため代替資産の取得が困難な場合には4年6か月）を経過した日までの期間に代替資産を取得する見込みであるときは適用できる（措法33②，措令22⑲）。

なお，資産が収用等されたことに伴って起業者から交付を受ける補償金等には，種々の名目のものがあるが，税務上は，①対価補償金，②収益補償金，③経費補償金，④移転補償金，⑤その他の補償金に分類され，次のとおり課税上の取扱いを異にしている（措通33－8，33－9）。

✦補償金の課税上の取扱い

補償金の種類	税務上の取扱い
① 対価補償金	譲渡所得の金額又は山林所得の金額の計算上，収用等の場合の課税の特例の適用がある。
② 収益補償金	当該補償金の交付の基因となった事業の態様に応じ，不動産所得の金額，事業所得の金額又は雑所得の金額の計算上総収入金額に算入する。ただし，収益補償金として交付を受ける補償金を対価補償金として取り扱うことができる場合がある。
③ 経費補償金	イ 休業等により生ずる事業上の費用の補塡に充てるものとして交付を受ける補償金は，当該補償金の交付の基因となった事業の態様に応じ，不動産所得の金額，事業所得の金額又は雑所得の金額の計算上総収入金額に算入する。 ロ 収用等による譲渡の目的となった資産以外の資産（棚卸資産等を除く）について実現した損失の補塡に充てるものとして交付を受ける補償金は，山林所得の金額又は譲渡所得の金額の計算上，総収入金額に算入する。 　ただし，経費補償金として交付を受ける補償金を対価補償金として取り扱うことができる場合がある。
④ 移転補償金	補償金をその交付の目的に従って支出した場合には，当該支出した額について所得税法44条の規定が適用される。 引き家補償の名義で交付を受ける補償金又は移設困難な機械装置の補償金を対価補償金として取り扱うことができる場合がある。なお，借家人補償金は対価補償金とみなして取り扱われる。
⑤ その他の補償金	その実態に応じ，各種所得の金額の計算上総収入金額に算入する。非課税に該当するものもある。

(2) 交換処分等に伴い資産を取得した場合の課税の特例

公共事業の用に供するための資産の収用又は買取りの補償は金銭で行われるのが原則であるが，金銭以外の資産による補償（現物補償）が行われる場合がある（土地収用法70, 82～86）。このように，資産が収用等によって譲渡され，その補償として土地等の現物が交付される場合には，納税者の選択により，課税の繰延べの特例が適用される（措法33の2①）。

(3) 換地処分等に伴い資産を取得した場合の課税の特例

土地等につき土地区画整理事業等が施行された場合において，当該土地等に

係る換地処分により土地等を取得したときは，換地処分により譲渡した土地等のうち，交付を受けた清算金の額に対応する部分を除き，その譲渡はなかったものとされる（措法33の3①）。土地区画整理法では，換地処分の公告があった場合においては，換地計画に定められた換地は，その公告があった日の翌日から従前の宅地とみなされるものとし，換地計画において換地を定めなかった従前の宅地について存する権利は，その公告があった日が終了した時において消滅したものとされている（同法104）。したがって，換地処分によって取得した場合の換地は，土地区画整理法上，従前の宅地とみなされるのであるが，課税上は換地処分も資産の譲渡と観念されるところから，これにより取得した換地についても，代替資産を取得した場合の課税特例と同様に，課税の繰延べを認めるのである。

(4) 収用交換等の場合の譲渡所得等の特別控除

収用等又は交換処分により資産を譲渡した場合において，その年中にその収用交換等により譲渡した資産の全部について，「収用等に伴い代替資産を取得した場合の課税の特例」又は「交換処分等に伴い資産を取得した場合の課税の特例」のいずれの特例の適用も受けていない場合に限り，その収用交換等により譲渡した資産の譲渡所得については，次の要件に該当することを条件として，5,000万円の特別控除の特例が適用される（措法33の4①③）。

① 公共事業施行者からの資産の買取り等の申出があった日から6か月を経過した日までに譲渡されたものであること
② 一の収用交換等又は一の収用換地等に係る事業について，資産の譲渡が2年以上の年に分割して行われたときには，最初の年に譲渡した資産であること
③ 公共事業の施行者から買取り等の申出を最初に受けた者が譲渡したものであること

ただし，その申出を受けた者が死亡したことにより，その者から当該資産を相続，遺贈又は死因贈与によって取得した者がその譲渡をしていると

きは，この要件を満たしていることになる（措通33の4－6）。

4．居住用財産の譲渡所得の課税の特例

　居住の用に供している家屋又はその敷地の用に供している土地等（以下，「居住用財産」という）を譲渡した場合には，その譲渡による所得が一般の資産の譲渡による所得よりも担税力が弱いこと，より良い住環境を税制面からバックアップすることなどを考慮して，①居住用財産の軽減税率の特例（措法31の3，291頁参照），②居住用財産の譲渡所得の特別控除の特例（措法35），③特定の居住用財産の買換え（交換）の特例（措法36の2，36の5），④居住用財産の買換え等の場合の譲渡損失の損益通算及び繰越控除（措法41の5），⑤特定居住用財産の譲渡損失の損益通算及び繰越控除（措法41の5の2）が設けられている。

　なお，居住の用に供している家屋とは，納税者が生活の拠点として利用している家屋（一時的な利用を目的とする家屋を除く）をいい，これに該当するかどうかは，納税者及び配偶者等の日常生活の状況，その家屋への入居目的，その家屋の構造及び設備の状況その他の事情を総合勘案して判定する（措通31の3－2，35－6）。

　　（注）　店舗併用住宅にあっては，居住の用に供している部分に特別控除が適用されるが（措令20の3②，23①），居住の用に供している部分がおおむね90％以上であるときは，その全部がその居住の用に供している部分に該当する（措通31の3－8，35－6）。

(1)　居住用財産の譲渡所得の特別控除

　この特例は，次のいずれかに該当する居住用財産を譲渡した場合に，分離課税の長期（短期）譲渡所得の金額の計算上，最高3,000万円までを控除して所得税額を計算するものである（措法35①③④）。ただし，譲渡した者の配偶者，直系血族その他その者と一定の関係のある者に対して譲渡した場合には，この特例の適用はない（措法35②～⑤，これ以外の居住用財産を譲渡した場合の課税の特例も同じ）。

① 現に自己の居住の用に供している家屋（国内にあるものに限られない）
② 譲渡時には居住の用に供されていない家屋で，その居住の用に供されなくなった日から同日以後3年を経過する日の属する年の12月31日までの間に譲渡したもの（この期間に貸付の用に供されていたかどうかを問わない）
③ 上記①又は②の家屋と一緒に譲渡したその家屋の敷地の用に供されている土地等
④ 災害により滅失した上記①又は②の家屋の敷地の用に供されている土地等で，その家屋が居住の用に供されなくなった日から同日以後3年を経過する日の属する年の12月31日までの間に譲渡したもの
⑤ 被相続人居住家屋（昭和56年5月31日以前に建築されたこと，区分所有建物登記がされている建物でないこと，相続発生時に被相続人以外に居住していた者がいなかったこと等の要件が必要）及びその敷地等を相続もしくは遺贈によって取得し，その相続人が令和9年12月31日までの間に譲渡した家屋(敷地を含む)又はその除却後の土地等（空き家の特例）

　ただし，空き家の特例は，①相続の開始があった日から3年を経過する日の属する年の12月31日までの間に譲渡したこと，②その譲渡の対価の額が1億円以下であることの要件を満たさなければ適用されない（措法35⑦）。

　また，相続又は遺贈による被相続人居住用家屋及び被相続人居住用家屋の敷地等の取得をした相続人の数が3人以上である場合における特別控除額は2,000万円（その年に居住用財産につき居住用財産の譲渡所得の3,000万円特別控除の適用を受ける者にあっては，3,000万円の範囲内において一定の金額）となる（措法35④，令和6年1月1日以後に行う対象譲渡について適用される。令和5年度所法改正附則32）。

(注)　老人ホーム等に入所をしたことにより被相続人の居住の用に供されなくなった家屋及びその敷地の用に供されていた土地等は，一定の要件を満たす場合に限り，相続の開始の直前においてその被相続人の居住の用に供されていたものとされる（措法35④，措令23⑥）。

　なお，居住の用に供している家屋を2以上有する場合には，これらの家屋のうちその者が主として居住の用に供していると認められる一つの家屋に限って

特別控除が適用され，①すでに前年又は前々年において，一度この特別控除の適用を受けている場合，特定の居住用財産の買換え（交換）の特例，居住用財産の買換え等の場合の譲渡損失の損益通算及び繰越控除，特定居住用財産の譲渡損失の損益通算及び繰越控除の適用を受けている場合，又は②その年において，居住用財産の譲渡につき，固定資産の交換の特例，収用等の場合の課税の特例などの適用を受ける場合には，この特別控除の特例は適用されない（措法35②）。

(2) 特定の居住用財産の買換え（交換）の特例

この課税の特例は，譲渡した年の1月1日において所有期間が10年を超える特定の居住用財産を譲渡し，所定の期間内に自己の居住の用に供する家屋又はその敷地の用に供する土地等を取得して，その譲渡した年の翌年12月31日（買換資産を譲渡した年の翌年に取得する場合は，取得した年の翌年12月31日）までの間にその買換資産を居住の用に供した場合には，居住用財産を譲渡した場合の特別控除の特例との選択により，(a)譲渡資産の譲渡価額と買換資産の取得価額が同額か，買換資産の取得価額の方が高いときは，譲渡資産の譲渡はなかったものとして譲渡所得に対する課税を行わず，また，(b)譲渡資産の譲渡価額が買換資産の取得価額を超えるときは，譲渡資産のうちその超える金額に相当する部分の譲渡があったものとして，その超える部分についてだけ譲渡所得に対する課税を行うというものである（措法36の2①②）。

この場合の譲渡資産は，次のものに限られる（措法36の2①）。

① 現に居住の用に供している家屋（国内にあるものに限られる）で，その者が居住の用に供していた期間が10年以上であるもの
② 居住の用に供していた家屋で，その者が居住の用に供していた期間が10年以上であるもののうち，その居住の用に供されなくなった日から同日以後3年を経過する日の属する年の12月31日までの間に譲渡したもの
③ ①又は②に掲げる家屋及びその敷地の用に供されている土地等
④ ①の家屋が災害により滅失した場合において，その家屋を引き続き所有

していたとしたならばその年の1月1日において所有期間が10年を超えることとなるときにおけるその家屋の敷地であった土地等（その災害があった日から同日以後3年を経過する日の属する年の12月31日までの間に譲渡したものに限られる）

⑤ 譲渡資産の対価の額が1億円以下であるもの

なお，買換資産は，居住部分の床面積が50㎡以上である個人の居住の用に供する家屋（既存住宅の場合は，築後経過年数25年以内のもの又は新耐震基準を満たしているもの）又はその敷地の用に供する土地等（面積が500㎡以下であるもの）で国内にあるものというように限定されている（措令24の2③）。

(注) 令和6年1月1日以後に個人の居住の用に供した又は供する見込みである築後使用されたことのない家屋で特定居住用家屋に該当するものは，買換資産から除かれる（措令24の2③）。特定居住用家屋とは，住宅の用に供する家屋でエネルギーの使用の合理化に資する住宅の用に供する家屋として国土交通大臣が財務大臣と協議して定める基準に適合するもの以外のもので，次に掲げる要件のいずれにも該当しないものをいう（措法41㉕，措令26㉔㊲）。
　イ　当該家屋が令和5年12月31日以前に建築基準法6条1項の規定による確認を受けているものであること。
　ロ　当該家屋が令和6年6月30日以前に建築されたものであること

(3) 居住用財産の買換え等の場合の譲渡損失の損益通算及び繰越控除

居住用財産を買い換えた場合に，譲渡資産に係る譲渡所得の計算上生じた損失は，一定の条件のもとで，その損失の生じた年分の分離課税の長期（短期）譲渡所得以外の他の所得の金額から控除できるし，控除しきれない部分の金額はその翌年以後3年内の各年分（合計所得金額が3,000万円以下である年分に限る）の総所得金額等から控除できる（措法41の5①④）。

具体的には，①所有期間5年超（譲渡年の1月1日現在で判定する。以下(4)に同じ）の国内にある居住用財産（譲渡資産）の譲渡をし，②その譲渡の日の属する年の前年の1月1日から譲渡の日の属する年の翌年の12月31日までの間に居住用財産（買換資産）を取得して，その年の翌年12月31日までの間に買換資産をそ

の個人の居住の用に供した場合であって，③その買換資産を取得した日の属する年の12月31日においてその買換資産に係る住宅借入金等（償還期間が10年以上の割賦償還の方法により返済等をするものに限る。以下，この項に同じ）の金額を有している場合には，その譲渡資産に係る譲渡所得の金額の計算上生じた損失の金額（その譲渡資産に係る譲渡金額から取得費と譲渡費用を差し引いた金額のうち，長期譲渡所得の金額の計算上生じた損失の金額に達するまでを限度とする）を損益通算の対象とする（措法41の5①⑦，措令26の7⑧）。この場合に，損益通算をしてもなお控除しきれない部分の金額は，その翌年以後3年内の各年分（その年12月31日において買換資産に係る住宅借入金等の金額を有するときに限る）の総所得金額等から控除できるが（措法41の5④），当該譲渡資産である土地等のうち，その面積が500㎡を超える部分に相当する損失の金額は，繰越控除の対象外となる（措法41の5⑦，措令26の7⑪）。

なお，合計所得金額が3,000万円を超える年分については，この繰越控除の特例を適用することができない（措法41の5④）。

(4) 特定居住用財産の譲渡損失の損益通算及び繰越控除

この特例は，①所有期間5年超の国内にある居住用財産（譲渡資産）の譲渡をした場合（その譲渡契約を締結した日の前日においてその譲渡資産に係る住宅借入金等の金額を有するときに限る）において，②その譲渡資産に係る譲渡所得の金額の計算上生じた損失の金額として一定の方法により計算した金額（譲渡資産に係る一定の住宅借入金等の金額からその譲渡資産の譲渡の対価の額を控除した残額を限度とする。以下，「特定居住用財産の譲渡損失の金額」という）があるときは，一定の要件の下で，その譲渡損失の金額について分離課税の長期（短期）譲渡所得以外の所得との通算を認めるものである（措法41の5の2①⑦，措令26の7の2⑥）。この場合に，損益通算をしてもなお控除しきれない部分の金額は，その翌年以後3年内の各年分の総所得金額等から控除できる（措法41の5の2④⑦，措令26の7の2⑧）。ただし，合計所得金額が3,000万円を超える年分については，この繰越控除の特例を適用することができない（措法41の5の2④）。

この特例は，住宅借入金等のある居住用財産を譲渡して，買換えをせずに借家等に住み替える場合に，その譲渡代金では当該住宅借入金等を返済しきれないような者について，税負担を軽減し再出発を支援する趣旨から設けられたものであるから，特定居住用財産の譲渡損失の金額は，①（譲渡資産の取得費＋譲渡費用）－（譲渡価額）と，②（住宅借入金等の残額）－（譲渡価額）のいずれか低い金額とされる（措法41の5の2⑦）。

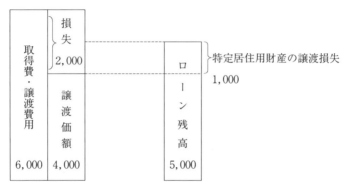

（参考）　居住用財産の譲渡損失の特例（適用要件）

		(3)の特例	(4)の特例
譲渡資産の所有期間		譲渡年の1月1日現在で5年超	
	住宅ローン残高の要否	×	○
買換資産の取得の要否		○	×
	住宅ローン残高の要否	○	×
繰越控除年の合計所得金額		3,000万円以下であること	

5．特定の事業用資産の買換え（交換）の特例

　事業の用に供している特定の地域内にある土地等又は建物等を譲渡し，一定期間内に特定の地域内にある土地等又は建物等を買換え又は交換により取得し，その取得した資産（以下，買換え又は交換により取得した資産を「買換資産」という）をその取得の日から1年以内にその者の事業の用に供した場合には，次により

第6章 税額の計算

譲渡所得の金額を計算する（措法37①，37の4，措令25④⑤）。

① 譲渡による収入金額 ≦ 買換資産の取得価額

　長期（短期）譲渡所得金額の計算

> （譲渡による収入金額）× 20％ －
> 〔（譲渡資産の取得費）＋（譲渡費用）〕× 20％

② 譲渡による収入金額 ＞ 買換資産の取得価額

　長期（短期）譲渡所得金額の計算

> ① 収入金額＝譲渡資産の譲渡価額－買換資産の取得価額×0.8
> ② 譲渡資産の取得費及び譲渡費用＝（譲渡資産の取得費＋譲渡費用）×（収入金額÷譲渡資産の譲渡価額）
> ③ 譲渡所得の金額＝①－②

✛譲渡価額より少ない金額で事業用資産を買い換えた場合の計算

〔設　問〕

事業資産の売却価額5億円，その取得価額は8,000万円で譲渡費用が2,000万円の場合において，買換資産を3億円で購入した。譲渡所得の金額はいくらか。

（計　算）

1　収入金額の計算

　① （譲渡価額）5億円－（買換資産の取得価額）3億円＝2億円

　② （買換資産の取得価額）3億円×20％＝6,000万円

　③ ①＋②＝2億6,000万円

2　譲渡資産の取得費及び譲渡費用の計算

　① （取得費）8,000万円＋（譲渡費用）2,000万円＝1億円

　② （1の収入金額）2億6,000万円÷（譲渡価額）5億円＝0.52

③ ①1億円×②0.52＝5,200万円
3 譲渡所得金額の計算
（1の収入金額）2億6,000万円－（2の取得費及び譲渡費用）5,200万円＝2億800万円

　この特例は，国の土地政策や国土利用政策等の観点から譲渡資産と買換資産との間に関連をもたせ，(a)追出し促進のための土地を中心とする買換え，(b)既成市街地等内での土地の有効利用のための買換え，(c)長期保有（10年超）の土地建物等から特定資産への買換え，(d)船舶から船舶への買換えに限られており，また，次のすべての要件に該当する場合に限って適用されることになっている。

① 事業（相当の収入を得て継続的に行う不動産や船舶の貸付などを含む）の用に供している特定の土地等又は建物等（譲渡資産）を譲渡し，その譲渡資産に対応する特定の買換資産を取得（建設又は製作を含む）すること（措法37①，措令25②）

② 買換資産は，(a)譲渡資産を譲渡した日の属する年の前年中に取得したもので取得した年の翌年3月15日までに当該取得資産につき買換えの特例の適用を受ける旨等を税務署長に届け出たもの，(b)譲渡資産を譲渡した日の属する年に取得したもの，(c)譲渡資産を譲渡した日の属する年の翌年中（又は最長3年間のうち税務署長の認定をした日）までに取得する見込みであること（措法37①③④，措令25⑮⑱）

③ 買換資産として土地等を取得した場合には，その土地等の面積が譲渡資産である土地等の面積の5倍を超えるときは，原則としてその5倍を超える部分は買換資産に該当しないこと（措法37②，措令25⑭）

④ 買換資産をその取得の日から1年以内に事業（相当の収入を得て継続的に行う不動産や船舶の貸付けなどを含む）の用に供すること（措法37①，措令25②）

⑤ 譲渡資産の譲渡が贈与，交換，出資又は代物弁済によるものでないこと（措法37①，措令25②）

⑥ 買換資産の取得が贈与，交換，所有権移転外リース取引又は代物弁済に

よるものでないこと（措法37①，措令25②）
⑦　資産の譲渡をした日の属する年分の確定申告書に特例の適用を受けようとする旨を記載し，かつ，その譲渡をした資産の譲渡価額，買換資産の取得価額又はその見積額に関する明細書その他一定の書類を添付すること（措法37①⑥⑨，措令25③⑳）

6．既成市街地等内にある土地等の中高層耐火建築物等の建設のための買換え（交換）の特例

　三大都市圏の既成市街地等又はこれに準ずる区域内にある土地等又は建物等を譲渡し，その譲渡した土地等又は建物等の敷地の上に建築された地上3階以上の主として住宅の用に供される中高層耐火共同住宅の全部又は一部を取得して，その取得の日から1年以内に事業の用又は居住の用（親族の居住用を含む）に供する場合には，その譲渡資産のうち，譲渡による収入金額から買換資産の取得価額を控除した金額に相当する部分の譲渡があったものとされる（措法37の5①二）。中高層耐火共同住宅は，①譲渡資産を取得した者又は譲渡した者が建築をしたものであること，②耐火建築物又は準耐火建築物であること，③床面積の2分の1に相当する部分が専ら居住の用に供されるものであることに該当しなければならない（措令25の4⑤）。

　なお，譲渡資産の用途を問わないが，買換資産は事業の用又は居住の用（親族の居住用を含む）に供するものに限られる（措法37の5①）。

4 有価証券の譲渡所得等の金額に対する税額計算

1．一般株式等を譲渡した場合の課税の特例

居住者等（居住者又は恒久的施設を有する非居住者をいう。以下同じ）が一般株式等（株式等のうち上場株式等以外のものをいう。以下同じ）を譲渡した場合の所得（事業所得，譲渡所得及び雑所得に分類される。以下，「一般株式等に係る譲渡所得等」という）については，他の所得と区分し，その年中の一般株式等に係る課税譲渡所得等の金額に対し，所得税15％（ほかに復興特別所得税0.315％。以下同じ）の税率による申告分離課税となる（措法37の10①）。一般株式等の譲渡による損失は，一般株式等に係る譲渡所得以外の所得から控除できない（措法37の10①）。

一般株式等のうち，公社債や投資信託などの償還又は解約等により交付を受ける金額は，一般株式等に係る譲渡所得等の収入金額とみなされる（措法37の10④）。同族会社が発行した社債の償還金でその同族会社の判定の基礎となった株主等が交付を受けるものは，総合課税の雑所得となる（44頁参照）。

(注) 株式等とは，①株式（株主又は投資主となる権利，株式の割当てを受ける権利，新株予約権及び新株予約権の割当てを受ける権利を含む），②特別の法律により設立された法人の出資者の持分，合名会社，合資会社又は合同会社の社員の持分，協同組合等の組合員又は会員の持分その他法人の出資者の持分（③に掲げるものを除く），③協同組織金融機関の優先出資及び資産流動化法に規定する優先出資，④投資信託の受益権，⑤特定受益証券発行信託の受益権，⑥社債的受益権，⑦公社債（長期信用銀行債等及び償還差益について発行時に源泉徴収された割引債を除く）をいい，外国法人に係るものを含み，ゴルフ会員権に類似する株式等の譲渡を含まない（措法37の10②）。

2．上場株式等を譲渡した場合の課税の特例

(1) 上場株式等に係る譲渡所得等の申告分離課税

　居住者等が上場株式等を譲渡した場合には，他の所得と区分し，その年中の上場株式等に係る課税譲渡所得等の金額に対し，所得税15％の税率による申告分離課税とされ，上場株式等の譲渡による損失は，上場株式等の配当所得等（申告分離課税を選択したもの）と通算する場合（240頁参照）を除き，上場株式等に係る譲渡所得等以外の所得から控除できない（措法37の11①）。

　上場株式等とは，次に掲げるものをいう（措法37の11②，措令25の9②）。

① 金融商品取引所に上場されている株式等及び店頭売買登録銘柄株式並びに店頭転換社債型新株予約権付社債その他これらに類する株式等
② 公募証券投資信託（特定株式投資信託を除く）の受益権
③ 特定投資法人の投資口
④ 特定受益証券発行信託の受益権（公募のもの）
⑤ 特定目的信託の社債的受益権（公募のもの）
⑥ 特定公社債

　なお，上場株式等のうち，公社債や投資信託などの償還又は解約等により交付を受ける金額は，上場株式等に係る譲渡所得等の収入金額とみなされる（措法37の11④）。

(2) 特定管理株式等が価値を失った場合の株式等に係る譲渡所得等の課税の特例

　株式等が株式等としての価値を失ったことによる損失は，原則として所得金額の計算上なんら考慮されないのであるが，特定口座で管理されていた上場株式等が発行会社の清算結了等によって無価値化した場合の損失については，一定の要件の下で，株式等の譲渡損失とみなされる。具体的には，特定口座を開設する金融商品取引業者等に保管されている内国法人の株式又は公社債が上場株式等に該当しなくなり，特定口座から特定管理口座に移管されて同口座で保

管の委託がされている場合において、株式又は公社債としての価値を失ったことによる損失が生じた場合として一定の事実が発生したときは、①その事実が発生したことは特定管理株式等を譲渡したこととみなし、また、②損失の金額として次により計算された金額は特定管理株式等の譲渡をしたことにより生じた損失の金額とみなして、上場株式等に係る譲渡損失の損益通算又は繰越控除の特例を適用することができる（措法37の11の2①，措令25の9の2①②）。

```
特定管理株式等に係る1単位当た     事実の発生の直前に
りの金額に相当する金額を算出し × おいて有する特定管
たときの金額（取得価額）         理株式等の数

  ＝ 特定管理株式等の価値喪失
    による損失の金額
```

　特定管理株式等の価値喪失による損失が生じたこととされる一定の事実とは、特定管理株式等又は特定口座内公社債を発行した内国法人が解散（合併による解散を除く）をし、その清算が結了したこと、その他これに類する事実をいう（措法37の11の2①，措令25の9の2③）。

(3) 特定口座・申告不要制度の特例

①　居住者等が一定の要件を満たす特定口座（1金融商品取引業者等につき1口座）を開設して、金融商品取引業者等との間で上場株式等保管委託契約又は上場株式等信用取引等契約を締結し、その契約に基づいて保管の委託等がされている上場株式等（以下、「特定口座内保管上場株式等」という）を譲渡した場合又は信用取引をした場合には、それぞれの特定口座ごとに、特定口座内保管上場株式等の譲渡又は信用取引に係る差金決済による事業所得の金額、譲渡所得の金額又は雑所得の金額（以下、「特定口座内保管上場株式等に係る譲渡所得等の金額」という）とその特定口座内保管上場株式等以外の株式等の譲渡に係る所得の金額とを区分して、所得金額を計算する（措法37の11の3①②，措令25の10の2①③）。

第6章 税額の計算

> 東京地裁令和4年2月24日判決（公刊物未搭載）は，特定口座と一般口座双方に保管されている同一銘柄の株式のうち，一般口座内株式のみ譲渡した場合の取得費の計算が争われた事案につき，「特定口座制度が創設された趣旨等，特定口座の受入れと払出しの規制等，取得費の算出方法として総平均法に準ずる方法が採用された趣旨等を総合考慮すると，一般口座内に保管されている上場株式等を譲渡した場合に所得税法48条3項及び所得税法施行令118条1項を適用するに当たり，同一銘柄の特定口座内保管上場株式等については，その銘柄が異なるものとして，その取得価額は，一般口座内に保管されている上場株式等の取得費の計算において考慮されないものと解するのが相当である。」とする。

　金融商品取引業者等においては，その年中の特定口座内保管上場株式等の譲渡対価の額，その取得費及び譲渡に要した費用の額，譲渡損益の額並びに特定口座に受け入れた上場株式等の配当等の額を記載した「特定口座年間取引報告書」を作成して翌年1月31日までに所轄税務署長と特定口座を開設した居住者等に交付（電磁的方法による提供を含む）しなければならない（措法37の11の3⑦⑨）。

②　特定口座を開設している居住者等が「特定口座源泉徴収選択届出書」を提出（電磁的方法による提供を含む）している場合には，その届出書に係る特定口座（以下，「源泉徴収選択口座」という）における特定口座内保管上場株式等に係る譲渡所得等の金額について，所得税15％の税率により源泉徴収が行われる（措法37の11の4①）。源泉徴収の方法を選択するには，その年の最初の特定口座内保管上場株式等を譲渡又は信用取引等をするときまでに，「特定口座源泉徴収選択届出書」を提出（電磁的方法による提供を含む）しなければならない（措法37の11の4①，措令25の10の11①）。

　源泉徴収選択口座を有する居住者等は，その年分の所得税の確定申告に際して，①上場株式等に係る譲渡所得等の金額（措法37の11①），②上場株式等に係る譲渡損失の金額（措法37の12の2②），③給与所得及び退職所得

以外の所得金額もしくは公的年金等に係る雑所得以外の所得金額（所法121①）の計算上，特定口座内保管上場株式等に係る譲渡所得等の金額並びにこれらの損失の金額を除外することができる（申告不要制度，措法37の11の5①）。つまり，源泉徴収選択口座において生じた上場株式等に係る譲渡所得等の金額は，源泉徴収のみで課税関係を終了させることができるのである。

(注1) 源泉徴収選択口座を有する居住者等が特定口座内保管上場株式等に係る譲渡所得等の金額について確定申告をしない場合には，同一生計対象配偶者や扶養親族の要件とされる合計所得金額（所法2①三十三，三十四）に特定口座内保管上場株式等に係る譲渡所得等の金額を含めないことになる（措令25の10の12①）。
(注2) 源泉徴収選択口座において生じた所得の金額や損失の金額については，①その特定口座以外の上場株式等に係る譲渡所得等の金額と相殺する場合，②上場株式等の譲渡損失の繰越控除の特例（措法37の12の2）の適用を受ける場合など，確定申告をした方が有利となる場合もある。
(注3) 源泉徴収選択口座に受け入れた上場株式等の配当等がある場合には，その配当等の総額から上場株式等の譲渡損失の金額を差し引いて源泉徴収税額を計算する（措法37の11の6⑥，292頁参照）。
(注4) 源泉徴収選択口座を開設している金融商品取引業者等は，その年中に行われた対象譲渡等につき金融商品取引法の投資一任契約に係る一定の費用の金額がある場合には，居住者等に対し，当該費用の金額（当該金額が源泉徴収選択口座においてその年最後に行われた対象譲渡等に係る源泉徴収口座内通算所得金額を超える場合には，その超える部分の金額を控除した金額）の15％相当額の所得税を還付しなければならない（措法37の11の4③）。

(4) 上場株式等の譲渡損失の損益通算及び繰越控除

上場株式等を譲渡した場合の損失のうち，その年の上場株式等の譲渡益と相殺しきれない部分の金額（以下，「上場株式等の譲渡損失の金額」という）は，上場株式等の配当所得等の金額（申告分離課税を選択したものに限る）から差し引くことができる（措法37の12の2①②）。また，その年の上場株式等の譲渡損失の金額は，翌年以後3年間にわたり，その後の上場株式等の譲渡益及び申告分離課税を選択した上場株式等に係る配当所得等の金額から差し引くことができる（措法37の12の2⑤）。

なお，繰越控除の適用を受けるためには，損失が生じた年分の所得税につい

て確定申告書を提出し，その後も連続して確定申告をする必要がある（措法37の12の2⑦）。

(5) 非課税口座内の少額上場株式等に係る譲渡所得等の非課税

　居住者等が金融商品取引業者等の営業所に非課税口座を開設し，次のとおり，非課税口座内上場株式等の譲渡をした場合には，その譲渡所得等について所得税が課されないし，その譲渡による損失はないものとみなされる（措法37の14①②）。配当等についても，課税されない（296頁参照）。

　なお，「非課税口座」とは，居住者等（その年1月1日において18歳以上である者に限る）が，非課税措置等の適用を受けるため，金融商品取引業者等の営業所の長に非課税口座開設届出書の提出（電磁的方法による提供を含む）をして，その金融商品取引業者等との間で締結した契約に基づき開設された上場株式等の振替記載等に係る口座をいう（措法37の14⑤一）。

① その非課税口座に非課税管理勘定を設けた日から同日の属する年の1月1日以後5年を経過する日までの間に行う非課税上場株式等管理契約に基づく譲渡（一般NISA）。

(注)　「非課税上場株式等管理契約」とは，非課税措置等の適用を受けるために居住者等が金融商品取引業者等と締結した上場株式等の振替記載等に係る契約で，その契約書において，上場株式等の振替記載等はその振替記載等に係る口座に設けられた非課税管理勘定において行うことその他の事項が定められているものをいい，「非課税管理勘定」とは，非課税上場株式等管理契約に基づき振替記載等がされる上場株式等につきその振替記載等に関する記録を他の取引に関する記録と区分して行うための勘定で，平成26年1月1日から令和5年12月31日までの期間内の各年においてのみ設けられる等の要件を満たすものをいう（措法37の14⑤）。

② その非課税口座に累積投資勘定を設けた日から同日の属する年の1月1日以後20年を経過する日までの間に行う非課税累積投資契約に基づく譲渡（つみたてNISA）。

(注)　「非課税累積投資契約」とは，非課税措置等の適用を受けるために居住者等が金融商品取引業者等と締結した累積投資契約により取得した上場株式等に係る契約で，その契約書において，上場株式等の振替記載等は，その振替記載等に係る口座に設けられた累積投資勘定において行うことその他の事項が定められているも

のをいう。

　「累積投資契約」とは，居住者等が一定の上場株式等につき，定期的に継続して，金融商品取引業者等に買付けの委託をし，その金融商品取引業者等から取得し，又はその金融商品取引業者等が行う募集（公募に限る）により取得することを約する契約で，あらかじめその買付けの委託又は取得をする上場株式等の銘柄が定められているものをいう。

　また，「累積投資勘定」とは，非課税累積投資契約に基づき振替記載等がされる累積投資上場株式等（その上場株式等を定期的に継続して取得することにより個人の財産形成が促進されるものとして一定の要件を満たすもの）につき，その振替記載等に関する記録を他の取引に関する記録と区分して行うための勘定で，平成30年1月1日から令和24年12月31日までの期間内の各年においてのみ設けられる等の要件を満たすものをいう（措法37の14⑤）。

③　その非課税口座に特定累積投資勘定を設けた日から同日の属する年の1月1日以後5年を経過する日までの間に行う特定非課税累積投資契約に基づく譲渡（新NISA）。

(注)　「特定非課税累積投資契約」とは，非課税措置等の適用を受けるために居住者等が金融商品取引業者等と締結した累積投資契約により取得した上場株式等の振替記載等に係る契約で，その契約書において所定の事項が定められているものをいう。

　「特定累積投資勘定」とは，特定非課税累積投資契約に基づき振替記載等がされる特定累積投資上場株式等につきその振替記載等に関する記録を他の取引に関する記録と区分して行うための勘定をいう。

　「特定非課税管理勘定」とは，特定非課税累積投資契約に基づき振替記載等がされる上場株式等につきその記載等に関する記録を他の取引に関する記録と区分して行うための勘定で，特定累積投資勘定と同時に設けられるものをいう（措法37の14⑤）。

④　その非課税口座に特定非課税管理勘定を設けた日から同日の属する年の1月1日以後5年を経過する日までの間に行う特定非課税累積投資契約に基づく譲渡（新NISA）。

　上記の非課税制度は，令和5年度の税制改正により，次のとおり非課税保有期間を無期限化するとともに，口座開設可能期間について，期限を設けず恒久的な措置とされている。

第6章　税額の計算

【～令和5年】

	つみたてNISA	一般NISA
年間の投資上限額	40万円	120万円
非課税保有期間	20年間	5年間
口座開設可能期間	平成30年（2018年） ～令和5年（2023年）	平成26年（2014年） ～令和5年（2023年）
投資対象商品	積立・分散投資に適した 一定の公募等株式投資信託 （商品性について内閣総理大臣が告示で 定める要件を満たしたものに限る）	上限株式・公募株式投資信託等
投資方法	契約に基づき，定期かつ 継続的な方法で投資	制限なし

（いずれかを選択）

⬇

【令和6年以降】

	つみたて投資枠	成長投資枠
年間の投資上限額	120万円	240万円
非課税保有期間	制限なし（無期限化）	同左
非課税保有限度額 （総枠）	1,800万円 ※薄価残高方式での管理（枠の再利用が可能）	
		1,200万円（内数）
口座開設期間	制限なし（恒久化）	同左
投資対象商品	積立・分散投資に適した 一定の公募等株式投資信託 （商品性について内閣総理大臣が告示で 定める要件を満たしたものに限る）	上限株式・公募株式投資信託等 ※安定的な資産形成につながる投資商品に絞り込む観点から，高レバレッジ投資信託などを対象から除外
投資方法	契約に基づき，定期かつ 継続的な方法で投資	制限なし
現行制度との関係	令和5年末までに現行の一般NISA及びつみたてNISA制度において投資した商品は，新しい制度の外枠で，現行制度における非課税措置を適用	

（併用可）

(6) 未成年者口座内の少額上場株式等に係る譲渡所得等の非課税

居住者等が未成年者口座に非課税管理勘定又は継続管理勘定を設けた場合には，次に定める期間内に譲渡した当該上場株式等の譲渡所得等について所得税が課されないし，その譲渡による損失はないものとみなされる（ジュニアNISA，措法37の14の2①②）。配当等についても課税されない（296頁参照）。

① 非課税管理勘定……非課税管理勘定を設けた日の属する年の1月1日以後5年を経過する日までの期間

② 継続管理勘定……継続管理勘定を設けた日からその未成年者口座を開設した者がその年1月1日において20歳（令和5年1月1日以後は18歳）である年の前年12月31日までの期間

「未成年者口座」とは，居住者等（その年1月1日において20歳未満，令和5年1月1日以後は18歳未満である者及びその年に出生した者に限る）が非課税の適用を受けるため，金融商品取引業者等の営業所の長に対し，未成年者口座開設届書に未成年者非課税適用確認書等を添付して提出（電磁的方法による提供を含む）することにより，令和5年までの間に開設した口座（1人につき1口座に限る）をいう（措法37の14の2⑤一）。

非課税管理勘定は，令和5年までの各年に設けることができるし，毎年80万円を上限に，新たに取得した上場株式等及び同一の未成年者口座の他の非課税管理勘定から移管される上場株式等を受け入れることができる。また，継続管理勘定は，令和6年から令和10年までの各年に設けることができるし，毎年80万円を上限に，同一の未成年者口座の非課税管理勘定から移管される上場株式等を受け入れることができる（措法37の14の2⑤二～四）。

なお，令和6年1月1日以後に，未成年者口座又は課税未成年者口座内の上場株式等又は預貯金等をこれらの口座から払い出した場合には，払出しによる未成年者口座の廃止の際，未成年者口座内の上場株式等の譲渡があったものとして，非課税措置を適用し，居住者等はその払出し時の金額をもってその上場株式等と同一銘柄の株式等を取得したものとみなされる（措法37の14の2④）。

第6章　税額の計算

3．特定中小会社株式に係る課税の特例

　この課税の特例は，ベンチャー企業への投資を促進するために創設された制度（いわゆるエンジェル税制）であり，特定中小会社の発行する株式が対象となる。「特定中小会社」とは，①中小企業等経営強化法6条に規定する特定新規中小企業者に該当する株式会社，②内国法人のうち，その設立の日以後10年を経過していない中小企業者に該当する一定の株式会社，③内国法人のうち，沖縄振興特別措置法57条の2に規定する指定会社（令和7年3月31日までに指定を受けたもの）をいう。また，これら特定中小会社の設立の際に発行された株式又はその設立の日後に発行された特定中小会社の株式を特定株式という（措法37の13①）。

(1)　特定中小会社が発行した株式の取得費控除の特例

　特定株式を払込み（株式の発行に際してするものに限る。以下同じ）により取得した居住者等は，株式等の譲渡に係る譲渡所得等の課税の特例の適用に当たって，その年分の株式等に係る譲渡所得等の金額の計算上，その年中にその払込みにより取得した特定株式(その年12月31日において有するものとして一定のものに限る)の取得に要した金額の合計金額を控除することができる（措法37の13①，措令25の12②）。一般株式等に係る譲渡所得等の金額と上場株式等に係る譲渡所得等の金額がある場合は，一般株式等に係るものから控除する（措令25の12②一）。

$$\begin{pmatrix} この特例の適用前の株式等 \\ に係る譲渡所得等の金額 \end{pmatrix} - \begin{pmatrix} 特定株式の取得に要した金額 \\ の合計額に相当する金額 \end{pmatrix}$$
$$= 株式等に係る譲渡所得等の金額$$

　この控除の適用を受けた場合には，その適用を受けた日の翌年以後，次の算式によりその適用を受けた特定株式に係る同一銘柄株式の取得価額を圧縮しなければならない（措法37の13③，措令25の12⑦）。

　その適用を受けた金額が20億円以下であるときは，その適用を受けた年の

翌年以後の各年分における特例控除対象特定株式に係る同一銘柄株式の取得価額について調整計算が不要とされる（措令25の12⑧）。「特例控除対象特定株式」とは，特定株式のうち株式会社でその設立の日以後の期間が5年未満の株式会社であることその他一定の要件を満たすものの特定株式に係るものをいう（措令25の12⑧）。

$$\frac{その特定株式に係る同一銘柄株式1株当たりのその年12月31日における取得価額-取得費控除の特例の適用を受けた控除対象額}{その年12月31日のその控除対象特定株式に係る同一銘柄株式数}$$

(2) 特定中小企業者がその設立の際に発行した株式の取得に要した金額の控除等

令和5年4月1日以後に，その設立の日の属する年において中小企業等経営強化法に規定する特定新規中小企業者に該当する株式会社で次の要件を満たすものにより設立の際に発行される株式（以下「設立特定株式」という）を払込みにより取得をした居住者等（その株式会社の発起人に該当すること及び当該株式会社に自らが営んでいた事業の全部を承継させた個人等に該当しないことその他の要件を満たすものに限る）は，その取得をした年分の一般株式等に係る譲渡所得等の金額又は上場株式等に係る譲渡所得等の金額からその設立特定株式の取得に要した金額の合計額（一般株式等に係る譲渡所得等の金額及び上場株式等に係る譲渡所得等の金額の合計額を限度とする）を控除する（措法37の13の2①）。

① その設立の日以後の期間が1年未満の中小企業者であること。
② 販売費及び一般管理費の出資金額に対する割合が100分の30を超えることその他の要件を満たすこと。
③ 特定の株主グループの有する株式の総数が発行済株式の総数の100分の99を超える会社でないこと。
④ 金融商品取引所に上場されている株式等の発行者である会社でないこと。

第6章　税額の計算

⑤　発行済株式の総数の2分の1を超える数の株式が一の大規模法人及び当該大規模法人と特殊の関係のある法人の所有に属している会社又は発行済株式の総数の3分の2以上が大規模法人及び当該大規模法人と特殊の関係のある法人の所有に属している会社でないこと。
⑥　風俗営業又は性風俗関連特殊営業に該当する事業を行う会社でないこと。

なお，この特例の適用を受けた場合において，その適用を受けた金額（適用額）が20億円を超えるときは，その適用を受けた年の翌年以後の各年分における設立特定株式に係る同一銘柄株式の取得価額について，一定の調整計算をしなければならない（措令25の12の2⑦）。

(3)　特定中小会社が発行した株式に係る譲渡損失の繰越控除等

　特定中小会社が特定株式を払込みにより取得をした居住者等について，その取得の日からその株式の上場等の日の前日までの間に，その払込みにより取得した株式が株式としての価値を失ったことによる損失が生じた場合とされる清算結了等の一定の事実が発生したときは，その損失の金額とされる一定の金額は，その年分の株式等の譲渡に係る所得の金額の計算上，その株式の譲渡をしたことにより生じた損失の金額とみなされる（措法37の13の3①）。譲渡損失の金額は，その譲渡した日の属する年分の一般株式等に係る譲渡所得等の金額の計算上控除してもなお控除しきれない部分の金額をいうものとし，上場株式等に係る譲渡所得等の金額と通算することができる（措法37の13の3④⑧）。

　また，特定株式を払込みにより取得した居住者等が，その取得の日からその株式の上場等の前日までの間にその株式の譲渡をしたことにより生じた損失金額のうち，その譲渡をした日の属する年分の株式等に係る譲渡所得等の金額の計算上控除してもなお控除しきれない金額を有するときは，一定の要件のもとで，そのなお控除しきれない金額は，その年の翌年以後3年以内の各年分の株式等に係る譲渡所得等の金額からの繰越控除が認められる（措法37の13の3⑦）。

（注）　特定株式が株式としての価値を失ったことによる損失が生じた場合の一定の事実とは，①特定株式を発行した株式会社が解散（合併による解散を除く）をし，

325

その清算が結了したこと，②その株式会社が破産手続開始の決定を受けたことをいう（措法37の13の3①，措令25の12③）。

4．株式交換等に係る譲渡所得等の特例

(1) 株式交換の場合

居住者が，その有する株式（出資を含む。以下，「旧株」という）を株式交換により旧株の発行法人（株式交換完全親法人）に対して譲渡し，株式交換完全親法人の株式の交付を受けた場合又は旧株を発行した法人の行った特定無対価株式交換により旧株を有しないこととなった場合には，その株式交換完全親法人の株式以外の資産の交付がされなかったときに限り，その旧株の譲渡はなかったものとみなされる（課税の繰延べ，所法57の4①）。株式交換完全親法人の株式には，株式交換完全親法人の発行済株式の全部を直接もしくは間接に保有する関係（完全支配関係）がある法人の株式も含まれる（所令169の7）。したがって，金銭等の交付がある場合には，譲渡所得等の課税が行われるわけである。

なお，剰余金の配当として交付された金銭等や反対株主の買取請求権に基づいて交付された金銭等は，株式交換完全親法人の株式以外の資産とみなされない（所法57の4①）。

　　（注）　株式交換完全親法人とは，株式交換により他の法人の株式を取得したことによって当該法人の発行済株式の全部を有することになった法人をいう（法法2十二の六の三）。

(2) 株式移転の場合

居住者が，その有する旧株を株式移転により旧株の発行法人（株式移転完全親法人）に対して譲渡し，株式移転完全親法人の株式の交付を受けた場合には，株式交換の場合と同様に，その株式移転完全親法人の株式以外の資産の交付がされなかったときに限り，その旧株の譲渡はなかったものとみなされる（課税の繰延べ，所法57の4②）。反対株主の買取請求権に基づく金銭等の交付は，株式移転完全親法人の株式以外の資産の交付とみなされない（所法57の4②）。

(注) 株式移転完全親法人とは，株式移転により他の法人の発行済株式の全部を取得した当該株式移転により設立された法人をいう（法法２十二の六の六）。

(3) 取得請求権付株式等の請求権の行使等の場合

　居住者が取得請求権付株式等の請求権の行使等により，その有する有価証券を譲渡し，その発行法人の株式又は新株予約権の交付を受けた場合など，次に該当するときは，その有価証券の譲渡はなかったものとみなされる（課税の繰延べ，所法57の４③）。ただし，交付を受けた株式又は新株予約権の価額が譲渡した有価証券の価額とおおむね同額となっていない場合には，譲渡所得等の課税がなされる。

① 取得請求権付株式の請求権の行使により，取得の対価として発行法人の株式のみが交付される場合
② 取得条項付株式に係る取得事由の発生により，取得の対価として発行法人の株式（取得対象株式のすべてが取得される場合は，発行法人の株式及び新株予約権）のみが交付される場合
③ 全部取得条項付種類株式の取得決議により，取得の対価として発行法人の株式（新株予約権を含む）以外の資産（取得の価格の決定の申立てに基づいて交付される金銭等を除く）が交付されない場合
④ 新株予約権付社債に付された新株予約権の行使により，取得の対価として発行法人の株式が交付される場合
⑤ 取得条項付新株予約権又は取得条項付新株予約権が付された新株予約権付社債につき，取得条項付新株予約権の取得事由の発生により，取得の対価として発行法人の株式のみが交付される場合

(注) 取得請求権付株式とは，株主が発行法人に対して自己の所有する株式の全部又は一部を買い取るように請求できる株式をいい，取得条項付株式とは，発行した株式に一定の事由が生じた場合には，その株式を発行法人が買い戻すことができるという条項が付されている株式をいう。取得条項付株式には，全部取得条項付種類株式（特定の種類株式について，株主総会の特別決議によって承認を受けた上で，その種類株式の全部を発行法人が買い戻すという条項を付し

た株式）があり，新株予約権にも取得条項付新株予約権がある。

(4) 株式等を対価とする株式の譲渡に係る所得の計算の特例

個人が，所有株式を株式交付子会社に対して株式交付により譲渡し，その株式交付に係る株式交付親会社の株式の交付を受けた場合には，その譲渡した所有株式の譲渡損益を計上しない（措法37の13の４）。その株式交付により交付を受けた株式交付親会社の株式の価額が交付を受けた金銭の額及び金銭以外の資産の価額の合計額のうちに占める割合が100分の80に満たない場合を除く。

なお，令和５年度の改正により，株式交付の直後の株式交付親会社が一定の同族会社に該当する場合は，適用対象から除外されている（措法37の13の４①）。「一定の同族会社」とは，同族会社であることについての判定の基礎となった株主のうちに同族会社でない法人がある場合には，その法人をその判定の基礎となる株主から除外して判定するものとした場合においても同族会社となる同族会社をいう。令和５年10月１日以後に行われる株式交付について適用される（令和５年所法等改正附則１）。

先物取引に係る雑所得等の金額に対する税額計算

１．先物取引に係る雑所得等の課税の特例

居住者等が商品先物取引等，金融商品先物取引等（店頭デリバティブ取引にあっては先物取引業者等を相手として行う取引に限る）又はカバードワラントの取得をし，かつ，その取引の決済又は行使もしくは譲渡等（以下，「差金等決済」という）をした場合には，その差金等決済に係る先物取引による事業所得，譲渡所得及び雑所得（以下，「先物取引に係る雑所得等」という）について，他の所得と区分して，先物取引に係る雑所得等の金額に対して所得税15％（ほかに復興特別所得税

0.315％)の税率による申告分離課税とされる(措法41の14①)。

適用対象となる先物取引の差金等決済は、次のとおりである。

① 商品先物取引等の決済……市場デリバティブ取引及び店頭デリバティブ取引のうち、いわゆる現物先物取引、現金決済型先物取引、指数先物取引、オプション取引(デリバティブ取引には、暗号等資産に係るものを除く。以下同じ)

② 金融商品先物取引等の決済……市場デリバティブ取引及び店頭デリバティブ取引のうち、いわゆる先物取引、指標先渡取引、オプション取引、指標オプション取引

③ カバードワラントの差金等決済……上場株式、ＴＯＰＩＸ及び日経平均株価等を対象として、権利行使日に権利行使価格で買い付ける権利(コールオプション)又は売り付ける権利(プットオプション)を証券化した金融商品

なお、先物取引に係る雑所得等の金額の計算上生じた損失の金額があるときは、その損失の金額は生じなかったものとみなされる(措法41の14①)。

2．先物取引の差金等決済に係る損失の繰越控除

先物取引に係る雑所得等の金額の計算上生じた損失は、先物取引に係る雑所得等以外の他の所得の金額と相殺(損益通算)することはできないのであるが(措法41の14①②二)、先物取引の差金等決済をしたことにより生じた損失の金額のうち、その差金等決済をした日の属する年分の先物取引に係る雑所得等の金額の計算上控除してもなお控除しきれない部分の金額は、翌年以後3年間にわたり、その後の先物取引に係る雑所得等の金額から差し引くことができる(措法41の15①②)。

繰越控除の適用を受けるためには、損失が生じた年分の所得税について確定申告書を提出し、その後も連続して確定申告をする必要がある(措法41の15③⑦)。

第7章

税額控除

1 内国法人から受ける剰余金の配当等や株式投資信託の収益の分配金を有するときは，配当控除の適用がある。
2 株式投資信託の収益の分配に係る配当控除額は，国内株式の組入割合等によって控除率が異なる。
3 外国に源泉のある所得について，その国の法令により所得税に相当する税が課されているときは，その外国所得に対応する外国税を算出税額から控除できる。
4 住宅を新築や購入し又は増改築をして，6か月以内に入居し居住の用に供した場合には，居住の用に供した年から10年間（又は13年間），住宅借入金等特別控除の適用を受けることができる。控除額は居住年によって異なる。
5 政治活動に関する寄附や公益社団法人等に寄附をした場合等には，寄附金控除（所得控除）に代えて，税額控除を選択することができる。

1 配 当 控 除

1．配当控除の意義

　配当控除とは，納税者が内国法人から受ける剰余金の配当（株式又は出資に係るものに限るものとし，資本剰余金の減少に伴うもの並びに分割型分割によるもの及び株式分配を除く），利益の配当（資産流動化法115条に規定する金銭の分配を含み，分割型分割によるもの及び株式分配を除く），剰余金の分配（出資に係るものに限る），金銭の分配（出資総額等の減少に伴う金銭の分配を除く）又は証券投資信託の収益の分配に係る配当所得を有する場合に，その者の算出税額から次の金額を控除するものである（所法92①，措法9③④）。

① 課税総所得金額等の合計額が1,000万円以下の場合

$$A \times 10\% + B \times 5\%$$

② 課税総所得金額等の合計額が1,000万円を超え，かつ，課税総所得金額等の合計額から特定証券投資信託の収益の分配に係る配当所得の金額を控除した金額が1,000万円以下の場合

$$A \times 10\% + \text{Bのうち課税総所得金額等の合計額から1,000万円を控除した金額に相当する金額（b）} \times 2.5\% + (B-b) \times 5\%$$

③ 課税総所得金額等の合計額から特定証券投資信託の収益の分配に係る配当所得の金額を控除した金額が1,000万円を超える場合（④に該当する場合を除く）

> 【Aのうち{課税総所得金額−(1,000万円＋B)}に該当する金額
> (a)】×5％＋(A−a)×10％＋B×2.5％

④　課税総所得金額等の合計額から，(a)剰余金の配当等に係る配当所得の金額と，(b)特定証券投資信託の収益の分配に係る配当所得の金額の合計額を控除した金額が1,000万円を超える場合

> A×5％＋B×2.5％

(注1)　特定証券投資信託とは，公社債投資信託及び公社債等運用投資信託以外の証券投資信託（特定株式投資信託ＥＴＦを除く）のうち，特定外貨建等証券投資信託（334頁参照）以外のものをいう。
(注2)　課税総所得金額等の合計額とは，課税総所得金額，分離課税の課税配当所得等の金額，分離課税の課税長期（短期）譲渡所得金額，一般株式等及び上場株式等に係る課税譲渡所得等の金額並びに先物取引に係る課税雑所得等の金額の合計額をいう（措法8の4③四，31③四，32④，37の10⑥六，37の11⑥，41の14②五）。
(注3)　A＝剰余金の配当・利益の配当・剰余金の分配及び特定株式投資信託（ＥＴＦ）の収益の分配に係る配当所得
　　　　B＝特定証券投資信託の収益の分配に係る配当所得

なお，配当控除額の計算の基礎となる配当所得の金額は，負債利子の控除後の金額である（所法24②）。

2．配当控除の対象とならない配当所得

次の配当所得については，配当控除が適用されない（措法9①）。
①　分離課税とされる私募公社債等運用投資信託の収益の分配に係る配当等
②　分離課税とされる国外私募公社債等運用投資信託の収益の分配に係る配当等
③　特定株式投資信託のうち，その信託財産を外国株価指数に採用されている銘柄の外国法人の株式に投資として行うもの（外国株価指数連動型）の収益の分配に係る配当等

④ 特定外貨建等証券投資信託（外貨建資産割合及び非株式割合が75％超のもの）の収益の分配に係る配当等
⑤ 投資信託のうち，法人課税信託に該当するもの（その設定に係る受益権の募集が適格機関投資家私募により行われたものに限る）の収益の分配に係る配当等
⑥ 特定目的信託の収益の分配に係る配当等
⑦ 特定目的会社から支払を受けるべき配当等
⑧ 投資法人から支払を受けるべき配当等

以上のほか，(a)申告分離課税を選択した上場株式等の配当所得等（措法8の4①），(b)確定申告をしないことを選択した配当所得等（措法8の5①），(c)基金利息，(d)特定受益証券発行信託及び(e)外国株式の配当等も配当控除の適用がない。

(注1) 特定目的会社（ＳＰＣ）及び投資法人が支払う利益の配当等（REITの配当等）は，一定の要件のもとで法人の所得金額の計算上損金の額に算入することとされているから（措法67の14①，67の15①），出資者が受ける配当等について確定申告をした場合であっても配当控除の適用がない。

(注2) シャウプ税制においては，法人を一つの擬人であって独立の担税力をもたないもの（法人擬制説），本来的に課税の客体となるのは個人のみであって，法人税は株主の所得税の前払いと考え，その上で，配当を支払う法人の負担する法人税と，その配当を受け取る株主の負担する所得税との間の二重課税を調整する措置として配当控除の存在が認められたものである。したがって，基金利息及び外国株式の配当等は，二重課税を調整する必要がないので，配当控除の適用外とされている。

3．外貨建等証券投資信託の収益の分配に係る配当控除率の特例

外貨建等証券投資信託の収益の分配に係る配当所得がある場合には，外貨建資産割合と非株式割合との組み合わせにより，信託財産の75％超を株式以外の資産又は外貨建資産で運用できるもの（特定外貨建等証券投資信託）については配当控除の適用対象外とされるが，信託財産の50％超75％以下を株式以外の資産又は外貨建資産で運用することができるものについては2.5％又は1.25％が

配当控除の対象とされる（措法9①④，措令4の4②）。

なお，株式投資信託の配当について配当控除が適用される場合には，投資信託約款の定める外貨建資産の割合又は株式以外の資産割合により，次の配当控除率となる。具体的な控除額の計算は，国税庁「特定証券投資信託に係る配当控除の計算書」を活用されたい。

◆外貨建等証券投資信託の収益の分配に係る配当控除率

外貨建 資産割合＼株式 組入割合	配当控除率		
	50％超	25％超50％以下	25％以下
50％以下	5％（2.5％）	2.5％（1.25％）	－
50％超75％以下	2.5％（1.25％）	2.5％（1.25％）	－
75％超	－	－	－

（注1）（　）内の数字は，課税総所得金額等の合計額が1,000万円超で，かつ，課税総所得金額等の合計額から特定証券投資信託の収益の分配に係る配当所得の金額を控除した金額が1,000万円超の場合の配当控除率である。
（注2）「外貨建資産割合」とは，証券投資信託のうち，信託財産の全部又は一部を外国通貨で表示される株式，債券その他の資産（外貨建資産）又は株式以外の資産に運用する証券投資信託で，その外貨建資産の額がその信託財産の総額に占める割合をいい，「非株式割合」とは，証券投資信託のうち，株式以外の資産の額がその信託財産の総額に占める割合をいう。

4．配当控除の順序

配当控除の金額は，①課税総所得金額，②分離課税の課税配当所得等の金額，③分離課税の課税短期譲渡所得金額，④分離課税の課税長期譲渡所得金額，⑤一般株式等及び上場株式等に係る課税譲渡所得等の金額，⑥先物取引に係る課税雑所得等の金額，⑦課税山林所得の金額及び⑧課税退職所得の金額に係る各所得税額から順次控除する。この場合において，配当控除額がその年分の所得税額から控除しきれないときは，その控除しきれない金額は打ち切られる（所法92②，措法8の4③四，31③四，32④，37の10⑥六，37の11⑥，41の14②五）。

配当控除額の計算(1)

─〔設 問〕─
① 総所得金額1,400万円,②剰余金の配当等の金額100万円,③特定投資信託の収益分配金250万円,④所得控除の合計額200万円の場合,配当控除額はいくらか。

(計 算)
① 課税総所得金額(1,400万円−200万円)>1,000万円
② 課税総所得金額(1,200万円)−特定投資信託の収益分配金(250万円)<1,000万円
③ したがって,323頁の算式②によって,次のイ,ロ,ハの合計額となる。
 イ 剰余金の配当等に係る配当所得100万円×10%=10万円
 ロ 特定投資信託の収益分配金(250万円)−|課税総所得金額(1,200万円)−1,000万円|×2.5%=12,500円
 ハ |特定投資信託の収益の分配に係る配当所得(250万円)−50万円|×5%=10万円
 イ+ロ+ハ=212,500円(配当控除額)

第7章 税額控除

配当控除額の計算（2）

〔設　問〕

次の場合の配当控除額はいくらか。

① 総所得金額　　　　　　　　　　　　　　　　　1,300万円
② 総所得金額のうち剰余金の配当等の金額　　　　　200万円
③ 総所得金額のうち特定証券投資信託の収益分配金　 50万円
④ 所得控除額の合計　　　　　　　　　　　　　　　100万円

（計　算）

　　　　　（課税総所得金額等）　（特定証券投資信託の収益分配金）
① （1,300万円－100万円）－50万円＞1,000万円

　　　　　　　　　　　　　　剰余金の配当等　特定証券投資信託の収益分配金
② （1,300万円－100万円）－（200万円＋50万円）＜1,000万円

③ したがって，332頁の算式③によって，次のイとロとハの合計額となる。

　イ　｛(1,300万円－100万円)－(1,000万円＋50万円)｝×5％＝75,000円

　ロ　(200万円－150万円)×10％＝50,000円

　ハ　50万円×2.5％＝12,500円

　　イ＋ロ＋ハ＝137,500円

この関係を図示すると次のとおりとなる。

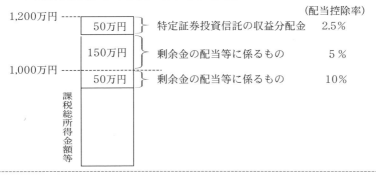

分配時調整外国税相当額控除

居住者が集団投資信託の収益の分配の支払を受ける場合には,その収益の分配に係る分配時調整外国税の額でその収益の分配に係る所得税の額から控除された金額のうち,その居住者が支払を受ける収益の分配に対応する部分の金額に相当する金額(分配時調整外国税相当額)については,その年分の所得税額から控除される(所法93①,所令220の2)。分配時調整外国税相当額とは,外国の法令に基づき信託財産に課される税で,所得税法212条の規定による源泉徴収に係る所得税に相当するもの(外国所得税)のうち,その外国所得税の課せられた収益を分配するとしたならばその収益の分配につき所得税法181条又は212条の規定により所得税を徴収されるべきこととなるものに対応する部分をいう(所法93①,所令220の2①)。

集団投資信託の収益の分配については,通常,利子所得として課税されるが(14頁,45頁参照),他方で,国外の信託の場合には外国においても課税されるので,外国税額控除に相当するものを控除するのである。

❖控除限度額の算式

```
収益分配に係る所得税の額から    ×    支払を受ける収益分配額
控除された外国所得税の額              収益分配の総額
  =分配時調整外国税相当額控除
```

(注) 集団投資信託の収益の分配に係る所得税の額から控除された外国所得税の額には,復興特別所得税から控除された外国所得税も含む(所令220の2)。

なお,分配時調整外国税相当控除は,確定申告書,修正申告書又は更正請求書に適用金額を記載した書類の添付がある場合等に適用を受けることができる(所法93②)。

第7章 税額控除

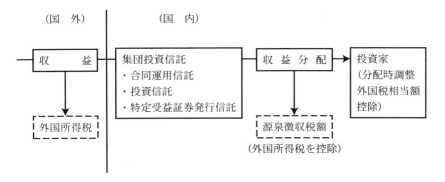

3 外国税額控除

1．外国税額控除の概要

　外国税額控除とは，居住者が各年において外国所得税を納付することとなる場合に，その者の所得税の額のうち，その年において生じた国外所得金額に対応するものとして，次の算式により計算した金額を限度として，その年分の所得税額から控除するものである（所法95①，所令222①）。国外所得金額とは，国外源泉所得に係る所得についてのみ所得税を課するものとした場合に課税標準となるべき一定の金額をいう（所法95①）。

◆控除限度額の算式

$$その年分の所得税の額 \times \frac{その年分の調整国外所得金額}{その年分の所得総額} = 外国税額控除$$

（注）　その年分の所得総額とは，純損失又は雑損失及び上場株式等の譲渡損失等の繰越控除を適用しないで計算した場合のその年分の総所得金額等の合計額をいい，調整国外所得金額とは，純損失又は雑損失の繰越控除を適用しないで計算した場合のその年分の国外所得金額をいう（所令222②③，措令25の11の2⑳）。国外所得金額がその年分の所得総額に相当する金額を超える場合には，その年分の所得総額に相当する金額とする（所令222③）。

外国所得税とは，外国の法令に基づき外国又はその地方公共団体により個人の所得を課税標準として課される税をいい，次のものが含まれるが，(a)税の納付後，任意にその金額の全部又は一部の還付を請求することができる税，(b)税の納付が猶予される期間を，その税の納付をすることとなる者が任意に定めることができる税，(c)複数の税率の中から納税者と外国当局等との合意により税率が決定された税（当該複数の税率のうち最も低い税率を上回る部分に限る），(d)外国所得税に附帯して課される附帯税に相当する税，(e)居住者がその年以前の年において非居住者であった期間内に生じた所得に対して課される外国所得税の額，(f)租税条約の規定により外国税額控除の対象とされないものなどは，外国税額控除の対象外となる（所法95①，所令221①～③，222の2③④）。

　イ　超過所得税その他個人の所得の特定部分を課税標準として課される税
　ロ　個人の所得又はその特定部分を課税標準として課される税の附加税
　ハ　個人の所得を課税標準として課される税と同一の税目に属する税で，個人の特定の所得につき，徴税上の便宜のため，所得に代えて収入金額その他これに準ずるものを課税標準として課されるもの
　ニ　個人の特定の所得につき，所得を課税標準とする税に代え，個人の収入金額その他これに準ずるものを課税標準として課される税

　また，「国外源泉所得」には，①国外事業所等帰属所得，②国外にある資産の運用又は保有により生ずる所得，③国外にある資産の譲渡により生ずる所得，④国外において人的役務の提供を主たる内容とする事業で一定のものを行う者が受けるその人的役務の提供に係る対価，⑤国外にある不動産等の貸付けによる対価，⑥国外からの利子所得，⑦国外からの配当所得，⑧国外において業務を行う者に対する貸付金の利子，⑨国外において業務を行う者から受ける使用料等，⑩給与，報酬又は年金等で国外勤務等に基因するもの，⑪国外において行う事業の広告宣伝のために賞金として一定のもの，⑫国外にある営業所等を通じて締結した保険契約等に基づいて受ける年金，⑬国外にある営業所等が受け入れた定期積金の給付補填金，利息又は差益，⑭国外において事業を行う者に対する出資につき，匿名組合契約に基づいて受ける利益の分配，⑮国内外に

第7章　税額控除

わたって船舶又は航空機による運送の事業を行うことにより生ずる所得のうち国外において行う業務につき生ずる一定の所得，⑯租税条約の相手国等において租税を課することができるとされる所得のうち一定のもの，⑰その源泉が国外にある一定の所得がある（所法95④）。これらの国外源泉所得のうち，「国外事業所等帰属所得」とは，国外事業所等がその居住者から独立して事業を行う事業者であるとしたならば，その国外事業所等が果たす機能，その国外事業所等とその居住者の事業場等との間の内部取引その他の状況を勘案して，その国外事業所等に帰せられるべき所得をいうとされている（所法95④）。

以上により計算した結果，その年に納付した外国税額が上記②の控除限度額を超える場合については，その超える部分の金額は，一定の限度で地方税の額から控除される（地法37の3，314の8）。

外国所得税を納付した個人が外国税額控除の適用を受けるかどうかは，その者の任意の選択によるが，外国税額控除の適用を受けない場合は，その納付の確定した外国所得税額をその年分の不動産所得の金額，事業所得の金額，山林所得の金額もしくは雑所得の金額又は一時所得の金額の計算上，必要経費又は支出した金額に算入することができる（所法46）。もっとも，その外国所得税額が各種所得の金額の計算上の必要経費（所法37）又は一時所得の金額の計算上の支出した金額（所法34②）に該当する必要があることはいうまでもない。

なお，外国税額控除は，確定申告書，修正申告書又は更正請求書に適用金額を記載した書類の添付がある場合等に適用を受けることができる（所法95⑩⑪）。適用を受けることができる金額は，当該書類に記載された金額を限度とする。

外国税額控除額の計算

〔設　問〕

居住者が次の所得等を有する場合の外国税額控除額を計算しなさい。
①給与所得の金額7,000,000円，②内国法人（非上場会社）からの剰余金の配当400,000円（源泉所得税等81,680円控除前），③外国法人（非上場会社）からの剰余金の配当600,000円（外国所得税60,000円及び源泉所得

税等110,268円控除前），④総所得金額8,000,000円，⑤所得控除額1,000,000円，⑥課税総所得金額7,000,000円，⑦算出税額974,000円，⑧配当控除額40,000円，⑨差引所得税額934,000円

（計　算）

① 外国所得税額　60,000円

② 控除限度額

$$934,000円 \times \frac{600,000円}{8,000,000円} = 70,050円$$

③ ①＜②　∴　60,000円

（注）　70,050円－60,000円＝10,050円のうち，地方税額から控除できない部分は繰越控除限度額となる。

2．控除余裕額及び控除限度超過額の繰越し

　外国税額控除の適用上，その年分の外国所得税額が所得税及び地方税の控除限度額の合計額を超える（以下，「控除限度超過額」という）場合において，その年の前年以前3年間の限度控除額で未だ使用されていなかったもの（以下，「繰越控除限度額」という）があるときは，控除限度超過額については，順次，その繰越控除限度額の範囲内で，その年分の所得税額及び地方税額から控除することができる（所法95②，所令224）。

　また，その年に納付することになる外国所得税額が所得税及び地方税の控除限度額の合計額に満たない（以下，「控除余裕額」という）場合において，その年の前年以前3年間に納付することとなった外国所得税額のうち，過年分において控除しきれなかった金額（以下，「繰越外国所得税額」という）があるときは，繰越外国所得税額については，順次，控除余裕額の範囲内で，その年分の所得税額及び地方税額から控除することができる（所法95③，所令225①）。

　これらの措置は，外国所得税額の納付時期と国外所得の発生時期の差によって控除できない外国所得税額が生じる事態に対処するためのものである。

第 7 章　税 額 控 除

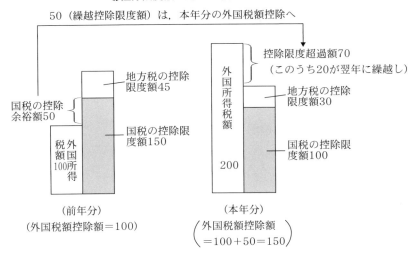

●控除限度額を超える場合の外国税額控除

3．外国所得税額が減額された場合の特例

　外国税額控除の適用を受けた年の翌年以後 7 年内において外国所得税の額が減額された場合には，その減額された年分において納付することとなる外国所得税の額から減額分の外国所得税の額を差し引いて外国税額控除の額を計算する（所法95⑨，所令226①）。この場合において，外国所得税の額が減額された年に納付する外国所得税の額がないとき，又はその納付する外国所得税の額が減額される外国所得税の額に満たないときは，減額された年の前年以前 3 年内の各年の控除限度超過額から，減額された外国所得税の額（又は納付すべき外国所得税を超える部分の金額）を差し引いて外国税額控除の額を計算する（所令226③）。
　（注）　減額された外国所得税額の総収入金額不算入については，162頁を参照されたい。

4 住宅借入金等特別控除

1．住宅借入金等特別控除の概要

(1) 住宅借入金等特別控除

　居住用家屋の新築等（居住用家屋の新築又は居住用家屋で建築後使用されたことのないものの取得をいう），買取再販住宅の取得，既存住宅の取得又は居住用家屋の増改築をして，これらの家屋を6か月以内に居住の用に供した場合において，その取得等に係る借入金等を有するときは，居住の用に供した年から10年間又は13年間，住宅借入金等の年末残高の0.7％（令和3年までは1％）が所得税額から差し引かれる（措法41①～④⑬～⑮）。ただし，その年分の合計所得金額が2,000万円（令和3年分までは3,000万円）を超える場合には，住宅借入金等特別控除の適用がない（措法41①）。これをいわゆる「住宅ローン控除」という。

✤一般の住宅ローン控除額

居住年	各年分の控除額	控除期間
平成25年1月～平成26年3月	年末借入金等の残額(2,000万円以下の部分)×1％ （最高20万円）	10年間
平成26年4月～令和元年9月	○ 特定取得の場合 　年末借入金等の残額(4,000万円以下の部分)×1％ （最高40万円） ○ 特定取得以外の場合 　年末借入金等の残額(2,000万円以下の部分)×1％ （最高20万円）	10年間
令和元年10月～令和2年12月	○ 特別特定取得の場合 （1年～10年目） 年末借入金等の残額(4,000万円以下の部分)×1％ （最高40万円）	13年間

	(11年～13年目) 次のいずれか少ない額 ① 年末借入金等の残額(4,000万円以下の部分)× 1％ ② (住宅取得等対価の額－消費税額)(上限4,000万円)×0.2÷3	
	○ 特定取得の場合 年末借入金等の残額(4,000万円以下の部分)× 1％ （最高40万円）	10年間
	○ 上記以外の場合 年末借入金等の残額(2,000万円以下の部分)× 1％ （最高20万円）	
令和3年1月～ 令和3年12月	○ 特別特例取得の場合 （1年～10年目) 年末借入金等の残額(4,000万円以下の部分)× 1％ （最高40万円） (11年～13年目) 次のいずれか少ない額 ① 年末借入金等の残額(4,000万円以下の部分)× 1％ ② (住宅取得等対価の額－消費税額)(上限4,000万円)×0.2÷3	13年間
	○ 特定取得の場合 年末借入金等の残額(4,000万円以下の部分)× 1％ （最高40万円）	10年間
	○ 上記以外の場合 年末借入金等の残額(2,000万円以下の部分)× 1％ （最高20万円）	
令和4年1月～ 令和5年12月	○ 居住用家屋の新築等又は買取再販住宅の取得の場合 年末借入金等の残額(3,000万円以下の部分)×0.7％ （最高21万円）	13年間
	○ 上記以外の場合 年末借入金等の残額(2,000万円以下の部分)×0.7％ （最高14万円）	10年間
令和6年1月～ 令和7年12月	年末借入金等の残額(2,000万円以下の部分)×0.7％ （最高14万円）	10年間

(注1)　「特定取得」とは，住宅の取得等に係る対価の額又は費用の額に含まれる消費税額等（消費税額及び地方消費税額の合計額）が8％又は10％の税率により課されるべき消費税額等である場合における住宅の取得等をいい，「特別特定取得」とは，住宅の取得等に係る対価の額又は費用の額に含まれる消費税額等が10％の税率により課されるべき消費税額等である場合における住宅の取得等をいう（措法41⑤⑭）。

(注2)　「特別特例取得」とは，その対価の額又は費用の額に含まれる消費税等の税率が10％である場合の住宅の取得等で，それぞれ次に定める期間内にその契約が締結されているものをいう（新型コロナ税特法6の2②⑩，同令4の2①⑭）。
　　イ　居住用家屋の新築……令和2年10月1日から令和3年9月30日までの期間
　　ロ　居住用家屋で建築後使用されたことのないものもしくは既存住宅の取得又はその者の居住の用に供する家屋の増改築等……令和2年12月1日から令和3年11月30日までの期間

(注3)　「買取再販住宅」とは，既存住宅を宅地建物取引業者が一定のリフォームにより良質化した上で販売する住宅をいう。

(注4)　特定居住用家屋の新築又は特定居住用家屋で建築後使用されたことのないものの取得をして，特定居住用家屋を令和6年1月1日以後に居住の用に供した場合には，住宅ローン控除及び認定住宅ローン控除が適用されない（措法41㉕，措令26㊲）。特定居住用家屋については，308頁を参照されたい。

(2)　認定住宅等の新築等に係る住宅借入金等特別控除の特例

　認定住宅等の新築等（認定住宅等の新築又は認定住宅等で建築後使用されたことのないものの取得をいう），買取再販住宅の取得，既存住宅の取得又は居住用家屋の増改築をして，これらの家屋を6か月以内に居住の用に供した場合において，その取得等に係る借入金等を有するときは，上記(1)との選択により，居住の用に供した年から10年間又は13年間，住宅借入金等の年末残高の0.7％（令和3年までは1％）が所得税額から差し引かれる（措法41⑩～⑫⑯，新型コロナ税特法6の2①）。ただし，その年分の合計所得金額が2,000万円（令和3年分までは3,000万円）を超える場合には，住宅借入金等特別控除の適用がない（措法41⑩～⑰）。

　特例の対象となる認定住宅等とは，次のものをいう（措法41⑩，措令26⑳～㉔）。

① 認定長期優良住宅……耐久性，耐震性が高く，省エネ性能などにも優れた住宅（いわゆる「200年」と呼ばれている）で，長期優良住宅普及促進法に定める認定基準を満たすもの
② 認定低炭素住宅……二酸化炭素の排出の抑制に資する住宅で，住宅の用に供する都市の低炭素化の促進に関する法律に定める認定基準を満たすもの
③ 特定エネルギー消費性能向上住宅（ＺＥＮ水準省エネ住宅）……エネルギーの使用の合理化に著しく資する住宅の用に供する家屋をいう。
④ エネルギー消費性能向上住宅（省エネ基準適合住宅）……エネルギーの使用の合理化に著しく資する住宅の用に供する家屋をいう。

◆認定住宅ローン控除額

居住年	各年分の控除額	控除期間
平成25年1月～平成26年3月	年末借入金等の残額(3,000万円以下の部分)×1％ （最高30万円）	10年間
平成26年4月～令和元年9月	○ 特定取得の場合 　年末借入金等の残額(5,000万円以下の部分)×1％ 　　　　　　　　　　　　　　（最高50万円） ○ 特定取得以外の場合 　年末借入金等の残額(3,000万円以下の部分)×1 　　　　　　　　　　　　　　（最高30万円）	10年間
令和元年10月～令和2年12月	○ 特別特定取得の場合 （1年～10年目） 　年末借入金等の残額(5,000万円以下の部分)×1％ 　　　　　　　　　　　　　　（最高50万円） （11年～13年目） 次のいずれか少ない額 ① 年末借入金等の残額(5,000万円以下の部分)×1％ ② （住宅取得等対価の額－消費税額）(上限5,000万円)×0.2÷3	13年間
	○ 特定取得の場合 　年末借入金等の残額(5,000万円以下の部分)×1％ 　　　　　　　　　　　　　　（最高50万円）	10年間

	○ 上記以外の場合 　年末借入金等の残額(3,000万円以下の部分)× 1％ 　　　　　　　　　　　　　　　　（最高30万円）	
令和3年1月〜 令和3年12月	○ 特別特例取得の場合 （1年〜10年目） 年末借入金等の残額(5,000万円以下の部分)× 1％ 　　　　　　　　　　　　　　　　（最高50万円） （11年〜13年目） 次のいずれか少ない額 ①　年末借入金等の残額(5,000万円以下の部分)×1％ ②　（住宅取得等対価の額－消費税額）(上限5,000万円)×0.2÷3	13年間
	○ 特定取得の場合 　年末借入金等の残額(5,000万円以下の部分)× 1％ 　　　　　　　　　　　　　　　　（最高50万円）	10年間
	○ 特定取得以外の場合 　年末借入金等の残額(3,000万円以下の部分)× 1％ 　　　　　　　　　　　　　　　　（最高30万円）	
令和4年1月〜 令和5年12月	○　居住用家屋の新築等又は買取再販住宅の取得の場合 ・認定住宅（長期優良住宅・認定低炭素住宅） 　年末借入金等の残額(5,000万円以下の部分)×0.7％ 　　　　　　　　　　　　　　　　（最高35万円） ・特定エネルギー消費性能向上住宅 　年末借入金等の残額(4,500万円以下の部分)×0.7％ 　　　　　　　　　　　　　　　　（最高31.5万円） ・エネルギー消費性能向上住宅 　年末借入金等の残額(4,000万円以下の部分)×0.7％ 　　　　　　　　　　　　　　　　（最高28万円）	13年間
	○　上記以外の場合 　年末借入金等の残額(3,000万円以下の部分)×0.7％ 　　　　　　　　　　　　　　　　（最高21万円）	10年間
令和6年1月〜 令和7年12月	○　居住用家屋（長期優良住宅・認定低炭素住宅）の新築等又は買取再販住宅の取得の場合 ・認定住宅 　年末借入金等の残額(4,500万円以下の部分)×0.7％ 　　　　　　　　　　　　　　　　（最高31.5万円）	13年間

・特定エネルギー消費性能向上住宅 　年末借入金等の残額(3,500万円以下の部分)×0.7% 　　　　　　　　　　　　　　　　(最高24.5万円) ・エネルギー消費性能向上住宅 　年末借入金等の残額(3,000万円以下の部分)×0.7% 　　　　　　　　　　　　　　　　(最高21万円) ○ 上記以外の場合 　年末借入金等の残額(3,000万円以下の部分)×0.7% 　　　　　　　　　　　　　　　　(最高21万円)	10年間

2．控除の対象となる住宅の取得等

　住宅ローン控除の対象となる住宅の取得等とは，自己の居住の用に供される次に掲げる家屋をいい，2以上有する場合には，主として居住の用に供する一つの家屋に限られる（措法41①⑩⑱～⑳，措令26①～⑤㉛～㉟）。

① 新築又は建築後使用されていないものの取得
　イ　家屋の床面積が50㎡以上であること
　ロ　床面積の2分の1以上が専ら自己の居住の用に供されるものであること

② 買取再販住宅の取得
　イ　家屋の床面積が50㎡以上であること
　ロ　床面積の2分の1以上が専ら自己の居住の用に供されること
　ハ　建築後使用されたことのある家屋で，①昭和57年1月1日以後に建築されたもの又は②耐震基準に適合するものであること
　ニ　宅地建物取引業者が特定増改築等（新築後10年を経過したもの）をした家屋を当該業者から取得したものであること
　ホ　増改築に要した費用の総額が譲渡対価の額の20％相当額（300万円を限度）以上であること

③ 既存住宅の取得又は居住用家屋の増改築等
　イ　増改築，大規模の修繕又は大規模の模様替えの工事等であること

ロ　その工事費用が100万円を超えること
　　ハ　工事をした家屋の中に自己の居住用以外の部分がある場合には，工事費用の２分の１以上が自己の居住用部分の工事に要したものであること
　　ニ　工事をした後の家屋の床面積が50㎡以上であること
　　ホ　工事をした後の家屋の床面積の２分の１以上が専ら自己の居住の用に供されるものであること
　　ヘ　工事をした後の家屋が主としてその者の居住の用に供すると認められるものであること
　④　特例居住用家屋の新築等
　　　床面積が40㎡以上50㎡未満である住宅の用に供する家屋で令和５年12月31日以前に建築確認を受けたものの新築又はその家屋で建築後使用されたことのないものの取得をした場合（床面積の２分の１以上が専ら自己の居住の用に供されること，居住の用に供する家屋を２以上有する場合には，主として居住の用に供するもの一つの家屋であること）には，住宅ローン控除又は認定住宅ローン控除が適用できる。ただし，その者の控除期間のうち，その年分の所得税に係る合計所得金額が1,000万円を超える年については適用されない。

3．控除の対象となる住宅借入金等

　住宅ローン控除の対象となる住宅借入金等とは，次に掲げる住宅ローン等の返済期間が10年以上で分割して返済するものをいい，その家屋の新築や購入とともに取得するその住宅の敷地等の取得資金に充てるためのものも含まれる。ただし，その借入金等のうち，利息に対応するもの及び使用者からの借入金等で利率が年0.2％未満のものなどは除かれる（措法41①⑩，措令26⑧～⑲，措規18の21③～⑦⑳）。
　①　住宅の取得等に要する資金に充てるための金融機関，独立行政法人住宅金融支援機構，地方公共団体等からの借入金

② (a)建築業者等に対する住宅の取得等の工事の請負代金，(b)宅地建物取引業者など，居住用家屋の分譲を行う一定の者に対する住宅の取得等の対価についての債務
③ 独立行政法人都市再生機構，地方住宅供給公社又は日本勤労者住宅協会を当事者とする既存住宅の取得に伴う債務の承継に関する契約に基づく賦払債務
④ 住宅の取得等のための使用者からの借入金又は使用者に対する住宅の取得等の対価についての債務

✤住宅ローン控除額の計算方法

①	その年の12月31日における借入金等の残高＞住宅の取得対価等の額	住宅の取得対価等相当額の借入金等の残高
②	その年の12月31日における借入金等の残高≦住宅の取得対価等の額	その年の12月31日における借入金等の残高

(注) 住宅の取得等に関し，補助金の交付を受ける場合又は住宅取得等の資金の贈与を受けた場合には，その住宅の取得対価等の額から補助金等の額を控除する（措令⑤）。

4．譲渡所得等の課税の特例の適用を受けた場合

　新築や購入した家屋又は増改築等した部分を居住の用に供した年分の所得税について，①居住用財産を譲渡した場合の長期譲渡所得の課税の特例（措法31の3），②居住用財産の譲渡所得の特別控除（措法35），③特定の居住用財産の買換え（交換）の場合の長期譲渡所得の課税の特例（措法36の2，36の5），④既成市街地等内にある土地等の中高層耐火建築物等の建設のための買換え（交換）の場合の譲渡所得の課税の特例（措法37の5）の適用を受ける場合，又はその居住の用に供した日の属する年の前年分もしくは前々年分についてこれらの適用を受けている場合には，住宅ローン控除を適用することができない（措法41㉒）。
　また，新築や購入した家屋又は増改築等した部分を居住の用に供した日の属する年から3年目に該当する年中にその居住用家屋やその敷地等以外の所定の

資産（旧居住用財産）を譲渡した場合において，上記の①から④に掲げる特例の適用を受けることとなったときは，住宅ローン控除を適用することができない（措法41㉓）。

> （注）　住宅ローン控除の適用を受けた年分の所得税については，修正申告書又は期限後申告書を提出し，すでに受けた住宅借入金等特別控除額に相当する税額を納付することになる（措法41の3①）。

5．適用各年における居住要件

住宅ローン控除は，住宅の取得等をして居住の用に供した家屋について，その年の12月31日（死亡した日の属する年にあっては，同日）まで引き続き居住の用に供している場合に限り適用される（措法41①）。ただし，居住の用に供していた従前家屋が災害により居住の用に供することができなくなった場合において，その居住の用に供することができなくなった日の属する年以後の各年（次に掲げる年以後の各年を除く）は，住宅ローン控除を適用することができる（措法41㉜）。

① 従前家屋もしくはその敷地の用に供されていた土地等又は当該土地等に新たに建築した建物等を事業の用もしくは賃貸の用又は親族等に対する無償による貸付けの用に供した場合におけるその事業の用等に供した日の属する年

② 従前家屋又はその敷地の用に供されていた土地等の譲渡をし，その譲渡について特定居住用財産の譲渡損失の損益通算及び繰越控除又は居住用財産の買換え等の場合の譲渡損失の損益通算及び繰越控除の適用を受ける場合におけるその譲渡の日の属する年

③ 災害により従前家屋を居住の用に供することができなくなった者が取得等をした家屋について住宅ローン控除の適用を受けた年

また，住宅ローン控除の適用を受けていた者が，勤務先からの転任の命令に伴う転居その他これに準ずるやむを得ない事由により，その控除を受けていた家屋を居住の用に供しなくなった後，その家屋を再び居住の用に供した場合には，一定の要件のもとで，その住宅の取得等に係る住宅ローン控除のうち，再

第7章　税額控除

びその居住の用に供した日の属する年（その年にその家屋を賃貸の用に供していた場合には，その翌年）以後の各年について，住宅ローン控除の再適用を受けることができる（措法41㉖）。

(注1)　住宅ローン控除の再適用を受けるためには，その家屋を居住の用に供しなくなる日までに，①「転任の命令等により居住しないこととなる旨の届出書」，②税務署長から交付される「年末調整のための住宅借入金等特別控除証明書」をその家屋の所在地を所轄する税務署長に提出するとともに，その家屋に再び居住し，住宅ローン控除の再適用を受ける最初の年分においては，確定申告をする必要がある（措法41㉗）。

(注2)　住宅の取得等をして居住の用に供した居住者が，その居住の用に供した年の12月31日までの間に勤務先からの転任の命令等により居住の用に供さなくなった後，当該事由が解消し再び居住の用に供した場合には，一定の要件の下で，上記と同様に住宅ローン控除を適用することができる（措法41㉙）。

6．住宅借入金等特別控除の適用要件

住宅ローン控除を受けるためには，確定申告書にこの控除を受ける金額に関する記載があり，その計算明細書のほか，①家屋の登記簿の謄本・抄本や売買契約書等で家屋の取得年月日・床面積・取得価額を明らかにする書類又はその写し，②金融機関等から交付を受けた「住宅取得資金に係る借入金の年末残高等証明書」（電磁的印刷書面を含む）などを添付しなければならない（措法41㉞，措規18の21⑧）。

給与所得者の場合には，住宅に居住した1年目に確定申告をすると，2年目以降は「給与所得者の住宅借入金等特別控除申告書」に，①税務署長から交付される「年末調整のための住宅借入金等特別控除証明書」，及び②金融機関等から交付を受けた「住宅取得資金に係る借入金の年末残高等証明書」を添付して勤務先に提出することによって，年末調整の際に住宅ローン控除を受けることができる（措法41の2の2①）。

なお，令和5年1月1日以後に居住の用に供する家屋について，住宅ローン控除の適用を受けようとする者は，住宅ローンに係る一定の債権者に対して，一定の事項を記載した申請書を提出（電磁的方法による提供を含む）し，これに伴

い，その債権者から「借入金の年末残高等調書」が所轄税務署長に提出されるので（措法41の２の３②），上記の「住宅資金に係る借入金の年末残高等証明書」の添付は不要である。

7．特定の増改築等に係る住宅借入金等特別控除

　自己の居住の用に供する家屋について，バリアフリー改修工事又は省エネ改修工事（特定耐久性向上改修工事を含む）もしくは多世帯同居改修工事を含む増改築等を行い，令和３年12月31日までの間に居住の用に供した場合は，住宅ローン控除との選択により，増改築等に充てるために借り入れた住宅借入金等の年末残高(1,000万円以下の部分)の一定割合が所得税額から控除される（措法41の３の２①⑤⑧）。ただし，合計所得金額が3,000万円を超える年は適用されない。

(注)　対象となる住宅借入金等は，①償還期間５年以上の一定の住宅借入金等のほか，②独立行政法人住宅金融支援機構からの借入金で死亡時に一括償還する方法により支払うこととされているものである（措法41の３の２③⑦⑩）。

居住年	特定増改築等限度額	控除期間	控除率	最大累積控除額
平成19年４月〜26年３月	200万円	５年間	2.0%	60万円
	800万円	５年間	1.0%	
平成26年４月〜令和３年12月	250万円	５年間	2.0%	62.5万円
	750万円	５年間	1.0%	

(注)　「その他の借入限度額」とは，1,000万円から「特定増改築等限度額」を控除した残額をいい，平成26年４月からの居住年における特定取得以外の場合の控除限度額等は平成26年３月までの居住年と同じになる。

　特定の増改築等とは，次の工事を含む増改築等をいう。
① 　バリアフリー改修工事等……ⓐ年齢50歳以上の者，ⓑ要介護又は要支援の認定を受けている者，ⓒ障害者，ⓓ高齢者等（年齢65歳以上の者，要介護又は要支援の認定を受けている者又は障害者）である親族と同居を常況として

第7章 税額控除

いる者が自立した日常生活を営むために必要な構造及び設備の基準に適合させるための一定の改修工事（高齢者等居住改修工事等）であって，その工事費用等の合計額が50万円を超えるもの（措法41の3の2①②）。

② 省エネ改修工事等……エネルギーの使用の合理化に資する改修工事（特定断熱改修工事等）及びそれ以外のエネルギーの使用の合理化に相当程度資する改修工事（断熱改修工事等）であって，その工事費用等の合計額が50万円を超えるもの（措法41の3の2②二⑤⑥）。

③ 特定耐久性向上改修工事等……省エネ改修工事等を併せて当該家屋の構造の腐食，腐朽及び摩損を防止し，又は維持保全を容易にするための改修工事（改修工事が行われる構造又は設備と一体となって効用を果たす設備の取替え又は取付けに係る改修工事を含む）であって，その工事費等の合計額が50万円を超えるもの（措法41の3の2②四⑤⑥）

④ 多世帯同居改修工事等……他の世帯との同居をするのに必要な設備（ⓐ調理室，ⓑ浴室，ⓒ便所又はⓓ玄関のいずれか）を増設する改修工事であって，その工事費用の合計額が50万円を超えるもの（措法41の3の2②三⑧⑨）。

 政党等寄附金特別控除

政党又は政治資金団体に対する政治活動に関する寄附（政治資金規正法に違反することとなるもの及びその寄附した者に特別の利益が及ぶと認められるものを除く）で，総務大臣又は道府県選挙管理委員会に報告されたものは，選択により寄附金控除に代えて，次の金額をその年分の所得税額から控除することができる（措法41の18②）。ただし，その年分の所得税額の25％相当額を限度とする。

> （その年中に支出した政党等に対する寄附金の合計額－2,000円）
> ×30％＝政党等寄附金特別控除額（100円未満の端数切捨て）

(注1) その年中に支出した政党等に対する寄附金の合計額は,その年分の総所得金額等の40%相当額を限度とする。ただし,その年中に支出した寄附金控除の適用を受ける特定寄附金との合計額がその年分の総所得金額等の40%相当額を超える場合には,40%相当額からその特定寄附金の額を控除した金額とされる(以下,5及び6に同じ。)。
(注2) その年中に支出した寄附金控除の適用を受ける特定寄附金の額がある場合,足切控除額の2,000円は,2,000円からその特定寄附金の額を控除した残額とされる(以下,6及び7に同じ。)。

なお,政党等寄附金特別控除の適用を受けるには,確定申告書に控除に関する記載をするとともに,政党又は政治資金団体を経由して交付された総務大臣又は道府県の選挙管理委員会の確認印のある「寄附金(税額)控除のための書類」を添付しなければならない(措法41の18③,措規19の10の2)。

認定NPO法人等寄附金特別控除

認定特定非営利活動法人等(認定NPO法人)に対して支出したその認定NPO法人が行う特定非営利活動に係る事業に関連する寄附金については,寄附金控除との選択により次の金額をその年分の所得税額から控除できる(措法41の18の2②)。ただし,次の公益社団法人等寄附金特別控除額と併せて,その年分の所得税額の25%相当額を限度とする。

$$\left(\begin{array}{l}\text{その年中に支出した}\\ \text{認定NPO法人に対}\\ \text{する寄附金の合計額}\end{array} - 2,000円\right) \times 40\% = \begin{array}{l}\text{認定NPO法人等寄附金}\\ \text{特別控除額}\\ \text{(100円未満の端数切捨て)}\end{array}$$

第7章　税額控除

 公益社団法人等寄附金特別控除

　特定寄附金のうち，①公益社団法人及び公益財団法人，②学校法人等，③社会福祉法人，④更生保護法人，⑤国立大学法人，公立大学法人，独立行政法人国立高等専門学校機構又は独立行政法人日本学生支援機構に対する寄附金（学生等に対する修学の支援のための事業に充てられることが確実であるもの），⑥国立大学法人，大学共同利用機関法人，公立大学法人又は独立行政法人国立高等専門学校機構に対する寄附金（学生又は不安定な雇用状態にある研究者に対するこれらの者が行う研究への助成又は研究者としての能力の向上のための事業に充てられることが確実であるもの）に対する寄附金については，寄附金控除との選択により次の金額をその年分の所得税額（25％相当額を限度）から控除できる（措法41の18の3①）。

（注）　上記の⑤及び⑥の寄附金は，その運営組織及び事業活動が適正であること並びに市民から支援を受けていることにつき一定の要件を満たすものに限る。

$$\left(\begin{array}{l}\text{その年中に支出した}\\ \text{公益社団等に対する}\\ \text{寄附金の合計額}\end{array} - 2{,}000\text{円}\right) \times 40\% = \begin{array}{l}\text{公益社団法人等寄附金}\\ \text{特別控除額}\\ \text{（100円未満の端数切捨て）}\end{array}$$

 特定増改築をした場合又は認定住宅を取得した場合の特別控除

　居住者が令和5年12月31日までに居住の用に供している家屋について増改築等（住宅耐震改修，バリアフリー改修，省エネ改修，多世帯同居改修，特定耐久性向上改修工事等）を行った場合，又は認定住宅（認定長期優良住宅又は認定低炭素住宅）を新築等をして居住の用に供した場合には，「標準的な費用の額」の10％相当額をその年分の所得税額から控除することができる。控除限度額及び控除率等

357

は，次のとおりである（措法41の19の2①②，41の19の3①～⑤，41の19の4①②）。
　なお，この改修工事等について住宅ローン控除を適用した場合には，これらの特別控除を適用することができない。
　イ　住宅耐震改修特別控除

工事完了年	改修工事限度額	控除率	最大控除限度額
平成26年4月～令和5年12月	250万円	10%	25万円

　ロ　住宅特定改修特別控除（その年の合計所得金額が3,000万円を超える場合は適用できない）
　　①　高齢者等居住改修工事等（バリアフリー改修工事等）

居　住　年	改修工事限度額	控除率	最大控除限度額
平成25年1月～令和5年12月	200万円	10%	20万円

　　②　一般断熱改修工事等（省エネ改修工事等）

居　住　年	改修工事限度額	控除率	最大控除限度額
平成26年4月～令和5年12月	250万円(350万円)	10%	25万円(35万円)

　　　（注）　かっこ内の金額は，省エネ改修工事等と併せて太陽光発電設備の設置工事を行う場合である。④⑤に同じ。
　　③　多世帯同居改修工事等（三世代同居改修工事等）

居　住　年	改修工事限度額	控除率	最大控除限度額
平成28年4月～令和5年12月	250万円	10%	25万円

　　④　特定耐久性向上改修工事等（住宅耐震改修又は省エネ改修工事等と併せて実施）

居　住　年	改修工事限度額	控除率	最大控除限度額
平成29年4月～令和5年12月	250万円（350万円）	10%	25万円（35万円）

　　⑤　特定耐久性向上改修工事等（住宅耐震改修及び省エネ改修工事等と併せて実施）

居　住　年	改修工事限度額	控除率	最大控除限度額
平成28年4月～令和5年12月	500万円（600万円）	10%	50万円（60万円）

第7章 税額控除

ハ　認定住宅新築等特別控除（その年の合計所得金額が3,000万円を超える場合には適用できない。控除不足額は翌年への繰越しができる）

居住年	認定住宅	認定住宅限度額	控除率	最大控除限度額
平成26年4月 〜令和5年12月	認定長期優良住宅 認定低炭素住宅 特定エネルギー消費性能向上住宅	650万円	10%	65万円

第8章

申告納税制度

1 申告納税制度は，納税者自らが法定申告期限までに正しい申告と納税をすることを前提にしている。
2 所得税の確定申告には，①確定所得申告，②還付申告，③確定損失申告，④準確定申告がある。
3 青色申告者には，帳簿書類を基に正確な申告を奨励する観点から，各種の税法上の特典が与えられている。
4 申告に誤りがあるときは，納税者が修正申告や更正の請求をするほか，税務署長において更正又は決定をすることができる。
5 適正な申告納税義務を担保するために，税務職員の質問検査権，各種加算税等の制度などが設けられている。

納税義務とは，国からみれば租税債権であり，納税者からみれば租税債務である。納税義務は租税法に定める課税要件が充足すると抽象的に発生する。所得税では，一暦年が経過して，一定の所得金額があれば納税義務が成立するが（通則法15①），納税義務が成立したからといって，直ちに，税金を納付するとか還付を受けるとか，あるいは国が徴収することはできない。それには税額を確定する手続が必要となる。

申告納税制度の採用

1．申告納税制度の意義

　納税義務の確定手続には，①申告納税方式，②賦課課税方式及び③自動確定方式があるが，所得税や法人税など多くの国税は申告納税方式を採用している。申告納税制度は，納税者自身が行う申告により第一次的に税額が確定し，その税額を納税者自らが国に納めるという制度であって，この制度が適正に機能するためには，納税者自身の自発的な納税意欲と，納税者が継続的かつ正しい記帳を行い，客観的な計数に基づいて課税標準等を計算するということが前提となっている。もとより，申告納税制度の下では，納税者自らが国に法定申告期限までに正しい申告とその申告に基づく税額を納付することを前提としているので，その申告が正しくなかったり申告がなかった場合には，何らかの是正措置が設けられていなければならない。税務署長は，納税申告書の提出があった場合に，その納税申告書に記載された課税標準等又は税額等の計算が国税に関する法律の規定に従っていなかったとき，その他調査したところと異なるときは，その調査に基づき当該申告書に係る課税標準等又は税額等を更正することとし（通則法24），納税申告書を提出する義務があると認められる者が当該申告書を提出しなかった場合には，その調査に基づき当該申告書に係る課税標準等

又は税額等を決定することとしているのである（通則法25）。すなわち、税務署長の処分により第二次的に納税義務が確定することになる。

2．納税申告と申告内容の是正

　納税申告には期限内申告，期限後申告及び修正申告があり，期限内申告は，法定申告期限（所得税は翌年3月15日）までにする申告で義務的な申告であるのに対し，期限後申告は申告期限までに申告をしなかった者がその後にする申告をいい，また，修正申告は納税申告書に記載した課税標準等又は税額等が過少である場合に是正する申告である。これらの納税申告書に記載した課税標準等又は税額等に誤りがあった場合には，次のような是正方法がある。

(1) 修　正　申　告

　修正申告は，納税者が期限内申告又は期限後申告をすることにより第一次的に納税義務が確定した場合に，その後，納税者自らが申告内容を増額変更するもの，又は税務署長の更正又は決定により納税義務が確定した後に，納税者自らが申告内容を増額変更するものである。つまり，修正申告書は，納税申告書を提出した者及び更正又は決定を受けた者（これらの相続人など権利義務を包括して承継した者を含む。以下，更正の請求に同じ）が，①納付すべき税額に不足があるとき，②純損失等の金額が過大であるとき，③還付金の額に相当する税額が過大であるとき，④納付すべき税額がないとしていた場合に納付する税額があるときに限って，税務署長の更正があるまでの間に提出できる任意的な申告書である（通則法19①②）。ただし，法定申告期限から5年（偽りその他不正の行為によりその全部又は一部の税額を免れた場合は7年）を経過したときは，修正申告書を提出できない。

　なお，修正申告書には，特定の事業用資産の買換資産等を一定期間内に事業の用に供せず，又は当該買換資産等の取得価額が見積額に達しなかった場合など，修正申告書の提出が義務づけられたものがある（所法151の2〜151の6，措

法28の3⑦, 31の2⑦, 33の5①, 36の3①, 37の2①, 37の5②, 37の8①)。

(2) 更正の請求

　納税申告書を提出した後に申告内容の誤りが判明した場合で，その税額が過大であるとき又は還付金の額が過少であるときは，更正の請求をすることによって是正を求めることができる（通則法23①②）。更正の請求は，納税申告によりすでに確定した税額等が過大であるときなどに，納税者が税務署長に対しその税額等の減額を求める手続であって，それ自体，税額を確定させることを意味していない（税額を確定させる効力がない点で，修正申告とは異なる）。更正の請求があった場合には，税務署長がその更正の請求に係る課税標準等又は税額等を調査し，その調査に基づいて減額更正をし，又は更正をすべき理由がない旨の通知をする（通則法23④）。

　更正の請求には，通常の場合の更正の請求と後発的な事由による更正の請求がある。通常の場合の更正の請求ができるのは，納税申告書を提出した者について，納税申告書に記載した課税標準等又は税額等の計算が「国税に関する法律の規定に従っていなかったこと」又は「当該計算に誤りがあったこと」により，(a)当該申告書の提出により納付すべき税額（更正があった場合には更正後の税額，以下同じ）が過大であるとき，(b)納税申告書に記載した純損失等の金額が過少であるとき又はその金額の記載がなかったとき，(c)納税申告書に記載した還付金の額に相当する税額が過少であるとき又はその金額の記載がなかったときに限られ，この更正の請求は，法定申告期限から5年以内にしなければならない（通則法23①）。

　一方，後発的な事由による更正の請求は，申告時点では申告に誤りがなかったが，申告時に予知し得なかった事態その他やむを得ない事由がその後に生じた場合，すなわち，当初の申告に原始的・内在的な瑕疵はなかったが，その後の事情の変更により，納税申告書に記載した課税標準等又は税額等が過大になったときに，その減額更正を求めるものである。この更正の請求ができるのは，納税申告書を提出した者又は決定を受けた者について，法定申告期限後に

次のような理由が生じたことにより上記の(a)から(c)までに該当することとなった場合である（通則法23②，通則令6）。

① 申告，更正又は決定に係る課税標準等又は税額等の計算の基礎となった事実に関する訴えについての判決（判決と同一の効力を有する和解等を含む）により，その事実がその計算の基礎としたところと異なることが確定したとき……その確定した日の翌日から起算して2か月以内に更正の請求

② 申告，更正又は決定に係る課税標準等又は税額等の計算に当たって，その申告をし又は決定を受けた者に帰属するものとされていた所得その他の課税物件が他の者に帰属するものとする他の者に係る更正又は決定があったとき……その更正又は決定があった日の翌日から起算して2か月以内に更正の請求

③ (a)申告，更正又は決定に係る課税標準等又は税額等の計算の基礎となった事実のうちに含まれていた行為の効力に係る官公署の許可その他の処分が取り消されたこと，(b)申告，更正又は決定に係る課税標準等又は税額等の計算の基礎となった事実に係る契約が，解除権の行使によって解除されもしくは当該契約の成立後生じたやむを得ない事情によって解除され又は取り消されたこと，(c)帳簿書類の押収その他やむを得ない事情により，課税標準等又は税額等の計算の基礎となるべき帳簿書類その他の記録に基づいて国税の課税標準等又は税額等を計算することができなかった場合において，その後，当該事情が消滅したこと，(d)租税条約に基づき我が国と相手方当事国との権限ある当局間の協議により，先の課税標準等又は税額等に関し，その内容と異なる合意が行われたこと，(e)申告，更正又は決定に係る課税標準等又は税額等の計算の基礎となった事実に係る国税庁長官が発した通達に示されている法令の解釈が，更正又は決定に係る審査請求もしくは訴えについての裁決又は判決に伴って変更され，変更後の解釈が公表されたことにより，その課税標準等又は税額等が異なることとなる取扱いを受けることを知ったこと……これらの理由が生じた日の翌日から起算して2か月以内に更正の請求

> 最高裁昭和62年11月10日判決（裁判集民事152号155頁）は，租税特別措置法26条の社会保険診療報酬に係る所得計算の特例を適用した申告に係る税額が，実額による収支計算で算出した税額よりも高いことを理由に更正の請求をした事例について，同法26条に基づいて算出した課税標準等は法令の規定に従ったものであるから，「国税に関する法律の規定に従っていなかったこと」又は「当該計算に誤りがあったこと」に当たらず，更正の請求はできないと判示している。

(3) 更正の請求の特例

更正の請求には，国税通則法に定めるもののほか，所得税法等においても，次のとおり更正の請求の特例が設けられている。

① 各種所得の金額に異動が生じた場合の更正の請求

確定申告書を提出し又は決定を受けた者は，次に掲げる事由により，その申告又は決定に係る課税標準等又は税額等が過大になる場合や還付金の額が過少になる場合，その事実が生じた日の翌日から起算して2か月以内に更正の請求ができる（所法152，所令274）。

イ 事業を廃止した後において，その事業に係る所得の金額の計算上必要経費に算入される費用又は損失が生じたこと（所法63，226頁参照）

ロ 各種所得の金額（事業所得の金額を除く）の計算の基礎となった収入金額もしくは総収入金額（不動産所得又は山林所得を生ずべき事業から生じたものを除く。以下，この項に同じ）の全部又は一部が回収不能となったこと，その他特定の事由によりその収入金額もしくは総収入金額の全部又は一部を返還すべきこととなったこと（所法64①，221頁参照）

ハ 保証債務を履行するために資産を譲渡した場合において，その履行に伴う求償権の全部又は一部の行使が不能となったこと（不動産所得の金額，事業所得の金額又は山林所得の金額の計算上必要経費に算入される金額を除く。所法64②，221頁参照）

(注) 保証債務の履行のために資産を譲渡し，その譲渡所得について確定申告をしている場合には，保証債務の履行に伴う求償権が行使不能となった日から2か月以内に更正の請求をしなければ譲渡所得の課税を免れることはできない。このため，保証債務の履行のために資産を譲渡し，その求償権が行使不能であるとして更正の請求をする事例においては，求償権の行使不能となった時期が極めて重要となる。

ニ　各種所得の金額（事業所得の金額並びに事業から生じた不動産所得又は山林所得を除く）の計算の基礎となった事実のうちに含まれていた無効な行為により生じた経済的成果がその行為の無効であることを基因として失われたこと，又は取り消すことのできる行為が取り消されたこと（所令274）

②　前年分の所得税額等の更正等に伴う更正の請求

修正申告書を提出し又は更正もしくは決定を受けた者は，その修正申告書の提出又は更正もしくは決定に伴い，その翌年以後の年分の決定に係る課税標準等又は税額等が過大になる場合や還付金の額が過少となる場合，その修正申告書の提出又は更正もしくは決定を受けた日の翌日から起算して2か月以内に更正の請求ができる（所法153）。

③　国外転出をした者が帰国をした場合等の更正の請求

国外転出をする場合の譲渡所得等の特例が創設されたことに伴い（126頁参照），ⓐ国外転出をした者が帰国をした場合等（所法153の2），ⓑ非居住者である受贈者等が帰国した場合等（所法153の3），ⓒ相続により取得した有価証券等の取得費の額に変更があった場合等（所法153の4），ⓓ遺産分割等があった場合（所法153の5），ⓔ国外転出をした者が外国所得税を納付する場合（所法153の6）について，それぞれ更正の請求の特例が設けられている。

④　租税特別措置法の規定による更正の請求

租税特別措置法には，収用等があった翌年以後に代替資産を取得する見込みで課税の特例を受けた後，収用等に伴う対価補償金等で取得した代替資産の取得価額が見積額と異なる場合など，多くの更正の請求の特例が設けられている（措法28の3⑩，33の5④，36の3②，37の2②，37の5②，37の8①）。

2　予定納税

1．予定納税額の納付義務

　所得税の納税義務は，暦年終了の時に成立し，確定申告によって確定することを建前とするが，国庫収入の平準化や分割納付による納税者の便宜などの観点から，前年分の実績を基準として当年分の税額を機械的に算定し，その一部を予納するという予定納税制度が採用されている（所法104，107）。予定納税額は，その年分の予納であるから，確定申告義務のある者又は還付等を受けるための確定申告をした者については，その年分の所得税額から控除されるが（所法120①七，122①），確定申告の義務のない者が確定申告をしなかった場合には，予定納税額ないし源泉徴収税額がその年分の所得税額とみなされる（所法103）。

　この予定納税に係る所得税の納税義務は，その年の6月30日（特別農業所得者の場合は10月31日）を経過する時に成立し，特別な手続をすることなく当然に確定するが（自動確定，通則法15③一，通則令5一），納税者の便宜を考慮して，所轄税務署長が予定納税基準額及び予定納税額を計算し，その年6月15日（特別農業所得者の場合は10月15日）までに通知することとしている（所法106，109）。

(注1)　特別農業所得者とは，その年において農業所得の金額が総所得金額の70％に相当する金額を超え，かつ，その年の9月1日以後に生ずる農業所得の金額がその年中の農業所得の金額の70％に相当する金額を超える者をいう（所法2①三十五）。
(注2)　予定納税額の通知は，国税に関する法律に基づく処分ではないので，不服申立ての対象にならない（通則法75①）。

2．予定納税額と予定納税基準額の計算

　特別農業所得者以外の居住者は，予定納税基準額が15万円以上である場合，第1期（7月1日～7月31日）及び第2期（11月1日～11月30日）において，それ

ぞれ予定納税基準額の3分の1に相当する所得税額を国に納付しなければならない（所法104）。同様に，特別農業所得者（特別農業所得者と見込まれることについて税務署長の承認を受けた者を含む）は，予定納税基準額が15万円以上である場合，第2期（11月1日～11月30日）において予定納税基準額の2分の1に相当する所得税額を国に納付しなければならない（所法107）。予定納税基準額は，その年5月15日（特別農業所得者の場合は9月15日）に確定している前年分の所得金額をもととして，次の①の金額から②の金額を差し引いて計算する（所法104①，105，108，所令259）。

① 前年分の課税総所得金額に係る所得税の額

　　ただし，その課税総所得金額の計算の基礎となった各種所得の金額のうちに譲渡所得，一時所得，雑所得又は雑所得に該当しない臨時所得の金額がある場合には，これらの金額はなかったものとみなして計算し，前年分の所得税について災害減免法の適用を受けていた場合には，その適用がなかったものとして計算する。

② 前年分の課税総所得金額の計算の基礎となった各種所得について，源泉徴収された又はされるべきであった所得税の額

　　なお，その各種所得の金額のうちに一時所得，雑所得又は雑所得に該当しない臨時所得の金額がある場合には，これらの所得について源泉徴収された又はされるべきであった所得税の額を控除する。

（注）　国税通則法の規定による納期限の延長により，第1期又は第2期において納付すべき予定納税額の納期限がその年12月31日後となる場合は，当該期限延長の対象となった予定納税額はないことになる（所法104②）。

3．予定納税額の減額

予定納税は，前年の実績に基づく所得が本年においても発生するものとして，本年分の予納額を納付するものであるから，本年中に休廃業等により所得が減少する場合又は多額の医療費を支出するようになった場合など，前年と同様な課税所得が見込まれないときには，次のとおり，納税者の申請により予定納税

額の減額を認めている（所法111，災免法3①）。

① その年の6月30日の現況による申告納税見積額が予定納税基準額に満たないと見込まれる場合……その年の7月15日までに，所轄税務署長に対し，第1期及び第2期において納付すべき予定納税額の減額の承認を申請することができる。

② その年の10月31日の現況による申告納税見積額が予定納税基準額に満たないと見込まれる場合……その年の11月15日までに，所轄税務署長に対し，第2期において納付すべき予定納税額の減額の承認を申請することができる。

（注） 申告納税見積額は，その年分の課税総所得金額，分離課税の課税配当所得等の金額，分離課税の課税長期（短期）譲渡所得金額，一般株式等及び上場株式等に係る課税譲渡所得等の金額，先物取引に係る課税雑所得等の金額及び課税山林所得の金額として見積もった所得金額に対する所得税の額から，それらの所得について源泉徴収される税額の見積額を差し引いて計算する（所法111④，措令4の2⑧，20③，21⑦，25の8⑮，25の9⑬，26の23⑤）。

なお，予定納税額の減額の承認申請があった場合，税務署長は，その調査により申請に係る申告納税見積額を認めるかもしくは申告納税見積額を定めて承認し，又は申請を却下し，その旨を通知する（所法113）。

3　確定申告

1．確定所得申告

確定所得申告書は，その年分の総所得金額，分離課税の配当所得等の金額，分離課税の長期（短期）譲渡所得金額（特別控除後），一般株式等及び上場株式等に係る譲渡所得等の金額，先物取引に係る雑所得等の金額，退職所得の金額及び山林所得の金額の合計額が雑損控除その他の所得控除の額の合計額を超える

第8章　申告納税制度

場合で，これらの課税所得金額に係る算出税額が配当控除額を超えるときに提出を義務づけられている納税申告書である（所法120①，措令4の2⑧，20③，21⑦，25の8⑮，25の9⑬，26の23⑤，災免法3⑥）。その申告時期は翌年2月16日から3月15日までとされている。

> （注）　その計算した所得税の額の合計額が配当控除の額を超える場合であっても，控除しきれなかった外国税額控除の額があるとき，控除しきれなかった源泉徴収税額があるとき又は控除しきれなかった予納税額があるときは，確定申告書の提出を要しない（所法120①）。

確定申告を要する者を列記すると，おおむね次のとおりになる（所法120①，121，所令262の2）。

①　給与所得者の場合

給与所得者の多くは，「年末調整」の方法により所得税が精算されるので，確定申告をする必要がない。ただし，次のいずれかに該当する者は，確定申告をしなければならない。

イ　年間の給与収入が2,000万円を超える場合

ロ　給与所得や退職所得以外の所得の合計額が20万円を超える場合

> （注）　給与所得や退職所得以外の所得には，①株式等の売買益，②外貨預金の為替差益，③生命保険の満期一時金や年金，④原稿料，講演料，⑤不動産の賃貸料，⑥貸付金の利子等の所得などがある。

ハ　複数の会社などから給与を受けている場合

> （注1）　「年末調整をされていない給与収入＋給与所得や退職所得以外の所得の合計額」が20万円以下の場合は，申告を要しない。
>
> （注2）　「給与収入の合計－雑損控除，医療費控除，寄附金控除及び基礎控除以外の所得控除の合計額」が150万円以下で，給与所得や退職所得以外の所得の合計額」が20万円以下の場合は，申告を要しない。
>
> （注3）　給与所得者で年末調整により源泉徴収が行われている者について，その他の所得が20万円以下である場合には，確定申告を要しないが，この場合の給与所得以外の所得は非課税ではないので，給与所得者が医療費控除などを適用し所得税の還付を受けるため所得税の確定申告書を提出するときには，これらの給与所得以外の所得も含めて申告する必要がある。また，住民税は，前年中の所得を基準として課税され，給与所得について年末調整が行われるような仕組みがとられていないので，給与所得以外の所得がある場合には，所得税の確定申告書を提出した場合を除き，住民税の申告

が必要となる。
- ニ　同族会社の役員やその親族などで，その会社から給与のほかに，貸付金の利子，不動産の賃貸料などの支払を受けている場合
- ホ　災害減免法の適用を受け，給与について源泉徴収の猶予や還付を受けた場合
- ヘ　家事使用人や在日の外国公館に勤務する者など，給与から所得税を源泉徴収されていない場合

② **公的年金等の雑所得がある場合**

公的年金等を受けている者は，原則として確定申告をしなければならないが，その年中の公的年金等の収入金額が400万円以下であり，かつ，その年分の公的年金等に係る雑所得以外の所得金額が20万円以下の場合には，その年分の所得税について確定申告書を提出することを要しない（所法121③）。公的年金等の全部について源泉徴収される場合に限られる。

③ **退職所得がある場合**

退職所得は，原則として確定申告をする必要がないが，退職金を受け取るときに20％の税率で源泉徴収された者で，その源泉徴収税額が正規の税額よりも少ない場合は申告が必要となる。

④ **事業所得や不動産所得などがある場合**

課税総所得金額等に税率を乗じて所得税額を計算し，この税額から配当控除を差し引いても，納付すべき所得税額がある場合には，申告が必要となる。

2．還付等を受けるための申告

確定申告義務のある者又は確定損失申告をすることができる者以外の者であっても，その年分の所得税について，(a)所得税額の計算上控除しきれない外国税額控除，又は(b)確定申告により納付すべき税額の計算上控除しきれない源泉徴収税額や予定納税額がある場合には，これらの税額の還付を受けるため，一定の事項を記載した申告書を提出することができる（所法122①）。また，(a)確

定申告を要する場合，(b)還付を受けるための申告の場合，(c)損失申告をすることができる場合のいずれにも該当しないときであっても，翌年分以後の所得税について，外国税額の控除不足額の繰越控除等の適用を受けようとする場合には，同様に一定の事項を記載した申告書を提出することができる（所法122②）。還付を受けるために申告ができる者を列記すると，おおむね次の場合がある。

① 株式等の売買益や株式等の配当を得た者で，源泉徴収された税額が正規の税額よりも多いとき
② 給与所得者で雑損控除や医療費控除，寄附金控除，住宅借入金等特別控除，政党等寄附金特別控除，住宅耐震改修特別控除等を受ける場合
③ 年の途中に退職した給与所得者で，その年中に再就職をしていない場合
④ 公的年金等の雑所得がある者で，他に所得がなく，源泉徴収された税額が正規の税額よりも多い場合
⑤ 予定納税をしたが，所得が少なく確定申告の必要がない場合

(注) 還付等を受けるための申告は，申告期間の定めがないので，暦年経過の時（翌年1月1日）から還付金の消滅時効の開始の日までの5年間にすることができる（通則法74①）。申告義務のある者であっても，還付申告書の提出期間はその年の翌年1月1日から3月15日までとされる（所法120⑥，122③）。

3．確定損失申告

次のいずれかの場合に該当するときは，その年の翌年以後に純損失の繰越控除，雑損失の繰越控除，特定非常災害に係る雑損失の繰越控除，上場株式等に係る譲渡損失の繰越控除，特定中小会社が発行した株式に係る譲渡損失の繰越控除，居住用財産の買換え等の場合の譲渡損失の繰越控除，特定居住用財産の譲渡損失の繰越控除，先物取引の差金決済等に係る損失の繰越控除を受けるため，又はその年分の純損失の金額について純損失の繰戻しによる還付を受けるために，確定損失申告書を提出することができる（所法123①，措法37の12の2⑨，37の13の2⑩，41の5⑫，41の5の2⑫，41の15⑤）。

① その年に純損失の金額が生じた場合

② その年に生じた雑損失の金額が，総所得金額，分離課税の配当所得等の金額，分離課税の長期（短期）譲渡所得金額（特別控除後），一般株式等及び上場株式等に係る譲渡所得等の金額，先物取引に係る雑所得等の金額，退職所得の金額及び山林所得の金額の合計額を超える場合

③ その年の前年以前3年（特定非常災害の場合は5年）内の各年に生じた純損失の金額，雑損失の金額，居住用財産の買換え等の場合の通算後譲渡損失の金額，特定居住用財産の通算後譲渡損失の金額（前年以前において控除されたもの及び純損失の繰戻しによる還付を受ける金額の計算の基礎となるものを除く）の合計額が，これらの金額を控除しないで計算した場合のその年分の総所得金額，分離課税の配当所得等の金額，分離課税の長期（短期）譲渡所得金額（特別控除後），一般株式等及び上場株式等に係る譲渡所得等の金額（雑損失の場合に限る），先物取引に係る雑所得等の金額（雑損失の場合に限る），退職所得の金額及び山林所得の金額の合計額を超える場合

④ その年及びその前年以前3年内の各年に生じた上場株式等及び特定投資株式に係る譲渡損失の金額が，その年分のこれらの株式等に係る譲渡所得等の金額を超える場合

⑤ その年及びその前年以前3年内の各年に生じた先物取引の差金等決済に係る損失の金額が，その年分の先物取引に係る雑所得等の金額を超える場合

（注）繰越控除や繰戻し還付については，245頁以下を参照されたい。

4．死亡又は出国の場合の確定申告

(1) 死亡の場合の確定申告

確定所得申告書を提出すべき者がその年の中途で死亡した場合，相続人は，その相続の開始があったことを知った日の翌日から4か月を経過した日の前日（相続人が出国する場合にはその出国の日，以下同じ）までに，被相続人の1月1日から死亡の日までの所得金額に係る確定所得申告書を被相続人の納税地の所轄

税務署長に提出しなければならない（準確定申告書，所法125①）。相続人が2人以上いるときは，各相続人が連署で提出するのであるが，他の相続人の氏名を附記して各人が別々に申告することもできる（所令263②）。また，確定所得申告書を提出すべき者がその年の翌年1月1日からその申告書の提出期限までの間に，当該申告書を提出しないで死亡した場合には，相続人は，その相続の開始があったことを知った日の翌日から4か月を経過した日の前日までに，被相続人に係る確定所得申告書を提出しなければならない（所法124①）。

なお，確定損失申告書を提出することができる者が死亡した場合には，その相続人はその相続の開始があったことを知った日の翌日から4か月を経過した日の前日までに，被相続人に係る確定損失申告書を提出することができる（所法124②，125③）。所得税の還付を受けるための申告書を提出できる者が死亡した場合も同様である（所法125②）。

> 相続により資産が移転した場合には，通常，譲渡所得の課税が行われず，相続人に課税の繰延べが認められているが（所法60①），限定承認に係る相続によって資産の移転があった場合には，時価による譲渡があったものとみなされ，被相続人に対して譲渡所得課税が行われる（所法59①，124頁参照）。東京高裁平成15年3月10日判決（判例タイムズ1861号31頁）は，相続人が相続の開始があったことを知った日から4か月を経過した後に限定承認の申述受理の審判があった場合であっても，その法定納期限は，相続人が相続開始を知った日（限定承認の申述受理の審判があった日ではない）の翌日から4か月を経過した日の前日であると解するのが相当である旨判示している。

(2) 出国の場合の確定申告

確定所得申告書を提出すべき者がその年の中途で出国する場合には，その出国の日までに，その年の1月1日から出国の日までの所得金額について，確定所得申告書を提出しなければならない（所法127①）。確定損失申告書や所得税の

還付を受けるための申告書についても同様である（所法127②③）。また，確定所得申告書を提出すべき者がその年の翌年1月1日からその申告書の提出期限までの間に出国する場合においても，その出国の日までに確定所得申告書を提出することになる（所法126①）。

なお，確定損失申告書を提出することができる者がその年の翌年の1月1日から2月15日までの間に出国する場合には，その期間中においても確定損失申告書を提出することができる（所法126②）。

　（注）　納税管理人を定めて納税地の所轄税務署長に届け出た場合には，納税管理人が通常の申告期限までに確定所得申告書等を提出することになる（通則法117，所法2①四十二）。

5．電子申告における第三者作成書類の添付省略

所得税の確定申告書の提出が電子情報処理組織（e-Tax）を使用して行われる場合には，次に掲げる第三者作成書類の提出又は提示に代えて，その記載内容を入力して送信することができる（平成31年国税庁告示10号）。

①給与所得，退職所得及び公的年金等の源泉徴収票，②雑損，医療費，社会保険料，小規模企業共済等掛金，生命保険料，地震保険料，寄附金，勤労学生の各種所得控除に係る証明書等，③外国税額控除等に係る証明書，④住宅ローン控除に係る書類（適用2年目以降のもの），⑤認定ＮＰＯ法人寄附金特別控除，公益社団法人等特別控除の証明書，⑥特定の増改築等に係る住宅ローン控除に係る書類，⑦政党等寄附金特別控除，⑧外国税額控除，⑨給与所得者の特定支出控除に係る書類

6．所得税の納付と還付

(1) 納　　付

確定所得申告書を提出した居住者は，次に掲げる法定納期限までに，当該申告書に記載した納付すべき所得税額（復興特別所得税を含む。以下同じ）を日本銀

行（国税の収納を行う代理店を含む）又は税務署の窓口で納付しなければならない（所法128～130）。

① 通常の確定申告による納付……3月15日
② 死亡の場合の確定申告による納付……相続のあったことを知った日の翌日から4か月を経過した日の前日
③ 出国の場合の確定申告による納付……出国の日

(注) 振替納税を利用すると，金融機関の口座から自動的に納税される。新たに振替納税の利用をする場合は，3月15日までに「納付書送付依頼書・預貯金口座振替依頼書」を税務署又は金融機関に提出する。インターネット上のクレジットカードでの納付やダイレクト納付，スマホアプリでの納付もできる。

なお，修正申告書を提出した居住者は，その修正申告により増加した所得税額について，当該修正申告書を提出した日までに納付しなければならない（通則法35②）。

(2) 延　　納

確定所得申告書の提出により第3期分の納税額が著しく増加したなどの理由により，3月15日までに納付できない場合には，次のような延納が認められている。

① 確定所得申告書の提出により納付すべき第3期分の納税額（延払条件付譲渡に係る延納申請書を提出する場合には，その延払条件付譲渡に係る延納税額を控除した金額）の2分の1以上を3月15日までに納付し，税務署長に延納の届出書を提出すれば，その残額について5月31日まで納付を延期することができる（所法131①②）。延納をした場合には，延納に係る所得税の額について，その延納の期間に応じて利子税特例基準割合で計算した金額に相当する利子税をその延納に係る所得税にあわせて納付しなければならない（所法131③，措法93①）。

② 山林所得又は譲渡所得の基因となる資産を譲渡した場合で，(a)その代金が月賦，年賦その他の賦払いの方法で3回以上に分割して支払われ，(b)目的物の引渡しの期日から最後の賦払金の支払期日までの期間が2年以上で

あり、(c)目的物の引渡しの期日までに支払期日の到来する賦払金の合計が譲渡価額の3分の2以下であるときは（延払条件付譲渡）、申請などの一定の手続をすることによって、5年以内の延納が認められる（所法132①③，133①，所令265）。

なお、(a)確定所得申告書を法定申告期限までに提出すること、(b)翌年以後に支払期日の到来する賦払金に対する部分の税額がその年分の所得税額の2分の1を超えること、(c)延払条件付譲渡に係る税額が30万円を超えることなどの要件を満たさなければならない。利子税については、上記の①と同様である。

(3) 還　付

納税者の提出した確定申告書に、①外国税額控除後の控除不足額，②源泉徴収税額の控除不足額，③予定納税額の控除不足額の記載があるときには，税務署長がその金額に相当する所得税を還付する（所法138①，139①）。ただし、源泉徴収税額のうちに納付されていないものがあるときは、その納付されていない部分の金額に相当する税額は現実に納付されるまで還付されない（所法138②）。もっとも、給与等の支払の際に所得税が源泉徴収されているときは、源泉徴収義務者が実際に納付していないときであっても、その源泉徴収義務者が徴収した所得税を国に納付すべき日において納付があったものとみなされるので（所法223）、この場合においては還付を受けることができる。

なお、還付の際には、還付金をもととして計算した（還付加算金特例割合）還付加算金が付される（所法138③，139③）。

(注)　純損失の繰戻しによる還付については、249頁を参照されたい。

（参考）利子税及び還付加算金の割合

期　　間	利子税特例基準割合	還付加算金特例基準割合
令和3. 1. 1～12. 31	1%	1%
令和4. 1. 1～12. 31	0.9%	0.9%
令和5. 1. 1～12. 31	0.9%	0.9%

4 青色申告制度

　青色申告制度は，事業所得，不動産所得及び山林所得を生ずべき業務を行う居住者が税務署長の承認を受けて，青色の申告用紙により申告を行うものである（所法143）。青色申告者は，帳簿書類を備え付けて一定の水準の記帳を継続的に行うとともに，これを保存することが義務づけられる一方，青色申告者以外の納税者に比し，税制上，有利な所得計算や取扱いが認められる。

1．青色申告の承認制度

　青色申告書の提出について承認を受けようとする者は，その年分以後につき青色申告書を提出しようとする年の3月15日（その年の1月16日以後新たに業務を開始した場合には，その業務を開始した日から2か月以内）に，当該業務に係る所得の種類その他財務省令で定める事項を記載した申請書を所轄税務署長に提出しなければならない（所法144）。税務署長は，青色申告承認申請書が提出された場合において，承認するか却下するかの処分を行うときには，その申請をした者に対して書面によりその旨を通知する（所法146）。この場合，①帳簿書類の備付け，記録又は保存が財務省令で定めるところに従って行われていないこと，②帳簿書類に取引の全部又は一部を隠蔽又は仮装して記載していることその他不実の記載又は記録があると認められる相当の理由があること，③青色申告の承認の取消しの通知を受け，又は青色申告の取りやめの届出書を提出した日以後1年以内に申請書を提出した事実があるときは，税務署長はその申請を却下することができる（所法145）。青色申告承認申請書の提出があった場合において，その年分以後につき青色申告書を提出しようとする年の12月31日（その年の11月1日以後新たに業務を開始した場合には，その年の翌年の2月15日）までに，その申請の承認又は却下の処分がなかったときは，その日において承認があったもの

とみなされる（所法147）。

　なお，青色申告の取りやめの届出があった場合には，その年分以後の年分の所得税について青色申告承認の効力を失うし（所法151①），青色申告者が事業所得，不動産所得及び山林所得に係る業務の全部を譲渡もしくは廃止した場合には，その譲渡又は廃止した日の属する年の翌年分以後の年分の所得税についても，同様に承認の効力を失う（所法151②）。

　　（注）　青色申告書による申告をやめる旨の届出書の提出期限は，「その年の翌年3月15日」であるが，令和8年分以後の所得税にあっては，「その申告をやめようとする年分の所得税に係る確定申告期限」となる（所法151①，令和5年所法等改正附則5）。

> 　青色申告の承認は，納税者に青色の申告書で申告することのできる法的地位を賦与する設権的行政処分であり，青色申告をなし得る法的地位は一身専属的なものであると解されている（最高裁昭和62年10月30日判決・裁判集民事152号93頁）。

2．青色申告者の帳簿等の備付け

　青色申告制度は，帳簿書類を基礎とした正確な申告を奨励する意味で，一定の帳簿書類を備え付けている者に限って青色の申告書を用いて申告することを認めることとし，青色申告者に各種の特典を与えている。青色申告者の備え付けるべき帳簿の記載方法には，①正規の簿記の原則による方法，②簡易簿記による方法，③現金主義による方法の三つが認められている（所法148①，所規56）。正規の簿記の原則による方法は，所得の金額が正確に計算できるように，資産，負債及び資本に影響を及ぼす一切の取引を正規の簿記の原則に従い，整然かつ明瞭に記録し，その記録に基づき貸借対照表及び損益計算書を作成するものであり（所規57），簡易簿記による方法は，複式簿記によらない簡易な方法（現金出納帳，売掛帳，買掛帳，経費帳，固定資産台帳の記載）である。また，現金主義に

よる方法は、事業所得又は不動産所得を有する者で、前々年分の事業所得の金額と不動産所得の金額の合計額（青色事業専従者給与の額と事業専従者控除額を差し引く前の金額）が300万円以下である小規模事業者が所轄税務署長に届け出ることにより、収入金額又は必要経費の額を現実に入出金した金額で計算することが認められる制度である（所法67，所令195）。

なお、青色申告者は取引を記録し、その帳簿書類を整理して7年間（小規模事業者の現金預金取引等の関係書類、その他の書類は5年間）保存しなければならない（所法148①，所規63）。

3．青色申告の特典

青色申告の特典には、手続上の特典と実体上の特典とがある。

(1) 手続上の特典

① 帳簿書類の調査と理由附記

青色申告者は一定の帳簿書類を備え付けるとともに、その保存の義務が課されていることから、税務署長がその所得金額を更正するときは、その納税者の帳簿書類を調査し、その調査によりこれらの金額の計算に誤りがあることが判明した場合に限って更正することができ（所法155①）、その更正通知書には更正の理由を附記しなければならない（所法155②）。もっとも、不動産所得の金額、事業所得の金額及び山林所得の金額以外の各種所得の金額の計算に誤りがあり、これらの金額のみを更正する場合、又は損益通算及び損失の繰越控除の適用に誤りがあることにより更正するときは、青色申告者の帳簿の記載事項を否定するものではないので、帳簿調査を要しない（所法155①一，②）。同様に、青色申告書及びこれに添付された書類に記載された事項によって、不動産所得の金額、事業所得の金額及び山林所得の金額の計算に誤りがあることが明らかである場合においても、帳簿調査を要しない（所法155①二）。青色申告者の所得金額について決定する場合は（通則法25）、帳簿調査が要件とされない。この特典は、誠

実な記帳をする青色申告者と課税庁との間に信頼関係が保たれていることを前提とするものであるから、申告のない者に対する決定処分には適用がないというわけである。

> 最高裁昭和38年5月31日判決（民集17巻4号617頁）は、理由附記について、「処分庁の判断の慎重・合理性を担保してその恣意を抑制するとともに、処分の理由を相手方に知らせて不服申立てに便宜を与える趣旨に出たものであるから、その記載を欠くにおいては処分自体の取消しを免れない。」とする。また、理由附記の程度について、最高裁昭和38年12月17日判決（民集17巻12号1871頁）は、「単に更正に係る勘定科目とその金額を示すだけでなく、そのような更正をした根拠を帳簿書類以上に信憑力ある資料を摘示することによって具体的に明示することを要する。」とする。

（注）　国税通則法により、青色申告者に関わらず、更正又は決定などの不利益処分や納税者からの申請を拒否する処分には、その通知書に処分の理由が記載される（通則法74の14①）。

② 推計課税の禁止

推計課税は、税務署長が納税者の所得金額を収支計算による実額で算定できないような事情があるときに、間接的な資料から所得金額を算定し更正又は決定するものであるから（393頁参照）、誠実な記帳に基づく青色申告者については推計による更正は許されない（推計による決定は認められる。所法156）。

(2) 実体上の特典

各種引当金の繰入額の必要経費算入（所法52〜54、210頁以下参照）、青色事業専従者給与の必要経費算入（所法57、215頁参照）、小規模事業者等の収入及び費用の帰属時期の特例（所法67、228頁参照）、純損失の繰越控除（所法70、245頁参照）、純損失の繰戻し還付請求（所法140、249頁参照）のほか、棚卸資産の評価方法についての低価法の選択（所令99①）、耐用年数の短縮（所令130）、通常の使用時間を超えて使用する機械及び装置の償却費の特例（所令133）があり、他に租税特

別措置法の規定による青色申告特別控除（措法25の2，212頁参照）及び特別償却の特例等が設けられている。

4．青色申告の承認の取消し

　青色申告制度は，誠実で信頼性のある記帳を約束した納税者に対して，租税法上の各種の特典を与えるものであるから，青色申告者の帳簿に信頼が置けないような事実が生じた場合には，税務署長が青色申告の承認を取り消すことができる（所法150①）。青色申告の承認の取消理由には，①帳簿書類の備付け，記録又は保存が財務省令で定めるところに従って行われていないこと（1号），②帳簿書類について税務署長の指示に従わなかったこと（2号），③帳簿書類に取引の全部又は一部を隠蔽又は仮装して記載し，その他その記載事項の全体についてその真実性を疑うに足りる相当の理由があること（3号）があげられており，これらに該当する事実がある場合には，その事実が生じた年にまで遡って青色申告の承認を取り消すことができ，取消年分以後の所得税については青色申告書以外の申告書（いわゆる白色申告書）によるものとみなされる（所法150①）。税務署長が青色申告の承認を取り消す場合には，書面でその旨を納税者に通知しなければならないし，その通知書には取消しの理由を附記しなければならない（所法150②）。

　なお，所得税法は，青色申告の承認の取消事由として，①帳簿書類の備付け・記録・保存義務違反，②帳簿書類に関する税務署長の指示に対する違反，③帳簿への不実記載の3点をあげているが，青色申告者が税務調査に際して帳簿書類の提示を拒否した場合についても，上記①の取消し事由に当たるものと解されている。

　東京高裁昭和59年11月20日判決（行集35巻11号1821頁）は，「帳簿書類の調査拒否の事実をもって，その備付け，記録又は保存がされていない場合と別個の青色申告承認の取消事由とするものではなく，青色申告制度の本

旨・法意にそう合理的解釈として，所定の帳簿書類の備付け等は，当該職員からの提示・閲覧に応じ得るものでなければならないとするものである。」と判示している。また，最高裁平成17年3月10日判決（民集59巻2号379頁）では，「法人が税務職員の検査に適時にこれを提示することが可能なように態勢を整えて当該帳簿書類を保存していなかった場合は，法人税法126条（青色申告法人の帳簿書類）1項に違反し，同法127条（青色申告の承認の取消し）1項1号に該当するものというべきである。」と判示する。

5 申告納税制度を支える諸制度

　申告納税制度は，納税者自らが税法を正しく理解し，税法に基づいて課税標準等と税額等を計算し，法定の期限までにこれを申告・納付する税制であるから，納税者の自主的な申告と納税がなされること，そして，その申告・納税の適正さが確保されていることが必要であり，そのための諸制度が所得税法において整備されている。青色申告制度がその一つであるが，それ以外にも次のようなものがある。

1．記録保存・記帳制度

　その年において不動産所得，事業所得又は山林所得を生ずべき業務を営む者（青色申告者を除く。以下，「事業所得者等」という）は，帳簿を備え付けて，これにその業務に係るその年分の取引のうち総収入金額及び必要経費に関する事項を簡易な方法により記録し，かつ，当該帳簿を一定期間（法定帳簿は7年間，その他の書類は5年間）保存しなければならない（所法232①，所規102④）。

　また，その年において雑所得を生ずべき業務を行う居住者でその年の前々年

分の雑所得を生ずべき業務に係る収入金額が300万円を超えるものは，その雑所得を生ずべき業務に係るその年の取引のうち総収入金額及び必要経費に関する事項を記載した書類を保存しなければならない（所法232②）。

2．総収入金額報告書の提出

　事業所得者等で，その年の不動産所得，事業所得又は山林所得に係る総収入金額の合計額が3,000万円を超える者は，確定申告書を提出している場合を除き，翌年3月15日までに総収入金額報告書を提出しなければならない（所法233）。

　また，その年において雑所得を生ずべき業務を行う居住者でその年の前々年分のその業務に係る収入金額が1,000万円を超えるものが確定申告書を提出する場合には，一定の方法により，その雑所得に係るその年中の総収入金額及び必要経費の内容を記載した書類を確定申告書に添付しなければならない。

　なお，事業所得者等が確定所得申告書を提出する場合には，その確定所得申告書にその年の不動産所得，事業所得もしくは山林所得又は雑所得に係る総収入金額及び必要経費の内容を記載した書類（収支内訳書）を添付することになっている（所法120④）。

3．各種の資料情報の提出

　所得税法等では，所得税の課税標準等を的確に把握し課税の適正を期するために，所得源の支払者に対して各種の資料（法定資料）の提出（電磁的方法による提供を含む）を義務づけているほか，納税者自身においても確定申告書の添付書類など義務づけられた定めがある。その主要なものを列記すると，次のとおりである。

　① 利子，配当等，株式等や金地金等の譲渡対価，償還金等の受領者の告知
　　（所法224〜224の6，措法37の11の3④）

② 利子，配当等，報酬料金，契約金，賞金，給付補填金等，株式等の譲渡対価などに係る支払調書の提出と支払通知書等の交付（所法225，措法3③，3の2，3の3⑧，8の4④⑤，37の11の3⑦，38，41の15の2）
③ 給与所得，退職所得及び公的年金等の雑所得に係る源泉徴収票の提出と支払明細書の交付（所法226，231）
④ 信託に関する計算書等の提出（所法227，227の2）
⑤ 名義人受領の配当所得に係る調書の提出（所法228）
⑥ 新株予約権の行使，株式無償割当てに関する調書（所法228の2〜228の3の2）
⑦ 開業等及び給与等の支払をする事務所の開設等の届出（所法229，230）
⑧ 国外送金等に係る調書（国外送金額が100万円を超える者。国外送金法4）
⑨ 国外証券移管等調書（国外送金法4の2）
⑩ 国外財産調書（国外財産の合計額が5,000万円を超える者。国外送金法5）
⑪ 財産債務調書（年所得2,000万円超で，かつ，12月末時点で有する財産の価額が3億円以上又は国外転出課税の対象資産が1億円以上である者。国外送金法6の2）

（注）　財産債務調書は，その年の12月31日において有する財産の価額の合計額が10億円以上である者も提出義務者となる（国外送金法6の2③）。令和5年分以後の財産債務調書について適用する（令和4年所法等改正附則72④）。

第8章　申告納税制度

◆主な法定調書の一覧表

支払調書の名称・内容	提出範囲 個人	提出範囲 法人
① 給与所得の源泉徴収票 　俸給，給料，賃金，賞与等	年末調整済みの給与 …500万円超 法人の役員に対する年末調整済みの給与…150万円超 弁護士・公認会計士等に対する年末調整済みの給与…250万円超 扶養控除申告書を提出した者で年末調整未済の給与…250万円（役員は50万円）超 扶養控除申告書を提出していない者の給与…50万円超 主たる給与等が2,000万円を超えるもの…全部	
② 退職所得の源泉徴収票 　退職手当・一時恩給等	法人の役員に対するもの	
③ 報酬料金，契約金及び賞金の支払調書 ・原稿料，印税，講演料，工業所有権の使用料等，弁護士，司法書士，税理士，弁理士，社会保険労務士，建築士等への報酬料金，診療報酬 ・外交員，集金人，電力量計の検針人，モデル，プロ野球の選手，プロボクサー，騎手等への報酬料金，契約金の支払，芸能人への出演料等 ・バー，キャバレー等のホステス，バンケットホステス，コンパニオン等への報酬料金 ・広告宣伝のための賞金	① 診療報酬，プロボクサー・外交員・集金人・電力量計の検針員の報酬等 ② バー・キャバレー等のホステス，バンケットホステス，コンパニオン等の報酬等 ③ 広告宣伝のための賞金 　…支払金額が年50万円を超えるもの ④ 上記以外の報酬等 　…支払金額が年5万円を超えるもの	
・馬主への競馬の賞金	支払金額が年75万円を超えるもの	
④ 利子等の支払調書 　公社債，預貯金の利子，公社債投資信託等の収益の分配金	特定公社債等の利子等はすべて，総合課税の対象となるものは，年3万円超，それ以外はなし	支払金額が年3万円を超えるもの ただし，1回の支払ごとに支払調書を作成する場合は，1万円
⑤ 定期積金の給付補塡金等の支払調書 　定期積金等の給付補塡金，抵当証券の利息，金投資（貯蓄）口座益，外貨		

投資口座等の為替差益，一時払養老保険等の差益，懸賞金付預貯金等の懸賞金等		（計算期間が6か月以上1年未満は5,000円，6か月未満は2,500円）超
⑥ 配当等の支払調書 剰余金の配当，利益の配当，剰余金の分配，基金利息，株式投資信託の収益の分配金	上場株式等の配当等はすべて，上場株式等以外の配当等は1回の支払金額が $$10万円 \times \frac{配当計算期間の月数}{12}$$ を超えるもの	1回の支出金額が1万5千円（1年以上3万円）を超えるもの
⑦ 生命保険契約等の一時金の支払調書	1回の支払金額が100万円を超えるもの	
⑧ 生命保険契約等の年金の支払調書	支払金額が年20万円を超えるもの	
⑨ 損害保険代理報酬の支払調書		
⑩ 非居住者又は外国法人に支払われる組合契約事業から生ずる利益，給与，報酬，年金及び賞金，人的役務提供事業の対価，工業所有権の使用料等，借入金の利子，不動産の使用料等，機械等の使用料等の支払調書	支払金額が年50万円を超えるもの ただし，組合契約事業から生ずる利益については，1回の支払金額が3万円を超えるもの	
⑪ 不動産の使用料等の支払調書，不動産等の売買又は貸付のあっせん手数料の支払調書（法人又は不動産業者である個人）	支払金額が年15万円を超えるもの	
⑫ 不動産等の譲受けの対価の支払調書（法人又は不動産業者である個人）	支払金額が年100万円を超えるもの	
⑬ 株式等の譲渡の対価の支払調書	すべて，特定口座内保管上場株式等の譲渡にあっては年間取引報告書を提出	な　し
⑭ 信託受益権の譲渡対価の支払調書	支払金額が100万円を超えるもの	
⑮ 金地金等の譲渡対価の支払調書	支払金額が200万円を超えるもの	
⑯ 先物取引の差金等決済に関する調書	すべて	

第8章　申告納税制度

 税務調査と更正決定等

　申告納税制度の下では、納税者自らが法定申告期限までに正しい申告とその申告に基づく税額を納付することを前提としているので、その申告が正しくなかったり申告がなかった場合には、何らかの是正措置が設けられていなければならない。この是正措置が税務調査であり、税務署長の行う更正又は決定である。

1．税務調査の意義

　租税の賦課に関する調査（税務調査）には、任意調査と強制調査があるが、通常行われる税務調査は前者の任意調査である。任意調査の法的根拠には、租税法に基づく税務職員の質問検査権（通則法74の2～74の6）があり、租税法は、ゆえなくしてその質問検査権の行使に従わなかった者に対して罰則を科することとしているので（通則法127二）、調査を受けるも受けないも任意という意味ではなく、直接強制力を用いて調査することができないというにとどまる。これに対して、強制調査は、脱税嫌疑がある場合に、これを犯則事件として追及するために発動されるものである。

> 　最高裁昭和48年7月10日決定（刑集27巻7号1205頁）は、「質問検査権に対しては、相手方はこれを受忍すべき義務を一般的に負い、その履行を間接的に強制されているものであって、ただ、相手方において、あえて質問検査を受忍しない場合には、それ以上、直接的物理的に右義務を履行し得ないという関係を称して一般に「任意調査」と表現されているものである。」とする。

2．税務職員の質問検査権

　国税庁，国税局又は税務署の当該職員は，所得税に関する調査について必要があるときは，次に掲げる者に質問し又はその事業に関する帳簿書類その他の物件を検査することができる（通則法74の2①一）。この質問検査権は，正しい申告がされているかどうか等を調査するために認められているものであって，犯罪捜査のために認められたものではない（通則法74の8）。

① 納税義務がある者，納税義務があると認められる者又は確定損失申告書もしくは準確定申告書を提出した者

　（注）　準確定申告書とは，年の中途で死亡した場合又は年の中途で出国する場合に，その年分の所得税について提出する確定申告書をいう（362頁参照）。

② 支払調書，源泉徴収票，計算書又は調書を提出する義務がある者

③ ①に掲げる者に金銭もしくは物品の給付をする義務があったと認められる者，その義務があると認められる者，又は①に掲げる者から金銭もしくは物品の給付を受ける権利があったと認められる者，その権利があると認められる者（納税者の取引関係者）

　なお，当該職員は，質問に当たってその身分を示す証明書を携帯し，関係人の請求があったときは，これを提示しなければならない（通則法74の13）。

　質問検査権の行使について，前記の最高裁決定は，「所得税法234条1項の規定は，国税庁，国税局又は税務署の調査権限を有する職員において，当該調査の目的，調査すべき事項，申請，申告の体裁内容，帳簿等の記入保存状況，相手方の事業の形態等，諸般の具体的事情にかんがみ，客観的な必要性があると判断される場合には，職権調査の一方法として，同条1項各号規定の者に対し質問し，又はその事業に関する帳簿，書類その他当該調査事項に関連性を有する物件の検査を行う権限を定めた趣旨であって，この場合の質問検査の範囲，程度，時期，場所等，実定法上特段の定めのない実施の細目については，右にいう質問検査の必要があり，かつ，これ

第8章　申告納税制度

と相手方私的利益との衡量において社会通念上相当な限度にとどまる限り，権限ある税務職員の合理的な選択に委ねられているものと解すべきである。」旨説示して，調査の必要性と方法の第一次判断を課税庁に委ねている。

3．税務調査の手続

イ　事前通知の実施

　納税義務者に対し実地の調査を行う場合には，原則として，調査の対象となる納税義務者及び税務代理人の双方に対し，電話等により，①実地の調査において質問検査等を行う旨，②調査を開始する日時，③質問検査等を行う場所，④調査の目的，⑤調査対象税目，⑥調査対象期間，⑦調査の対象となる帳簿書類等を事前通知する（通則法74の9①）。ただし，納税義務者の申告もしくは過去の調査結果の内容又はその営む事業内容に関する情報その他国税庁，国税局又は税務署がその時点で保有する情報に鑑み，①違法又は不当な行為を容易にし，正確な課税標準等又は税額等の把握を困難にするおそれがあると認める場合，②その他国税に関する調査の適正な遂行に支障を及ぼすおそれがあると認める場合には，事前通知を要しない（通則法74の10）。

ロ　提出を受けた帳簿書類等の留置き

　国税庁等の当該職員は，調査について必要があるときは，提出された物件を留め置くことができる（通則法74の7）。

ハ　調査結果の通知・説明

　実地の調査の結果，更正決定等をすべきと認められない場合には，質問検査等の相手方となった納税義務者に対して，当該税目，課税期間について更正決定等をすべきと認められない旨の通知を書面により行う（通則法74の11①）。調査の結果，更正決定等をすべきと認められる非違がある場合には，納税義務者に対し，当該非違の内容等（税目，課税期間，更正決定等をすべきと認める金額，その理由等）について原則として口頭により説明する（通則法74の11

②)。
(注) 「更正決定等」とは，更正もしくは決定又は賦課決定をいうのであるが（通則法58①一），税務調査手続に規定する「更正決定等」には，源泉徴収に係る所得税でその法定期限までに納付されなかったものに係る納税の告知も含まれる（通則法74の11①，「国税通則法第7章の2（国税の調査）関係通達の制定について」5－2参照））。

ニ　修正申告等の勧奨

　国税庁等の当該職員は，納税義務者に対し，更正決定等をすべきと認められる非違の内容を説明した場合において，修正申告又は期限後申告（以下「修正申告等」という）を勧奨することができる。調査の結果について修正申告等をした場合には，不服申立てをすることはできないが更正の請求をすることはできる旨を説明するとともに，その旨を記載した書面を交付しなければならない（通則法74の11③）。

ホ　再調査の実施

　更正決定等をすべきと認められない旨の通知をした後又は調査の結果につき納税義務者から修正申告書等の提出があった後もしくは更正決定等をした後においても，国税庁等の当該職員は，新たに得られた情報に照らして非違があると認めるときは質問検査等を行うことができる（通則法74の11⑥）。

4．更正決定等

　税務署長は，納税申告書の提出があった場合に，その納税申告書に記載された課税標準等又は税額等の計算が国税に関する法律の規定に従っていなかったとき，その他調査したところと異なるときは，その調査に基づき当該申告書に係る課税標準等又は税額等を更正することとし（通則法24），納税申告書を提出する義務があると認められる者が当該申告書を提出しなかった場合には，その調査に基づき当該申告書に係る課税標準等又は税額等を決定することとしている（通則法25）。また，税務署長が更正又は決定をした後にその更正又は決定をした課税標準等又は税額等が過大又は過少であることを知ったときは，除斥期

間（通則法70）にかかるまでは，その調査に基づきその更正又は決定に係る課税標準等又は税額等を更正することができる（再更正，通則法26）。

なお，更正には，①納付すべき税額を増加させ又は純損失等の金額で課税期間に生じたものもしくは還付金の額相当額を減少させる増額更正と，②納付すべき税額を減少させ又は純損失等の金額で課税期間に生じたものもしくは還付金の額相当額を増額させる減額更正とがあり，また，税務署長が職権に基づいて行う更正と，納税者の更正の請求に基因して行う更正（この場合は減額更正に限られる）とがある。

5．推計課税

税務署長の更正又は決定においては，「財産及び債務の増減の状況，収入若しくは支出の状況又は生産量，販売量その他の取扱量，従業員数その他の事業の規模によりその者の各年分の各種所得の金額又は損失の金額を推計して，これをすることができる。」旨規定されており（所法156），税務署長に推計課税を行うことが認められている。ただし，青色申告者の提出した申告書に係る年分の不動産所得の金額，事業所得の金額及び山林所得の金額並びにこれらの金額の計算上生じた損失の金額を更正する場合は，推計によることができない（所法156）。帳簿書類等の直接資料に基づいて収入金額及び必要経費の実際の額を計算し，課税標準たる所得金額を算出して課税する方法である実額課税に対して，各種の間接資料を用いて所得金額を推計し課税する方法を推計課税というのである。この推計課税の規定は，シャウプ勧告に基づき昭和25（1950）年に設けられたものであるが，このような規定があることによって初めて推計課税が許容されるものではない。課税庁は，納税者の所得を捕捉するのに十分な資料がないだけで課税を見合わせることができないのであり，信頼し得る調査資料を欠くために実額調査ができない場合に合理的な推計をもって所得金額を算定することは，当然の事理として認められるものと解されている（最高裁昭和39年11月13日判決・裁判集民事76号85頁参照）。

申告納税制度の下においては，担税力に応じた公平な課税の実現を目的とするものであるから，本来は，客観的に存在する真実の所得金額を課税標準として課税することが理想であり，租税法では，帳簿書類等の直接資料に基づいて算出された所得金額をもって真実の所得金額としているのであるから（所法27②ほか），推計課税は例外的な課税方法といえよう。このため，推計課税は，推計の必要性がある場合のみに許され，その必要性がない場合には，実額による課税のみが許されるものと解されている。推計の必要性があるというためには，①納税者が帳簿書類その他の資料を備え付けてなく，収支の状況を直接資料によって明らかにすることができないとき（帳簿書類の不存在），②納税者の帳簿書類の記載内容が不正確で信頼性に乏しいとき（帳簿書類の不備），③納税者が調査に協力しないため直接資料が入手できないとき（調査非協力）などの事由により，課税庁において実額による課税標準の把握が不可能であることを要するとされている。

また，推計課税が適法であるためには，その推計の方法が真実の所得金額に近似した数値で算出し得る合理的なものでなければならないとされている。推計方法が合理的であるというためには，①推計の基礎事実（収入金額，仕入金額など）が確実に把握されていること，②推計の方法のうち具体的事案に最も適切なものが選択されていること，③推計方法ができるだけ真実の所得金額に近似した数値で算出され得るような客観性をもったものであることが必要であると解されている。

なお，推計の方法としては，①資産増減法（課税期間の期首と期末の純資産を比較し，その増加額を計算して所得金額を推計する方法），②比率法（業種ごとに実額調査を行った結果に基づき，統計学的方法により各種業種の平均的所得率等を求めて推計する方法，納税者と同業で，業態，事業規模，立地条件等において類似性のある者を選定し，その平均所得率を用いる同業者率法など），③効率法（販売個数，原材料の数量，従業員等の一単位当たりの収入金額等を算定し，所得金額を推計する方法）等がある。

6. 同族会社の行為計算の否認

　所得税法157条では，同族会社の行為又は計算でこれを容認した場合にはその株主等の所得税の負担を不当に減少させる結果となると認められるものがあるときは，税務署長はその行為又は計算にかかわらず，その認めるところにより所得税の額を計算することができる旨定めている。同族会社については，少数の株主等によって支配され首脳の一存で業務執行がなされることが多いことから，租税回避行為が行われやすいのである。そこで，これを防止し，租税負担の公平を維持する観点から，同族会社の行為等を容認した場合に株主等の所得税の負担を不当に軽減させる結果となると認められるときは，その行為を否認し，正常な行為等に引き直して株主等の所得税の額について更正又は決定を行う権限を税務署長に認めているのである。この場合の不当性の判断基準については，①同族会社なるがゆえに容易になし得た行為であるか否かに着目するものと，②純経済人の行為として不合理，不自然のものと認められるか否かに着目するものとに裁判例は分かれている。

　ところで，同族会社の行為又は計算の否認規定は，かつては資産の高価買入れや過大な退職給与などについて，法人税を中心に発動されていたが，今日では，個人の所得税の場面で発動される事例が多くなっている。裁判例では，①不動産賃貸業を営む個人が同族会社である不動産管理会社に低額の賃貸料で不動産を貸し付け，この不動産を不動産管理会社が第三者に通常の賃貸料で転貸することにより，不動産賃貸業を営む者の所得税の負担を軽減したとしてされた更正処分の適否が争われたもの（東京高裁平成10年6月23日判決・税務訴訟資料232号755頁），②同族会社の社長が同社に対して無利息融資をした場合に，当該個人に対して利息相当額の雑所得を認定した更正処分の適否が争われたもの（東京高裁平成11年5月31日判決・税務訴訟資料243号127頁）などがある。

　東京地裁平成元年4月17日判決（訟務月報35巻10号2004頁）では，不動産貸付業を営む納税者（原告）が同族会社に支払った管理料と，同規模同程度の不動産貸付業者が同族関係にない不動産管理会社に支払った管理料（標準的な管理

料）とを比較して，原告が同族会社に支払った管理料は著しく過大であるとし，標準的な管理料に引き直して原告の所得税の計算をした更正処分を適法としている。不動産所得を有する個人は，高額の不動産管理料を同族会社に支払い，この管理料を不動産所得の金額の計算上必要経費に算入することにより，通常の管理料を支払う場合に比較して不動産所得に係る所得税の減少を図ることができるのであるが，他方，その個人が同族会社の代表者として役員報酬や配当を受け取ると，給与所得や配当所得に係る所得税が生ずるし，同族会社自身も法人税を納めることになる。そこで，不動産管理会社を利用した節税行為に対して所得税法157条の規定を発動する場合には，同法にいう「所得税の負担を不当に減少させる結果」とは，①不動産所得に係る所得税の負担を不当に減少させる結果が生じていればよいのか，それとも，②同族会社の法人税の負担や，当該会社から支払われる役員報酬等に係る所得税の負担を加味したところで，トータルとしての税負担が不当に減少していなければならないかという問題が生ずる。上記の判決では，不動産所得に係る所得税の負担を不当に減少させている場合には所得税法157条の適用ができるとし，他方，前記の東京高裁平成10年6月23日判決では，同族会社から支払われる給与所得や配当所得に係る所得税の負担をも加味したところで，「所得税の負担を不当に減少させる結果」であるかどうかを判断基準としており，結論が分かれている。

「脱税」とは，税の負担を不法に免れることをいい，処罰の対象となる。所得税法238条1項では，偽りその他不正の行為により所得税を免れた者は，10年以下の懲役又は1,000万円以下の罰金に処し，又はこれを併科すると定めており，これが脱税犯に対する罰則である。また，脱税があったときにされる更正については，通常の場合の更正の除斥期間である5年よりも長い7年の除斥期間が適用されることになっている（通則法70⑤）。これに対し，「租税回避」とは，専ら又は主として税負担の軽減・回避を図る目的で，通常は考えられないような特殊な取引を行うことをいう。租税回避行為は，違法ではないが，その手段の異常性が注目され，租税法上の対応措置が要

第8章　申告納税制度

請される。租税法には，同族会社の行為計算の否認規定が設けられているが，一般的な否認規定はなく，非同族会社の租税回避行為の否認については，判例及び学説上，積極・消極の両説に分かれている。租税法上の実質主義は，租税負担の公平を図るために形式よりも経済的実質に着目して租税法を解釈し適用するという考え方であるから，この観点から租税回避行為を否認できるとするのが積極説であるが，最近の裁判例は，租税法律主義の観点から消極説をとるものが少なくない。例えば，東京高裁平成11年6月21日判決（判例タイムズ1023号165頁）では，「租税法律主義の下においては，法律の根拠なしに，当事者の選択した法形式を通常用いられる法形式に引き直し，それに対応する課税要件が充足されたものとして取り扱う権限が課税庁に認められているものではない。」と判示しているところである。

　なお，「節税」とは，租税法が積極的に認め又は少なくともその採用を予定していると認められる方法によって税負担の軽減を図る行為をいい，合法的な方法によって経済目的を達成するものである。

　申告納税制度の違反に対する措置

　申告納税制度は，納税者自らが法定の期限までに正しい申告と納税をすることを予定しているから，納税者が申告を怠った場合には，課税庁がこれを是正するための更正又は決定という手続が設けられているが，ただ単に申告が是正されただけでは，適正な申告をした者との間の公平さを保つことができない。そこで，租税法では，申告納税義務の違反の態様に応じて各種の加算税を課するとともに，悪質な申告納税義務の違反に対しては罰則を適用することとしているところである。このうち各種の加算税は，申告納税制度の下で国の歳入を

確保する目的で，正当な納税義務の履行者とそうでない者との間の公平負担を図るための行政上の措置であると位置づけられている。加算税には，過少申告加算税，無申告加算税，不納付加算税及び重加算税があり，その概要は次のとおりである。

なお，納税者が納付すべき国税を法定納期限までに納付しない場合には，①期限内に納付した者との権衡を図る必要があること，②期限内納付を促進する見地等から，次のとおり遅延利息に相当する延滞税が課される（通則法60，措法94①）。

① 納期限までの期間及び納期限の翌日から2月を経過する日……年「7.3％」と「延滞税特例基準割合＋1％」のいずれか低い割合
② 納期限の翌日から2月を経過する日の翌日以後……年「14.6％」と「延滞税特例基準割合＋7.3％」のいずれか低い割合

（参考）延滞税の割合

期　間	納期限の翌日から2月を経過する日まで	納期限の翌日から2月を経過する日の翌日以後
令和3．1．1～12．31	2.5％	8.8％
令和4．1．1～12．31	2.4％	8.7％
令和5．1．1～12．31	2.4％	8.7％

1．過少申告加算税

①期限内申告書（還付請求申告書を含む）が提出された場合，又は②期限後申告書が提出された場合であって，期限内申告書の提出がなかったことについて正当な理由があると認められるときなど（無申告加算税が課されない場合）において，修正申告書の提出又は更正があったときは，次の過少申告加算税が課される（通則法65①～③）。

●通常の過少申告加算税額

増差税額×10％＝過少申告加算税の額

（注）　増差税額は，修正申告又は更正に基づき新たに納付すべき税額である。

●申告漏れ割合が大きな場合の過少申告加算税額

（通常分）　増差税額×10％＝加算税の額……①
（加重分）　累積増差税額－控除額（期限内申告税額相当額と50万円とのいずれか多い額）＝A
　　　　　　A×5％＝加算税の額……②
　　　　　　①＋②＝過少申告加算税の額

（注）　累積増差税額は，今回の修正申告又は更正前において既に修正申告又は更正があるときはこれらの額を加算した額である。

　税務調査の通知以後に修正申告書の提出があった場合には，それが更正を予知してされたものでないとき（いわゆる自発的な修正申告）であっても，過少申告加算税5％（期限内申告税額と50万円のいずれか多い額を超える部分は10％）が課されるが，調査通知前の自発的な修正申告であれば課されない（通則法65①②⑤⑥）。

　なお，修正申告又は更正に基づく納付すべき税額の計算の基礎となった事実のうちに，その修正申告又は更正前の税額（還付金の額相当額を含む）の計算の基礎とされていなかったことについて正当な理由があると認められるものがある場合には，その正当な理由があると認められる事実に基づく部分には，過少申告加算税は課されない（通則法65④⑤）。

（注）　令和4年度の改正では，過少申告加算税及び無申告加算税について，一定の帳簿（その電磁的記録を含む）に記載すべき事項等に関しその修正申告等又は期限後申告等があった時前に，税務職員から帳簿の提示又は提出を求められ，かつ，次に掲げる場合のいずれかに該当するとき（納税者の責めに帰すべき事由がない場合を除く）の過少申告加算税の額又は無申告加算税の額は，通常課される過少申告加算税の額又は無申告加算税の額に修正申告又は期限後申告に係る納付すべき税額（当該帳簿に記載すべき事項等に係るもの以外の事実に基づく税額を控除した税額に限る）の10％（次の②に該当する場合には5％）に相当する金額を加算した金額とされている（通則法65④，66④）。令和6年1月1日以後に法定申告

期限等が到来する国税について適用される（令和4年所法等改正附則20）。
　① 帳簿の提示もしくは提出をしなかった場合又は提示等された帳簿に記載すべき事項等のうち，納税申告書の作成の基礎となる重要なものとして一定の事項の記載が著しく不十分である場合
　② 提示又は提出がされた帳簿に記載すべき事項等のうち，特定事項の記載が不十分である場合として一定の場合

> 国税通則法65条4項にいう「正当な理由があると認められる」場合とは，真に納税者の責めに帰することのできない客観的な事情があり，過少申告加算税の趣旨に照らしてもなお納税者に過少申告加算税を賦課することが不当又は酷となる場合をいうものと解されている（最高裁平成18年4月20日判決・民集60巻4号1611頁）。最高裁平成18年10月24日判決（民集60巻8号3128頁）では，納税者が勤務先法人の親会社である外国法人から付与されたストックオプションの権利行使益を一時所得として申告したことにつき国税通則法65条4項にいう「正当な理由がある」と判示している。
>
> また，平成27年分までの所得税について自発的な修正申告等があった場合には，過少申告加算税等は課されないが，その意義については，①納税者に対する当該国税に関する実地又は呼出し等の具体的調査により，申告不足額が発見された後の修正申告書の提出でないことをいうとする説（不足額発見説），②課税庁の調査着手後にされた修正申告書の提出でないことをいうとする説（調査着手説），③課税庁の調査着手後，申告額が不適正であることの端緒となる資料が発見された後にされた修正申告書の提出でないことをいうとする説（端緒把握説）があるが，裁判例は③の説に立つものが多い（東京高裁昭和61年6月23日判決・行集37巻6号908頁参照）。

2．無申告加算税

期限後申告書の提出又は決定があった場合，もしくは期限後申告書の提出又は決定があった後に修正申告書の提出又は更正があった場合には，次の無申告

加算税が課される(通則法66①〜⑤)。

●通常の無申告加算税額

> 期限後申告等の税額×15％＝無申告加算税の額

●納付税額が多額となる場合の無申告加算税額

> (通常分)　期限後申告等の税額×15％＝加算税の額……①
> (加重分)　期限後申告等の税額−(期限後申告等の税額と50万円のいずれか多い額)＝A
> 　A×5％＝加算税の額……②
> 　①＋②＝無申告加算税の額

●短期間に繰り返して無申告等が行われた場合

> (通常分)　期限後申告等の税額×15％＝加算税の額……①
> (加重分)　期限後申告等の税額×10％＝加算税の額……②
> 　①＋②＝無申告加算税の額

(注)　期限後申告等があった日の前日から起算して5年前の日までの間に，無申告加算税又は重加算税を課されたことがある場合の無申告加算税額の計算である。

　無申告加算税は，期限内申告書の提出がなかったことについて正当な理由があると認められる場合には課されない(通則法66①ただし書)。また，税務調査の通知以後に期限後申告書又は修正申告書の提出があった場合には，それが更正又は決定を予知してされたものでないとき(いわゆる自発的な期限後申告等)であっても，無申告加算税10％(納付すべき税額が50万円を超える部分は15％)が課される(調査通知前の自発的な期限後申告等の場合は課されない。通則法66⑦)。

　なお，確定申告書が法定申告期限から1か月以内に提出され，その申告に係る納付すべき税額の全額が法定納期限までに納付されている場合には，その申告が調査があったことにより決定等があるべきことを予知してされたものでなく，期限内申告書を提出する意思等があったと認められるときに限り，無申告加算税は課されない(通則法66⑧)。

(注1) 期限内申告をする意思があったと認められる一定の場合とは、①その期限後申告に係る納付すべき税額の全額を法定納期限（口座振替納付の手続をした場合は期限後申告書を提出した日）までに納付していること、②その期限後申告書を提出した日の前日から起算して5年前までの間に、無申告加算税又は重加算税を課されたことがなく、かつ、期限内申告をする意思があったと認められる場合の無申告加算税の不適用を受けていないことをいう（通則令27の2①）。不納付加算税についても同様である（通則令27の2②）。

(注2) 令和5年度の改正では、①納付すべき税額が300万円を超える部分に対する無申告加算税の割合が30％に引き上げられるとともに、②過去に無申告加算税又は重加算税が課されたことがある場合に無申告加算税又は重加算税の割合を10％加重する措置の対象に、期限後申告等があった場合において、その前年度及び前々年度の国税について、無申告加算税又は重加算税（無申告）を課されたことがあるときが加えられている。令和6年1月1日以後に法定申告期限が到来する国税について適用される（令和5年所法等改正附則1）。

3．不納付加算税

　申告納税制度とともに現行納税制度のもう一つの柱である源泉徴収制度を維持するために設けられた加算税である。不納付加算税は、源泉徴収等による国税がその法定納期限までに完納されなかった場合に納税告知に係る税額又はその法定納期限後に納税告知を受けることなく納付された税額に10％を乗じて計算した金額が徴収される（通則法67①）。ただし、不納付加算税は、納税の告知又は納付に係る国税を法定納期限までに納付しなかったことについて正当な理由があると認められる場合には徴収されないし（通則法67①ただし書）、納税の告知を受けることなくその法定納期限後に納付された場合であって、その納付が当該国税についての調査があったことにより納税の告知があるべきことを予知してされたものでないときは、その納付された税額に5％を乗じて計算した金額に軽減される（通則法67②）。

　なお、法定納期限から1月以内に納付されている場合には、その納付が調査があったことにより納税の告知があるべきことを予知してされたものでなく、法定納期限までに納付する意思等があったと認められる一定の場合に該当する

ときに限り，不納付加算税は課されない（通則法67③，通則令27の2②）。

4．重加算税

　重加算税には，申告納税方式による国税に係るものと源泉徴収等による国税に係るものとがある。申告納税方式による国税に係る重加算税は，①納税者がその国税の課税標準等又は税額等の計算の基礎となる事実の全部もしくは一部を隠蔽又は仮装し，その隠蔽又は仮装したところに基づいて納税申告書を提出又は提出していなかったときに過少申告加算税又は無申告加算税に代えて，課される（通則法68①）。また，源泉徴収等による国税に係る重加算税は，不納付加算税が課せられる場合において，納税者が納付すべき税額の計算の基礎となる事実の全部もしくは一部を隠蔽又は仮装し，その隠蔽又は仮装したところに基づいてその国税を法定納期限までに納付していなかったときに，不納付加算税に代えて，次のものが課される（通則法68③）。

➡過少申告加算税に代えて課される重加算税額

> 増差本税×35％＝重加算税の額

➡無申告加算税に代えて課される重加算税額

> 期限後申告等の税額×40％＝重加算税の額

➡不納付加算税に代えて徴収される重加算税額

> 納付税額又は納税の告知に係る税額×35％＝重加算税の額

　なお，短期間（5年間）に繰り返して隠蔽又は仮装が行われていると，重加算税の割合が10％加算される（通則法68④）。

最高裁昭和62年5月8日判決（訟務月報34巻1号149頁）では、「重加算税は、各種の加算税を課するべき納税義務違反が事実の隠ぺい又は仮装という不正の方法に基づいて行われた場合に、違反者に対して課される行政上の措置であって、故意に納税義務違反を犯したことに対する制裁ではないから、重加算税を課し得るためには、納税者が故意に課税標準等又は税額等の計算の基礎となる事実の全部又は一部を隠ぺい又は仮装し、その隠ぺい、仮装行為を原因として過少申告の結果が発生したものであれば足り、それ以上に申告に際し、納税者において過少申告を行うことの認識を有していることまでを必要とするものではないと解するのが相当である。」旨判示している。

　最高裁平成7年4月28日判決（民集49巻4号1193頁）では、「重加算税を課するためには、納税者のした過少申告行為そのものが隠ぺい、仮装に当たるというだけでは足りず、過少申告行為そのものとは別に、隠ぺい、仮装と評価すべき行為が存在し、これに併せた過少申告がされたことを要するものである。しかし、重加算税制度の趣旨にかんがみれば、架空名義の利用や資料の隠匿等の積極的な行為が存在したことまでを必要であると解するのは相当でなく、納税者が、当初から所得を過少に申告することを意図し、その意図を外部からもうかがい得る特段の行動をした上、その意図に基づく過少申告行為をしたような場合には、重加算税の賦課要件が満たされるものと解すべきである。」旨判示している。

8　不服申立て

　納税者が確定申告書を提出しなかったり、過少申告をした場合などについては、税務署長は、調査した結果に基づき更正や決定などの処分を行うし、未納の税額があり督促をしてもなお納付がされないときは、差押えなどの処分を行

う。このような税務署長等の処分に対して不服がある場合には，納税者の選択により，税務署長等に対する「再調査の請求」を行わずに，直接，国税不服審判所長に対する「審査請求」を行うことができる。

1. 再調査の請求

　税務署長，国税局長又は税関長がした国税に関する法律に基づく処分に不服がある者は，処分通知書の送達を受けた日の翌日から起算して3か月以内に，その処分をした税務署長等に対し再調査の請求をすることができる（通則法75①，77①）。この場合，税務署長がした処分で，その処分に係る事項の調査が国税局の職員によってされた旨の記載のある書面により通知されたものについては，所轄の国税局長が再調査の請求先となる（通則法75②）。
　再調査の請求をされた税務官庁は，①再調査の請求が不適法であるときには，これを却下し，②再調査の請求に理由がないときは棄却し，③再調査の請求に理由があるときは，その申立てに係る処分を取消し又は変更する（通則法83）。

2. 審　査　請　求

　税務署長等が行った処分に不服があるときには，納税者の選択により，処分の通知を受けた日の翌日から3か月以内に国税不服審判所長に対する審査請求をすることができる（通則法75①，77①）。税務署長等に対して再調査の請求を行った場合において，再調査の請求に係る決定後の処分になお不服があるときには，再調査の請求に係る決定の通知を受けた日の翌日から1か月以内に国税不服審判所長に対して審査請求をすることができる（通則法75③，77②）。また，再調査の請求をした日の翌日から起算して3か月を経過しても再調査の請求に係る決定がないときは，国税不服審判所長に対して審査請求をすることができる（通則法75④）。
　国税不服審判所長は，①審査請求が不適法であるときには，これを却下し，

②審査請求に理由がないときは棄却し，③審査請求に理由があるときは，処分を取消し又は変更する（通則法98①②）。

なお，審査請求についての裁決は，審査請求人に裁決の理由を附記した裁決書の謄本を送達して行う（通則法101①，84③〜⑤）。

3．訴　　　訟

審査裁決があった場合において，審査請求人がその裁決を経た後の処分についてなお不服があるときは，裁決書謄本の送達があった日から6か月以内に，地方裁判所に対して処分の取消しの訴えを提起することができる（通則法115①，行政事件訴訟法14①）。

なお，審査請求から3か月を経過しても裁決がない場合には，地方裁判所に処分の取消しの訴えを提起することができる（通則法115①）。

第8章　申告納税制度

◆国税の不服申立制度の概要図

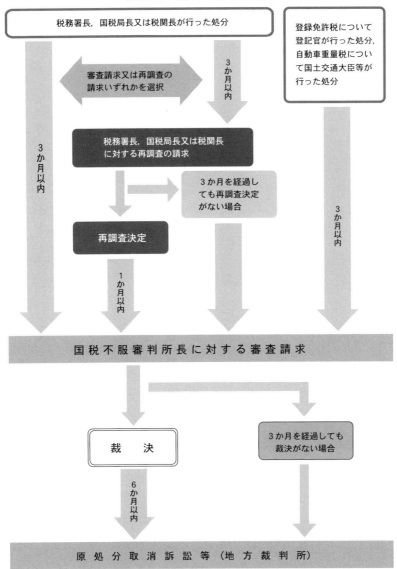

〔国税不服審判所HP〕より

第9章

非居住者と法人の納税義務

1 非居住者に課税される所得の範囲は，国内源泉所得に限られる。
2 国内源泉所得とは，①国内における勤労の所得や営業の所得，②国内にある不動産を貸し付けたり譲渡した場合の所得など，国内で生ずる所得をいう。
3 非居住者に対する課税方法は，恒久的施設の有無等及びその所得の種類に応じて，総合課税と分離課税とがある。
4 法人も源泉徴収の技術上及び徴税の確実性の観点から所得税の納税義務を負う場合がある。
5 外国法人は源泉徴収の対象となる所得の範囲が内国法人よりも広い。

所得税法では，所得税の納税義務者を個人と法人とし，個人については，我が国における住所の有無，居住期間の長短等，我が国との地縁関係の濃淡に応じて，「居住者」と「非居住者」に区分しており，「居住者」は原則として国内，国外から生ずるすべての所得（全世界所得）について納税義務を負う（無制限納税義務者）のに対し，「非居住者」は国内源泉所得についてのみ納税義務を負う（制限納税義務者）こととされている（所法5①②）。また，法人については，利子，配当等の特定の所得に対し源泉徴収をするという点を考慮して所得税の納税義務者としているのであるが，この法人のうち「外国法人」（国内に本店又は主たる事務所を有する法人である「内国法人」以外の法人をいう）は，特定の国内源泉所得のみ所得税の納税義務を負う（所法5③④）。

1 非居住者の納税義務

1．国内源泉所得の範囲

　我が国の所得税法及び法人税法では，非居住者及び外国法人に対する課税について，その課税の範囲を居住者及び内国法人に比して狭く規定し，課税対象とする所得をその所得の発生源泉地が国内にあるもの，いわゆる国内源泉所得に限ることとしているから，非居住者に対する課税にあっては，国内源泉所得の該当性が重要である。
　国内源泉所得は，国際課税原則の帰属主義（国内事業所得については恒久的施設に帰属するものについてのみ課税する）の観点から見直しが行われて，以下のとおり17種類に区分されている。

第9章 非居住者と法人の納税義務

(1) 恒久的施設帰属所得
① 概　　要
　恒久的施設帰属所得とは，非居住者が恒久的施設を通じて事業を行う場合において，その恒久的施設から独立して事業を行う事業者であるとしたならば，その恒久的施設が果たす機能，その恒久的施設において使用する資産，その恒久的施設とその非居住者の事業場等との間の内部取引その他の状況を勘案して，その恒久的施設に帰せられるべき所得をいい，恒久的施設の譲渡により生ずる所得も含まれる（所法161①一）。

② 恒久的施設帰属所得に係る内部取引
　恒久的施設帰属所得は，恒久的施設をその非居住者から分離独立した事業者と擬制した場合に恒久的施設に帰せられるべき所得とされていることから，恒久的施設帰属所得の認識においては，恒久的施設と事業場等（外国法人の本店等に相当）との内部取引について，独立企業間で行われる類似の取引と同様に扱う必要がある。この内部取引とは，非居住者の恒久的施設と事業場等との間で行われた資産の移転，役務の提供その他の事実で，独立の事業者の間で同様の事実があったとしたならば，これらの事業者の間で，資産の販売，資産の購入，役務の提供その他の取引が行われたと認められるものをいい，恒久的施設と事業場等との間の債務の保証や再保険の引受け等は，内部取引として認識しない（所法161②，所令290）。

　ここでの事業場等とは，その非居住者の事業に係る事業場その他これに準ずるものであってその恒久的施設以外のものをいい，具体的には，①事業を行う一定の場所に相当するもの，②建設作業等を行う場所（その建設作業等を含む）に相当するもの，③自己のために契約を締結する権限のある者に相当するもの，及び④これらに準ずるものが該当する（所法161①一，所令279）。

③ 国際運輸業所得
　恒久的施設を有する非居住者が国内及び国外にわたって船舶又は航空機による運送の事業を行う場合には，その事業から生ずる所得のうち，①船舶による運送の事業にあっては，国内において乗船し又は船積みをした旅客又は貨物に

係る収入金額を基準とし，②航空機による運送の事業にあっては，その国内業務に係る収入金額又は経費，その国内業務の用に供する固定資産の価額その他の要因を基準として判定した場合の所得が恒久的施設帰属所得とされる（所法161③，所令291）。

④　恒久的施設

恒久的施設とは，次に掲げるものをいう（所法2①八の四，所令1の2）。ただし，租税条約において異なる定めがある場合には，その租税条約の適用を受ける非居住者又は外国法人（以下，「非居住者等」という）については，その租税条約において恒久的施設と定められたもの（国内にあるものに限る）を恒久的施設とする。

　　イ　非居住者等の国内にある支店，工場その他事業を行う一定の場所で事業の管理を行う場所，支店，事務所，工場又は作業場，鉱山，石油又は天然ガスの抗井，採石場その他の天然資源を採取する場所（支店ＰＥ）

　　ロ　非居住者等の国内にある建設もしくは据付けの工事又はこれらの指揮監督の役務の提供を行う場所その他これに準ずるもの（建設ＰＥ）

　　ハ　非居住者等が国内に置く自己のために契約を締結する権限のある者その他これに準ずる者で一定のもの（代理人ＰＥ）

(2)　資産の運用又は保有により生ずる所得

国内にある資産の運用又は保有により生ずる所得は，国内源泉所得に該当する（所法161①二）。ただし，①預貯金等利子，②剰余金の配当等，③貸付金利子，④工業所有権等の使用料等，⑤事業の広告宣伝のための賞金，⑥生命保険契約等に基づく年金等，⑦金融類似商品の収益等，⑧匿名組合契約等に基づく利益の分配等は，「資産の運用又は保有により生ずる所得」に該当しない。これらの所得は，帰属主義への移行により，恒久的施設帰属所得に該当するものを除き，源泉徴収のみで課税関係が終了する。

　（注）　国税不服審判所平成31年3月25日裁決・裁決事例集114号は，ＦＸ取引における未決済取引に係る契約上の地位は，所得税法161条に規定する「資産」に該当し，

その契約により生じた差金決済等に係る所得が「国内にある資産の運用又は保有により生ずる取得」として国内源泉所得に当たると判断している。

(3) 資産の譲渡により生ずる所得

　国内にある一定の資産の譲渡により生ずる所得は，国内源泉所得に該当する（所法161①三）。具体的には，①国内不動産の譲渡による所得，②国内にある不動産の上に存する権利等の譲渡による所得，③国内にある山林の伐採又は譲渡による所得，④内国法人の発行する株式の譲渡による所得（買集めによる所得又は事業譲渡類似株式の譲渡による所得もしくは不動産関連株式の譲渡による所得），⑤国内にあるゴルフ場の所有等に係る法人の株式の譲渡による所得，⑥国内にあるゴルフ場等の利用権の譲渡による所得，⑦非居住者が国内に滞在する間に行う国内にある資産の譲渡による所得がある（所令281）。

(4) 組合契約事業利益の配分

　国内において民法667条1項に規定する組合契約（投資事業有限責任契約及び有限責任事業組合契約等を含む）に基づいて恒久的施設を通じて行う事業から生ずる利益で，組合員が当該組合契約に基づいて配分を受けるものは，国内源泉所得となる（所法161①四，所令281の2）。

(5) 土地等の譲渡による所得

　国内にある土地もしくは土地の上に存する権利又は建物及びその附属設備もしくは構築物の譲渡による対価は，国内源泉所得となる（所法161①五）。ただし，その譲渡対価が1億円以下であり，かつ，譲受人がその土地等を自己又は親族の居住の用に供する場合には，その対価は，土地等の譲渡による所得（5号）ではなく国内にある資産の譲渡により生ずる所得（3号）に該当する。

　　（注）　東京高裁平成28年12月1日判決（裁判所ＨＰ「行集」）は，「所得税法161条1号の3及び212条1項は，『非居住者』に対して日本国内の不動産の譲渡による対価を支払う者は，その支払の際，国内源泉所得に係る源泉徴収義務を負う旨を規定

しているのであり，これらの規定は，支払者に支払の相手が『非居住者』であるか否かを確認すべき義務を負わせているものと解するのが相当である」と判示している。

(6) 人的役務の提供事業の対価

国内において行われる人的役務の提供を主たる内容とする次のような事業の対価は，国内源泉所得となる（所法161①六，所令282）。

① 映画演劇の俳優，音楽家その他の芸能人又は職業運動家の役務の提供を主たる内容とする事業
② 弁護士，公認会計士，建築士その他の自由職業者の役務の提供を主たる内容とする事業
③ 科学技術，経営管理その他の分野に関する専門的知識又は特別の技能を有する者の当該知識又は技能を活用して行う役務の提供を主たる内容とする事業，ただし，(a)機械設備の販売その他その事業を行う者が他に主要な事業を有し，その主要な事業に付随して行われる事業，及び(b)建設，据付け，組立てその他の作業の指揮監督の役務の提供を主たる内容とする事業は除かれる。

なお，人的役務の提供事業の対価には，自己と雇用関係や専属関係にある芸能人，職業運動家，弁護士等を他の事業者にあっせんすることなどの事業（例えば，外国の劇団やサーカスの公演等を行うことをあっせんする事業）の対価が含まれるが，非居住者が自らの人的役務の提供により稼得する対価は，この所得に含まれずに，「給与，人的役務の報酬等」に該当する（所基通161-21）。

(7) 不動産等の賃貸料

①国内における不動産，不動産の上に存する権利もしくは採石権の貸付（地上権又は採石権の設定その他他人に不動産，不動産の上に存する権利もしくは採石権を使用させる一切の行為を含む），②租鉱権の設定，③居住者及び内国法人に対する船舶もしくは航空機の貸付による対価は，国内源泉所得となる（所法161①七）。

(8) 預貯金等の利子

①日本国の国債もしくは地方債，内国法人の発行する債券の利子，外国法人の発行する債券の利子のうちその外国法人の恒久的施設を通じて行う事業に係るもの，②国内にある営業所，事務所その他これらに準ずるもの（以下，「営業所」という）に預け入れられた預貯金の利子，③国内にある営業所に信託された合同運用信託，公社債投資信託又は公募公社債等運用投資信託の収益の分配は，国内源泉所得となる（所法161①八）。

(9) 剰余金の配当等

内国法人から受ける剰余金の配当，利益の配当，剰余金の分配，基金利息並びに国内にある営業所に信託された投資信託（公社債投資信託又は公募公社債等運用投資信託を除く）又は特定受益証券発行信託の収益の分配は，国内源泉所得となる（所法161①九）。

(10) 貸付金の利子

国内において業務を行う者に対する貸付金の利子（これに準ずるものを含む）で，当該業務に係るものの利子は，国内源泉所得となる（所法161①十）。ただし，資産の譲渡又は役務の提供の対価に係る債権（いわゆる売掛金債権）及びその対価の決済に関する金融機関の債権で，その履行期間が6か月を超えないものの利子は，ここでいう貸付金の利子には含まれない（所令283①）。債券現先取引から生ずる差益のうち債券の買い手が受け取るものについては，貸付金の利子に含まれる（所令283③④）。

なお，国内源泉所得とされる貸付金の利子は，国内において行う業務の用に供されている部分の利子に限られており，その源泉地については「使用地主義」がとられているが，船舶又は航空機の購入のための貸付金の利子については「債務者主義」を採用し，居住者又は内国法人の業務の用に供される船舶，航空機の購入のための貸付金のみがここにいう貸付金に該当する（所令283②）。

(11) 工業所有権等の使用料等

　国内で業務を行う者から受ける次の使用料又は対価で国内業務に係るものは，国内源泉所得となる（所法161①十一，所令284①）。

① 　工業所有権その他の技術に関する権利，特別の技術による生産方式もしくはこれらに準ずるものの使用料又はその譲渡による対価

② 　著作権（出版権及び著作隣接権その他これに準ずるものを含む）の使用料又はその譲渡による対価

③ 　機械，装置，車両，運搬具，工具，器具及び備品の使用料

　なお，国内源泉所得とされる工業所有権等の使用料等は，国内において業務を行う者が支払う使用料等で，その資産のうち国内業務の用に供されている部分に対応するものをいう（所基通161－33参照）。

(12) 給与，人的役務の報酬等

　次に掲げる給与，報酬又は年金は国内源泉所得となる（所法161①十二，所令285）。

① 　俸給，給料，賃金，歳費，賞与又はこれらの性質を有する給与その他人的役務の提供に対する報酬のうち，国内において行う勤務その他人的役務の提供に基因するもの。また，非居住者である内国法人の役員がその法人から受ける報酬は，その者がその法人の海外支店の長等として常時その支店に勤務するような場合を除き，すべて国内源泉所得とされる（所令285①，所基通161－42）。同様に，居住者又は内国法人が運航する船舶又は航空機において行う勤務その他人的役務の提供に係る報酬等も，国外の寄港地において行われる一時的な人的役務の提供（例えば，船内の清掃，整備等をいう）を除き，すべて国内源泉所得とされる（所令285①，所基通161－45）。

② 　公的年金等（外国の法令に基づく年金を除く）

③ 　退職手当等のうち，その支払を受ける居住者であった期間に行った勤務その他人的役務の提供に基因するもの。

なお，非居住者が国内及び国外の双方にわたって行った勤務等に基づいて給与等の支払を受ける場合における国内勤務等に係る部分の金額は，国内における勤務等の回数，給与金額等の状況に照らしその給与等の総額に対する金額が著しく少額であると認められる場合を除き，次の算式により計算する（所基通161—41）。

$$給与又は報酬の総額 \times \frac{国内において行った勤務等の期間}{給与又は報酬の総額の計算の基礎となった期間}$$

(13) 事業の広告宣伝のための賞金

　国内において行う事業の広告宣伝のために賞として支払われる金品その他の経済的な利益（旅行その他の役務の提供を内容とするもので，金品との選択をすることができないとされているものを除く）は，国内源泉所得となる（所法161①十三，所令286）。

(14) 生命保険契約等に基づく年金等

　国内にある営業所又は契約の締結を代理する者を通じて締結した生命保険契約，損害保険契約その他これらに類する共済に係る契約で，年金を給付する定めのあるものに基づいて受ける年金は，国内源泉所得となる（所法161①十四，所令287）。

(15) 金融類似商品の収益等

　①定期積金の給付補塡金，②相互掛金の給付補塡金，③抵当証券の利息，④金投資（貯蓄）口座の差益，⑤外貨投資口座等の差益，⑥一時払い養老（損害）保険の差益でその契約や受入れが国内の営業所等において行われるものは，国内源泉所得となる（所法161①十五）。

(16) 匿名組合契約等に基づく利益の分配

　国内において事業を行う者に対する出資につき，匿名組合契約及び当事者の一方が相手方の事業のために出資をし，相手方がその事業から生ずる利益を分配することを約する契約に基づいて受ける利益の分配は，国内源泉所得となる（所法161①十六，所令288）。

(17) その源泉が国内にある所得

　①国内業務関連の保険金及び損害賠償金等に係る所得，②国内にある資産の法人からの贈与により取得する所得，③国内において発見された埋蔵物，拾得された遺失物に係る所得，④国内で行う懸賞募集に基づいて懸賞として受ける金品その他の経済的利益に係る所得，⑤国内においてした行為に伴い取得する一時所得，⑥国内において行う業務又は国内にある資産に関し供与を受ける経済的な利益に係る所得は，国内源泉所得となる（所法161①十七，所令289）。

　（注）　非居住者がカジノ行為により勝金を得た所得は，非課税である（令和9年1月1日～令和13年12月31日，措法41の9の2）。

2．国内源泉所得に対する課税方式

　非居住者が国内源泉所得を有する場合の課税の方式の概要は，次表のとおりである（所基通164－1参照）。

✤非居住者に対する課税関係の概要

所得の種類 （所法162①）	非居住者の区分 （所法164①）恒久的施設を有する者		恒久的施設を有しない者 （所法162①二，②二）	源泉徴収 （所法212①，213①）
	恒久的施設帰属所得 （所法161①一イ）	その他の国内源泉所得 （所法162①一ロ，②一）		
（事業所得）	【総合課税】 （所法161①一）	【課税対象外】		無
①資産の運用・保有により生ずる所得　　（所法161①二） ※下記⑦～⑮に該当するものを除く。		【総合課税（一部）】		無

第9章 非居住者と法人の納税義務

②資産の譲渡により生ずる所得　（所法161①三）	【総合課税】（所法161①一）	【総合課税（一部）】	無
③組合契約事業利益の配分　（所法161①四）		【課税対象外】	20.42%
④土地の譲渡対価　（所法161①五）			10.21%
⑤人的役務の提供事業の対価　（所法161①六）		【源泉徴収の上，総合課税】	20.42%
⑥不動産の賃貸料等　（所法161①七）	【源泉徴収の上，総合課税】（所法161①一）		20.42%
⑦利　子　等　（所法161①八）			15.315%
⑧配　当　等　（所法161①九）			20.42%
⑨貸付金利子　（所法161①十）		【源泉分離課税】	20.42%
⑩使　用　料　等　（所法161①十一）			20.42%
⑪給与その他人的役務の提供に対する報酬，公的年金等，退職手当等　（所法161①十二）			20.42%
⑫事業の広告宣伝のための償金　（所法161①十三）			20.42%
⑬生命保険契約に基づく年金等　（所法161①十四）			20.42%
⑭定期積金の給付補塡等　（所法161①十五）			15.315%
⑮匿名組合契約等に基づく利益の分配　（所法161①十六）			20.42%
⑯その他の国内源泉所得　（所法161①十七）	【総合課税】（所法161①一）	【総合課税】	無

（注）　源泉徴収税率には，復興特別所得税を含む。

(1) 総合課税

　恒久的施設を有する非居住者は，所得税法161条1項1号及び4号に掲げる恒久的施設帰属所得並びに同項2号，3号，5号から7号まで及び17号に掲げる国内源泉所得（恒久的施設帰属所得に該当するものを除く）が総合課税の対象となる。また，恒久的施設を有しない非居住者は，①資産の運用又は保有により生ずる所得，②資産の譲渡により生ずる所得，③土地等の譲渡による所得，④人的役務の提供事業の対価，⑤不動産の賃貸料及び⑥その源泉が国内にある所得

が総合課税の対象となる（所法164①）。

非居住者に対する総合課税の計算は，居住者に係る課税標準及び税額に準じて計算するが，雑損控除，寄附金控除及び基礎控除以外の所得控除の適用がなく，分配時調整外国税相当額控除及び外国税額控除の適用もない（所法165①）。

ただし，恒久的施設を有する非居住者が集団投資信託の収益の分配の支払を受ける場合には，その支払を受ける収益の分配に係る分配時調整外国税相当額は，恒久的施設帰属所得に係る所得の金額に係る所得税の額に相当する金額を限度に，その年分の所得税の額から控除する（所法165の5の3①）。また，恒久的施設帰属所得につき課される外国所得税があるときは，恒久的施設帰属所得に係る所得に対して課される所得税との二重課税を排除するために，外国税額が控除できる（所法165の6①）。

(注1) 国内に恒久的施設を有する非居住者が行う一般及び上場株式等の譲渡による所得については，15％（このほか復興特別所得税が課される。以下同じ）の申告分離課税となる（措法37の10①，37の11①）。

(注2) 国内に恒久的施設を有しない非居住者が行う一般株式等の譲渡による所得（事業等の譲渡に類似する所得，買集めによる所得等に限られる）については，15％の申告分離課税となる（措法37の12①）。

(注3) 国内に恒久的施設を有する非居住者株主が三角合併等により外国親法人の株式の交付を受ける場合には，その交付を受ける外国親法人の株式の価額に相当する金額が株式等の係る譲渡所得等の収入金額とみなされる（措法37の14の3①）。三角合併とは，外国企業が日本現地法人（合併法人）と日本企業（被合併法人）を合併させることによって，日本企業を傘下に収めるものである。

(注4) 懸賞金付預貯金等の懸賞金等は15％，割引債の償還差益は18％の税率による源泉分離課税となる（措法41の9①，41の12①）。

(注5) 国内に恒久的施設を有する非居住者が行う先物取引等の係る雑所得等については，15％の申告分離課税となる（措法41の14①）。

(2) 分離課税

①預貯金等の利子，②剰余金の配当等，③貸付金の利子，④工業所有権等の使用料等，⑤給与，人的報酬等，⑥事業の広告宣伝のための賞金，⑦生命保険契約等に基づく年金等，⑧金融類似商品の収益等，⑨匿名組合契約等に基づく利益の分配に係る国内源泉所得（恒久的施設帰属所得に帰せられるものを除く）は，

他の所得と分離して課税標準及び税額を計算する（所法164②）。

なお、非居住者に対する分離課税の計算は、支払を受けるべき当該国内源泉所得の金額（公的年金等、事業の広告宣伝等のための賞金及び生命保険契約等の基づく年金等は、所定の金額を控除した額）を課税標準とし、20％（預貯金等の利子等及び金融類似商品の収益等は15％）の税率を乗じて所得税額を計算する（所法169、170）。

　（注）　上場株式等の配当等については15％の税率となる（措法9の3）。

(3)　退職所得についての選択課税

非居住者が国内勤務等に基づいて支払われる退職手当等については、その支払金額に20％の税率を乗じて計算した所得税の額が源泉徴収の方法により課税される（所法170、212①）。ただし、その非居住者が所定の申告書を納税地の税務署長に提出した場合には、選択によりその支払の基因となった退職（その年中に支払を受ける退職手当等が2以上ある場合には、それぞれの退職手当等の支払の基因となった退職）を事由としてその年中に支払を受ける退職手当等の総額を居住者として受けるものとみなし、その勤続年数に応じた退職所得控除額を差し引いた残額の2分の1（短期退職手当等のうち所定のもの及び特定役員退職手当等は2分の1前）に相当する金額に累進税率を乗じて計算した所得税額によることができる（所法171）。

　（注）　退職手当の受給者である非居住者は、退職手当等の支払を受けた翌年1月1日（同日前に、その年中の退職手当等の総額が確定したときは、その確定した日）以後に、源泉徴収された税額の還付を受けるための確定申告書を提出することができる（所法173①）。

(4)　給与等につき源泉徴収を受けない場合の申告納税

非居住者が国内勤務等に基づいて支払を受ける給与等については、原則としてその支払金額に20％の税率を乗じて計算した所得税の額が源泉徴収の方法により課税されるが（所法170、212①）、この給与等について源泉徴収がされないときは、退職所得の選択課税による還付のための申告書を提出する場合（所法173①）を除き、その居住者は、その年の翌年3月15日（同日前に国内に居所を有

しないこととなる場合には、その有しないこととなる日）までに、所定の事項を記載した申告書を納税地の税務署長に提出しなければならない（所法172①）。

3．租税条約による課税の特例

　非居住者に対する課税においては、源泉地国と居住地国との間に国際的な二重課税の競合が生ずることになり、この国際的な二重課税を排除する趣旨から、それぞれの国家間において租税条約が締結されている（我が国では、現在152か国・地域との間で租税契約を締結している）。租税条約と国内法の規定が相違する場合には、一般的には租税条約が国内法に優先して適用されるが、国内法の規定が租税条約のそれよりも納税者に有利なものである場合には、国内法の規定が優先して適用されるものと解されている（プリザベーション・クローズ）。租税条約と国内法の規定が相違する主なものには、次のものがある。

(1) 所得源泉地に関する特例

　所得税法162条では、租税条約において、所得源泉地についての国内法の規定（所法161）と異なる規定が設けられているときは、その条約の規定により所得の源泉地を判定すべきものとし、国内法上は我が国に源泉がないにもかかわらず、条約上我が国に源泉があるとされた所得がある場合に、その所得が所得税の源泉徴収をすべき所得（所法161①六～十六）に係るときは、その条約により我が国に源泉があるとされた所得をこれに対応する所得税法161条6号から16号までの所得とみなして、分離課税又は源泉徴収等の規定を適用することとしている。

　また、恒久的施設を有する非居住者の恒久的施設帰属所得を算定する場合において、租税条約（その恒久的施設帰属所得に対して租税を課することができる旨の定めのあるものに限るものとし、その非居住者の恒久的施設と事業場等との間の内部取引から所得が生ずる旨の定めがあるものを除く）の適用があるときには、その非居住者の恒久的施設と事業場等との間の利子の支払に相当する事実その他一定の

事実は，内部取引に含まれないものとされる（所法162②）。

(2) 源泉徴収税率の軽減免除に関する特例

非居住者に支払われる国内源泉所得のうち源泉徴収の対象となる所得は，原則として20％（利子等については15％）の税率により源泉徴収されるが，利子，配当，工業所有権等の使用料については，租税条約によりこの税率が軽減されることがあるほか，次のように源泉徴収が免除される場合がある。

① 人的役務の提供事業の対価を免税とするもの
② 船舶，航空機の貸付の対価を免税とするもの（国際運輸業の免税）
③ 特許権等の譲渡の対価を免税とするもの
④ 短期滞在者に支払う報酬を免税とするもの
⑤ 自由職業者，学生及び事業修習者，教授等，政府職員等の人的役務の提供に対する報酬等を免税とするもの

2 法人の納税義務

1．内国法人

内国法人に対しては，源泉徴収の技術上及び徴税の確実性を帰する観点から，個人及び法人を通じて支払われる利子等や配当等の特定の所得について，所得税の納税義務者とされている（所法5③）。利子や配当など不特定多数の者に支払われる金員については，源泉徴収義務者が支払のつど，その受領者が個人であるか法人であるかをいちいち確認し，源泉徴収の要否を判定するとした場合，源泉徴収義務者の事務の繁雑となるので，これを回避する趣旨である。もっとも，法人に対する源泉徴収税額は，その実質は法人税の前払であり，その受給者たる法人に対して法人税を課する段階で法人税額から控除される（法法68①）。

内国法人に対して課する所得税の課税標準は，その内国法人が国内において支払を受けるべき①利子等，②剰余金の配当等，③定期積金の給付補塡金，④相互掛金の給付補塡金，⑤抵当証券の利息，⑥金投資（貯蓄）口座の差益，⑦外貨投資口座等の差益，⑧一時払い保険の差益，⑨懸賞金付預貯金等の懸賞金，⑩匿名組合契約等の差益，⑪馬主が受ける競馬の賞金，⑫割引債の償還差益に係る額である（所法174，措法3の3②，8の2③，8の3②，9の2①，41の9②，41の12②，41の12の2①）。

　公共法人等又は公益信託もしくは加入者保護信託が支払を受ける利子等は，貸付信託の受益権の収益の分配を除き非課税である（所法11①②）。また，金融機関等が支払を受ける利子等については，所得税の源泉徴収が行われず（措法8①②），資本金等1億円以上の内国法人が支払を受ける公社債又は社債的受益権の利子等についても，所定の手続により源泉徴収が行われない（措法8③，措令3の3⑨）。

　（注）　令和4年度の改正により，一定の内国法人が支払を受ける完全子会社株式等に係る配当等については，所得税を課さないこととし，その配当等に係る所得税の源泉徴収を行わないこととされた（所法177，212③）。令和5年10月1日以後に支払を受けるべき配当等について適用される（令和4年所法等改正附則6，8）。「一定の内国法人」とは，内国法人のうち，一般社団法人及び一般財団法人，人格のない社団等並びに法人税法以外の法律によって公益法人等とみなされている一定の法人以外の法人をいう。

2．外国法人

　外国法人は，内国法人よりも源泉徴収の対象とされる所得の範囲が広く，国内源泉所得のうち，①組合契約事業利益の配分による所得，②土地等の譲渡による所得，③人的役務の提供事業の所得，④不動産等の賃貸等の所得，⑤預貯金等の利子，⑥剰余金の配当等，⑦貸付金の利子，⑧工業所有権等の使用料等，⑨事業の広告宣伝のための賞金，⑩生命保険契約等に基づく年金等，⑪金融類似商品の収益等，⑫匿名組合契約等に基づく利益の分配に係る所得，⑬懸賞金付預貯金等の懸賞金，⑭割引債の償還差益が所得税の課税対象とされる（所法

178，措法8の2③，41の9②，41の12②，41の12の2①）。

第10章

源 泉 徴 収

1 源泉徴収は，給与などの特定の所得を支払う者が，その支払の際に所得税を徴収して納付する制度である。
2 源泉徴収の対象となる所得は，①利子等，②配当等，③給与，④退職金，⑤公的年金等のほか，各種の報酬料金など広範囲である。
3 給与所得については，「給与所得者の扶養控除等申告書」を提出すると，年末調整の手続を通じて正当な年税額が徴収されるので，給与所得者の大部分は確定申告を要しない。
4 退職所得や公的年金等の雑所得については，「退職所得の受給に関する申告書」や「公的年金等の受給者の扶養親族等申告書」を提出すると，精緻な方法で源泉徴収される。
5 非居住者又は外国法人に支払われる国内源泉所得については，源泉徴収の対象とされるものが多い。

所得税は，納税者自身がその年の所得金額とこれに対する税額を計算し，法定期限までに自発的に申告して納税をする申告納税制度を採用しているが，これと併せて，特定の所得については，その所得の支払の際に支払者が所得税を徴収して納付する源泉徴収制度もとり入れている。

　この源泉徴収制度は，給与や利子・配当などの特定の所得を支払う者（源泉徴収義務者）がその所得を支払う際に，所定の方法により所得税額を計算し，その支払金額から所得税額を差し引いて国に納付する制度である。源泉徴収された所得税の額は，源泉分離課税とされる利子所得や金融類似商品の収益等など，それがファイナルな税額とされる場合を除き，受給者の確定申告の際に精算され（例えば，報酬・料金等に対する源泉徴収税額），又は年末調整という手続を通じて精算される仕組みとなっている（例えば，給与に対する源泉徴収税額）。

　なお，平成25年1月1日から令和19年12月31日までの間に生じる所得のうち，所得税の源泉徴収の対象とされている所得については，所得税を徴収する際に，復興特別所得税を併せて徴収し，徴収した所得税と併せて納付することとされている（復興財確法26）。

 # 源泉徴収制度の仕組み

1．源泉徴収義務者

　所得税法では，利子，配当又は給与等の一定の所得の支払者に対して，その支払の際に一定の所得税を徴収して，これを国に納付する義務を課している（所法6）。これが所得の支払者に対する源泉徴収義務（徴収義務と納付義務）である。この源泉徴収義務者（支払者）と源泉納税義務者（受給者）並びに国の関係について，所得税法では，①支払者に対して源泉徴収義務を課し，源泉所得税の納付がないときは，税務署長がこれを支払者から徴収するものとし（所法221），②

第10章　源泉徴収

支払者が国に源泉所得税を納付した場合に，当該税額の全部又は一部について受給者から源泉徴収をしていなかったときは，支払者は，未徴収の税額に相当する金額をその後に支払う金額から控除し，又は受給者に当該金額の支払を請求することができることとしている（所法222）。つまり，所得税法は，専ら国と源泉徴収義務者との間に租税債権債務関係を設定するという構成をとっており，受給者は源泉徴収義務を受忍し，その納税に応ずる義務がある者として位置づけられているのである。

なお，源泉徴収義務者は，源泉徴収の対象となる所得の支払者であるから，個人や法人のほか，人格のない社団・財団も含まれるが，その例外として，常時2人以下の家事使用人のみに対して給与等の支払をする個人は，給与や退職手当，税理士報酬などの報酬・料金等について源泉徴収義務を負わないこととされている（所法184，200，204②二）。

> 最高裁昭和37年2月28日大法廷判決（刑集16巻2号212頁）では，「源泉徴収制度によって，國は所得税の徴収を確保し，徴収手続の費用と労力を節約でき，担税者は申告，納付等の繁雑な事務から免れ，また，徴収義務者は天引後翌月10日までに納付すればよいから，その利益となるところもあり，この制度は，全体として能率的合理的であって，公共の福祉の要請に応えるものである。法は，給与の支払をなす者が給与を受ける者と特に密接な関係にあって，徴税上特別の便宜を有し，能率を挙げ得る点を考慮して，これを徴税義務者としているのである。」と判示している。
>
> 最高裁平成23年1月14日判決（民集65巻1号1頁）は，上記の判決を引用して，①弁護士である破産管財人は，所得税法204条1項2号の規定に基づき，自らの報酬の支払の際にその報酬について所得税を徴収し，これを国に納付する義務を負うが，②破産債権である所得税法199条所定の退職手当等の債権に対する配当の際にその退職手当等について所得税を徴収し，これを国に納付する義務を負うものではない旨を明らかにしている。
>
> なお，最高裁昭和45年12月24日判決（民集24巻13号2243頁）では，源泉徴

収義務者が納税義務を履行しないときに税務署長が行う納税告知（通則法36）は、徴収処分であって課税処分ではないが、源泉所得税額についての税務署長の意見が初めて公にされるものであるから、支払者がこれと意見を異にするときは、納税告知に対して不服申立て又は抗告訴訟を提起することができるし、支払者が納税告知に対して不服申立てをせず又はそれが排斥されても、受給者の源泉納税義務の存否、範囲には影響しないから、受給者は支払者から追徴税額の請求を受けたときは、独自にその源泉納税義務の存否、範囲を争って、支払者の請求を拒むことができると判示している。

2．源泉徴収の対象となる所得

　源泉徴収の対象となる所得は、給与所得、退職所得又は公的年金等の雑所得を初めとして、利子所得や配当所得のほか、①原稿料、講演料、放送謝金、工業所有権等の使用料、技芸・スポーツ・知識等の教授など、②弁護士、公認会計士、税理士等の報酬・料金、③外交員、集金人、プロ野球選手、プロサッカー選手等の報酬・料金、④芸能、テレビジョン放送の出演又は演出等の報酬・料金、芸能人の役務提供に関する報酬・料金、⑤バー・キャバレー等のホステスの報酬・料金、⑥事業の広告宣伝のための賞金、⑦馬主が受ける競馬の賞金、⑧生命保険契約等に基づく年金、⑨金融類似商品の収益等、⑩匿名組合契約等に基づく利益の分配等、きわめて広範囲の所得をとり込んでいる。また、租税特別措置法においては、⑪特定口座内保管上場株式等の譲渡による所得、⑫懸賞金付預貯金等の懸賞金、⑬割引債の償還差益を源泉徴収の対象としている。

　なお、内国法人及び外国法人又は非居住者の特定の所得も源泉徴収の対象をされる。

3．源泉徴収の時期と納付

　源泉徴収による所得税の納税義務は，所得の支払の時に成立し（通則法15②二），成立と同時に特別の手続を要しないで確定する（自動確定方式，通則法15③二）。源泉徴収の時期は，源泉徴収の対象となる所得の支払の時であるが（所法181ほか），①配当等（証券投資信託及び特定受益証券発行信託の収益の分配を除く）及び②法人の役員に対する賞与については，支払の確定した日から１年を経過した日までにその支払がない場合であっても，その１年を経過した日が源泉徴収の時期となる（所法181②，183②）。また，非居住者又は外国法人が配分を受ける組合契約事業から生ずる利益について，組合契約に定める計算期間の末日の翌日から２か月を経過する日までに金銭等の交付がされない場合は，その２か月を経過する日までに源泉徴収をしなければならない（所法212⑤）。

　源泉徴収をした所得税は，徴収の日の属する月の翌月10日までに「所得税徴収高計算書（納付書）」を添えて日本銀行（国税の収納を行う代理店を含む）などに納付しなければならないが，給与の支給人員が常時10人未満の小規模な源泉徴収義務者については，税務署長の承認を受けることにより，一定の所得又は報酬に関し納期の特例が認められる（所法216）。

（注１）　納期の特例における納付期限は，①１月から６月までに支払った所得に対する源泉徴収税額は７月10日，②７月から12月までに支払った所得に対する源泉徴収税額は翌年１月20日となる。
（注２）　非居住者又は外国法人に対し国外において国内源泉所得を支払った場合には，その支払った月の翌月末日が納付期限となるなどの例外がある（所法212②，措法６②，41の22①）。
（注３）　源泉徴収選択口座内配当等及び特定口座内保管上場株式等の譲渡による所得に係る源泉徴収税額は，翌年１月10日が納付期限となる（措法37の11の４①，37の11の６⑤）。

4．推計課税による源泉所得税の徴収

　税務署長は，源泉徴収に係る所得税の徴収（青色申告書を提出した個人の不動産

所得,事業所得及び山林所得を生ずべき業務に係る支払並びに青色申告書を提出した法人の支払に係るものを除く）をする場合において，次により支払金額を推計して，所得税を源泉徴収義務者から徴収することができる（所法221②～⑥）。

① 源泉徴収義務者が給与等の支払に係る所得税を納付しなかった場合には，その給与等の支払に関する規程並びにその給与等の支払を受けた者の労務に従事した期間，労務の性質及びその提供の程度により，その給与等の支払の日を推定し，又はその給与等の支払を受けた者ごとの給与等の支払金額を推計して，源泉徴収義務者からその給与等に係る所得税を徴収する。

② 上記①によりその給与等の支払の日を推定し，又はその給与等の支払を受けた者ごとの給与等の支払金額を推計することが困難である場合には，次に掲げる「支払の日」又は「支払金額」より，源泉徴収税額を徴収する。
　　イ　給与等の支払の日……給与等の計算期間に属する各月の末日
　　ロ　給与等の支払金額……給与等の計算期間における支払総額÷給与等の支払を受けた者の人数×計算期間の月数
　（注）上記の月数は，暦に従って計算する（1月に満たない端数は1月とする。所法221④）。

③ 上記②の場合において，源泉徴収義務者の収入もしくは支出の状況，生産量，販売量その他の取扱量その他事業の規模又は財産もしくは債務の増減の状況により，給与等の支払金額の総額又は給与等の支払を受けた者の人数を推計し，源泉徴収義務者からその給与等に係る所得税を徴収する。

④ 給与等のほか，退職手当等及び報酬等並びに給与等，退職手当等又は報酬等に相当する国内源泉所得についても同様とされる。

2 利子所得及び配当所得等の源泉徴収

1．利子所得に対する源泉徴収

①居住者又は内国法人に対し国内において利子等を支払う者，②居住者又は内国法人に支払われる国外公社債等の利子等につき国内においてその支払を取り扱う者，③民間国外債の利子を居住者又は内国法人に国外において支払う者は，その支払の際，15％（ほかに復興特別所得税0.315％）の税率により源泉徴収をしなければならない（所法181①，182一，212③，措法3の3③，6②）。

2．配当所得に対する源泉徴収

①居住者又は内国法人に対し国内において配当等を支払う者，②居住者又は内国法人に支払われる国外株式等の配当等（株式投資信託の収益分配金等を含む）につき国内においてその支払を取り扱う者は，その支払の際，次の税率により所得税の源泉徴収をしなければならない（所法181①，182二，212③，措法8の2④，8の3③，9の2②，9の3①）。

① 上場株式等の配当等（大口株主が受ける配当等を除き，特定株式投資信託の収益の分配を含む），公募株式投資信託の収益の分配及び特定投資法人の投資口の配当等 ……15％（ほかに復興特別所得税0.315％）

② 大口株主が受ける上場株式等の配当等及び非上場株式等の配当等
……20％（ほかに復興特別所得税0.42％）

③ 私募公社債等運用投資信託等の収益の分配
……15％（ほかに復興特別所得税0.315％）

3．その他の金融商品の収益等に対する源泉徴収

(1) 生命保険契約・損害保険契約等に基づく年金に対する源泉徴収

居住者に対し生命保険契約・損害保険契約等に基づく年金を支払う者は，その支払の際，次の算式より計算した金額を基にして10％（ほかに復興特別所得税0.21％）の税率により源泉徴収をしなければならない（所法207，208，所令326②③）。

ただし，次の算式により計算した金額が25万円未満の場合には，源泉徴収を要しない（所法209一，所令326④⑤）。

$$その年に支払を受ける年金の額 - その年に支払を受ける年金の額 \times \frac{保険料又は掛金の総額}{年金の支払総額（見込額）}$$

なお，生命保険契約等に基づく年金のうち，その年金の支払を受ける者と保険契約者とが異なる契約等で一定のものに基づく年金については，源泉徴収を要しない（所法209二，所令326⑥）。

(2) 金融類似商品の収益等に対する源泉徴収

居住者又は内国法人に対し，①定期積金の給付補塡金，②相互掛金の給付補塡金，③抵当証券の利息，④金投資（貯蓄）口座の差益，⑤外貨投資口座等の差益，⑥一時払い保険の差益を支払う者は，その支払の際，15％（ほかに復興特別所得税0.315％）の税率により源泉徴収をしなければならない（所法209の2，209の3，212③，213②）。

(3) 匿名組合契約等の利益の分配に対する源泉徴収

居住者又は内国法人に対し，匿名組合契約（これに準ずる契約を含む）に基づく利益の分配を支払う者は，その支払の際，その利益の分配につき20％（ほか

に復興特別所得税0.42%）の税率により源泉徴収をしなければならない（所法210，211，212③，213②）。

なお，匿名組合契約に準ずる契約とは，当事者の一方が相手方の事業のために出資をし，相手方がその事業から生ずる利益を分配する契約をいう（所令288，327）。

(4) 懸賞金付預貯金等の懸賞金等に対する源泉徴収

居住者又は内国法人に対し，懸賞金付預貯金等の懸賞金等を支払う者は，その支払の際，15%（ほかに復興特別所得税0.315%）の税率により源泉徴収をしなければならない（措法41の9③）。

(5) 割引債の償還差益に対する源泉徴収

割引債を発行する者は，割引債の発行の際にその割引債を取得する個人又は法人から次の算式により計算した金額をもとに18%（ほかに復興特別所得税0.378%）の税率により源泉徴収をしなければならない（措法41の12③）。ただし，平成28年1月1日以後に発行された公社債については，発行時の源泉徴収が適用されない（措法41の12⑦）。

> 券面金額－発行価額

また，平成28年1月1日以後に個人又は内国法人のうち一般社団（財団）法人等もしくは外国法人に対して国内において割引債の償還金の支払をする者は，その支払の際，その割引債の償還金に係る差益金額に対して，15%（ほかに復興特別所得税0.315%）の税率による源泉徴収をしなければならない（措法41の12の2②）。

(注) 割引債の償還の際に源泉徴収の対象とされるものは，①割引の方法により発行された公社債，②分離元本公社債，③分離利子公社債，④利子が支払われる公社債でその利子の利率が著しく低いものをいい，差益金額は，その割引債の償還金の額に25%（償還期間が1年以内のものは20%）を乗じて計算した金額とされる（措法41の12の2⑥）。

4. 特定口座内保管上場株式等の譲渡益に対する源泉徴収

　居住者又は国内に恒久的施設を有する非居住者が源泉徴収の選択をした特定口座を通じて行われた特定口座内保管上場株式等の譲渡等により，一定の方法により計算した差益が生じた場合には，その譲渡対価等の支払をする金融商品取引業者等がその支払をする際，その差益に対して15％（ほかに復興特別所得税0.315％）の税率により源泉徴収をしなければならない（措法37の11の4①）。

3 給与所得の源泉徴収

　居住者に対し国内において給与を支払う者は，給与の支払の際に所得税の源泉徴収をし，その年の最後に給与を支払うときに年末調整を行ってその源泉徴収をした税額の過不足を精算することになっている（所法183①，190）。このため，その年分の給与等の金額が2,000万円以下で，その支払先が1か所である給与所得者については，源泉徴収手続によって年税額が国に納付され，原則として申告納税の手続を要しないこととされている（所法121①）。

1. 賞与以外の給与に対する源泉徴収

　給与所得に対する源泉徴収は，その支払う給与等が賞与である場合と賞与以外の給与である場合とで税額の算定方法が異なっているので，支払う給与等が賞与であるか又はそれ以外の給与であるかを区分する必要がある。この場合，賞与とは，定期の給与とは別に支払われる給与等で，賞与，ボーナス，夏期手当，年末手当，期末手当等の名目で支給されるものその他これに類するものをいい，①純益を基準として支給されるもの，②あらかじめ支給額（支給基準）又

は支給期の定めのないもの（雇用契約そのものが臨時である場合を除く）は賞与に該当する（所基通183－1の2）。

賞与以外の給与を支払う際に源泉徴収をする税額は，給与の支給区分及び「給与所得者の扶養控除等申告書」の提出の有無に応じ，「給与所得の源泉徴収税額表」（別表第二「月額表」，第三「日額表」）を用いて算出する（所法185）。税額表の適用区分は，次表のとおりである。

✢給与所得の源泉徴収税額表の使用区分

給与の支給区分	使用する税額表	扶養控除等申告書の提出の有無	使用する欄
① 月ごとに支払うもの ② 半月ごと，10日ごとに支払うもの ③ 月の整数倍の期間ごとに支払うもの	月額表	提出あり	甲　欄
		提出なし	乙　欄
④ 毎日支払うもの ⑤ 週ごとに支払うもの ｝日雇賃金を除く ⑥ 日割で支払うもの	日額表	提出あり	甲　欄
		提出なし	乙　欄
⑦ 日雇賃金	日額表	（提出不要）	丙　欄

(注)　「給与所得の源泉徴収税額表」は，復興特別所得税の額を含めたところで作成されている（平成24年財務省告示）。

月額表及び日額表の各欄（甲欄，乙欄，丙欄）を使用して税額を算定する方法は，次のとおりである。

①　各税額表の「甲欄」は，「給与所得者の扶養控除等申告書」の提出がある場合に使用し，「社会保険料等控除後の給与等の金額」と「甲欄」の「扶養親族等の数」欄（0人から7人までの各欄に区分されている）の該当する人数との交わるところに記載されている金額が，その求める税額となる（所法185①一）。扶養親族等の数が7人を超える場合には，扶養親族等の数が7人であるものとして求めた金額に，扶養親族等の数が7人を超える1人ごとに月額表は1,610円，日額表は50円を控除する。

なお，「給与所得者の扶養控除等申告書」は，源泉控除対象配偶者，控除対象扶養親族，障害者の有無などを記載して，毎年最初に給与の支払を

受ける日の前日までに給与の支払者（その支払者が2以上ある場合には，主たる給与の支払者）を経由して所轄の税務署長に提出（電磁的方法による提供を含む）しなければならない（所法194①）。記載内容に異動が生じた場合には，異動申告書を提出する（所法194②）。この申告書の提出がない場合には，給与等からの所得税の源泉徴収に当たって「乙欄」による税額が徴収されるほか，年末調整も行われないこととなる。

(注1)　「社会保険料等控除後の給与等の金額」とは，給与等の支払の際に控除される社会保険料と小規模企業共済等掛金との合計額を給与等の額から差し引いた残額をいう（所法188）。

(注2)　「扶養親族等の数」とは，源泉控除対象配偶者と控除対象扶養親族との合計数をいい，受給者が障害者（特別障害者を含む。以下同じ），寡婦，ひとり親又は勤労学生に該当する場合もしくはその者の同一生計配偶者又は扶養親族のうちに障害者又は同居特別障害者に該当する者がいる場合には，これらの一に該当するごとに扶養親族等の数に1人を加算した数を「扶養親族等の数」とする（所法187，別表第二(注)，（備考㈠4））。

(注3)　源泉控除対象配偶者とは，居住者（合計所得金額が900万円以下であるものに限る）の配偶者でその者と生計を一にするもの（青色事業専従者等を除く）のうち，合計所得金額が95万円以下である者をいう（所法2①三十三の四）。

(注4)　給与所得者の扶養控除等申告書等について，その申告書に記載すべき事項がその年の前年の申告内容と異動がない場合には，その記載すべき事項の記載に代えて，その異動がない旨の記載によることができる（所法194②）。令和7年1月1日以後に支払を受けるべき給与等について提出する給与所得者の扶養控除等申告書等について適用される（令和5年所法等改正附則6）。

②　各税額表の「乙欄」は，「給与所得者の扶養控除等申告書」の提出がない場合又は「従たる給与についての扶養控除等申告書」の提出がある場合に使用し，「社会保険料等控除後の給与等の金額」と「乙欄」との交わるところに記載されている金額が，その求める税額となる（所法185①二）。「従たる給与についての扶養控除等申告書」の提出があった場合には，その申告された扶養親族等の数に応じ，扶養親族等1人ごとに月額表は1,610円，日額表は50円を控除する。

(注)　「従たる給与についての扶養控除等申告書」は，2か所以上から給与の支払を受ける者が，主たる給与の支払者から受ける給与だけでは，配偶者控除，扶養控除，障害者控除及び基礎控除等の全額を控除できないと見込まれる場

合に提出する申告書で，従たる給与から配偶者控除及び扶養控除を受けるために提出するものである（所法195①）。

③　日額表の「丙欄」は，日雇賃金の支給の場合に使用する（所法185①三）。「日雇賃金」とは，日々雇い入れられる者が支払を受ける給与等で，労働した日又は時間によって算定され，かつ，労働した日ごとに支払われるものをいうが，一の給与の支払者から継続して2月を超えて支払を受ける場合におけるその2月を超えて支払われるものは除かれる（所法185①三，所令309）。

2．賞与に対する源泉徴収

賞与を支払う際に源泉徴収をする税額は，「給与所得者の扶養控除等申告書」の提出の有無，前月中に支払を受けた賞与以外の給与等の有無及び賞与の額等に応じ，「賞与に対する源泉徴収税額の算出率の表」（別表第四，以下，「算出率表」という）及び「給与所得の源泉徴収税額表」（別表第二「月額表」）によって算出する（所法186）。税額表の適用区分は，次表のとおりである。

＊賞与に対する源泉徴収税額表の使用区分

区　分	使用する税額表	扶養控除等申告書の提出の有無	使用する欄
・前月中に賞与以外の給与等の支払がある者（前月中の給与の10倍を超える賞与を除く）	算出率表	提出あり	甲　欄
		提出なし	乙　欄
・前月中に賞与以外の給与等の支払がない者 ・前月中の給与の10倍を超える賞与	月　額　表	提出あり	甲　欄
		提出なし	乙　欄

①　前月中に賞与以外の給与等の支払を受けている場合（賞与の額が前月中の給与等の10倍を超える場合を除く）には，算出率表を使用し，次により計算する。

　イ　「給与所得者の扶養控除等申告書」の提出があるとき……「甲欄」に記

載されている前月の社会保険料等控除後の給与等の金額と扶養親族等の数とに応じて「賞与の金額に乗ずる率」欄に記載されている率を求め，この率を社会保険料等控除後の賞与の額に乗じて税額を算出する（所法186①一イ）。
　ロ　「給与所得者の扶養控除等申告書」の提出がないとき（「従たる給与についての扶養控除等申告書」の提出があるときを含む）……「乙欄」に記載されている前月の社会保険料等控除後の給与等の金額に応じて「賞与の金額に乗ずる率」欄に記載されている率を求め，この率を社会保険料等控除後の賞与の額に乗じて税額を算出する（所法186①二イ）。
②　前月中に賞与以外の給与等の支払を受けていない場合や賞与の額が前月中の給与等の10倍を超える場合には，月額表を使用し，次により計算する。
　イ　「給与所得者の扶養控除等申告書」の提出があるとき……
　　(a)　社会保険料等控除後の賞与の額の6分の1（当該賞与の額の計算の基礎となった期間が6月を超えるときは，12分の1）に相当する金額に前月中の社会保険料等控除後の給与等の金額を合計する。
　　(b)　上記の(a)の額を基にして扶養親族等の数に応ずる「甲欄」に掲げる税額を求める。
　　(c)　前月中の社会保険料等控除後の給与等の金額を基にして扶養親族等の数に応ずる「甲欄」に掲げる税額を求める。
　　(d)　上記の(b)により求めた税額から(c)により求めた税額を控除し，これに6（当該賞与の額の計算の基礎となった期間が6月を超えるときは12）を乗じた金額が，その賞与に対する源泉徴収税額となる（所法186①一ロ，②一）。
　ロ　「給与所得者の扶養控除等申告書」の提出がないとき（「従たる給与についての扶養控除等申告書」の提出があるときを含む）……
　　(a)　社会保険料等控除後の賞与の額の6分の1（当該賞与の額の計算の基礎となった期間が6月を超えるときは，12分の1）に相当する金額に前月中の社会保険料等控除後の給与等の金額を合計する。

(b) 上記の(a)の額を基にして「乙欄」に掲げる税額を求める。「従たる給与についての扶養控除等申告書」の提出があるときは，扶養親族等1人について1,610円を控除する（次の(c)の場合も同じ）。

(c) 前月中の社会保険料等控除後の給与等の金額を基にして「乙欄」に掲げる税額を求める。

(d) 上記の(b)により求めた税額から(c)により求めた税額を控除し，これに6（当該賞与の額の計算の基礎となった期間が6月を超えるときは12）を乗じた金額が，その賞与に対する源泉徴収税額となる（所法186①二ロ，②二）。

3．年末調整

　年末調整とは，給与等の支払者がその年の最後の給与等を支払う際に，給与等の支払のつど源泉徴収した所得税の合計額と，その年中の給与等の総額について計算した納付すべき税額（年税額）とを比較し，その過不足の精算を行うものである。年末調整は，「給与所得者の扶養控除等申告書」を提出した受給者のうち，その年中の給与等の総額が2,000万円以下の者を対象として行うから（所法190），給与所得以外の所得がない大部分の給与所得者にとっては，確定申告に代わる役目を果たしているということができよう。

　年末調整の具体的な仕方は，次のとおりである（所法190，措法41の2の2）。

① 「年末調整等のための給与所得控除後の給与等の金額の表」（別表第五）により，その年中の給与等の総額について「給与所得控除後の給与等の金額」を求める。

② 「給与所得控除後の給与等の金額」から，「給与所得者の扶養控除等（異動）申告書」，「給与所得者の配偶者控除等申告書」，「給与所得者の保険料控除申告書」及び「給与所得者の基礎控除申告書」の記載事項等に基づいて算出した社会保険料控除額，小規模企業共済等掛金控除額，生命保険料控除額，地震保険料控除額，障害者控除額，寡婦控除額，ひとり親控除額，

勤労学生控除額，配偶者控除額，配偶者特別控除額，扶養控除額及び基礎控除額を差し引いて「課税給与所得金額」を求める。
③ 「課税給与所得金額」に税率を乗じて「算出年税額」を求める。「給与所得者の住宅借入金等特別控除申告書」の提出がある場合には，「算出年税額」から住宅借入金等特別控除額を差し引いて「年調年税額」を求める。
④ 上記の年税額と給与等の支払のつど徴収した税額の合計額とを比較し，過不足額を計算する。この結果，(a)過納額が生じたときは，その年の最後に給与等の支払をする際に徴収すべき税額に過納額を充当し，なお過納額があるときはこれを還付する（所法191）。また，(b)不足額が生じたときは，その年の最後に支払う給与等から不足額を徴収し，なお徴収しきれない不足額があるときは，その翌年において給与等の支払をする際に順次徴収する（所法192）。

（注１） 「給与所得者の配偶者控除等申告書」は，配偶者控除額及び配偶者特別控除額等を記載した申告書で，その年の最後に給与等の支払を受ける日の前日までに提出（電磁的方法による提供を含む。以下同じ）する（所法195の２）。
（注２） 「給与所得者の保険料控除申告書」は，社会保険料，小規模企業共済等掛金，生命保険料及び地震保険料を記載した申告書で，その年の最後に給与等の支払を受ける日の前日までに提出する（所法196）。
（注３） 「給与所得者の基礎控除申告書」は，年末調整において基礎控除の額に相当する金額の控除を受ける場合に提出する申告書で，その年の最後に給与等の支払を受ける日の前日までに提出する（所法195の３）。
（注４） 「給与所得者の住宅借入金等特別控除申告書」は，住宅借入金等特別控除額の計算の基礎となる借入金等の年末残高等を記載したした申告書で，「年末調整のための住宅借入金等特別控除証明書」（税務署長が発行したもの）及び「住宅取得資金に係る借入金の年末残高証明書」（金融機関が発行したもの）を添付して，その年の最後に給与等の支払を受ける日の前日までに提出する（措法41の２の２②）。
（注５） 給与等又は公的年金等の源泉徴収における源泉控除対象配偶者に係る控除の適用については，夫婦のいずれか一方しか適用できない（所法186の2，203の４）。

退職所得の源泉徴収

　居住者に対し国内において退職手当の支払をする者は，その支払の際に所得税の源泉徴収をしなければならない（所法199，200）。退職所得の源泉徴収は，退職手当の受給者がその支払先に対して「退職所得の受給に関する申告書」を提出したか否かによって税額の計算が異なる。

1．「退職所得の受給に関する申告書」の提出がある場合

① 「退職所得の受給に関する申告書」にその年中に支払済の他の退職手当がない旨の記載があるときは，①「源泉徴収のための退職所得控除額の表」（別表第六）を使用して退職所得控除額を算出し，②「課税退職所得金額の算式表」に掲げる退職手当等の区分に応じた課税退職所得金額に税率を乗じて所得税額を計算する（所法201①②）。

●課税退職所得金額の算式表

退職手当の区分	課税退職所得金額
一般退職手当等	（一般退職手当等の収入金額－退職所得控除額）$\times \frac{1}{2}$
短期退職手当等	（短期退職手当等の収入金額－退職所得控除額）≦300万円 （短期退職手当等の収入金額－退職所得控除額）$\times \frac{1}{2}$
	（短期退職手当等の収入金額－退職所得控除額）＞300万円 150万円＋｛短期退職手当等の収入金額－（300万円＋退職所得控除額）｝
特定役員退職手当等	特定役員退職手当等の収入金額－退職所得控除額

②　「退職所得の受給に関する申告書」にその年中に支払済の他の退職手当がある旨の記載があるときは，その退職手当の金額とその申告書に記載された支払済の他の退職手当の金額とを合計し，その合計額を基にして上記①と同様の方法により税額を求め，その税額から支払済の他の退職手当について徴収された税額を差し引いた残額が源泉徴収すべき税額となる（所法201①二，②）。

なお，「退職所得の受給に関する申告書」を提出している場合には，退職所得に対する課税は源泉徴収だけで所得税の課税関係が終了するので，受給者は確定申告を要しないし（所法121②），住民税も特別徴収されるから，改めて賦課通知もされない。

(注)　「退職所得の受給に関する申告書」は，①受給者の住所，氏名，個人番号，②支払者の氏名・名称，③支払済みの他の退職手当等があるかどうか並びに当該支払済みの他の退職手当等があるときは当該退職手当等が一般退職手当等，短期退職手当等又は特定役員退職手当等のいずれに該当するかの別及びその金額，④その年中に支払を受けることが確定した他の退職手当ですでに支払を受けているものがあるときは，その支払者の氏名・名称，支払済の退職手当の金額，支払年月日，その退職手当から徴収された税額，⑤退職所得控除額の計算の基礎となる勤続年数，⑥障害に基因して退職したことにより割増控除の適用がある場合はその事実等を記載して，退職手当の受給者がその支払を受ける時までに支払者を経由して所轄税務署長に提出（電磁的方法による提供を含む）しなければならない（所法203①④，所規77）。

2．「退職所得の受給に関する申告書」の提出がない場合

その退職手当の支払金額に20％（ほかに復興特別所得税0.42％）の税率を乗じて計算した税額を源泉徴収する（所法201③）。受給者は確定申告によって税額を精算することになる。

公的年金等の源泉徴収

　居住者に対し国内において公的年金等の支払をする者は，その支払の際に所得税の源泉徴収をしなければならない（所法203の2）。公的年金等に対する源泉徴収は，年金の受給者が「公的年金等の受給者の扶養親族等申告書」を提出できるか否かによって税額の計算が異なる。

　なお，国内において公的年金等の支払を受ける居住者は，原則として，毎年，最初に公的年金等の支給を受ける日の前日までに「公的年金等の受給者の扶養親族等申告書」を支払者に提出（電磁的方法による提供を含む）しなければならないが，確定給付企業年金や過去の勤務に基づき使用者であった者から支給される年金などのいわゆる3階建部分の年金受給者については，この申告書を提出することができない（所法203の6①⑤，所令319の9）。

(注)　国民年金法又は厚生年金保険法に規定する年金の支給を受ける権利の消滅時効が完成した場合において，消滅時効を援用せずに支払われる年金については源泉徴収を要しない（措法41の15の4）。

1．「公的年金等の受給者の扶養親族等申告書」の提出ができる場合

　次の算式により計算した金額が源泉徴収税額となる（所法203の3一）。

> 源泉徴収税額＝（公的年金等の支給額－控除額）×5％
> 　　　　　　　　　　　　　　　　　（ほかに復興特別所得税0.105％）

(注1)　公的年金等の支払の際に控除される社会保険料がある場合には，その社会保険料を差し引いた残額に相当する公的年金等の支払があったものとみなされる（所法203の5一）。

控除額の計算は，次のとおりとなる（所法203の3一，措法41の15の3②）。

$$(基礎的控除額＋人的控除額－控除調整額)×支給額の計算の基礎となった月数$$

イ 基礎的控除額

受給者の区分	控除額
年齢65歳以上	公的年金等の月額割×25％＋65,000円（計算した金額が135,000円未満の場合には，135,000円）
年齢65歳未満	公的年金等の月額割×25％＋65,000円（計算した金額が90,000円未満の場合には，90,000円）

ロ 人的控除額

区分	内容		控除額
本人に関するもの	① 障害者に当たる場合	一般	22,500円
		特別	35,000円
	② 寡婦に当たる場合		22,500円
	③ ひとり親に当たる場合		30,000円
源泉控除対象配偶者及び扶養親族に関するもの	④ 源泉控除対象配偶者がいる場合	一般	32,500円
		老人	40,000円
	⑤ 控除対象扶養親族がいる場合（1人につき）	一般	32,500円
		老人	40,000円
		特定	52,500円
	④及び⑤の者が障害者に当たる場合（1人につき）	一般	22,500円
		同居特別	62,500円
		その他特別	35,000円

ハ 控除調整額

厚生年金基金から支給される年金や各種退職共済年金についての控除額は，老齢基礎年金等が併給されることを考慮して，上記算式で計算した金額から一定金額（存続厚生年金基金から支給される年金については，72,500円×月数）を減額する（所法203の3二，所令319の6）。

(注1) 公的年金等の支給金額（月割額）は，公的年金等の金額をその公的年金等の支給の計算の基礎となった月数で除して計算し，その金額が4円の整数倍でないときは，その金額を超える4円の整数倍である金額のうち最も少ない金額とする（所令319の5，319の7①）。

(注2) 「公的年金等の受給者の扶養親族等申告書」の提出がない場合は，人的控除額の適用がない。

2．「公的年金等の受給者の扶養親族等申告書」の提出ができない場合

次の算式により計算した金額が源泉徴収税額となる（所法203の3七，措法41の15の3）。

```
源泉徴収税額＝（公的年金等の支給額－控除額）×10％
                           （ほかに復興特別所得税0.21％）
控除額＝〔公的年金等の支給額（月割額）×25％
```

3．公的年金等の受給者の扶養親族等申告書

国内において公的年金等の支払を受ける居住者が人的控除額の控除の適用を受けようとする場合には，「公的年金等の受給者の扶養親族等申告書」を提出（電磁的方法による提供を含む）しなければならない（所法203の6①）。ただし，次に掲げる年金の受給者については，この申告書を提出することができない。

① 確定給付企業年金法の規定に基づいて支給される年金，特定退職金共済団体の支給する年金，一定の外国年金，中小企業退職金共済法に規定する分割払の方法により支給される分割退職金，小規模企業共済法に規定する共済契約に基づく分割共済金，適格退職年金，平成25年厚生年金等改正法附則又は改正前の確定給付企業年金法の規定に基づいて支給される年金，確定拠出年金法に基づいて企業型年金規約又は個人型年金規約により老齢給付金として支給される年金

② 石炭鉱業年金基金法の規定に基づく年金
③ 過去の勤務に基づき使用者であった者から支給される年金（廃止前の国会議員互助年金法に規定する普通退職年金及び地方公務員の退職年金に関する条例の規定による退職を給付事由とする年金を除く）

(注) 公的年金等のその年中に支払を受けるべき金額が65歳未満の場合には108万円，65歳以上の場合には158万円未満であれば，「公的年金等の受給者の扶養親族等申告書」の提出を要しない（所法203の7，所令319の6，319の12，措令26の27①）。

6 報酬・料金等の源泉徴収

1．居住者に対して支払う報酬・料金等

　居住者に対し次の表に掲げる報酬・料金等の支払をする者は，その支払のつど所定の所得税を源泉徴収しなければならない（所法204①）。ただし，これらの報酬・料金等であっても，給与所得又は退職所得に該当するものについては，それぞれ給与所得又は退職所得としての源泉徴収を行うことになる（所法204②一）。また，その報酬・料金等の支払者が個人であって，その個人が給与の支払者でないとき又は給与の支払者であっても常時2人以下の家事使用人のみに対する給与の支払者であるときは，ホステス，バンケットホステス等に支払う報酬・料金を除き，源泉徴収をする必要がない（所法204②二）。

　報酬・料金等の源泉徴収税額は，原則として，その支払金額に10％（ほかに復興特別所得税0.21％。以下同じ）の税率を乗じて計算するが，一定の報酬・料金等については，①その支払金額から一定額を控除した後の金額に10％の税率を乗ずることとしているもの，②同一人に対し1回に支払われる金額が100万円を超える場合には，その超える部分の金額に20％（ほかに復興特別所得税0.42％。以下同じ）の税率を乗じて計算することとしているものがある。その概要は，次表のとおりである（所法204，205，所令320，322，措法41の20）。

第10章　源泉徴収

◆報酬・料金に対する源泉徴収の概要

報酬・料金の区分	源泉徴収税額の計算
①原稿，挿絵，写真，作曲，レコードの吹込み，デザインの報酬，②放送謝金，③著作権，工業所有権等の使用料，④講演，脚本，脚色，翻訳，校正等の報酬・料金，⑤技芸，スポーツ，知識等の指導料	報酬・料金の額×10％ （100万円超の部分は20％）
弁護士，公認会計士，税理士，社会保険労務士，弁理士，測量士，建築士，不動産鑑定士，技術士，火災損害鑑定人等の業務に関する報酬・料金	
司法書士，土地家屋調査士，海事代理士の業務に関する報酬・料金	（報酬・料金の額－1回の支払金額につき1万円）×10％
社会保険診療報酬基金から支払われる診療報酬	（診療報酬の額－その月分として支払われる金額につき20万円）×10％
プロボクサーの業務に関する報酬	（報酬・料金の額－1回の支払金額につき5万円）×10％
①プロ野球，プロサッカー，プロテニスの選手の業務に関する報酬，②プロレスラー，プロゴルファー，プロボウラー，自動車レーサー，競馬の騎手，自転車競技の選手，小型自動車競走の選手，モーターボート競走の選手，モデルの業務に関する報酬	報酬・料金の額×10％ （100万円超の部分は20％）
外交員，集金人，電力量計の検針人の業務に関する報酬	（報酬・料金の額－控除額）×10％ 控除額は，その月中の支払金額につき12万円（給与の支払がある場合には，12万円から給与の額を差し引いた金額）
映画，演劇その他の芸能人又はラジオ放送，テレビジョン放送の出演，演出，企画の報酬・料金	報酬・料金の額×10％ （100万円超の部分は20％）
ホステス，バンケットホステス，コンパニオン等の業務に関する報酬	（報酬・料金の額－控除額）×10％ 控除額は，1回の支払金額につき（5,000円×支払金額の計算期間の日数）。ただし，給与の支払がある場合の控除額には，上記の金額から給与の額を差し引く。
役務の提供を約することにより一時に支払われる契約金	契約金の額×10％ （100万円超の部分は20％）
事業の広告宣伝のための賞金	（賞金の額－1回の支払金額につき50万円）×10％
馬主に支払われる競馬の賞金	（賞金の額－1回の支払金額の20％相当額と60万円を合計した金額）×10％

最高裁平成22年3月2日判決（民集64巻2号420頁）は，所得税法施行令322条に規定する「当該支払金額の計算期間の日数」とは，ホステスが実際に勤務した日数をいうのか，それとも報酬の支払期間に応じた全日数をいうのかが争われた事案につき，「『期間』とは，ある時点から他の時点までの時間的隔たりといった時的連続性を持った概念であると解されているから，『当該支払金額の計算期間』も，当該支払金額の計算の基礎となった期間の初日から末日までという時的連続性を持った概念であると解するのが自然であり，これと異なる解釈を採るべき根拠となる規定は見当たらない。租税法規はみだりに規定の文言を離れて解釈すべきものではなく，原審のような解釈を採ることは，文言上困難であるのみならず，ホステス報酬に係る源泉徴収制度において基礎控除方式が採られた趣旨は，できる限り源泉所得税額に係る還付の手数を省くことにあったことが，立法担当者の説明等からうかがわれるところであり，この点からみても，原審のような解釈は採用し難い。そうすると，ホステス報酬の額が一定の期間ごとに計算されて支払われている場合においては，所得税法施行令322条にいう『当該支払金額の計算期間の日数』は，ホステスの実際の稼働日数ではなく，当該期間に含まれるすべての日数を指すものと解するのが相当である。」と説示し，課税庁の見解を排斥している。

2．内国法人に対して支払う報酬・料金等

　内国法人に対して次表の報酬・料金等の支払をする者は，その支払のつど所定の所得税を源泉徴収しなければならない（所法212③，213②，所令329③）。

✦内国法人に支払われる報酬・料金の源泉徴収

報酬・料金の区分	源泉徴収税額の計算
馬主に支払われる競馬の賞金	（賞金の額－1回の支払金額の20％相当額と60万円を合計した金額）×10％　（ほかに復興特別所得税0.21％）

第10章 源泉徴収

 非居住者又は外国法人の所得に対する源泉徴収

1．非居住者等の所得に対する源泉徴収税額の計算

　国内において非居住者又は外国法人に対して，①組合契約事業利益の配分，②土地等の譲渡対価，③人的役務の提供事業の対価，④不動産の賃貸料等，⑤預貯金等の利子等，⑥剰余金の配当等，⑦貸付金の利子，⑧工業所有権等の使用料等，⑨給与その他の人的役務の提供に対する報酬等，⑩事業の広告宣伝のための賞金，⑪生命保険契約等に基づく年金等，⑫金融類似商品の収益等，⑬匿名組合契約等に基づく利益の分配に係る国内源泉所得を支払う者は，その支払の際に所定の所得税額の源泉徴収をし，その徴収の日の属する月の翌月10日までに納付しなければならない（所法212①）。また，非居住者等に対する源泉徴収の場合には，国外においてその支払が行われるときであっても，その支払者が国内に事務所，事業所その他これらに準ずるものを有する場合は，国内で支払うものとみなして源泉徴収が適用され，その際に徴収した所得税は，その徴収の日の属する月の翌月末日までに納付しなければならない（所法212②）。

　この場合の源泉徴収税率は，原則として国内源泉所得の支払金額に20％（ほかに復興特別所得税0.42％）の税率を乗じて計算するが，年金や賞金のように，支払金額から所定の控除額を差し引いた上で税率を乗じることとされているものがあるほか，利子等及び私募公社債等運用投資信託等の収益の分配並びに金融類似商品の収益等は15％（ほかに復興特別所得税0.315％），土地等の譲渡対価は10％（ほかに復興特別所得税0.21％）とされている（所法213①，措法8の2③）。

　（注1）　上場株式等の配当等のうち，国内に恒久的施設を有する非居住者に支払うものは15％（ほかに復興特別所得税0.315％）の税率となる（措法9の3①）。
　（注2）　民法組合等の組合員である非居住者又は外国法人が受ける組合契約事業利益の配分については，その配分をする者を当該国内源泉所得の支払者とみなして，

利益の分配が行われる日（利益の分配が利益に係る計算期間の末日から2月を経過する日までに行われない場合は，2月を経過する日）に，20％（ほかに復興特別所得税0.42％）の税率で源泉徴収を行う（所法212①⑤，213①一）。

2．源泉徴収免除制度

　国内に恒久的施設を有する外国法人又は非居住者が税務署長から源泉徴収免除証明書の交付を受け，その証明書を国内源泉所得の支払者に提示した場合には，その証明書の有効期間内に支払われる国内源泉所得のうち，次の国内源泉所得については源泉徴収を要しない（所法180，214）。国内にある恒久的施設を通じて事業活動を行っている非居住者等については，居住者等に対して源泉徴収の対象とされない所得について源泉徴収を要しないとした措置である。

① 　組合契約事業利益の配分
② 　土地等の譲渡対価（一定のものに限る）
③ 　人的役務の提供事業の対価
④ 　不動産の賃貸料等
⑤ 　貸付金利子
⑥ 　工業所有権等の使用料等
⑦ 　人的役務の提供に対する報酬等（給与に係る部分を除く）
⑧ 　事業の広告宣伝のための賞金
⑨ 　生命保険契約等に基づく年金等

判例索引

| 最 高 裁 判 例 | 掲載判例集 | 掲載頁 |

最高裁昭和36年10月13日判決（民集15巻9号2332頁）……………………256
最高裁大法廷昭和37年2月28日判決（刑集16巻2号212頁）……………429
最高裁昭和37年3月16日判決（裁判集民事59号393頁）…………………14
最高裁昭和37年8月10日判決（民集16巻8号1749頁）……………………79
最高裁昭和38年5月31日判決（民集17巻4号617頁）………………………382
最高裁昭和38年10月29日判決（裁判集民事68号529頁）…………………168
最高裁昭和38年12月17日判決（民集17巻12号1871頁）……………………382
最高裁昭和39年11月13日判決（裁判集民事76号85頁）……………………393
最高裁昭和40年9月8日判決（刑集19巻6号630頁）………………………165
最高裁昭和40年9月24日判決（民集19巻6号1688頁）……………………165
最高裁昭和45年12月24日判決（民集24巻13号2243頁）……………………429
最高裁昭和46年11月9日判決（民集25巻8号1120頁）……………………168
最高裁昭和47年12月26日判決（民集26巻10号2083頁）……………124, 166
最高裁昭和48年7月10日決定（刑集27巻7号1205頁）……………389, 390
最高裁昭和48年10月5日判決（税務訴訟資料71号506頁）………………166
最高裁昭和49年3月8日判決（民集28巻2号186頁）………………………164
最高裁昭和50年5月27日判決（民集29巻5号641頁）………………………115
最高裁昭和53年2月24日判決（民集32巻1号43頁）…………………165, 166
最高裁昭和56年4月24日判決（民集35巻3号672頁）………………66, 67, 79
最高裁昭和58年9月9日判決（民集37巻7号962頁）………………………95
最高裁昭和58年12月6日判決（訟務月報30巻6号1065頁）………………95
最高裁昭和60年3月27日判決（民集39巻2号247頁）………………………90
最高裁昭和60年6月7日判決（税務訴訟資料145号782頁）………………166
最高裁昭和62年5月8日判決（訟務月報34巻1号149頁）…………………404
最高裁昭和62年10月30日判決（裁判集民事152号93頁）…………………380
最高裁昭和62年11月10日判決（裁判集民事152号155頁）…………………366
最高裁平成2年3月23日判決（判例時報1354号59頁）……………………22
最高裁平成2年5月11日判決（訟務月報37巻6号1080頁）………………168
最高裁平成4年7月14日判決（民集46巻5号492頁）………………………132
最高裁平成4年9月10日判決（訟務月報39巻5号957頁）…………………133
最高裁平成5年2月18日判決（判例タイムズ812号168頁）………………272
最高裁平成6年9月13日判決（裁判集民事173号79頁）……………………130
最高裁平成6年9月16日決定（刑集48巻6号357頁）………………………190
最高裁平成7年4月28日判決（民集49巻4号1193頁）……………………404

最高裁平成10年11月10日判決（裁判集民事190号145頁）………………………	166
最高裁平成13年7月13日判決（訟務月報48巻7号1831頁）……………………	68
最高裁平成16年11月2日判決（訟務月報51巻10号2615頁）…………………	214
最高裁平成17年1月25日判決（民集59巻1号64頁）…………………………	83
最高裁平成17年2月1日判決（裁判集民事216号279頁）……………………	130
最高裁平成17年3月10日判決（民集59巻2号379頁）………………………	384
最高裁平成18年4月20日判決（判例時報1933号76頁）……………………	135
最高裁平成18年4月20日判決（民集60巻4号1611頁）……………………	400
最高裁平成18年10月24日判決（民集60巻8号3128頁）…………………	84, 400
最高裁平成19年9月28日判決（民集61巻6号2486頁）……………………	145
最高裁平成22年3月2日判決（民集64巻2号420頁）………………………	450
最高裁平成22年3月30日判決（裁判集民事233号327頁）…………………	160
最高裁平成22年7月6日判決（民集64巻5号1277頁）……………………	29
最高裁平成23年1月14日判決（民集65巻1号1頁）…………………………	429
最高裁平成23年2月18日判決（裁判集民事236号71頁）……………………	8
最高裁平成24年1月13日判決（民集66巻1号1頁）…………………………	142
最高裁平成24年1月16日判決（裁判集民事239号555頁）…………………	142
最高裁平成27年3月10日判決（刑集69巻2号434頁）……………………	139
最高裁平成27年6月12日判決（民集61巻4号1121頁）……………………	70
最高裁平成27年7月17日判決（民集69巻5号1253頁）……………………	58
最高裁平成27年10月8日判決（裁判集民事251号1頁）…………………	86
最高裁平成29年12月15日判決（民集71巻10号2235頁）…………………	140
最高裁令和2年3月24日判決（裁判集民事263号63頁）……………………	126
最高裁令和3年3月11日判決（民集75巻3号418頁）………………………	52, 54

判例索引

高　裁　判　例	掲載判例集	掲載頁
大阪高裁昭和52年9月29日判決	（税務訴訟資料100号1257頁）	190
東京高裁昭和53年3月28日判決	（行集29巻3号364頁）	95
大阪高裁昭和53年12月25日判決	（行集29巻12号2107頁）	95
東京高裁昭和55年10月30日判決	（行集31巻10号2309頁）	130
大阪高裁昭和59年5月31日判決	（判例タイムズ534号115頁）	96
東京高裁昭和59年11月20日判決	（行集35巻11号1821頁）	383
大阪高裁昭和60年7月5日判決	（行集36巻7・8合併号1101頁）	224
東京高裁昭和61年6月23日判決	（行集37巻6号908頁）	400
大阪高裁昭和61年6月26日判決	（税務訴訟資料152号540頁）	134
大阪高裁昭和63年9月27日判決	（判例時報1300号47頁）	22
福岡高裁昭和63年11月22日判決	（税務訴訟資料166号505頁）	137
名古屋高裁平成元年10月31日判決	（税務訴訟資料174号521頁）	257
名古屋高裁平成2年1月29日判決	（税務訴訟資料175号204頁）	30
東京高裁平成3年6月6日判決	（訟務月報38巻5号878頁）	13
東京高裁平成4年3月30日判決	（行集43巻3号559頁）	272
東京高裁平成5年5月28日判決	（行集44巻4・5合併号479頁）	226
名古屋高裁平成5年9月22日判決	（税務訴訟資料198号1132頁）	138
東京高裁平成7年9月5日判決	（税務訴訟資料213号553頁）	223
高松高裁平成8年3月26日判決	（行集47巻3号325頁）	167
福岡高裁那覇支部平成8年10月31日判決	（判例タイムズ929号151頁）	166
東京高裁平成10年6月23日判決	（税務訴訟資料232号755頁）	395
東京高裁平成11年5月31日判決	（税務訴訟資料243号127頁）	395
東京高裁平成11年6月21日判決	（判例タイムズ1023号165頁）	122, 397
仙台高裁平成11年10月27日判決	（訟務月報46巻9号3700頁）	68
東京高裁平成15年3月10日判決	（判例タイムズ1861号31頁）	375
大阪高裁平成15年8月27日判決	（税務訴訟資料253号順号9416）	86
東京高裁平成16年2月19日判決	（判例時報1858号1頁）	83
東京高裁平成16年3月16日判決	（訟務月報51巻7号1819頁）	225
東京高裁平成16年6月9日判決	（判例時報1891号18頁）	214
名古屋高裁平成17年10月27日判決	（税務訴訟資料255号順号10180）	68
東京高裁平成18年9月14日判決	（判例時報1969号47頁）	138
東京高裁平成19年10月30日判決	（訟務月報54巻9号2120頁）	70
東京高裁平成20年2月28日判決	（判例タイムズ1278号163頁）	8
大阪高裁平成20年9月10日判決	（裁判所ＨＰ「行集」）	97
名古屋高裁平成22年6月24日判決	（裁判所ＨＰ「行集」）	26
仙台高裁平成22年12月8日判決	（裁判所ＨＰ「行集」）	160
東京高裁平成23年6月29日判決	（裁判所ＨＰ「行集」）	138

東京高裁平成23年10月6日判決（訟務月報59巻1号173頁）……………………207
大阪高裁平成23年11月17日判決（訟務月報58巻10号3621頁）………………256
大阪高裁平成24年4月26日判決（訟務月報59巻4号1143頁）…………………119
東京高裁平成24年7月19日判決（裁判所ＨＰ「行集」）……………………………69
東京高裁平成24年9月19日判決（判例時報2170号20頁）…………………………188
名古屋高裁平成25年1月24日判決（裁判所ＨＰ「行集」）…………………………58
東京高裁平成25年7月10日判決（裁判所ＨＰ「行集」）…………………………138
東京高裁平成26年2月12日判決（税務訴訟資料264号順号125405）……………163
東京高裁平成26年4月9日判決（訟務月報60巻11号2448頁）……………………184
大阪高裁平成26年6月18日判決（裁判所ＨＰ「行集」）…………………………138
東京高裁平成27年3月19日判決（訟務月報61巻10号1966頁）……………………57
東京高裁平成28年11月17日判決（税務訴訟資料266号順号12934）……………139
東京高裁平成28年12月1日判決（裁判所ＨＰ「行集」）…………………………413
広島高裁平成29年2月8日判決（税務訴訟資料267号順号12978）…………………87
名古屋高裁平成29年12月14日判決（税務訴訟資料267号順号13099）…………114
大阪高裁平成30年5月18日判決（裁判所ＨＰ「行集」）…………………………173
東京高裁平成30年7月19日判決（訟務月報66巻12号1976頁）……………………126
東京高裁令和元年5月22日判決（訟務月報65巻11号1657頁）……………………175
東京高裁令和元年5月29日判決（税務訴訟資料269号順号13276）………………54
東京高裁令和元年11月27日判決（金融商事判例1587号44頁）………………………9
大阪高裁令和2年5月22日判決（訟務月報66巻12号1991頁）……………………187
大阪高裁令和2年12月24日判決（税務訴訟資料270号順号13502）………………26
東京高裁令和3年2月27日判決（訟務月報68巻2号134頁）…………………………75
大阪高裁令和4年7月20日判決（公刊物未掲載）……………………………………12

地　裁　判　例	掲載判例集	掲載頁
東京地裁昭和43年4月25日判決	（行集19巻4号763頁）	65
高松地裁昭和48年6月28日判決	（行集24巻6・7合併号511頁）	189
水戸地裁昭和48年11月8日判決	（判例タイムズ303号235頁）	225
東京地裁昭和50年3月25日判決	（訟務月報21巻6号1322頁）	191
東京地裁昭和52年2月7日	（税務訴訟資料91号3938頁）	118
名古屋地裁昭和54年1月29日判決	（行集30巻1号80頁）	166
大阪地裁昭和56年6月26日判決	（行集32巻6号972頁）	224
奈良地裁昭和57年6月25日判決	（判例タイムズ481号109頁）	185
大阪地裁昭和57年7月16日判決	（行集33巻7号1558頁）	222
静岡地裁昭和60年3月14日判決	（税務訴訟資料144号485頁）	167
神戸地裁昭和61年9月24日判決	（判例時報1213号34頁）	22
福岡地裁昭和62年7月21日判決	（訟務月報34巻1号187頁）	137
東京地裁昭和63年4月20日判決	（行集39巻3・4合併号302頁）	134
東京地裁平成元年4月17日判決	（訟務月報35巻10号2004頁）	395
名古屋地裁平成元年7月28日判決	（税務訴訟資料173号417頁）	30
東京地裁平成3年2月26日判決	（行集42巻2号278頁）	272
東京地裁平成3年2月28日判決	（判例時報1381号32頁）	130
東京地裁平成4年3月10日判決	（訟務月報39巻1号139頁）	130, 169
名古屋地裁平成4年9月16日判決	（判例時報1470号65頁）	138
静岡地裁平成5年11月5日判決	（訟務月報40巻10号2549頁）	225
名古屋地裁平成5年11月19日判決	（税務訴訟資料199号819頁）	186
徳島地裁平成7年4月28日判決	（訟務月報42巻7号1818頁）	188
静岡地裁平成8年7月18日判決	（行集47巻7・8合併号632頁）	168
東京地裁平成8年11月29日判決	（判例時報1602号56頁）	12
東京地裁平成10年2月24日判決	（判例タイムズ1004号142頁）	238
東京地裁平成10年5月13日判決	（判例時報1652号72頁）	123
盛岡地裁平成11年4月16日判決	（訟務月報46巻9号3713頁）	67
京都地裁平成14年9月20日判決	（裁判所ＨＰ「下級裁判所判例集」）	86
東京地裁平成14年11月26日判決	（判例タイムズ1106号283頁）	83
東京地裁平成15年7月16日判決	（判例時報1891号44頁）	213
東京地裁平成15年8月26日判決	（判例タイムズ1129号285頁）	83
横浜地裁平成16年1月21日判決	（金融商事判例1184号4頁）	83
さいたま地裁平成16年4月14日判決	（判例タイムズ1204号299頁）	224
名古屋地裁平成16年10月28日判決	（判例タイムズ1204号224頁）	68
大阪地裁平成20年2月29日判決	（判例タイムズ1267号196頁）	96
大分地裁平成21年7月6日判決	（裁判所ＨＰ「下級裁判所判例集」）	25
東京地裁平成22年10月8日判決	（訟務月報57巻2号524頁）	138

東京地裁平成22年11月18日判決（裁判所ＨＰ「行集」）……………………………69
大阪地裁平成23年10月14日判決（訟務月報59巻4号1125頁）………………119
大阪地裁平成24年2月28日判決（訟務月報58巻11号3913頁）………………162
大阪地裁平成27年4月14日判決（裁判所ＨＰ「行集」）……………………………234
東京地裁平成28年11月29日判決（裁判所ＨＰ「行集」）…………………………191
東京地裁平成29年1月13日判決（税務訴訟資料267号順号12954）……………167
名古屋地裁平成29年6月29日判決（税務訴訟資料267号順号13028）…………114
東京地裁平成30年4月19日判決（裁判所ＨＰ「行集」）………………………57, 161
長野地裁平成30年9月7日判決（訟務月報65巻11号1644頁）…………………175
大阪地裁令和3年4月22日判決（税務訴訟資料271号順号13553）………………12
千葉地裁令和2年6月30日判決（訟務月報67巻5号701頁）……………………174
東京地裁令和2年9月1日判決（税務訴訟資料270号順号13443）………………67
東京地裁令和4年2月24日判決（公刊物未掲載）……………………………………317
東京地裁令和4年8月31日判決（公刊物未掲載）……………………………………218

事項索引

〔あ〕

青色事業専従者給与……………62, 215
青色申告制度 ………………………379
青色申告特別控除………………62, 216
青色申告の承認制度 ………………379
青色申告の承認の取消し …………383
青色申告の特典 ……………………381
暗号資産の譲渡原価等 ……………180

〔い〕

遺産分割と譲渡所得 ………………116
一時所得……………28, 31, 39, 135, 237
一時所得の金額 ……………………141
一時払い保険の差益………………46
一律源泉分離課税………………17, 42, 45
一括償却資産……………………73, 195
一般株式等を譲渡した場合の課税の
　特例 …………………………………314
一般退職手当等……………………98
一般NISA …………………………319
一般の生命保険料 …………………267
一般利子等……………………………42
移転補償金 …………………………303
遺留分侵害額の請求に基づく資産の
　移転……………………………………117
医療費控除 …………………………258
インピューティド・インカム ……19

〔う〕

売上原価 ……………………………176

〔え〕

NPO法人 …………………………274
エンジェル税制 ……………………323

〔お〕

延滞税 …………………………………398
延納 ……………………………………377
延納に係る利子税………………62, 183

〔か〕

海外渡航費 …………………………186
外貨建等証券投資信託の収益の分配に
　係る配当控除率 ……………………334
外貨建取引の換算 …………………218
外貨投資口座等の差益……………46
開業費 ………………………………205
介護医療保険料 ……………………268
外国所得税額が減額された場合の
　特例 ……………………………162, 343
外国税額控除 ……………………339, 420
外国法人 ……………………10, 410, 424
外国法人課税所得 …………………10
概算取得費控除 ……………………298
買取再販住宅 ……………………346, 349
開発費 ………………………………205
学資に充てるため給付される金品……85
確定所得申告 ………………………370
確定申告不要制度 …………………291
確定損失申告 ………………………373
貸倒損失……………………62, 206, 210
貸倒引当金 …………………………210
貸付金の利子 ………………………415
家事費及び家事関連費 ……………174
過少申告加算税 ……………………398
課税最低限 …………………………252
課税山林所得金額 …………………287
課税総所得金額 ……………………286
課税退職所得金額 …………………286
家内労働者等の事業所得等の所得金額
　の特例……………………………………76

459

寡婦控除 …………………………………276	失の損益通算及び繰越控除 …………308
株式移転 …………………………………326	居住用財産の譲渡所得の課税の特例 …305
株式交換 …………………………………326	居住用財産の譲渡所得の特別控除 ……305
株式投資信託の収益の分配金 …………293	記録保存・記帳制度 …………………384
簡易簿記による方法 ……………………380	金銭の貸借とされるリース取引 ………231
換価分割 …………………………………116	金投資（貯蓄）口座益……………………46
換地処分等に伴い資産を取得した場合の課税の特例 ……………………303	勤務必要経費 ……………………………92
	金融商品先物取引等 ……………………328
還付 ………………………………………378	金融類似商品の収益等………45, 417, 434
還付等を受けるための申告 ……………372	勤労学生控除 ……………………………278
	勤労者財産形成住宅貯蓄………………44
〔き〕	勤労者財産形成年金貯蓄………………44
期限後申告 ………………………………363	
期限内申告 ………………………………363	〔く〕
既成市街地等内にある土地等の中高層耐火建築物等の建設のための買換え（交換）の特例 …………………313	国や地方自治体の実施する子育てに係る助成……………………………23
	組合契約事業利益の配分 ………………413
基礎控除 …………………………………284	繰延資産 …………………………………204
帰宅旅費……………………………………92	繰延消費税額等 …………………………217
寄附金 ……………………………………187	
寄附金控除 ………………………………272	〔け〕
求償権の行使不能 ………………224, 367	経済的利益………………………………80, 155
休業手当……………………………………85	経費補償金 ………………………………303
旧長期損害保険契約 ……………………270	減価償却資産の取得価額 ………………198
給与，人的役務の報酬等 ………………416	減価償却の対象となる資産 ……………194
給与所得 …………………………38, 79, 88	減価償却の方法 …………………………195
給与所得控除………………………………88	減価償却費の計算 ………………………199
給与所得者の住宅借入金等特別控除申告書 ……………………………442	現金主義による方法 ……………………380
	研修費………………………………………90
給与所得者の特定支出………………………90	懸賞金付預貯金等の懸賞金等………46, 435
給与所得者の基礎控除申告書 …………441	源泉控除対象配偶者 ……………………438
給与所得者の配偶者控除等申告書 ……441	源泉徴収義務者 …………………………428
給与所得者の扶養控除等申告書 ………437	源泉徴収選択口座内配当等 ……………291
給与所得者の保険料控除申告書 ………441	源泉徴収の時期 …………………………431
給与所得の源泉徴収 ……………………436	源泉徴収の対象となる所得 ……………430
強制調査 …………………………………389	源泉徴収免除制度 ………………………452
共同的施設の負担金 ……………………205	源泉分離課税………………………………17
居住者 …………………………………7, 410	源泉分離選択課税…………………………17
居住用財産の買換え等の場合の譲渡損	現物給与…………………………………80, 155

事項索引

現物分割 …………………………116
権利確定主義 ……………………164

〔こ〕

公益社団法人等寄附金特別控除 ………357
交換・買換え等の特例 ……………300
交換処分等に伴い資産を取得した場合
　の課税の特例 …………………303
恒久的施設（ＰＥ）………………411
公共法人等 ………………………424
工業所有権等の使用料 ……………416
合計所得金額 …………………277,318
工事進行基準 ……………………228
控除対象外消費税額等 ……………217
控除対象配偶者 …………………279
控除対象扶養親族 ………………282
公社債投資信託の収益の分配金……41,293
公社債の利子………………………41
合同運用信託の収益の分配金………41
更正決定等 ………………………389
更正の請求 ………………………364
更正の理由附記 …………………381
公的年金等以外の雑所得 ………143,237
公的年金等に係る雑所得 …………146
公的年金等の源泉徴収 ……………445
公的年金等の受給者の扶養親族等
　申告書 …………………………445
公募株式投資信託の特別分配金 ………293
公募公社債等運用信託の収益の分配金…42
国外所得金額 ……………………339
国外転出をした者が帰国をした場合等
　の更正の請求 …………………367
国外中古建物から生ずる不動産所得
　の損失 …………………………240
国外転出をする場合の譲渡所得等の
　特例 ……………………………126
国外転出時に課税された資産の取得
　価額等 …………………………127
国外に居住する親族に係る扶養控除 …283

国内源泉所得………………………10,410
個人所得課税 ……………………2,3
個人年金保険料 …………………268
国庫補助金等 ……………………159
固定資産 …………………………124
固定資産の交換の特例 ……………123
５分５乗方式 ……………18,78,287

〔さ〕

災害 ………………………………255
災害減免法 ………………………258
災害等に関連するやむを得ない支出 …256
財産債務調書 ……………………386
財産分与 …………………………115
再調査の請求 ……………………405
債務確定主義 …………………174,210
債務処理計画に基づき評価減された
　減価償却資産等の損失の必要経費
　算入 ……………………………76
債務免除益 ………………58,86,161
先物取引に係る雑所得等の課税の
　特例 ……………………………328
雑所得………………………………40,143
雑損控除 …………………………22,254
雑損控除の対象となる損失 ………255
雑損失の繰越控除 ………………247
山林所得 ……………………39,72,107
山林所得の概算経費控除 …………109
山林所得の森林計画特別控除 ………110
山林所得の総収入金額 ……………109
山林所得の必要経費 ……………109
山林の損失 ………………………208

〔し〕

資格取得費…………………………92
自家消費 ………………19,75,109,157
事業所得 ……………………38,64,73
事業所得と給与所得の区分…………65
事業所得と山林所得の区分…………72

461

事業所得と譲渡所得の区分	73	住宅借入金等特別控除の適用要件	353
事業所得の総収入金額	64, 75	住宅耐震改修特別控除	358
事業所得の必要経費	75	従たる給与についての扶養控除等申告書	438
事業所得の付随収入	57, 65	集団投資信託	15, 338
事業専従者控除	62, 216	収入金額に代わる性質を有するもの	23, 163
事業と称するに至らない業務用資産の損失	208	収入金額の意義	154
事業の広告宣伝のための賞金	417	収入金額の計上時期	164, 169
事業を廃止した後に生じた費用	62, 226	収用等に伴い代替資産を取得した場合の課税の特例	110, 302
自己株式の取得とみなし配当	55	収用等の場合の課税の特例	301
資産損失	62, 205	出国の場合の確定申告	375
資産の移転等の支出に充てるための交付金	160	出張旅費等	84
資産の運用又は保有により生ずる所得	412	ジュニアNISA	322
資産の譲渡により生ずる所得	413	取得価額の引継ぎ	131
地震保険料控除	269	取得条項付株式	327
事前通知	391	準確定申告書	375, 390
実質所得者課税の原則	11	純資産増加説	3, 18
質問検査権	390	純損失の繰越控除	245
指定寄附金	273	純損失の繰戻し還付	249
自動確定方式	431	準棚卸資産	73
支払調書	387	障害者控除	275
死亡退職金に対する課税	31	障害者等マル優制度	32
死亡の場合の確定申告	374	傷害保険金等に対する課税	30
死亡保険金に対する課税	27	少額減価償却資産	73, 195
資本剰余金の額の減少	47, 53	少額重要資産	73
資本的支出	192	小規模企業共済等掛金控除	263
シャウプ税制（勧告）	6, 213, 334	小規模事業者等の収入及び費用	229
社会保険診療報酬に係る必要経費の特例	75	償却累積額による償却費の特例	199
社会保険料控除	262	上場株式等に係る配当所得等の申告分離課税	290
借地権又は地役権の更新料	185		
収益補償金	163, 303	上場株式等の譲渡損失の損益通算及び繰越控除	318
重加算税	403		
従事分量配当	71	上場株式等の配当等に対する源泉徴収税率	291
修正申告	363		
修正申告の勧奨	392	上場株式等を譲渡した場合の課税の特例	315
修繕費と資本的支出	192		
住所	7	譲渡資産の取得費	129

事項索引

譲渡所得の基因となる資産 …………112	生活用動産の譲渡による所得………21,239
譲渡所得の基因となる譲渡 …………113	正規の簿記の原則 ……………216,380
譲渡所得の金額 …………………121	生計を一にする親族 ………………214
譲渡所得の総収入金額 ………………122	制限納税義務者 …………………410
譲渡所得の対象となる借地権等…………60	税込経理方式 ……………………217
譲渡所得の特別控除額 ………………299	生産高比例法 ……………………197
譲渡代金が回収不能となった場合 ……221	政党等寄附金特別控除 ………………355
譲渡費用の範囲 ……………………133	税抜経理方式 ……………………217
消費税の経理処理 …………………216	税務調査 ………………………389
剰余金の配当………………47,332,415	生命保険金等の課税 ………………137
賞与に対する源泉徴収 ………………439	生命保険契約等に基づく一時金 ……142
職務上の旅費 ………………………91	生命保険契約等に基づく年金
職務発明の対価と所得区分 …………118	……………………149,417,434
所得金額調整控除…………………88	生命保険料控除 …………………264
所得源泉説………………………18	接待交際費 ……………………187
所得控除 ………………………252	セルフメディケーション税制 ………261
所得分類の意義………………………36	〔そ〕
所有権移転外リース取引 ……………197	
人格のない社団等…………………10	相互掛金の給付補填金…………………46
申告納税制度………………………5,362	総収入金額報告書 …………………385
申告分離課税 …………………17,45	総所得金額等の合計額 ………………254
審査請求 ………………………405	租税回避行為 ……………………396
心身障害者扶養共済制度 ……………263	租税公課 ………………………183
親族が事業から受ける対価 …………213	租税条約 ………………………422
信託財産に係る収入及び支出の帰属……14	その源泉が国内にある所得 …………418
信託に係る所得金額の計算 …………231	損益通算の意義 …………………236
人的役務の提供事業の対価 …………414	損益通算の順序 …………………241
新ＮＩＳＡ ……………………320	損益通算の対象とならない損失 ………236
	損害賠償金………………………23,189
〔す〕	損失の繰越控除 …………………299
推計課税 ………………382,393,431	〔た〕
スイッチＯＴＣ医薬品 ………………261	
ストック・オプション………82,156	対価補償金 ……………………303
ストリップス債……………………41	代償分割 ………………………116
	退職給与引当金 …………………212
〔せ〕	退職金の打切り支給…………………94
税額計算の仕組み …………………286	退職所得控除額……………………98
生活に通常必要でない資産 ……220,238	退職所得についての選択課税 ………421
生活に通常必要な資産 ………………255	退職所得の源泉徴収 …………………443

463

退職所得の受給に関する申告書 ……… 443
退職年金等信託 …………………………… 15
多世帯同居改修工事等 …………… 354, 358
立退料の所得区分 ……………………… 112
タックスヘイブン対策税制 …………… 145
建物を賃借するための権利金 ………… 205
棚卸資産 ……………………………… 73, 176
棚卸資産の自家消費 …………………… 157
棚卸資産の贈与等 ……………………… 157
棚卸資産の取得価額 …………………… 176
棚卸資産の評価方法 …………………… 177
短期退職所得控除額 ……………………… 99
短期退職手当等 …………………………… 98
短期前払費用 …………………………… 183

〔ち〕

中小企業経営強化税制 ………………… 203
中小企業投資促進税制 ………………… 203
長期譲渡所得と短期譲渡所得の区分 … 121
長期損害保険契約 ……………………… 270
長期大規模工事 ………………………… 228
調査結果の通知・説明 ………………… 391
帳簿書類等の留置き …………………… 391

〔つ〕

通勤手当 ………………………………… 84
通勤費 …………………………………… 91
つみたてＮＩＳＡ ……………………… 319

〔て〕

定額法 …………………………………… 197
定期積金の給付補塡金 ………………… 46
抵当証券の利息 ………………………… 46
定率法 …………………………………… 197
テレワーク手当の非課税 ……………… 81
転居費 …………………………………… 91
電子申告における第三者作成書類の
　添付省略 …………………………… 376
転廃業助成金等 ………………………… 159

〔と〕

同一生計配偶者 ………………………… 276
同業者団体の加入金 …………………… 205
同居特別障害者 ………………………… 275
同居老親等 ……………………………… 282
同族会社の行為計算の否認 …………… 395
特定一般用医薬品等購入費を支払った
　場合の医療費控除 ………………… 261
特定課税仕入れ ………………………… 218
特定株式投資信託 ……………………… 294
特定管理株式等の価値喪失による損失
　………………………………………… 316
特定寄附金 ……………………………… 273
特定寄附信託契約 ……………………… 45
特定居住用財産の譲渡損失の損益通算
　及び繰越控除 ……………………… 309
特定口座内保管上場株式等 …… 316, 436
特定口座年間取引報告書 ……………… 317
特定公社債 ………………………… 42, 315
特定受益証券発行信託 ……… 47, 294, 334
特定譲渡制限付株式 …………………… 156
特定証券投資信託 ……………………… 333
特定新規中小会社 ……………………… 274
特定増改築をした場合の特別控除 …… 357
特定中小会社が発行した株式に係る
　譲渡損失の繰越控除 ……………… 325
特定中小会社が発行した株式の取得費
　控除 ………………………………… 323
特定中小企業がその設立の際に発行した
　株式の取得に要した金額の控除 …… 323
特定投資法人 …………………………… 293
特定の居住用財産の買換え（交換）の
　特例 ………………………………… 307
特定の事業用資産の買換え（交換）の
　特例 ………………………………… 310
特定の増改築等に係る住宅借入金等
　特別控除 …………………………… 354
特定被災事業者用資産の損失 ………… 246

事 項 索 引

特定非常災害に係る雑損失の繰越控除の
　特例 ……………………………………247
特定非常災害に係る純損失の繰越控除の
　特例 ……………………………………246
特定扶養親族 ……………………………282
特定役員退職手当等 …………………39, 98
特別障害者 ………………………………275
特別償却 …………………………………202
特別定額給付金 ……………………………20
特別特例取得 ……………………………346
特別農業所得者 …………………………368
匿名組合契約等に基づく利益の分配
　…………………………………70, 418, 434
土地譲渡類似株式等の譲渡 ……………299
土地等の譲渡による所得 ………………413
土地の上に存する権利 …………………118
取替法 ……………………………………198

〔な〕

内国法人 ……………………………10, 423

〔に〕

肉用牛の売却による所得 …………………33
入学に関する寄附 ………………………274
任意調査 …………………………………389
認定ＮＰＯ法人 ……………………274, 356
認定賞与 ……………………………………85
認定住宅新築等特別控除 ………………359

〔ね〕

年末調整 …………………………………441

〔の〕

納期の特例 ………………………………431
農産物の収穫 ……………………………158
納税管理人 …………………………128, 376
納税義務者 …………………………7, 410, 423
納税義務の確定手続 ……………………362
納税申告 …………………………………363

納税地 ………………………………………10
納付 …………………………………376, 431
延払基準 …………………………………227
延払条件付譲渡 …………………………378

〔は〕

配偶者控除 ………………………………279
配偶者特別控除 …………………………281
配偶者居住権の取得費 …………………131
配偶者居住権及び配偶者敷地利用権の
　消滅による取得 …………………117, 122
配当控除 …………………………………332
配当控除の順序 …………………………335
配当所得の負債利子控除 …………………48
売買とされるリース取引 ………………230
パス・スルー課税 ………………14, 15, 67
発行法人から与えられた株式を取得
　する権利 ………………………………158
販売費，一般管理費 ……………………182

〔ひ〕

非永住者 ……………………………………9
非課税口座内の少額上場株式等に係る
　配当所得等 ……………………………296
非課税口座内の少額上場株式等に係る
　譲渡所得等 ……………………………319
非課税所得 ………………………20, 32, 44, 84, 120
非課税貯蓄申告書 …………………………32
非居住者 ……………………………7, 410, 451
被災事業用資産の損失の金額 …………242
必要経費の意義 …………………………173
ひとり親控除 ……………………………278

〔ふ〕

復興特別所得税 ……………………289, 428
不動産所得の総収入金額 …………………61
不動産所得の必要経費 ………………61, 62
不動産投資信託（REIT） ………………293
不動産等の賃貸料 ………………………414

465

不納付加算税 …………………………402
不服申立て ……………………………404
扶養控除 ………………………………282
扶養親族 ………………………………282
振替納税 ………………………………377
プリザベーション・クローズ ………422
フリンジ・ベネフィット………………80
分収育林契約 …………………………108
分収造林契約 …………………………108
分配時調整外国税相当額控除 ………338
分離課税の短期譲渡所得 ……………298
分離課税の長期譲渡所得 ……………297
分離利子公社債…………………………41

〔へ〕

ペイ・スルー課税………………………15
弁護士費用 ……………………………191
変動所得……………………………78, 287
変動所得・臨時所得の平均課税 ……287
返品調整引当金 ………………………211

〔ほ〕

報酬・料金等の源泉徴収 ……………448
法人課税信託……………………………15
法定資料 ………………………………385
法定申告期限 …………………………363
法定納期限 ……………………………376
簿外経費の必要経費不算入 …………190
補償金に対する課税 …………………303
保証債務を履行するために資産を譲渡
　した場合 ……………………………222

〔み〕

未成年者口座内の少額上場株式等に係る
　譲渡所得等 …………………………322
みなし譲渡所得 ………………124, 131
みなし配当………………………………50
みなし利子………………………………41
民間国外債…………………………45, 433

民法組合から受ける組合員の所得………67

〔む〕

無記名公社債の利子等 ………………172
無申告加算税 …………………………400
無制限納税義務者 ……………………410

〔め〕

免税所得…………………………………33
免税対象飼育牛…………………………33
免責許可の決定等により債務免除を
　受けた場合 …………………………161

〔ゆ〕

有価証券の譲渡原価等 ………………178
有限責任事業組合員の事業所得等の
　所得計算の特例………………………77

〔よ〕

預貯金等の利子……………………41, 415
予定納税額の減額 ……………………369
予定納税基準額 ………………………368
予定納税制度 …………………………368

〔り〕

利益連動債………………………………45
リース期間定額法 ……………197, 230
リース譲渡に係る収入及び費用 ……227
リース取引 ……………………196, 229
リストリクテッド・ストック ………156
臨時所得……………………………78, 287

〔れ〕

暦年課税…………………………………15

〔ろ〕・〔わ〕

老人控除対象配偶者 …………………279
老人扶養親族 …………………………282
割引債の償還差益 ……………………435

著者紹介

池本　征男（いけもと・ゆくお）

略　歴

国税庁審理室・法務省訟務局課長補佐，税務大学校主任教授，東京国税不服審判所横浜支所長，大和・八王子税務署長などを経て，平成12年に税理士開業，平成13年度から平成23年度まで中央大学兼任講師。第57回～第59回税理士試験委員。現在に至る。

所得税法 －理論と計算－〔十七訂版〕

2005年7月10日	初版発行
2006年8月1日	改訂版発行
2007年7月10日	三訂版発行
2008年8月15日	四訂版発行
2009年7月15日	五訂版発行
2010年8月1日	六訂版発行
2012年8月1日	七訂版発行
2014年8月1日	八訂版発行
2015年7月10日	九訂版発行
2016年8月1日	十訂版発行
2017年7月1日	十一訂版発行
2018年8月1日	十二訂版発行
2019年9月1日	十三訂版発行
2020年9月10日	十四訂版発行
2021年9月1日	十五訂版発行
2022年9月1日	十六訂版発行
2023年9月10日	十七訂版発行

著　者　池本　征男
発行者　大坪　克行
発行所　株式会社 税務経理協会
　　　　〒161-0033東京都新宿区下落合1丁目1番3号
　　　　http://www.zeikei.co.jp
　　　　03-6304-0505

印　刷　光栄印刷株式会社
製　本　牧製本印刷株式会社

本書についての
ご意見・ご感想はコチラ

http://www.zeikei.co.jp/contact/

本書の無断複製は著作権法上の例外を除き禁じられています。複製される場合は，そのつど事前に，出版者著作権管理機構（電話03-5244-5088，FAX03-5244-5089, e-mail: info@jcopy.or.jp）の許諾を得てください。

JCOPY ＜出版者著作権管理機構 委託出版物＞
ISBN 978-4-419-06948-3　C3032

© 池本征男 2023 Printed in Japan